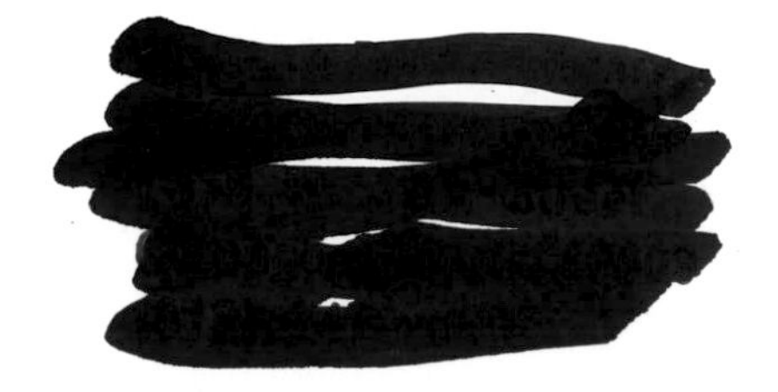

# Ideas y Trucos
## para el hogar

**Dirección editorial:** Raquel López Varela
**Coordinación editorial:** Ángeles Llamazares Álvarez
**Diseño de la colección:** David de Ramón y Blas Rico
**Diseño de cubierta:** David de Ramón y Blas Rico
**Textos:** Hemisferio
**Maquetación:** Carmen García Rodríguez y Eva Martín Villalba
**Fotografías:**
Agustín Berrueta, Archivo Everest, Clara Neuimie/Photoalto (páginas 69 -inferior-, 254, 255), Corine Malet/Photoalto (páginas 20, 33 -superior- y 46 -inferior izquierda-, 143, 146, 149 -superior derecha-, 152, 153 -recuadro-, 161 -superior-, 163 -inferior-, 169 -superior-, 174 -derecha-, 175, 176, 180, 182, 183, 184, 186 -derecha-, 187 -inferior-, 189 -izquierda-, 192 -inferior-, 200 -izquierda-, 201 -central-, 228, 229), Imagen MAS, Iñaki Preysler (Trece por dieciocho), James Hardy (página 39), Jean-Louis Aubert (páginas 308, 312 -superior-, 314 -inferior izquierda-, 315 -inferior izquierda-, 325 -inferior-, 332 -superior-, 334), José María Rueda Delgado (ilustración de la página 333), Laurence Mouton/Photoalto (páginas 210, 211, 212, 213 -inferior-, 215 -izquierda-, 216 y 225 -inferior derecha-), Patrick Sheándell O´Carroll/Photoalto (páginas 160 -inferior izquierda-, 194, 204, 218, 231 -inferior-, 235, 245 -inferior-, 250, 251 -inferior-, 264 -derecha- y 265, 364, 368, 372, 373, 388, 391 -inferior-, 393, 394, 395, 396, 400, 401 -inferior-), Philippe Ugheto (páginas 22, 25, 29 -derecha-, 30 -superior e inferior-, 92 -inferior derecha-, 123 -superior-, 125, 191 -superior-, 199 -inferior-, 202 -derecha-), Pierre Bourrier/Photoalto (página 189 -superior-), I. Rozenbaum & F. Cirou/Photoalto (páginas 215 -derecha-, 377), Téo Lannié/Photoalto (páginas 33, 213 -superior- y 234, 397 -derecha-, 398, 399 -superior- y 401 -superior-).


Carretera León-La Coruña, km 5 - LEÓN
ISBN: 84-241-8825-X
Depósito Legal: LE: 91-2006
Printed in Spain - Impreso en España

EDITORIAL EVERGRÁFICAS, S. L.
Carretera León-La Coruña, km 5
LEÓN (ESPAÑA)

**www.everest.es**
**Atención al cliente: 902 123 400**

# Ideas y Trucos
## para el hogar

EVEREST

# Contenidos

1. Organización de la casa, habitación por habitación 7
Organización de la casa 9
Habitación por habitación 41

2. Bricolaje, decoración y sencillos arreglos y mejoras 73
Bricolaje y decoración 75
Sencillos arreglos y mejoras 107

3. La limpieza de la casa y el cuidado de la ropa 139
La limpieza de la casa 141
El cuidado de la ropa 173

4. Convivencia familiar, seguridad y primeros auxilios 205
Convivencia familiar 207
Seguridad y primeros auxilios 239

5. El cuidado de tus plantas y la salud de tus mascotas 271
El cuidado de tus plantas 273
La salud de tus mascotas 305

6. Alimentos, bebidas y buenas maneras en la mesa 337
Alimentos y bebidas 339
Buenas maneras en la mesa 371

Índice 402

# Organización de la casa, habitación por habitación

A veces, los más pequeños detalles son fundamentales para crear un determinado ambiente. Déjeme que le ponga un ejemplo: en noviembre de 1999, la estación de trenes de la ciudad de Heerlen, cerca de Maastricht, decidió emitir música clásica en sus instalaciones. ¿Sabe para qué? Simplemente para evitar la presencia de drogadictos que se instalaban en los pasillos de la estación. Los holandeses habían copiado la idea de la compañía de metro de Hamburgo, que ya había obtenido muy buenos resultados, así que parece que Bach, Beethoven y Chopin han abierto un nuevo campo para la "cultura disuasoria".

El ejemplo muestra que un gran problema puede tener una solución sencilla, y que el medio es determinante para crear un ambiente u otro. En ocasiones, dejamos que el estrés, el ruido, los trastos, el desorden y otras alteraciones invadan nuestra casa, se apoderen de nuestras vidas y deterioren nuestro entorno. A veces, para tener una casa más acogedora basta con una mano de pintura de un color más cálido, unos cuadros más alegres o cuatro flores en la ventana... menos trastos en medio, y parece que la casa ya respira de otra forma.

La primera parte de este capítulo se centra en las cuestiones generales para la organización de la casa. Una correcta organización del espacio, a la que se dedican varias páginas, proporciona sensación de orden, de amplitud y de confort, y una buena organización del tiempo ayuda a saborear y rentabilizar cada momento del día. Además, también encontrará trucos y consejos prácticos para el ahorro, la seguridad en el hogar y la ecología en casa.

La segunda parte del capítulo se concentra más en las diferentes estancias, muy especialmente en la organización de la cocina, aunque también hay páginas dedicadas a los pasillos, el recibidor, la biblioteca, el despacho y hasta algunos trucos para la terraza, el balcón y el jardín.

De esta manera, podrá aplicar los trucos de manera concreta y efectiva, pero no olvide el ejemplo del principio: lo que finalmente resulta determinante es el ambiente que se crea. El orden de las cosas está directamente relacionado con nuestro orden mental. Y recuerde también que los trucos son como las costumbres: una vez asimiladas, funcionan sin que nos demos cuenta.

Esperamos que tanto estas cuestiones generales como la serie de trucos que encontrará a continuación le sirvan para mejorar de verdad la organización de su casa que, en definitiva, es la organización de su vida.

Mc
E

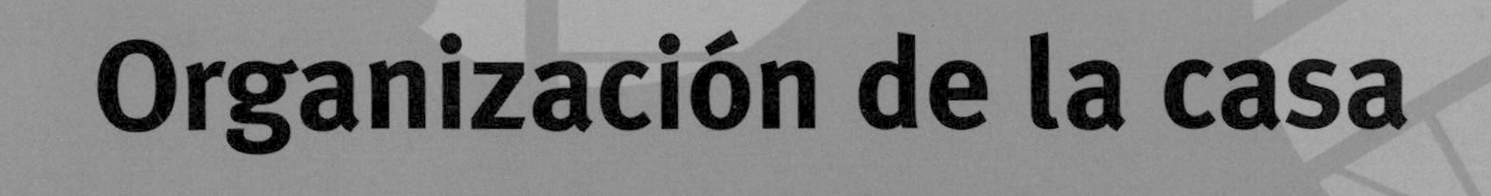

# Organización de la casa

# La organización del espacio

*La correcta organización del espacio es una cuestión práctica. Con una buena distribución de su casa aprovechará más el espacio y disfrutará de más comodidad y bienestar. Primero hay que plantearse una visión general de la casa, que afecta a la distribución de las estancias y a sus diferentes usos. La orientación de las habitaciones repercute en la luz natural de la que puede disfrutar, y también en la temperatura que tendrá en cada una de ellas. Las habitaciones que dan al Norte tienen menos luz natural y suelen ser las más frías, mientras que las habitaciones que dan al Sur pueden ser muy agradables en invierno pero muy calurosas en verano. Unas estancias pueden tener problemas de insonorización, porque dan a la calle o a un área comunitaria, y por tanto no son las mejores para descansar o trabajar, y otras pueden tener problemas de movilidad, porque se han de compartir con otros miembros de la familia. Luego, hay una segunda cuestión, que es la distribución del espacio dentro de cada una de estas estancias. Aquí se unen los elementos prácticos y los elementos estéticos. La elección de los muebles adecuados, la comodidad de la estancia, su multifuncionalidad y otros aspectos determinarán su óptimo aprovechamiento.*

## Conozca el esqueleto de su casa

Es importante que conozca cuáles son las paredes maestras, las medianeras y los tabiques de su casa, ya que esto le permite replantearse la distribución general del espacio. Tres habitaciones pequeñas pueden transformarse fácilmente en dos más grandes tirando un tabique, o un salón puede ampliarse considerablemente si se le une la habitación contigua. También puede ocurrir al revés, quizá necesite un nuevo tabique para separar estancias. Sea como fuere, piense de forma abierta, no mire la distribución de la casa como algo fijo y no tenga miedo a replantearse el espacio.

La casa debe adaptarse a las nuevas circunstancias: puede que hayan tenido un hijo, que usted se haya establecido por su cuenta y trabaje en casa, puede que tengan que traerse a los abuelos a casa, o que sean ustedes los abuelos y ya se hayan marchado sus 3 hijos.

## La prioridad es la movilidad

Una cosa es la casa sobre el plano, cómo se la imagina, y otra muy distinta es vivir en ella. La distancia entre lo estático y lo dinámico resulta abismal. Si cada vez que pasa por el pasillo tiene que esquivar el jarrón chino, o cada vez que pisa la alfombra ha de hacer equilibrios, no hay buena movilidad. Los pasos principales han de estar despejados, y los objetos delicados, en rincones protegidos. Piense que encontrarse un obstáculo diez veces al día es una fuente de estrés asegurada.

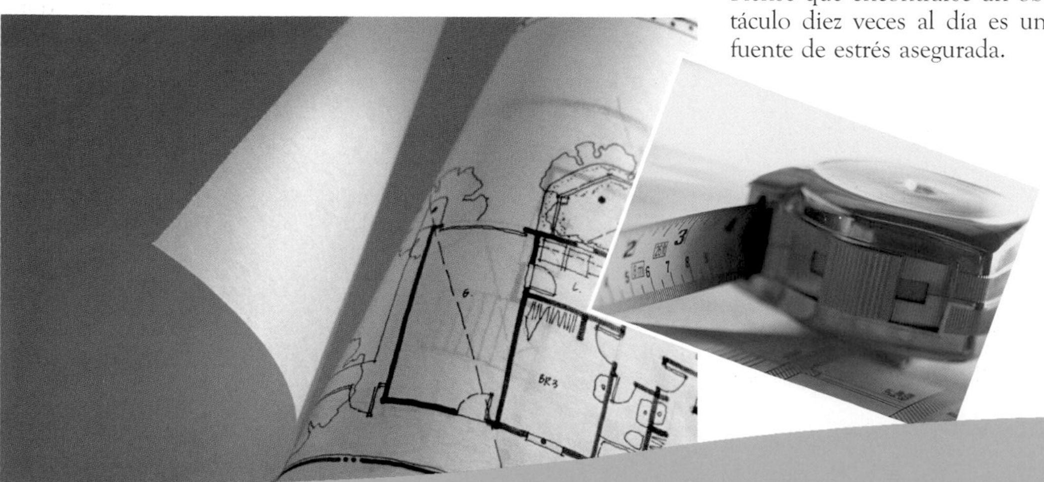

## Cambios estructurales

Son más costosos, ya que incluyen obras y permisos, pero muchas veces suponen un cambio importantísimo en la casa. Estos son algunos ejemplos:

- Tirar o levantar diferentes tabiques.
- Bajar los techos para ganar altillos.
- Cubrir parte de la terraza para ampliar el salón.
- Crear armarios empotrados.
- Abrir un hueco para pasar platos de la cocina al comedor, etcétera.

## Cambios en la decoración

Dan mucho margen y están al alcance de los presupuestos más modestos:

- Las mayores innovaciones se han creado en el diseño de interiores para habitaciones de niños. Las literas ganan espacio en vertical y se aprovechan para crear zonas de estudio, armarios y cajoneras integradas en un solo bloque. Cualquier catálogo de muebles incluye un buen repertorio de estas habitaciones.
- La incorporación de ruedas a muchos muebles ha revolucionado el concepto estático de la decoración. Mesas, botelleros, muebles para el televisor, carritos y otros accesorios permiten cambiar los muebles de sitio según las necesidades del momento. Hoy son elementos claves para la multifuncionalidad de una sala.
- Lo mismo ocurre con las guías: el caso más ilustrativo es el de las bibliotecas, donde la estantería frontal se desplaza para poder acceder a la estantería trasera.
- Las mesas de ordenador son un caso especial: la pantalla y el teclado ya no se "comen" parte del escritorio, y el diseño atiende tanto a la economía de espacio como a la comodidad en el trabajo. Además, existen diseños muy cuidados y a buen precio.

### Recuerde

*Quien construyó la casa lo hizo atendiendo a necesidades generales y usted tiene necesidades personales.*
*Hay que pensar en 3 dimensiones: conciba el espacio en vertical, a lo largo y a lo ancho. Aproveche la creatividad de los diseñadores y la movilidad de las ruedas y las guías.*

# Feng Shui: el arte chino de armonizar el espacio

*El Feng Shui se practica en China desde hace 3 000 años. Es un conjunto de técnicas ancestrales para vivir en armonía con el entorno. Los chinos se preocupan mucho por el emplazamiento y la orientación de sus casas, por la decoración y por el uso que se le da a cada habitación y siempre buscan un diseño que armonice con la Naturaleza. Hoy, el Feng Shui se practica en todo el mundo, e incluso existen decoradores especializados en esta técnica.*

## Los 8 enriquecimientos

Según el Feng Shui, la casa se divide en 8 áreas llamadas "enriquecimientos". Cada una de ellas corresponde a un aspecto de la vida: **la fama, la salud, el placer, los amigos, las relaciones, los hijos, la educación y el dinero**. Es muy importante que estos enriquecimientos estén bien orientados. La fama siempre mira hacia el Sur y lo ideal es que esté en la puerta de casa. El resto de enriquecimientos corresponden al resto de estancias. Únicamente hay que conocer qué espacios de su casa son los indicados para potenciar cada enriquecimiento.

## El octógono de Pah Kwa

Las 8 áreas que corresponden a los 8 enriquecimientos se encuentran representadas en el octógono de **Pah Kwa**. El octógono tiene que ponerse sobre el plano de la casa en cuestión y así ver qué energías positivas están potenciadas en cada punto de su hogar.

### Recuerde

*Los chinos creen en una energía universal llamada Ch'i. Al abrir la puerta, deja que entre el Ch'i y aporte vitalidad.*

1. Elabore un plano sencillo de su casa (o un esquema de las habitaciones, más o menos a escala) y marque claramente la puerta de entrada en casa.
2. Calcule la orientación de su casa con una brújula y señale dónde está el Sur. Si no tiene brújula puede orientarse por el movimiento del sol. Recuerde que el sol sale por el Este y se pone por el Oeste.
3. Dibuje un octógono del Pah Kwa, preferiblemente sobre papel transparente y un poco

más grande que el plano de la casa.

4. Superponga el octógono sobre el plano haciendo coincidir el centro de la figura y el centro del plano, y situando la fama en la parte Sur de la casa.
5. Ahora puede ver qué aspectos de la vida están potenciados en cada estancia. Mire si donde estudian sus hijos corresponde a la educación, si donde trabaja usted corresponde al dinero, o si el área del placer está bien localizada.

Lo más adecuado sería tener, por lo tanto, la fama en la puerta de entrada, el placer en su habitación, etc.

**Recuerde**

*El octógono de Pah Kwa puede resultar muy útil porque nos ayuda a localizar las energías positivas en cada punto de la casa. Quizás últimamente falla la relación de pareja y resulta que el placer cae sobre el área de trabajo, ¿será que el trabajo le absorbe tanto que descuida su relación de pareja? Recuerde que puede activar la energía positiva siguiendo alguno de los consejos anteriores.*

## Corregir el Feng Shui

No se preocupe demasiado si la situación de las habitaciones no coincide del todo con los **enriquecimientos ideales**. Siempre puede pasar el despacho a otra estancia, incluso acondicionar un rincón en el salón, o cambiar a los niños de habitación.

En otros casos no podrá hacer estos cambios, pero existen pequeñas acciones que se pueden realizar sobre una habitación que ayudan a ***purificar sus energías*** y a corregir las orientaciones inadecuadas. La idea es superar la mala orientación con una buena armonía interna.

### PLANTAS

- Incorpore plantas a la decoración, sobre todo con hojas redondeadas que dejan fluir mejor la ***energía***. Piense que la vida de las plantas se asocia al enriquecimiento del dinero.
- Armonice la ***cocina*** con la **Naturaleza** siguiendo las estaciones del año: tenga a la vista las frutas y plantas de cada temporada.

### ESPEJOS

- Ponga un espejo ***en una estancia orientada incorrectamente*** y el reflejo mostrará la imagen bien orientada.
- Ponga espejos también para ***rechazar energías negativas***, como una habitación orientada hacia una vista desagradable.
- Añada espejos y velas ***para mejorar la iluminación***, ya que la luz es una de las manifestaciones más puras de energía.

### COLORES

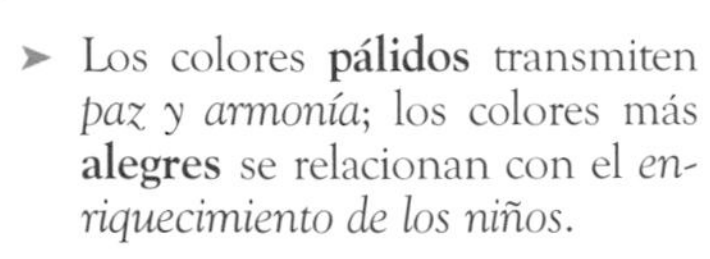

- Los colores **pálidos** transmiten *paz y armonía*; los colores más **alegres** se relacionan con el *enriquecimiento de los niños*.

### MOVIMIENTO

- El **movimiento** se relaciona con el ***enriquecimiento de las relaciones***: el agua es lo ideal, pero también puede utilizar móviles, campanillas, telas, etc.

### AGUA Y PECES

- Tenga una pecera en casa: el agua y los peces (siempre en número impar) son ***símbolo de vida***. Piense qué falta en su existencia y ponga un remedio. Si no puede tener una pecera, utilice figuritas o estampados con algún pez.

# La luz y el color

*La luz y el color producen sensaciones que pueden mejorar notablemente nuestra noción del espacio. La luz natural transmite más vida, más naturalidad y más alegría que la luz artificial. Por su parte, los colores blancos aumentan la sensación de paz y de amplitud, y los tonos vainilla o melocotón aportan calidez a la habitación. La correcta elección de estos matices repercute directamente en las sensaciones psíquicas que produce la casa, así que vale la pena tener presente algunas consideraciones.*

## La luz natural

### La intensidad

- Las ventanas orientadas al **Sur** dejan entrar luz intensa.
- Las orientadas al **Norte** proporcionan una luz fría y constante.
- Las que miran al **Este** reciben luz intensa por la mañana y luz neutra al ir avanzando el día.
- Las orientadas al **Oeste** muestran luz de tarde, a veces rojiza con la puesta del sol.

### Ahorre dinero

*Si aprovecha al máximo la luz natural del día, notará cómo la factura de la luz baja considerablemente. Aproveche la luz natural de una habitación utilizando un espejo que la refleje hacia una zona oscura.*

### Luz horizontal y luz vertical

- En **verano** la luz penetra con más verticalidad.
- En **invierno** la luz es más horizontal.

### Regular la entrada de luz

- Una **doble cortina** es muy efectiva: una opaca más cerca del cristal y una más fina y decorativa por delante.
- Las **cortinas de desplazamiento vertical** permiten que entre luz sólo a ras del suelo o por la parte alta, facilitando la entrada de luz y manteniendo la privacidad.
- Los **visillos** permiten un buen paso de luz, incluso cuando cubren toda la ventana.

- Las **persianas y porticones** son los métodos más extremos, pues permiten dejar totalmente a oscuras la habitación. Una persiana casi totalmente bajada, que deja entrar la luz por las finas líneas que separan las láminas, crea una luz rayada que decora la habitación y que resulta muy relajante.
- Mantenga los **cristales** siempre lo más limpios posible, y use productos de limpieza adecuados: mejorará la entrada de luz y evitará los reflejos.
- Una **pared blanca** favorece la luminosidad; una **oscura** absorbe la luz.

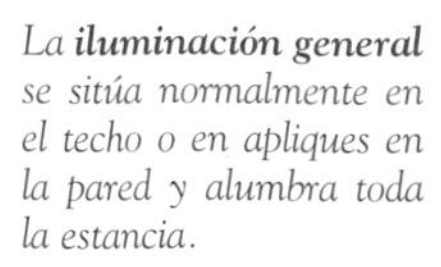

*La **iluminación general** se sitúa normalmente en el techo o en apliques en la pared y alumbra toda la estancia.*

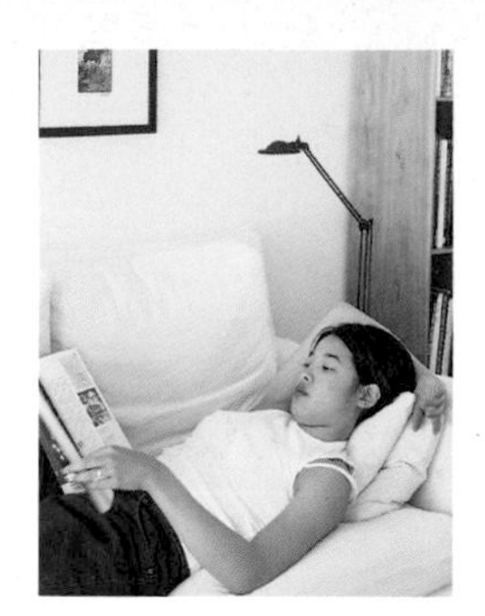

*La **iluminación puntual** se concentra en un lugar concreto, junto a una butaca de lectura, junto al sillón donde se cose o en un escritorio. Es fundamental para mejorar la calidad de visión de algunas tareas concretas, y básica para no forzar la vista.*

## La luz artificial

*La **iluminación de exposición** realza un objeto concreto, por ejemplo un cuadro, una escultura o una vitrina de trofeos. Muchas veces se utiliza como luz ambiental, por ejemplo dejando el acuario siempre encendido en el salón, de manera que si se levanta por la noche la casa no está totalmente a oscuras.*

*La **iluminación decorativa** no busca tanto la iluminación práctica; más bien pretende realzar la belleza y los aspectos decorativos que ofrece la luz. Puede utilizar luces de colores, luces que iluminan el interior de un objeto, etc. Consulte las revistas especializadas: aparecen numerosas ideas.*

## Factores psicológicos del color

- *Los colores **cálidos** (del amarillo al rojo) son estimulantes e inspiran proximidad. Deben dosificarse en pequeños detalles, ya que son muy intensos.*
- *Los colores **fríos** (azules, verdes y violetas) relajan e inspiran lejanía.*
- *Los colores **neutros** (como el gris y el beige) combinan bien con todo y son tranquilizantes.*

## El color

- Un espacio **demasiado grande** se reduce con colores cálidos y oscuros.
- Un espacio **pequeño** parece más amplio en blanco, con tonos claros y fríos.
- Los **contrastes fuertes** rompen la unidad y reducen el espacio.

## El cuarto de estar

Suele ser la estancia más complicada de la casa a la hora de establecer un esquema de iluminación, ya que se utiliza de día y de noche y concentra diferentes actividades. Un salón soleado armonizará bien en tonos azules y verdes con una iluminación cálida por la noche. Sin embargo, un cuarto de estar sombrío quizá necesite tonos anaranjados y amarillos para crear sensación de calor.

# Dividir y prolongar los espacios

*Las paredes no son el único modo de dividir el espacio de una casa. Existen numerosas posibilidades para dividir las estancias sin hacer obras, soluciones muy económicas y que aportan personalidad a nuestro hogar. Lo importante es definir los diferentes ambientes aprovechando el espacio al máximo. Son técnicas que suelen utilizarse en estudios o apartamentos pequeños, y también en estancias grandes pero multifuncionales.*

## Soluciones prácticas para dividir espacios

Éstas son algunas de las propuestas más interesantes para dividir espacios. El tipo de separación depende del nivel de aislamiento que busque. Una cocina debe cerrarse totalmente, mientras que una cama puede transparentarse tras una tela o unos estores de caña.

- **Los biombos** son separadores plegables y transportables. Tienen la gran ventaja de que se pueden llevar de un sitio a otro y se pueden abrir o cerrar a voluntad.
- **Las puertas plegables** son cada vez más utilizadas. Pueden separar una sala en dos para sólo utilizar una o ambas y son muy útiles cuando no hay espacio para abrir todo el ángulo de la puerta. Se utilizan mucho para ocultar cocinas en los estudios.
- **Los estores de caña** también son muy prácticos. Colgados del techo, separan estancias dejando pasar la claridad y creando una luz cálida, y enrollados hacia arriba abren todo el espacio. Se utilizan cuando la sala de estar y la cama están en el mismo espacio, o para separar sala y área de trabajo.
- **Las estanterías y librerías** sin fondo son muy adecuadas para separar espacios de forma clara, pero dejando que la luz respire entre los huecos de los libros y figuras.
- **Las barras** son muy decorativas para separar dos estancias en la cocina, la cocina del comedor en un apartamento, o incluso el mueble bar en un salón.
- **Diferentes colores en las paredes** de una zona y otra pueden ser suficientes para establecer separaciones sin una división física clara. La sensación visual tiene ese poder.
- **Las alfombras** pueden ser también suficientes para marcar espacios. En un rincón de la sala, una alfombra amplia bajo el escritorio define un ámbito especial para el trabajo.
- **La iluminación** también crea estas sensaciones, colocando, por ejemplo, una luz puntual para la lectura junto a una butaca.

## Dar la espalda

A veces, las cosas son mucho más sencillas de lo que parecen. Basta con orientar un sillón de espaldas a la cama para evitar continuamente la sensación de un solo ambiente.

En las casas con diferentes estancias esta técnica se suele utilizar mucho para separar el salón del comedor. Para este fin, es habitual ver un sillón de espaldas al comedor, o bien un sofá en "L" que aporta la misma sensación.

## Truco ecológico

*Utilice plantas colgantes para separar estancias. Pueden colgarse del techo si no son muy pesadas, y dan un aspecto muy fresco y natural a la estancia.*

## Prolongar la vista

Otra forma de trasladar los espacios es orientar la mirada hacia las ventanas y balcones. Un pequeño escritorio junto a una ventana prolonga la vista más allá de los límites espaciales de la habitación, de manera que la sensación es que la estancia queda ampliada por el espacio exterior.

## Elimine o abra nuevas puertas

Para prolongar la vista puede eliminar algunas puertas. A veces, es cómodo no encontrar una puerta para entrar a lavarse las manos o mirarse un momento en el espejo. Puede que la puerta deba estar en la ducha o en el retrete y no en todo el cuarto de baño. Piense también si es necesaria la puerta que separa el pasillo del salón. En numerosas ocasiones, los pasillos se convierten en un escaparate de puertas y la casa parece un hotel. También puede ocurrir todo lo contrario: que le interese abrir una puerta entre 2 habitaciones porque tiene una persona enferma a su cargo o porque continuamente va de una estancia a la otra.

# El orden en casa

*El orden es la colocación de las cosas en su lugar correspondiente. Es una rutina que una vez adquirida facilita enormemente la vida. Cada cosa está en su sitio y por tanto es fácil encontrarla, está en buen estado de conservación y junto a otras cosas similares. No hay nada peor que ir a buscar un libro y encontrar la portada doblada, el libro abierto con un ovillo de lana aplastado en su interior y algunas migas de pan entre las páginas. Seguro que si se colocara en la biblioteca cada vez que se deja de leer no habría pasado por el costurero y por la cocina. Cuando se descubre que, con un mínimo de esfuerzo y de rutina, se puede mejorar enormemente la calidad de vida, ya se conoce el gran secreto del orden.*

## Las 10 reglas del orden en casa

1. Un poco de orden es muy positivo; un exceso de orden puede ser agobiante.
2. No hay duda de que el orden economiza espacio, tiempo y dinero.
3. El orden en las cosas está relacionado directamente con el orden mental: una cabeza ordenada acaba organizando bien la casa, pero también ocurre que una casa ordenada ayuda a organizar mejor la mente.
4. En cuestión de orden hay que marcarse metas realistas; a veces basta con ordenar un armario para aliviar el peso del desorden.
5. Es más fácil mantener el orden día a día que dejar que el desorden se apodere de la casa y tener que empezar de cero.
6. El orden de la casa tiene que ser cosa de todos los miembros de la familia: como si de una empresa se tratase, lo mejor es la especialización del trabajo, que cada uno se encargue de una tarea o de una habitación.
7. No haga las cosas dos veces si puede hacerlas una sola vez; el ejemplo más claro se encuentra en la cocina: el estofado que cocina hoy estará delicioso, incluso mejor aún, para mañana, así que no dude en incrementar la cantidad y cocinar una sola vez para dos servicios.
8. Si lo piensa un poco, seguro que la mitad de las cosas que tiene no sirven para nada, son trastos que ha ido acumulando con el tiempo y que constituyen el principal elemento de desorden: regale y tire con generosidad.
9. La memoria es limitada, así que no intente retenerlo todo: una buena opción es hacer listas de tareas pendientes, así como utilizar agendas para recordar las fechas señaladas.
10. Cada cosa tiene que estar siempre en su sitio: no perderá inútilmente el tiempo en encontrarla ni, por supuesto, tendrá que esforzarse en recordar dónde está. Hágalo en archivadores, armarios, altillos, cajones.

*Desde el cajón de la ropa interior hasta el cuarto trastero, pasando por el interior de la nevera, la despensa, la habitación de los niños o el cuarto de la plancha, cualquier lugar es más agradable y práctico con un poco de orden.*

## La caja de herramientas

- El orden le asegura encontrar siempre las herramientas que busca, que estén en buen estado de conservación y que no encuentre puntas descontroladas que puedan herirle cuando introduce la mano en la caja.
- Utilice fundas para las herramientas punzantes.
- Utilice tarros transparentes para guardar e identificar clavos, tornillos y otros elementos de pequeño tamaño.
- Coloque trozos de tiza por la caja de herramientas y evitará que éstas se oxiden.
- Guarde las herramientas en un cubo lleno de arena seca y también evitará que se oxiden.
- Enrolle cuerdas, cordeles y cables en el rollo de cartón que queda del papel higiénico o a algún tubo similar y no los encontrará siempre liados con las herramientas.

## El botiquín

- Separe el botiquín de primeros auxilios del botiquín de medicinas; así podrá acceder fácilmente a lo que necesite en caso de urgencia.
- Mantenga el botiquín a mano de los adultos, pero fuera del alcance de los niños.
- Reponga lo que usa habitualmente en el mismo momento en que se acaba; de lo contrario, cuando lo necesite no lo tendrá.
- Tire los medicamentos caducados periódicamente, al menos una vez al año. Muchas veces permanecen en el botiquín tanto tiempo que el día que se tienen que utilizar ya no sirven.
- Tenga siempre algunos elementos básicos: tiritas, crema antihistamínica para picaduras de insectos, gasas y esparadrapo, unas pinzas, unas tijeras, etc.
- Incluya un listado con los teléfonos de urgencia más importantes.

### Advertencia

*Cuidado con la automedicación. No haga como en la antigua Babilonia que, a falta de médicos, los enfermos se exhibían en la plaza del mercado para que la gente que pasaba les aconsejara cómo curarse.*

# Trastos, cachivaches y otros enredos

*A veces es sorprendente la cantidad de trastos que somos capaces de acumular. Cada miembro de la familia aporta su porción de enredos hasta que la casa va quedando "asfixiada". Retales de tela para hacer un día una mantelería, recortes de periódico para escribir un artículo alguna vez, aquel mueble que le da pena tirar a la abuela, la bicicleta que hace 3 años que no usamos, aquella ropa de hace dos temporadas y que ya no se pone... Todo esto se desparrama por debajo de las camas, en los altillos, en el garaje y en los cajones de toda la casa y sólo ocupa sitio, crea desorden y acumula polvo. Hay que poner fin a esta situación antes de que el caos y la inutilidad se apoderen de su hogar.*

## 10 reglas de oro para no acumular trastos

1. Pregúntese si realmente va a utilizar los objetos que no ha usado en los últimos 12 meses.
2. Asigne fechas señaladas, como los últimos días del año o las vacaciones de agosto, para proceder a limpiezas selectivas de los armarios, de su despacho o de su cómoda.
3. No guarde cosas estropeadas que sabe que nunca va a reparar.
4. Piense si alguna persona que conoce puede utilizar lo que va a tirar, y dígale que pase a buscarlo hoy mismo si lo quiere. No lo guarde más de un par de días o se encontrará con el mismo trasto cambiado de lugar.
5. Despréndase sin dudarlo de ese repertorio de ropa que hace años que no se pone (no sea tan decidido/a con las prendas de su pareja o sus hijos). Piense en vecinos o conocidos que puedan aprovecharla, o llame a asociaciones especializadas en recogida de ropa usada.
6. No tire o regale los juguetes de los niños sin consultarles.
7. Guarde algunos periódicos pero no acumule toneladas de papel inútil. Utilice los contenedores especiales para su reciclado.
8. Actualice por lo menos una vez al año su botiquín y deshágase de los medicamentos caducados.
9. Detenga los objetos "dudosos" en la misma puerta de entrada de casa y así no se convertirán en un trasto más en su hogar.
10. Guarde todo en cajas y bien ordenado, y de esta manera podrá conservar los trastos más inútiles a los que ha cogido cariño sin que nadie piense que son trastos.

## Electrodomésticos, robots y otras malas compras

Según las estadísticas, el 95% de las personas que compran aspiradores y otros electrodomésticos con multitud de accesorios no llegan a utilizarlos

nunca por completo. Así se acumulan brazos extensibles, diferentes bocas y multitud de adaptadores. Lo mismo ocurre con los robots de cocina: se acaba teniendo una picadora, una trituradora, una licuadora, un exprimidor, una batidora, una tostadora y un largo etcétera que colapsa los armarios de la cocina. Muchos de ellos incluso dan más trabajo para limpiarlos del que han ahorrado en su uso. Elíjalos bien y tenga pocos.

### Ahorre esfuerzos

*Seleccione primero y clasifique después. Piense qué quiere conservar y de qué quiere deshacerse. Lo que va a salir de su casa divídalo en lo que tira y lo que va a regalar. Luego tire, llame y regale de forma inmediata. Con lo que se queda haga también dos grupos: lo que quiere tener a mano y lo que desea guardar bien. Lo primero debe tener un fácil acceso en el día a día, y lo segundo debe empaquetarse bien y guardarse en los altillos y las partes traseras de los armarios.*

Consulte a sus conocidos y compre siempre el mismo modelo y marca que le recomiendan. Sólo con el uso diario se ve si un robot es realmente útil.

## La ropa

Éste suele ser uno de los grandes dramas en la vida de una persona. Hay hombres que al no ver su camisa azul en el armario son incapaces de escoger entre las otras 10 que tiene limpias, y las mujeres ante un armario repleto suelen decir que no tienen que ponerse. De hecho, es fácil que únicamente utilicemos el 20% de nuestra ropa.

Lo más normal es tener varios pantalones y acabar siempre con los mismos tejanos. Cuántos zapatos se marchitan en el zapatero porque nos parece que no combinan con la ropa, o sencillamente porque nos hacen daño. Así se van acumulando prendas que aprietan y arrugan la ropa, dando al armario un aspecto desordenado que nos impide ver qué ponernos.

La rueda del consumo gira dentro del armario con más fuerza que en ningún otro lugar. Intente controlar sus necesidades en la medida de lo posible, compre poco, o lo necesario, y bien, pruébese siempre lo que compra y piense si le combina con el resto de vestuario que tiene. Al llegar a casa haga limpieza. Reflexione quién puede aprovechar la ropa que no usa, llame a las organizaciones de recogida de ropa usada y tire la que está ya muy vieja o deteriorada.

# La organización del tiempo

*Seguro que conoce personas que trabajan, estudian, van a clases de inglés y encima tienen un par de aficiones. Pero usted hace un mes que no acude al gimnasio, no encuentra un momento para ordenar el garaje y empieza a ver claro que nunca aprenderá inglés. La excusa es siempre la misma: no tiene tiempo. ¿Cómo es posible que algunas personas expriman tanto el tiempo y otras tan poco? Quizá dediquemos un tiempo excesivo a la televisión, tal vez apuremos hasta las nueve menos veinte en la cama o puede que estemos simplemente mal organizados. La experiencia dice que lo último es lo más frecuente, así que he aquí algunos consejos para organizar mejor el tiempo.*

## Atrapar el tiempo

La vida y la estructura mental humana se organiza en torno al tiempo. Estará de acuerdo en que casi todos los pensamientos se ordenan en el tiempo: la memoria organiza el pasado cronológicamente, el presente está íntimamente ligado al reloj y el futuro está limitado por la muerte. La visión del tiempo es, por tanto, casi infinita. La única forma de materializar el tiempo es dominando el espacio de tiempo que hay al alcance de nuestra mano. Sin duda, programar el tiempo es la forma de dominarlo. No se consigue mucho diciendo lo que vamos a hacer: hay que hacerlo. No basta con querer ser médico, hay que matricularse en la facultad y aprobar las asignaturas del primer cuatrimestre del primer curso y así sucesivamente el resto de cursos. El futuro, sin duda, se trabaja hoy. El tiempo sólo se puede vencer dominando el ahora y planificando el mañana.

## Replantear el tiempo

Divide y vencerás, dice la frase. Ocurre con los enemigos, pero también es aplicable al tiempo. Divida el tiempo en horas, en días, en semanas, en meses y en años. Establezca un calendario y apóyese en la agenda. Controle el tiempo que dedica a una determinada actividad y quedará sorprendido. Quizá se asuste del tiempo que pasa frente a la televisión, del poco tiempo que dedica a la lectura, de las horas que pierde en desplazarse por la ciudad o del tiempo que le dedica de verdad a su pareja. Contabilice todo ese tiempo y el resultado le ayudará a reconsiderar si es así como quiere organizar su vida.

## Fragmentar el tiempo

Hay actividades que, sin preverlo, acaban devorando una gran parte de nuestro tiempo. La televisión es la más popular y sobre la que siempre recaen las culpas, pero también puede ser dormir mucho, salir demasiado de noche o enfrascarse en cotilleos en casa de la vecina. No mire estas actividades de forma abstracta, sino como dedicación concreta. ¿Cuántas horas muertas tiene al día?, ¿qué hace entre las 2 y las 5 de la tarde?, ¿y entre las 7 y las 9 de la mañana?, ¿y entre las 8 y las 12 de la noche? Son 10 horas que se escurren cada día sin que se vean pasar... Imagine cuántas cosas podrían hacerse si fragmenta el tiempo y procura encontrar un espacio en esas horas.

## Encontrar un espacio de tiempo

Uno de los grandes secretos de la vida diaria es **hallar un espacio de tiempo**. Algunos encuentran un gran placer cada día al poder leer el periódico mientras desayunan. A juzgar por lo que vemos en el metro, el autobús y los trenes de cercanías, cada vez más mujeres han encontrado en el tiempo del transporte su espacio para la literatura.

Muchas amas de casa empiezan las tareas domésticas a las 8 de la mañana para poder ir a las 11 a cursos de cocina o de escultura, y a la 1 están de nuevo en casa para preparar la comida de su familia. Hay escuelas nocturnas de idiomas, gimnasios que abren de 7 de la mañana a 11 de la noche, cursillos intensivos de fin de semana, cursos por correspondencia y carreras universitarias en Internet. Sólo falta encontrar nuestro espacio de tiempo, y eso *depende sólo de cada uno de nosotros*.

## Planificar el tiempo

No hay que obsesionarse, pero un poco de planificación ayuda muchísimo. **Establezca un objetivo** para el año y trabaje para conseguirlo día a día. Puede ser simplemente un viaje pero, no le quepa ninguna duda, puede dar vida y sentido al año y siempre lo recordará con satisfacción. Motívese y piense en el bagaje cultural que puede adquirir si conoce 8 ó 10 países en los próximos 10 años.

Haga lo mismo con el mes, con la quincena, con la semana, incluso con el día. Procure que los objetivos estén de acuerdo con el tiempo que tiene y que no se le amontonen todos. Hoy sería un buen día para llamar a aquel familiar con el que no habla desde hace meses, este domingo puede dedicarlo a ordenar la casa, esta semana puede acabar aquel libro que empezó, este mes puede ahorrar un poco más, este verano puede pintar las habitaciones y este año puede dejar de fumar.

Si adquiere esta rutina en la planificación de objetivos, llenará mucho más su vida.

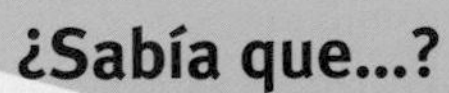

### ¿Sabía que...?

*Uno de los ejercicios más habituales que se llevan a cabo en la formación de altos ejecutivos consiste en* ***aprender a diferenciar claramente lo que es importante de lo que se considera urgente****.*

*Según dicen los expertos, en el mundo laboral absolutamente todo acaba siendo urgente, cuando "la clave del éxito reside en ocuparse de lo que es importante".*

# Listas, agendas y calendarios

*La memoria humana es limitada, así que es preciso establecer rutinas y técnicas prácticas que ayuden a liberar a la memoria del esfuerzo de controlarlo todo. Las listas se van ampliando en diferentes momentos del día o de la semana y muestran lo que se ha hecho y lo que queda por hacer, así que reúnen en un solo vistazo las obligaciones y los deseos cumplidos o por cumplir. Las listas cumplen dos funciones básicas: la principal, recordarnos qué tenemos que hacer o, por ejemplo, qué tenemos que comprar, pero nos permiten también mantener la cabeza libre para utilizarla en otras cosas. Combinadas con agendas y calendarios, las listas constituyen un plan de trabajo. Así se une lo que queremos hacer, que es todavía abstracto, con el momento exacto en que lo haremos, que es cuando tenemos previsto hacerlas realidad.*

## 10 consejos para hacer listas familiares

➤ Coloque las listas **en un lugar visible** para que los objetivos estén siempre presentes. El mejor sitio, por donde pasa toda la familia, es la nevera de la cocina. Sujete la lista con un imán o con un sistema adhesivo. Ocasionalmente puede situarse en el recibidor, aunque las posibles visitas no permiten una buena privacidad.

➤ Es importante que la lista esté **siempre a mano**: así podremos ir tachando los objetivos cumplidos e ir incorporando los nuevos.

➤ Colóquelas en un lugar al que pueda acceder toda la familia, y así **todos participarán de su uso**. A veces alguien acaba la sal y es bueno que lo apunte, ya que la despensa no es un lugar donde miremos con frecuencia. Si no se hace, puede ocurrir que se acabe un salero y al llegar a la despensa en busca del paquete se encuentre la estantería vacía.

➤ **Tache igualmente lo que compra un día determinado**, o en un "acto de buena" fe varios miembros de la familia aparecerán con un paquete de sal. Establezcan un símbolo, la inicial del nombre, por ejemplo, cuando un miembro de la familia asuma la responsabilidad de un punto de la lista.

➤ Tache **con rotuladores transparentes** de colores y podrá ver qué es lo que ya se ha comprado.

➤ Es preferible **un solo listado** que mil papelitos enganchados por toda la casa. La dispersión no es buena amiga de la memoria; la concentración unifica criterios y objetivos.

➤ Tenga siempre **un lápiz o un bolígrafo junto a la lista**, mejor sujeto con una goma o un hilo, para que ante cualquier necesidad pueda escribirse en la lista y no quede en el olvido.

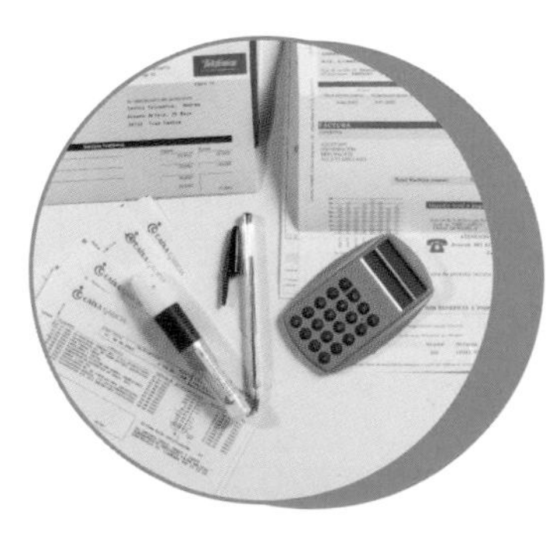

➤ **Apunte también los gastos al llegar a casa** y podrá hacer de la lista un eficaz controlador de la economía doméstica.

➤ Utilice **papel o libretas cuidadas**, ya que la lista está siempre a la vista y debe mostrar una imagen agradable y ordenada.

➤ **Insista en que los niños participen** y verá cómo la vida familiar encuentra un espacio más agradable alrededor de la lista que frente al televisor.

## Las listas personales

El mejor sitio para las listas personales es en nuestra agenda, principalmente en el margen de las páginas donde se muestra la semana entera. A medida que pase la semana tendrá todos los objetivos a la vista y podrá ir afrontándolos según vaya cada día. Si alguno de los objetivos tuviera que hacerse un día en concreto, debe situarlo también en esa jornada de la agenda para saber que no puede hacerlo en cualquier momento, sino en ese día.

## La gran lista del año

La idea es la misma que con las listas convencionales, pero esta vez con todo el año a la vista. Mentalmente es muy útil para abarcar los grandes momentos del año en un solo vistazo. Es recomendable incluir:

- Las vacaciones del colegio de los niños.
- Los cumpleaños de la familia.
- Los santos de la familia.
- Los diferentes aniversarios: de boda, de licenciatura, defunciones, etc.
- Día y hora de visita a **médicos**, **vacunas**, etc.
- Días de **pagos anuales**, como el seguro del coche o la suscripción a una revista, etc.

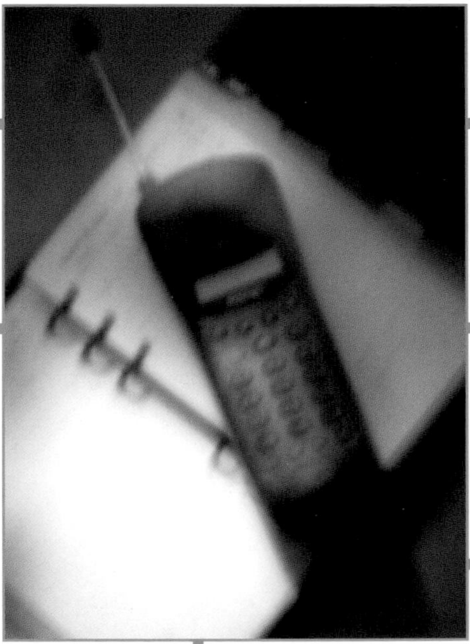

## El listín telefónico

Haga una lista con los teléfonos de urgencia y téngala en un lugar donde toda la familia sepa que puede encontrarla.

Un buen lugar puede ser un cajón junto al teléfono, en el que también podría haber una linterna, un mechero, unas cerillas y una vela por si se fuera la luz.

La lista puede incluir:

- Teléfonos de las diferentes **policías** y de los **bomberos**.
- Teléfono de los **servicios médicos de urgencia**.
- Teléfono de la casa de campo donde pasamos habitualmente el **fin de semana**.
- Teléfonos de los **familiares más cercanos** y **personas de confianza**.
- Teléfonos de **información general**.

# Sistemas de archivo

*Los sistemas de archivo podríamos haberlos tratado en el apartado de la organización del espacio, en el apartado dedicado al orden, en los consejos para no acumular trastos o en la organización del tiempo. Los hemos dejado para el final porque reúnen todos los consejos anteriores, pero sobre todo porque ahorran mucho tiempo. Un tiempo precioso, además, porque cuando los necesitamos suele ser por alguna urgencia, porque se ha estropeado la tele y necesitamos la garantía, o porque llega un aviso de corte de suministro del agua por impago y necesitamos el recibo correspondiente para acreditar que se trata de un error. El tiempo, por tanto, es vital, ya que en estos casos cada minuto es una nueva dosis de nervios.*

## Cuestión de papeles

De eso trata el sistema de archivo: de **papeles**. *Recibos, documentación, resguardos, albaranes, garantías de compra* y todo un repertorio de papeles de diferentes tamaños y colores que se generan a montones en cualquier casa.

Tenemos necesidad de archivarlos porque estamos convencidos que un día los necesitaremos. Cuando llegue ese día no podemos empezar a pensar dónde estará el maldito recibo y perder una hora revolviendo cajones y altillos.

## La oficina en casa

Conciba los papeles de una casa como si se tratara de una oficina. Acuda a una tienda especializada en material de oficina y hágase con carpetas, ficheros y otros complementos necesarios.

## Del buzón a su sitio

La única forma de no perder los papeles es guardarlos en cuanto llegan a casa en su lugar correspondiente. No deje sobres abiertos y papeles importantes mezclados con la publicidad del buzón, ya que cualquiera puede pasar y, por ordenar un poco la casa, tirarlo todo a la papelera.

## Tenga su carpeta del hogar

Son muy adecuadas las carpetas en forma de fuelle o acordeón. Son más delgadas cuando están vacías y se ensanchan conforme se llenan hasta adquirir una gran capacidad. Bien organizadas sirven para un año completo. Acostúmbrese a tener una para cada año y establezca siempre los mismos criterios y los mismos conceptos clasificatorios. Guárdelas en cajas donde quepan 3 ó 4 y no las tire en 3 ó 4 años por si ocurriese algo y necesitase algún papel de fechas anteriores. Tenga otra para documentos no perecederos, como cartas personales que desea guardar, el contrato de alquiler del piso, su contrato laboral, etc.

## Conceptos clasificatorios

Existen innumerables sistemas para la clasificación de papeles, pero hay que saber escoger el apropiado para cada necesidad.

## Diferentes niveles de clasificación

Dentro de cada apartado es conveniente incorporar subapartados. A veces, un simple clip permite sujetar todas las facturas del agua dentro de la carpeta de recibos de la casa, y evitar así que se mezclen con los de la luz o el gas. No utilice grapas; si necesitase la garantía de un electrodoméstico necesitará sólo una y es mejor que permanezca individualizada. Además, muchas veces los albaranes o las facturas se extienden sobre papel vegetal o papeles muy finos, de manera que las grapas suelen rasgar el papel o rompemos un trozo al desgraparlas, e incluso pueden soltarse dentro del archivo y traspapelarse.

## El orden de clasificación

No sólo agrupe, también ordene. El mejor criterio es el cronológico: el último recibo se pone delante, de manera que al coger los recibos del gas tendrá a la vista el del último mes.

## Control de la casa gracias al archivo

Este sistema de archivo no sólo le permite tener ordenado y fácilmente localizable cualquier documento, sino que le permite hacer balances por conceptos. Al final del año puede comparar todas las facturas de teléfono y ver cómo ha evolucionado el gasto. Este sistema facilita también acudir a la carpeta del año anterior y comparar las diferencias.

Incorpore a cada compartimento una **etiqueta** visible para tener los papeles clasificados. Estos pueden ser algunos conceptos:

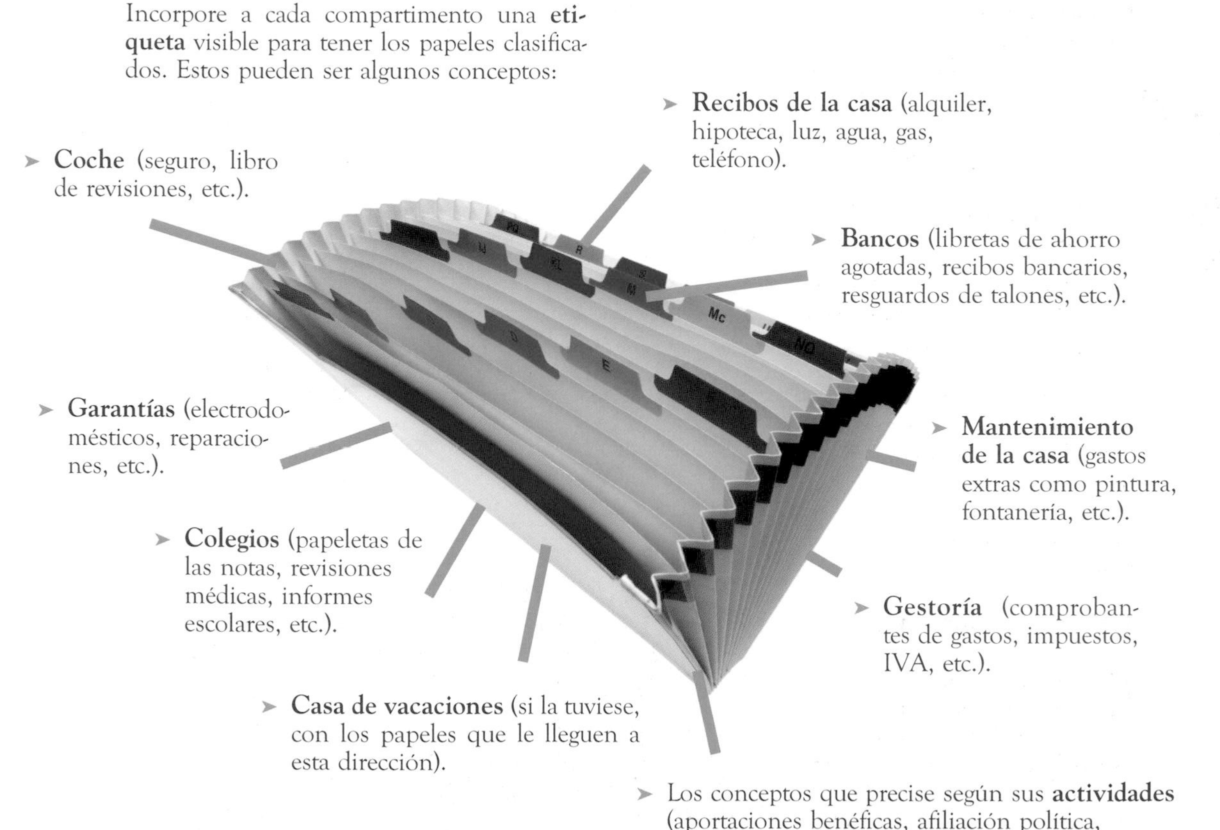

- **Recibos de la casa** (alquiler, hipoteca, luz, agua, gas, teléfono).
- **Coche** (seguro, libro de revisiones, etc.).
- **Bancos** (libretas de ahorro agotadas, recibos bancarios, resguardos de talones, etc.).
- **Garantías** (electrodomésticos, reparaciones, etc.).
- **Mantenimiento de la casa** (gastos extras como pintura, fontanería, etc.).
- **Colegios** (papeletas de las notas, revisiones médicas, informes escolares, etc.).
- **Gestoría** (comprobantes de gastos, impuestos, IVA, etc.).
- **Casa de vacaciones** (si la tuviese, con los papeles que le lleguen a esta dirección).
- Los conceptos que precise según sus **actividades** (aportaciones benéficas, afiliación política, suscripciones, sociedades, etcétera).

# El ahorro en casa

*El pago de los recibos de los suministros básicos de una casa representa el 13,5% del total de los gastos de un hogar. Una vez que se ha conseguido una casa, los quebraderos de cabeza continúan, no sólo por las cuotas de la hipoteca, sino también por numerosos recibos que puntualmente llamarán a su puerta para recordarle que, habitar bajo un techo con ciertas comodidades, también tiene su precio.*

## Los suministros de la casa

Los alquileres y las hipotecas dependen del poder adquisitivo de cada familia y, por tanto, son muy variables, pero los suministros básicos del hogar son muy parecidos en todas las casas y dependen más del número de personas que la habitan y del uso razonable que se haga de ellos. Los 4 suministros básicos son la **luz, el agua, el gas y el teléfono**.

*Hay programas de ordenador muy sencillos que le ayudarán a controlar sus gastos domésticos.*

## Ahorro en el recibo y ahorro global

No sólo tenemos que atender al ahorro que supone un recibo de poco importe a final de mes, lo que forma parte de la economía doméstica, sino que es necesario pensar de un modo global y recordar que las fuentes de energía que actualmente se usan están agotando la vida del planeta. Debemos, por tanto, pensar en el ahorro doméstico e ir creando hábitos de consumo sostenibles con el equilibrio ambiental.

## Consejos para ahorrar luz

- Aproveche al máximo la **luz natural**, adaptando más su horario personal al horario solar. Incluso se sentirá mejor.
- Cuidado con su **calentador de agua eléctrico**: en numerosas ocasiones se trata de un enorme consumidor de energía sin que usted lo sepa. Muchas veces trabaja a 45°, una temperatura muy superior a la necesaria. Se calcula que por cada grado de temperatura que lo baje ahorrará un 5% de su consumo. Lo recomendable es situarlo a 42° o en la posición "ahorro de energía", si la tiene.
- Use los **aparatos de refrigeración** de su vivienda con mucha moderación: en una casa normal suponen el 25% del consumo total.
- Decántese por los **hornos eléctricos**, suelen cerrar herméticamente y por tanto retienen mejor el calor y consumen menos energía.
- No compre **hornos o calentadores con llama piloto**, ya que consumen pacientemente hasta un 40% más de lo que consume el aparato en todo su periodo de uso.
- La temperatura de la **nevera** debe estar entre 3 y 5 °C. Compruebe que la tiene en este nivel porque una desviación de sólo 5 °C puede provocar incrementos de consumo de hasta un 25%.
- Es muy importante que mantenga la junta de **la puerta de la nevera** en buen estado, ya que garantiza el cierre hermético y la retención del frío.
- Procure llenar bastante **la lavadora** ya que en cada lavado utiliza entre 100 y 200 l de agua. Piense que el agua es una reserva muy escasa.
- Intente no lavar con **agua caliente**: la lavadora consume muchísimo para calentarla.
- Aunque tenga **secadora de ropa**, no la utilice siempre: es uno de los electrodomésticos que más gasta.

## Consejos para ahorrar agua

- Cierre el grifo mientras se lava los dientes, se afeita o friega los platos. En ese rato se pierde una gran cantidad de agua inútilmente. Se calcula que fregando los platos con el grifo abierto se pueden desperdiciar hasta 100 l de agua.
- Evite lavar el coche con una manguera: puede estar gastando cerca de 500 l de agua. Utilice un cubo y una esponja o vaya a un túnel de lavado económico.
- Puede reducir el consumo del agua de la ducha hasta la mitad reemplazando el teléfono de la ducha por un atomizador de bajo consumo. Unos mezclan el agua con aire y dan sensación de burbujas, y otros emiten el agua de forma pulsante, con cierta impresión de masaje. No compre reductores de flujo: la ducha no es tan agradable.
- Instale grifos temporizadores; muchos establecimientos públicos ya lo están haciendo. Se consigue, por ejemplo, que no se pierda agua mientras se enjabona las manos.
- Compruebe que su inodoro no pierde agua. A veces se observa un ligero movimiento en la superficie del agua. Si tiene dudas, vierta un poco de colorante en la cisterna y compruebe si el agua se colorea en el inodoro.
- Tire de la cadena tan sólo cuando sea estrictamente necesario. Evite usarla para evacuar un simple trozo de papel higiénico. Es recomendable tener una pequeña papelera en el cuarto de baño para este tipo de cosas: la cisterna vierte alrededor de 50 l en cada uso.

## Consejos para ahorrar teléfono

- Invierta un día en comparar las tarifas que ofrecen las diferentes compañías.
- En muchos casos puede ser un gran ahorro contratar diferentes compañías y efectuar cada llamada con la compañía que mejor condiciones ofrece en ese tipo de llamadas. Tenga en cuenta, en este caso, que le llegarán diferentes facturas y que es entonces cuando verá si la suma de todas ellas ha supuesto realmente un ahorro.
- Evite las llamadas en hora punta; son mucho más caras que en horario reducido.
- Compruebe bien las tarifas de llamadas de fijo a móvil, ya que muchas veces son elevadísimas. Mire también qué le cuesta una llamada de móvil a móvil, y quizá le interese llamar desde el móvil aunque esté en casa.
- Si se descontrola con el uso del teléfono y cada factura es un susto, utilice tarjetas telefónicas de uso limitado o pida a la compañía un tope de consumo mensual.
- Acostúmbrese a utilizar el correo electrónico para determinadas comunicaciones. Puede enviar mensajes al otro extremo del mundo, mucho más rápido y a precio de llamada local.
- No hable tanto por teléfono y quede con la persona: siempre resulta más agradable mantener una conversación frente a frente.

## Consejos para ahorrar gas

- Modere en la medida de lo posible el uso de la calefacción. No olvide que las emisiones de carbono al ambiente constituyen una de las causas principales del efecto invernadero. Procure ir con ropa suficiente por su casa: es absurdo ir descalzo en pleno invierno mientras la calefacción funciona a toda máquina.
- Tenga presente que la calefacción consume el 40% de la energía que usa en casa.
- No olvide realizar revisiones periódicas de su instalación de calefacción, ya que un estado inadecuado supone malgastar entre un 30 y un 50% del consumo total.
- Una caldera de gas debería revisarse inexcusablemente cada 2 años.
- Los reflectores situados detrás de los radiadores optimizan mucho los flujos de calor, ya que la pared absorbe el calor de la parte trasera del radiador.
- Abra un momento las ventanas y renovará el aire sin perder mucha temperatura.
- El mejor ahorro es un buen aislamiento. Si la casa no está bien aislada, el calor que se produzca dentro se perderá inútilmente. La factura del gas será alta y la temperatura insatisfactoria. Un mal aislamiento deja escapar el calor en invierno y el frescor en verano.

### ¿Sabía que...?

- *Sólo el 3% del agua de la Tierra es dulce... Téngalo presente en sus costumbres diarias. Por ejemplo: aproveche el agua de limpiar las verduras en un barreño para regar las plantas de casa o de la terraza.*
- *Una construcción ecológica basada en el principio de la eficiencia energética llega a ahorrar hasta el 75% de la energía que consume un hogar normal.*
- *Se calcula que si utilizásemos los electrodomésticos de casa de un modo más eficaz, se podría ahorrar entre un 10 y un 30% de la demanda actual de electricidad.*

# La seguridad en el hogar

*La seguridad en el hogar se puede resumir en dos grandes ámbitos: la prevención de accidentes domésticos, entre los que se encuentran los incendios, los cortocircuitos y las inundaciones, y la prevención contra los robos, muy especialmente cuando nos vamos de vacaciones y dejamos la casa sola.*

## Prevención de incendios

Una buena prevención disminuye muchísimo la posibilidad de un incendio en el hogar: hay que conocer algunas normas básicas para no provocar incendios en casa. Como suele decirse, "es mejor prevenir que curar".

- Es muy recomendable tener un **extintor** adecuado por si ocurriera un incendio.
- Es necesario tener nociones claras del comportamiento a seguir en caso de incendio.
- Vale la pena tener un seguro contra incendios.
- Tenga el **teléfono de los bomberos** a mano y en un lugar que conozca toda la familia.

## Consejos para prevenir incendios

- Coloque guardafuegos delante de las **chimeneas** y sujételos a la pared para que no se caigan.
- No intente **avivar el fuego** abanicando con un periódico u otro material que pueda arder.
- Cuidado con el **bricolaje**: las chispas de las soldaduras suelen ser causa habitual de incendios.
- No mueva una **estufa de gas** de un sitio a otro cuando está encendida: puede prender su ropa.
- No use bajo ningún concepto estufas de gas o radiadores eléctricos para **secar la ropa**: uno va varias veces a comprobar cómo está y sigue húmeda, pero luego, en un breve espacio de tiempo, se seca y arde con facilidad.
- Limpie regularmente los **quemadores de las estufas**: los residuos que quedan acumulados hacen que se propague el fuego.

### Recuerde

*Sirve de poco que usted siga todas estas normas y no se las transmita a sus hijos. Los niños son muy curiosos y sus manos muy rápidas. De la misma forma que se sienten atraídos por los colores de las diferentes pastillas del botiquín, pueden arrimar sus baberos para ver bien el rojo del fuego o tirar un periódico para ver cómo se quema.*
*La mayoría de los incendios domésticos se producen de noche, cuando la familia está durmiendo y se muestra más indefensa. Lo peor es que el incendio se detecta cuando ya se encuentra en estado avanzado.*

- Guarde lejos de cualquier fuente de calor las **sustancias inflamables** como el alcohol o el aguarrás.
- Tenga cuidado al dejar la **plancha** si suena el teléfono o si los niños se pelean: muchas veces se va a solucionar un problema y se produce otro mayor.
- Cuidado con los **productos de limpieza en seco**: utilícelos

en lugares ventilados y lejos de cualquier llama de fuego.

- Instale algún detector de incendios si realiza habitualmente alguna **actividad de riesgo**, como limpiar un motor con gasolina en el garaje.
- No tenga telas ni cualquier otro material inflamable en la **campana de la cocina** o alrededor de los fogones.
- Las **sartenes** son un punto de incendios domésticos frecuente. Cocine con prudencia, tenga una manta antifuego siempre a mano y recuerde que, si puede tapar la sartén, el fuego se apaga por falta de oxígeno.

- Cuidado con el **tabaco**: tenga ceniceros para evitar dejar cigarrillos encendidos por cualquier parte. Olvídese de fumar en la cama.
- Vacíe los **ceniceros** en lugares que no puedan incendiarse.
- Mantenga siempre en buen estado los **cables** de los aparatos eléctricos: a menudo, estos cables se doblan por un punto hasta pelarse o quedan cerca de una fuente de calor. Con un chisporroteo continuado pueden acabar ardiendo y provocar así un incendio.

- Los **cables sobrecargados** también provocan muchos incendios: es el clásico empleo de muchas conexiones en el mismo enchufe.
- Muchos de estos accidentes se evitan con fusibles adecuados y la instalación de un diferencial que salta en caso de riesgo.

## Tipos de extintores

- Los **extintores universales**: son útiles porque sirven para cualquier incendio, aunque normalmente contienen polvo seco, que puede corroer los circuitos eléctricos de algunos aparatos.
- Los **extintores de gas halón**: son igualmente útiles, ya que no presentan el inconveniente de los anteriores, aunque es preciso utilizarlos con cuidado porque si se permanece mucho en la habitación pueden provocar asfixia.
- Los **extintores de espuma**: son los más adecuados para incendios provocados por líquidos inflamables, como el alcohol, aceites, grasas y otros.
- Los **extintores de dióxido de carbono** o **de líquido vaporizador**: son los más recomendados para incendios provocados por la electricidad, ya que utilizan sustancias no conductoras. Utilícelos a poca presión, ya que muchas veces su potencia puede esparcir el fuego.

## Los incendios

El fuego se produce si se combinan 3 elementos a la vez: un material inflamable, el calor del fuego y oxígeno. Para apagar el fuego se debe eliminar uno de estos elementos: si se incendia una sartén, basta con taparla, puesto que se elimina el oxígeno.

## Comportamiento ante un incendio

La norma de oro es: **primero evacuar, luego llamar a los bomberos, luego apagar**. Parece obvio garantizar primero la seguridad de la familia, pero en caso de incendio, la mayoría de personas se concentran en intentar acabar con el fuego, y en numerosas ocasiones quedan atrapadas en su intento. El fuego tiene un comportamiento muy difícil de prever. Recuerde que un material expuesto a calor continuo arde por entero de repente, como si explotara, y se convierte en una trampa a veces mortal.

- El **humo** de algunos plásticos u otros materiales puede atacar el organismo muy rápidamente.
- El **humo** tiende a ascender hacia el techo, así que ***respirará mejor agachado***.
- ***Empape la ropa que lleva puesta*** y tápese la boca y la nariz con un trapo húmedo.
- ***Divida las tareas***: mientras uno llama, el otro intenta apagar el fuego o saca a los niños.
- ***No se empeñe en llamar desde casa***: su propio teléfono puede retenerle demasiado tiempo. Llame a los bomberos desde la casa de un vecino, desde el móvil cuando esté a salvo o desde una cabina.
- Asegúrese de que tener ***una buena salida***.
- ***No utilice nunca el ascensor***; se puede bloquear y quedar atrapado.

### Recuerde

*Ante un incendio doméstico, llame a los bomberos inmediatamente. Aún existen personas que creen que no podrán pagar y no los llaman. Es una creencia errónea: el cuerpo de bomberos está al servicio de los ciudadanos; las autoridades locales cubren su coste con la recaudación de impuestos.*

## Prevención de inundaciones

La cisterna del inodoro puede desbordarse, una tubería puede tener un escape y un invierno riguroso puede congelar y romper alguna cañería, así que una inundación puede presentarse en cualquier hogar.

### LA REGLA DE LOS 3 CORTES

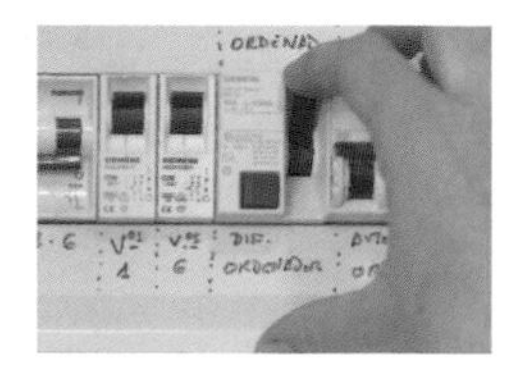

Ésta es la regla básica que debe recordar ante una inundación en su casa:

1. **Cortar el suministro eléctrico** con el fin de evitar un cortocircuito.
2. **Cortar el suministro de gas** para evitar una explosión.
3. **Cortar el suministro de agua** para evitar que la inundación se haga mayor.

## Evitar los atascos en las tuberías

Estos atascos suponen (en un alto porcentaje) un riesgo de inundaciones, además de producir malos olores. No tire por el desagüe hojas de té, café molido, pelos o grasa.

## Prevención ante los robos

Existen diferentes sistemas para proteger nuestro hogar de la visita de los ladrones:

### Cierres periféricos

Cerraduras y rejas en puertas y ventanas que impidan la entrada de intrusos. Mire su hogar con los ojos de un extraño que quisiera entrar: verá las vías de acceso y los puntos más vulnerables de la casa y podrá reforzarlos. A veces, no nos hemos fijado en que nuestra ventana del baño queda muy accesible subiendo al muro del jardín del vecino, o que desde el garaje es muy fácil entrar en casa.

2

### Alarmas

No las conciba tanto como una herramienta para avisar a los propietarios de la casa o a la policía, sino principalmente para disuadir al ladrón: lo más normal es que al dispararse la alarma, el ladrón se dé a la fuga, ya que en pocos minutos puede aparecer la policía o la compañía de seguridad contratada.

3

### Cajas fuertes

Las hay de todos los tamaños y suelen integrarse en la decoración disimuladamente o bien ocultas, de manera que permiten guardar las pertenencias de más valor de una forma discreta y segura.

4

### Sistemas de identificación

Mirillas en las puertas, cadenas que abren la puerta unos pocos centímetros, visores de televisión en porteros automáticos y otros sistemas sirven para comprobar quién llama a nuestra puerta.

5

### Prudencia

Son muchos los casos en que nosotros dejamos entrar a los ladrones: hay toda clase de trucos y engaños. Muchas personas ancianas han dejado entrar en sus casas a ladrones que han dicho ser inspectores del gas, encuestadores o vendedores de artículos del hogar.

# Pequeños accidentes domésticos

*Un 40% de los accidentes que ocurren en un hogar los sufren personas menores de 15 años. Vale la pena reseñar algunos detalles para evitarlos.*

## Consejos para evitar accidentes domésticos

- Según un estudio realizado en el Reino Unido, el 65% de los accidentes caseros registrados en ese país suceden por la colisión con **cantos afilados y superficies duras**. Elija y distribuya el mobiliario de manera segura, con especial atención a los suelos encerados y a las alfombras, donde se pueda tropezar o resbalar.
- Los ***juguetes*** de los niños deben ser ***sencillos y seguros***: cuidado con los desmontables con piezas muy pequeñas y con materiales que puedan ser tóxicos: la boca de los niños es una puerta abierta a los sustos.
- Mantenga siempre el ***botiquín fuera del alcance de los niños***: los colores de las pastillas atraen su curiosidad.
- Ponga ***tela metálica*** o de otro tipo para cubrir las barandillas de los balcones: parece increíble, pero los niños se cuelan entre los barrotes.
- Si tiene ***rejas en las ventanas***, procure que los barrotes sean verticales para que los niños no se encaramen.
- La cama superior de una litera debe utilizarse con la ***barrera de protección***: los sueños a veces son muy movidos y la caída puede ser terrible.
- Cierre siempre los ***armarios altos de la cocina***: muchas personas acuden a urgencias con un buen golpe después de agacharse y olvidan que sobre sus cabezas hay una puerta abierta.
- Deje que la ***plancha*** se caiga al suelo: el acto reflejo de coger lo que se nos está cayendo puede crear graves quemaduras en sus manos.
- Ponga antideslizantes en el ***suelo de la bañera***: tibias y coxis se fracturan a diario por un mal patinazo bajo la ducha. Si tiene personas mayores en casa, instale pasamanos y asideros en la bañera y el inodoro.
- Instale también ***pasamanos*** en las escaleras y puertas de seguridad pequeñas para los niños.
- Elija ***camas*** con las patas algo más interiores que la estructura del somier: evitará posibles golpes al acercarse a la cama, sobre todo si va descalzo.

# PRIMEROS AUXILIOS CASEROS

El hombre es el único animal "capaz de tropezar dos veces con la misma piedra, tres veces con la misma alfombra y cuatro veces con el mismo canto del mueble del pasillo". Ésta es una pequeña guía de primeros auxilios que da prioridad a los **remedios caseros**:

- La **HEMORRAGIA NASAL**: presione las aletas de la nariz con los dedos pulgar e índice con la cabeza hacia delante. Si no para la hemorragia, empape un algodón con agua oxigenada e introdúzcalo en el orificio que sangra. El remedio natural es empapar el algodón con el jugo de 3 hojas de ortiga.

- Para **DESINFECTAR HERIDAS** se puede tomar un baño de agua con sal. Para acelerar la curación de las heridas utilice pomada de caléndula.

- Los **GOLPES Y CONTUSIONES** se tratan durante 5 minutos bajo agua fría para reducir el flujo sanguíneo. Use también hielo, en una bolsa o un trapo y, a falta de hielo, una bolsa con alimentos congelados, especialmente guisantes, que se adaptan muy bien a los ángulos del cuerpo. Frote el golpe con la savia de las hojas del áloe o con tintura de árnica.

- Para las **PICADURAS DE AVISPAS O MEDUSAS** va bien el vinagre, sólo o rebajado al 50% con agua.

- Si **se PARTE O CAE UN DIENTE** con el golpe, guárdelo por si se pudiera aprovechar, pero no lo lave.

- Ante un caso de **ATRAGANTAMIENTO**, haga que la persona tosa. Si no puede, ayúdele a doblarse hasta que la cabeza quede por debajo de los pulmones. Dé un golpe seco en la espalda, entre los 2 omóplatos y repítalo hasta 4 veces. Mire su boca y si ve algo meta el dedo índice para sacarlo. Pruebe de nuevo con los golpes en la espalda.

- En caso de **ENVENENAMIENTO**, llame a una ambulancia. Si la boca o los labios muestran signos de quemadura, enfríelos con un algodón empapado con leche o agua fría. Si está consciente, intente que vomite, excepto si ha ingerido una sustancia corrosiva.

- Para los **VÓMITOS** persistentes, tienda al paciente en la cama con un recipiente para que pueda vomitar tranquilo e intente que beba pequeñas cantidades de agua fría con sal y 5 ml de glucosa cada 15 minutos. Tras vomitar hay que limpiar la boca: cepille los dientes, lave la cara y haga un poco de té con menta. Vuelva a la comida sólida lentamente, sin leche ni zumos de frutas, pues son indigestos.

- Para las **MOLESTIAS EN LOS OJOS** se recomienda lavarlos con un algodón empapado en una infusión de hinojo.

- Existe un **MASAJE PARA LA FIEBRE**: ponga el pulgar en el centro de la mano y desplácelo unos cm hacia arriba, ejerciendo un poco de presión, primero hacia el punto de unión entre el anular y el corazón y luego hacia el punto de unión entre índice y corazón, siempre partiendo del punto central de la mano y unas 15 veces. La fiebre también disminuye bebiendo mucho líquido.

# La casa ecológica

*En diferentes puntos del libro aparecen trucos ecológicos o remedios naturales, pero por lo general hacen referencia a pequeños detalles, y es necesaria una organización global de la casa ecológica.*

## Organizar la casa ecológica

Organizar la casa de manera respetuosa con el medio ambiente constituye una de nuestras grandes responsabilidades, y posiblemente sea una de las cosas más fáciles de hacer.

Muy a menudo basta con cambiar hábitos arraigados de los cuales desconocemos sus consecuencias ecológicas, y en otros casos se trata sólo de poner un poco de cuidado en nuestras despreocupadas costumbres.

En realidad, ni los ecologistas más radicales piden grandes cambios en la calidad de vida de los hogares medios, lo que complicaría el tema: tan sólo un poco de sensibilidad para corregir pequeños detalles.

## El aislamiento de la casa

Ya se ha apuntado que la concepción de una casa con criterios de eficiencia energética podría llegar a ahorrar hasta el 75% del consumo normal. El problema es que tradicionalmente la construcción no ha atendido a estas condiciones de aislamiento. En una casa normal, se pierde la mitad del calor que generamos con la calefacción, y en verano con la refrigeración.

- Si los edificios están bien aislados desde su construcción, el ahorro puede ser impresionante.
- Si son de construcción antigua, o nueva sin atender a estos criterios, se pueden tomar algunas medidas compensatorias.

## Consejos para mejorar el aislamiento

SI LA CASA ESTÁ EN CONSTRUCCIÓN:

- Exija al constructor buenas condiciones de aislamiento, y si es necesario, establezca inspecciones para el cumplimiento de los requisitos básicos.
- Rechace aislantes con amianto, también llamado asbesto, y con lana de fibra de vidrio, ya que ambos pueden ser perjudiciales para la salud.
- Evite igualmente las espumas de poliuretano, formolfenólicas y PVC.
- El poliestireno expandido acumula electricidad estática, descargando la atmósfera de iones, así que tampoco es recomendable.

SI YA SE HA CONSTRUIDO LA CASA SIN AISLANTES ADECUADOS:

- Una de las soluciones más conocidas consiste en poner cinta o una banda bajo las puertas para evitar corrientes de aire.
- Reduzca la pérdida de calor por el suelo con moquetas y alfombras.

- Otra idea consiste en colocar contraventanas y cortinas gruesas: son más eficaces que los cristales.
- Se pueden aislar suelos, paredes y techos instalando cámaras de aire, falsos techos, entarimados, corcho, etc.

## Casa y planeta limpios

La limpieza de la casa puede ser una de las acciones que más ensucie el planeta, sobre todo si utilizamos productos agresivos con el medio ambiente:

- Infórmese sobre los productos de limpieza y su poder agresor.
- Acostúmbrese a utilizar productos que no sean nocivos y pequeños trucos naturales.
- En general, se debe limitar el uso de detergentes. El agua caliente tiene un buen poder limpiador.
- Una solución débil de vinagre es buena para cristales y cerámicas.
- El amoníaco es un buen desengrasante.
- Use poca lejía en el inodoro.
- El horno se puede limpiar con una solución de bicarbonato sódico en vez de limpiadores cáusticos. Si algo se derrama, eche sal mientras aún está caliente.
- Evite los ambientadores químicos y disfrute de las esencias naturales. Coloque plantas aromáticas en su baño.

## Los residuos por el inodoro

Anualmente se tiran por el inodoro toneladas de productos como preservativos, compresas, algodones, etc. Muchos de ellos no son biodegradables. Tenga una papelera junto al inodoro y utilícela para estos productos. Cambie la bolsa diariamente.

## Mobiliario y armarios

- Algunos abrigos precisan varias pieles de animales para ser confeccionados. No haga de su armario un cementerio animal.
- Elija maderas blandas para sus muebles, como el pino, que crece rápidamente.
- Si quiere maderas duras, utilice preferentemente hayas, olmos y robles; descarte las maderas tropicales (caoba o teca) y asegúrese de que no proceden de zonas que están siendo arrasadas.

## Bricolaje ecológico

- Recicle y restaure: es un arte y una forma de consumo muy razonable y respetuosa.
- Use medios mecánicos y descarte los químicos: lije a mano, con un buen soporte técnico y buena protección, y deje de lado productos corrosivos altamente contaminantes.

## El ruido como contaminación

- Organice un hogar sin contaminación sonora: constituye sin duda uno de los grandes motivos de estrés y de dolores de cabeza.
- Instale doble cristal o cualquier otro aislante para no recibir los ruidos de la calle. Las planchas de corcho en el suelo y las paredes resultan muy efectivas, económicas y fáciles de colocar.
- Haga lo contrario si el sonido exterior es agradable: abra la ventana ante el rumor del mar o de un río, o ante el susurro de las hojas que el viento hace temblar.
- Acostúmbrese a tener el televisor con volumen suficiente, pero moderado.
- Modere también el volumen de su equipo de música.
- No tienda a organizar la cocina alrededor de todos los robots existentes en el mercado, y la limpieza alrededor de aspiradores y máquinas de vapor.
- Intente moderar de manera notable el volumen general de la casa a partir de las 10 de la noche.
- Utilice un despertador de volumen ascendente: evitará sobresaltos y ruidos desagradables al despertar.
- Si prepara una fiesta, avise a sus vecinos.

AMAR
GALICIA
HISTORIA UNIVERSAL
PAINTBOXED!
MIA FARROW
CARA QUEMADA
Gran fauna
UN MALDITO ASUNTO
Bogavante
Lucía
Esperando la lluvia de la tarde
El Palenque
SHINE

# Habitación por habitación

# Las diferentes estancias de la casa

*Hasta ahora se ha considerado la organización de la casa en su conjunto. La organización del espacio atendía a la globalidad de su hogar, y los ejemplos podían ser para el baño, la cocina o el garaje indistintamente. En esta segunda parte, sin embargo, se hace necesario profundizar en la organización de cada una de estas estancias, ya que cada una corresponde a una actividad y a unos niveles de organización propios. A menudo, el baño, por ejemplo, viene totalmente construido de obra, así que la organización de su uso y distribución es mucho más limitada. Otras estancias, por el contrario, muestran un amplio abanico de posibilidades en su organización.*

## Organización general de las estancias

➤ La **COCINA** es muchas veces el motor y el corazón de un hogar, y su actividad es tan amplia y variada que merece encabezar la lista de estancias con todos los honores.

➤ La **BIBLIOTECA** no ocupa necesariamente una habitación completa, pero casi siempre llena un rincón o una simple estantería que tiene su personalidad a pesar de ocupar poco espacio.

➤ La **TERRAZA**, finalmente, es uno de los espacios que más juego puede dar en una casa. Es un lugar mágico que en un solo paso puede transportarnos a un mundo totalmente diferente, exuberante con plantas o criadero de pájaros, un rincón casi playero en ocasiones, un restaurante romántico en las noches de verano o un lugar idóneo para alguna barbacoa y más de una fiesta.

A estas 4 estancias dedicaremos las siguientes páginas, aunque vale la pena dedicar una página a esbozar algunos consejos para las restantes zonas de la casa.

➤ El **DESPACHO** es cada vez más habitual en cualquier casa, ya sea concebido como escritorio para el estudio de niños o jóvenes, o como despacho de trabajo, cada vez más frecuente entre profesionales libres.

El **VESTÍBULO** o **RECIBIDOR** es una zona de paso de la casa, y por lo general no se le considera una estancia. Sin embargo, debe planificarse como el resto de las estancias, sobre todo porque es la primera zona que ven las visitas y porque nos da la primera y la última impresión al entrar y salir de casa:

- Los vestíbulos deben precederse de un felpudo para no castigarlos demasiado con los zapatos al llegar a casa.
- Deben tener un suelo resistente, pues siempre reciben suelas húmedas y un tránsito notable.
- Cuide la iluminación y disponga de un buen espejo para darse un último vistazo antes de salir.
- Habilite un lugar cómodo y de fácil acceso para dejar los abrigos, chaquetas, bastones, sombreros, paraguas y otros accesorios importantes.
- Tienda a los colores suaves y cálidos, y la llegada a casa será también cálida y confortable.
- Aproveche el espacio con muebles bien elegidos o armarios empotrados que permitan guardar periódicos, ropa de invierno, accesorios de deporte, etc.

Las **ESCALERAS** tampoco suelen considerarse estancias, pero pueden ser perfectamente organizadas y aprovecharse al máximo:

- Utilice el espacio bajo la escalera para montar un escritorio.
- Si quiere guardar trastos en ese espacio no lo haga a la vista, ya que crea sensación de desorden: adapte un armario a medida con varias puertas y llénelo.
- Haga de la pared de subida una exposición de cuadros.
- Si la escalera es ancha, ponga objetos o plantas en los extremos de cada escalón.
- Decore la parte vertical de los escalones con cuadros, mosaicos o cualquier otro objeto que se vea conforme se sube.
- Mantenga siempre la zona despejada para el tránsito fluido.

Rompa la monotonía con alfombras que recorren el **PASILLO** y con cuadros en las paredes.

- Si el pasillo es muy largo, se puede dar la impresión de dos tramos diferentes con dos alfombras o con iluminación puntual sobre un cuadro o un mueble.
- Si hay muchas puertas, elimine alguna, la que separa el pasillo del recibidor preferentemente.
- Baje un poco el techo del pasillo y tendrá un excelente altillo para guardar trastos.
- Favorezca, sobre todo, el tránsito fácil y sin obstáculos.

# La cocina del siglo XXI

*Según algunos sociólogos, una de las mayores transformaciones en el ámbito doméstico se ha producido en el terreno de la alimentación. Han cambiado las formas y los significados. Ha variado aquello que comemos, y hoy la alimentación ya no es sólo cuestión de supervivencia. El ocio y el placer de los sentidos acompañan nuestras comidas, y la variedad de alimentos que hoy se encuentra en cualquier cocina hubiera sido totalmente inconcebible 30 años atrás. El gran reto de la nueva cocina del siglo XXI es adaptarse a estas nuevas formas de vida, y sería bueno que tanto los constructores como nosotros mismos fuéramos organizando el espacio de la cocina de acuerdo con estas tendencias.*

## Los nuevos modelos de hogar

### 1 Cada vez mayores

La población española vive un constante proceso de envejecimiento. En el año 1990 había algo más de 5 millones de personas mayores de 65 años. En los albores del nuevo milenio ya se calculan más de 6,5 millones, y para el 2020 se prevé que la cifra alcanzará casi los 8 millones de personas mayores de 65 años. En 30 años, los mayores van a pasar de ser el 14% de la población a ser el 20%. Todos habíamos oído algo así cuando se debate sobre el tema de las pensiones, pero no hay duda de que este envejecimiento de la población exige adaptaciones también en la cocina de casa.

### 2 La fragmentación de la familia

La tradicional escena del matrimonio con los 3 hijos y los abuelos ya no es propia de nuestro tiempo. Las residencias para la tercera edad, la asistencia a domicilio u otras circunstancias similares son las que viven muchos abuelos en solitario. Las parejas tienen menos hijos, hasta el punto de que nuestro país tiene una de las tasas de natalidad más bajas del mundo. De hecho, las personas que viven solas eran el 9% en 1981 y en tan sólo 10 años pasaron a ser el 13% de la población, no sólo personas solteras, sino muchas de ellas separadas. La cocina unipersonal, por tanto, es un reto de futuro incuestionable, con necesidades alimentarias y estilos muy diferentes.

### 3 La incorporación de la mujer al trabajo

La progresiva y acelerada incorporación de la mujer al mundo del trabajo afecta directamente a la organización de la cocina de una casa:

- Varían los estilos de comida.
- Es necesaria una redistribución de los roles entre los integrantes de la familia.
- Afecta directamente a la natalidad (en 1975, la media de edad para tener el primer hijo era de 28 años, en 1995 de 30 años; igualmente, en 1975 la media de hijos era de 2,7 y en 1995 de 1,1 hijos).

### 4 La alimentación

Estos nuevos modelos de hogar en crecimiento tienen sus propios estilos de vida, y por tanto unas necesidades alimentarias distintas y un presupuesto propio. Se da el hecho de que los hombres o mujeres que viven solos, las parejas de jóvenes con 2 sueldos y los ancianos solitarios gastan en comida algo así como la mitad que las otras unidades familiares: los dos primeros grupos por las continuas comidas fuera de casa, y los últimos por su bajo nivel adquisitivo.

### 5 Nuevos modelos de hogar

Se calcula que en el año 2005 habrá más hogares con personas que vivan solas, con parejas jóvenes con 2 sueldos, con una pareja de adultos y con ancianos solitarios.

## Las nuevas tendencias de la cocina moderna

Las nuevas tendencias sociodemográficas que se han visto no son una descripción de lo que les pasa a los demás: en gran parte son un retrato de lo que pasa en nuestro propio hogar. Tanto el concepto general de cocina (como el caso concreto de nuestra cocina) deberían atender a estas tendencias y adaptarse de la manera más adecuada. Estas son las 3 nuevas líneas en las que debería evolucionar la organización del espacio de la cocina:

1. **La flexibilización en los usos de los espacios, todavía muy rígidos.**
2. **Una mejor integración del equipamiento tecnológico.**
3. **Nuevas zonas de almacenamiento adecuadas a los nuevos estilos de compra.**

## Las grandes adaptaciones

La cocina se ha convertido en la estancia con el equipamiento tecnológico más sofisticado de la casa. Los espacios se han ido redefiniendo para que los refrigeradores de hielo dejaran paso a las neveras eléctricas, de la misma forma que las cocinas de carbón o leña han dejado espacio a los primeros fogones de butano o de gas natural, para la vitrocerámica, los congeladores, los microondas, etc.

## La rigidez de la cocina

Estos espacios han sido huecos que ha dejado el constructor, pero las estructuras siguen siendo más rígidas de lo que parecen. Pruebe a colocar un microondas si el constructor no ha habilitado un hueco para ponerlo. Acaba invadiendo media encimera o colgando de la pared de forma incómoda y artificial. Lo mismo ocurre con los pequeños electrodomésticos y robots de cocina más habituales, que acaban acumulándose por los armarios.

## La cocina tecnológica

Cada vez más personas comen en la cocina. La conclusión es clara: más allá de carritos para la tele, brazos voladores perforando las baldosas y otros inventos, las cocinas van a ir incorporando nuevos equipamientos audiovisuales perfectamente integrados en el equipamiento de ese espacio. No sólo la televisión, como primer candidato, sino especialmente el ordenador, que hará las funciones de televisor, cadena de música, teléfono y, sobre todo, de terminal de compra desde donde realizar los pedidos al supermercado para que nos sirvan la compra a domicilio.

## La cocina-comedor

Es práctica habitual para no desplazarse hasta el comedor, para no ensuciar otra estancia y para tenerlo todo más a mano. La cocina deja de ser un espacio sólo para la elaboración de la comida y pasa a ser un lugar de estancia. Debe, por tanto, mejorar en comodidad e ir incorporando elementos complementarios, como radios, cadenas musicales, televisores, revisteros, etc.

## La nueva alimentación

Todo esto también afecta a la alimentación propiamente dicha. Se incorporan nuevas técnicas de cocción rápida, mediante aparatos microondas, pero también mediante alimentos precocinados o congelados o listos para comer.

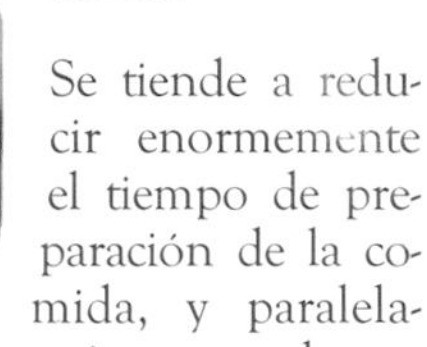

Se tiende a reducir enormemente el tiempo de preparación de la comida, y paralelamente, incorporarla en forma de gastronomía al tiempo de ocio.

## El nuevo almacenamiento

La compra semanal es cada vez más frecuente y los precios son mucho mejores comprando grandes cantidades. Estos nuevos hábitos de compra implican más espacio de almacenamiento: diversos productos congelados que requieren congeladores amplios, diferentes conservas y gran número de envases que precisan armarios y una despensa amplia, etc.

**El envasado** de los alimentos es una técnica fundamental para conservar la calidad de éstos, reducir al mínimo su deterioro y limitar el uso de aditivos; además, cumple diversas funciones:

- contener los alimentos
- protegerlos del deterioro químico y físico
- proporcionar un medio práctico para informar a los consumidores sobre los productos.

Como en otros aspectos de la técnología alimentaria, en el área de los envases también se han producido novedosos avances que garantizan una provisión de alimentos más seguros y nutritivos.

- **El envasado al vacío** consiste en introducir el producto en una bolsa de plástico o papel de aluminio y extraer la mayor parte del aire; así, el envase mantiene la atmósfera interna y el alimento se conserva fresco y seguro.

- **El envasado en atmósfera modificada (EAM)** se basa en cambiar la composición de los gases que están en contacto con el alimento, sustituyendo el aire por un gas en particular o una mezcla de gases. Luego, los productos se almacenan a baja temperatura (por debajo de 3 °C). El objetivo es excluir o reducir el contenido de oxígeno, mantener el nivel de humedad del alimento y evitar el crecimiento de microbios.

Así mismo, como respuesta al ritmo acelerado de la vida moderna, existen en el mercado una gran variedad de alimentos listos para cocinar ¡sin necesidad de sacarlos del envase!

**"Sous-vide"** es una técnica mediante la cual el alimento se envasa al vacío y, posteriormente, se calienta para prolongar su duración sin que se pierdan los nutrientes, ni el sabor o la textura del producto. Antes de consumirlo, se vuelve a calentar el alimento en su envase, ultimando así su cocción.

### ¿Sabía que...?

*La mayor revolución en el ámbito de los alimentos en el siglo XX han sido los congelados. El invento se debe a un naturalista que, por su trabajo para la administración de los EE UU, fue enviado al Ártico. Allí observó que los peces que pescaba se congelaban en el acto por la temperatura exterior, pero al descongelarse mantenían su frescura. Birdseye montó su primera empresa y en 1924 creó la* General Seafood Corporation, *que en 1930 ya tenía una importante red de distribución al por menor. A partir de 1934 empezó a fabricar equipos congeladores que alquilaba a bajo precio a los dueños de las tiendas. En 1944 ya contaba con vagones ferroviarios para su distribución: un nuevo ejemplo de cómo la ciencia avanza casualmente, y de cómo el sueño americano es también real.*

## 1

Una **pequeña barra plegable atornillada a la pared**, con un par de taburetes plegables (que pueden guardarse detrás de la puerta) pueden hacer que el fin de semana la cocina adquiera otro aspecto. Es el momento de abrir una botella de vino y servir unos tacos de queso mientras se cocina. Incluso un par de amigos pueden estar en la cocina y hacer del rato en los fogones **una primera tertulia**. La experiencia demuestra que cada uno acaba teniendo la receta perfecta para el plato que estamos preparando, así que la conversación está asegurada.

## 2

La mejor inversión es **una nevera amplia y buena**. Adquiera una adecuada a sus necesidades y en las que pueda tener en los próximos 10 años. Si precisa un gran congelador no pierda espacio de nevera: compre un congelador independiente, de gran capacidad y que puede ir en el lavadero exterior.

## 3

Habilite un **armario para un televisor** e instale una puerta corredera a juego con el resto de muebles de la cocina. Evitará que el aparato se engrase manteniendo la tele a cubierto la mayoría del tiempo, y cuando abra el armario para verla no tendrá la desagradable sensación de ver las dos puertas abiertas.

# Las 4 zonas principales de la cocina

*Para establecer un poco de orden en cualquier lugar es importante delimitar sus usos concretos y sus correspondientes espacios. Piense qué es lo que hace principalmente en la cocina y adapte el espacio del que dispone proporcionalmente a cada uso. Si no come en la cocina y desayuna fuera de casa, no pierda espacio con una mesa y 4 sillas; quizá en ese espacio pueda poner un congelador, un mueble despensa o hasta una bodega.*

## Los 4 usos de una cocina y sus espacios correspondientes

1 PREPARACIÓN DE LOS ALIMENTOS

Normalmente sobre la encimera o sobre una mesa auxiliar.

2 COCCIÓN DE LOS ALIMENTOS

En los fogones, el horno, el microondas, etc.

3 ALMACENAMIENTO DE LOS ALIMENTOS

En la nevera, congeladores, despensa, armarios, etc.

4 COMEDOR

Normalmente una mesita en la misma cocina, aunque a veces tan sólo una barra, o por el contrario, un pequeño comedor anexo.

## Establezca prioridades

Ordene estos 4 usos de la cocina según sus preferencias. Si nunca utiliza el horno para cocinar, déjese de formalismos y convierta ese espacio inútil en un armario más al que seguro "sacará provecho" (en este caso, intente que quede aislado del calor de los fogones). Por el contrario, no dude en sacrificar un armario y empotrar en su interior el microondas, así quedará más despejada la encimera y trabajará mejor la preparación de los alimentos.

## Clasifique las cosas en 3 niveles

Todos los objetos que tenemos en la cocina pueden clasificarse en 3 niveles:

1 Qué utilizo **cada día**

2 Qué utilizo sólo **de vez en cuando**

3 Qué no utilizo **casi nunca**

Organice sus cosas de acuerdo con esta clasificación y optimizará tiempo y espacio. Lo más probable es que únicamente utilice la cafetera cuando vienen invitados, y resulta que hace 2 meses que no viene nadie y todavía tiene la cafetera ocupando parte de la encimera. Lo mismo ocurre con la cubitera, con la sandwichera o con la licuadora. Incluso con lo que tenemos en el armario: aquel juego de copas que nos regalaron, aquella tetera que jamás hemos utilizado y un largo etcétera que ocupa un espacio desproporcionado en relación a su uso real.

## Desplace cosas fuera de la cocina

Mire en los cajones de su cocina: la mantelería de Navidad, la vajilla para ocasiones especiales, algún cajón con medicinas y hasta las velas que guarda para el próximo cumpleaños. Desplace todos los elementos que utilice muy ocasionalmente a otro lugar de la casa. Procure que la cocina sea el lugar más despejado y actualizado de la vivienda.

## El "triángulo sagrado"

Los profesionales se refieren siempre al "triángulo", una línea invisible trazada entre las tres zonas de actividad de la cocina: la fuente de agua, la zona de cocción y la despensa. Estas 3 zonas deben ser independientes y al mismo tiempo estar conectadas de forma rápida e inmediata. No es adecuado, por ejemplo, tener que bordear la mesa para acceder a la despensa. El triángulo implica intercomunicación rápida entre estos elementos. Por ello, no siempre las cocinas grandes son las mejores. Los grandes cocineros las prefieren reducidas y bien trenzadas en su accesibilidad. Si su cocina es grande y quiere habilitar una zona de estar, incluso donde poder recibir amigos, debe establecerla apartada de la zona de cocción.

## Utilice ruedas

Las nuevas tendencias del diseño de muebles no introducen las ruedas por moda, sino porque son muy prácticas para conseguir espacios móviles y, por tanto, multifuncionales. Por ejemplo, tenga un carrito de varias bandejas en la cocina y utilícelo para todo. Sirve como mesita auxiliar a la hora de comer (para el agua y las botellas, el pan, las aceiteras, etc.), así que no necesitará una mesa fija tan grande y al acabar el carrito vuelve a su rincón.

## Piense en plegables

No tenga siempre 4 sillas en la mesa de la cocina: ocupan demasiado espacio. Es mejor tener 2 sillas abiertas y otras 2 plegadas detrás de la puerta. Igual con la mesa: las redondas son ideales porque no tienen cantos donde darse golpes, pero ocupan mucho espacio. Compre una mesa redonda plegable, que quede semicircular: se ajustan bien a la pared, muestran su cara redondeada y pueden abrirse si son más de 2 personas.

## Las encimeras

Manténgalas limpias y despejadas, y así siempre tendrá sensación de espacio disponible. No las cargue de fruteros, tarros, tostadoras y demás enredos. Tenga todas estas cosas en los armarios o colgadas en la pared.

## Las 5 distribuciones

- La **COCINA LINEAL** es la mejor en espacios limitados, con todos los electrodomésticos y armarios alineados contra una pared.
- La **COCINA-PASILLO** utiliza la alineación a lo largo de dos paredes opuestas, en paralelo, creando un pasillo interior. Con giros de 180 ° se dispone de mucho espacio, aunque crea sensación de paso continuo. El fregadero y la cocina deben estar en el mismo lado para evitar goteos y traslados (y que el pasillo acabe siendo un "resbaladero").
- La **COCINA EN "L"**, una de las más habituales, aprovecha 2 paredes contiguas en ángulo. Resulta útil también para espacios reducidos, aunque es vital que aproveche al máximo la esquina y no pierda la utilidad del rincón.
- La **COCINA EN "U"** permite una gran movilidad en la cocina, casi sin desplazarse, al aprovechar 3 paredes contiguas. Bien distribuida es muy cómoda, aunque el cúmulo de espacios no debe entorpecer los movimientos.
- La **COCINA CON ISLA** es la que permite el establecimiento de una zona central que puede ser rodeada por toda la cocina. Es preciso tener una pieza amplia, pero resulta ideal si hay varias personas en casa, ya que permite una movilidad en varias direcciones. En el centro pueden habilitarse los fogones y la campana del extractor, aunque también puede ocuparse el centro con la mesa auxiliar de cocina que hará las funciones de la encimera.

# El almacenamiento en la cocina

*El almacenamiento, tanto de alimentos como de utensilios y complementos de la cocina, debe ser planificado alrededor de cada zona: la de cocción, del fregadero y de la despensa.*

## A cada zona sus complementos

- Tenga el cubo de basura junto a la zona de preparación de alimentos, donde desecha continuamente envases, pieles, etc.
- Tenga los utensilios de cocina, sartenes, ollas, etc., junto a los fogones.
- Tenga la vajilla, la mantelería, las aceiteras, etc., junto a la mesa para comer.
- Tenga todos los productos de limpieza cerca del fregadero y el lavadero.

## ¿A la vista o en armarios?

Una de las primeras decisiones a tomar es si quiere tener las cosas guardadas o a la vista. En este último caso debe optar por colgadores, estanterías, repisas, expositores y armarios con puertas acristaladas.

Con buen gusto enriquecerá el aspecto de su cocina y la hará mucho más personal, aunque no debe olvidar que el trajín diario hará que todo lo que ha decidido tener a la vista se engrase y que el más mínimo desorden destaque.

## ¿Diseño aséptico o estilo rústico?

Hay quien prefiere el diseño aséptico y la cocina tipo laboratorio, lo que favorece el uso del acero inoxidable y otros materiales modernos, el diseño de interiores, la sencillez de líneas, la simplicidad y una sensación de orden a medio camino entre la obra maestra de arquitectura y una fría sensación de cocina impersonal. Hay también quienes hacen de lo rústico una bandera y organizan en medio de la ciudad una cocina como la de la abuela del pueblo. La elección es suya, y probablemente el punto medio sea lo más interesante. Deje a la vista algunos productos con encanto, como alguna aceitera con hierbas aromáticas, las especias, un frutero, ristras de ajos, tarros con pastas de colores, e incluso algunas plantas.

## Estantes móviles

Los fabricantes muchas veces entregan armarios con todos los estantes a una distancia estándar y luego ocurre que las botellas más altas no entran.

Recuerde adquirir muebles con estantes móviles, que puedan disponerse a alturas diferentes y ajustarse a sus necesidades.

## Basura selectiva

La selección de basura puede parecer pesada si no se dispone de un espacio compartimentado para su fácil y rápida separación. Adquiera un cubo con divisiones que se ajuste bien al espacio del que dispone, y compleméntelo con alguna caja de cartón para que cada desecho tenga su lugar. Separe los que tengan compuestos orgánicos del vidrio, los plásticos, latas y papel para reciclar. Llame a su Ayuntamiento para informarse sobre la situación de los contenedores si es necesario.

## Una escalerilla en la cocina

Pequeña y plegable, una escalera en la cocina es ideal para acceder a los altillos, sobre todo cuando éstos tienen gran profundidad (a veces, sobresalen más que el armario) y ni siquiera consigue ver si lo que busca se encuentra arriba. Procure no subir a taburetes, pues tienen poca amplitud y son poco estables, especialmente los de mayor altura.

## Tarros herméticos

Acostúmbrese a utilizarlos para guardar comestibles e impedir la formación de bacterias.

## El congelado de alimentos

Hoy en día comprar alimentos congelados o comprarlos frescos y congelarlos en casa es ya una práctica habitual en la mayoría de los hogares:

- **Compre un congelador grande**, el mayor que pueda tener en su cocina, o plantéese tener un congelador complementario en el garaje o en la terraza, donde podrá poner bolsas de cubitos de hielo, helados para todo el verano y alimentos para una buena temporada.
- **Los congeladores verticales con cajones** son los mejores cuando hay poco espacio y cuando van incorporados a la nevera. Especialice cada cajón en un tipo de alimentos y le será más fácil ir directamente a lo que quiere. Ponga etiquetas a los cajones si es necesario.
- **Utilice etiquetas** para identificar los diferentes paquetes. Escriba también la fecha en cada paquete: los congelados también tienen fecha de caducidad, así que procure tenerlos ordenados y que ningún paquete quede mucho tiempo en el fondo del congelador.
- **Congele a su medida**, no lo haga siempre en grandes cantidades, y piense en cuántos son en casa al disponer los paquetes. Una pareja puede separar hasta 4 paquetes para 4 días diferentes con un pollo entero: un primer paquete con 2 muslos y 2 contramuslos para hacer a la plancha, 2 paquetes más con las pechugas en filetes para rebozar, y un cuarto paquete con las alas, las patas y las carcasas para hacer un caldo.

## LA BODEGA

La cocina no es el lugar más adecuado para tener una pequeña bodega, pero más vale ser realistas y aceptar que en la mayoría de los hogares es uno de los lugares donde suele situarse, así que unos cuantos consejos no serán muy del gusto de los expertos, pero al menos intentarán mejorar una realidad cotidiana.

**Botelleros por módulos:** al principio le permiten ocupar poco espacio, y conforme aumenta su bodega es posible ir comprando más módulos e ir ampliándola. Existen modelos rectangulares que pueden ponerse horizontal o verticalmente, de manera que dan mucho juego en la cocina.

**La situación:** el lugar adecuado es un sótano, un lugar fresco y oscuro, sin olores extraños ni mucho ruido y adecuadamente ventilado. Si es un gran aficionado, ya irá buscando un lugar para el coleccionismo y las grandes reservas, pero si simplemente quiere tener unas cuantas botellas para ir disfrutándolas, bastará con que coloque el botellero lo más alejado posible de cualquier fuente de calor y al resguardo de cualquier luz directa.

**Las botellas tumbadas:** recuerde que el vino debe conservarse en posición horizontal, de manera que el corcho permanezca continuamente húmedo.

**La evolución del vino:** la temperatura ideal debería mantenerse estable entre los 12 y los 15 °C. Si tiene su pequeña bodega en la cocina, la temperatura se verá aumentada por la calefacción de la casa y por el calor natural de la cocina, así que la evolución del vino será más rápida. Tenga un botellero en continua rotación, sin dejar mucho tiempo los vinos descansando. Recuerde que, en general, los vinos blancos, los rosados y los cavas es preferible conservarlos un máximo de 1 ó 2 años.

**Un librito de bodega:** si no va a consumir los vinos inmediatamente, tenga un librito de bodega en el que apunte las fechas de compra y el tiempo óptimo de consumo que le han recomendado: "más vale lápiz corto que memoria larga".

# La limpieza en la cocina

*La limpieza de la cocina es el primer y principal factor de su organización. La cocina debe mantenerse limpia por motivos higiénicos y sanitarios, pero también por una cuestión de orden y principalmente para facilitarnos el trabajo. No hay nada más desagradable que empezar a trabajar en una cocina sucia y desordenada. Aunque sea para ensuciarla inmediatamente, la cocina debe tener una higiene mínima.*

## Limpieza del fregadero

- **Si el fregadero es de porcelana** bastará con llenarlo con un poco de agua caliente y unas gotas de lejía, y luego dejar que se vacíe lentamente. Para blanquear hay que colocar una capa de papel absorbente, empapar con lejía, dejar actuar durante 5 minutos y aclarar con abundante agua.
- **Si es de acero inoxidable** se precisa la limpieza diaria con un lavavajillas. Para las manchas del agua va bien utilizar alcohol o vinagre de vino blanco. Para las incrustaciones de cal existen productos antical específicos, aunque también resulta efectivo frotarlas con zumo de limón o directamente con medio limón.

## Limpieza del horno

- Infórmese sobre el **sistema de autolimpieza** del horno.
- Es más fácil limpiar el horno **en caliente con un paño húmedo y bicarbonato sódico**, pero cuidado: puede quemarse al principio, en cualquier caso es sofocante y hasta puede llegar a ser tóxico.
- Límpielo mejor **en frío**, retirando la grasa mayor con papel de cocina y lavándolo después con agua caliente y lavavajillas. No olvide la parte interior de la puerta. Aclare bien y seque con un trapo.
- **Prescinda de los productos limpiadores de hornos**: huelen mal y, en algunos casos, no se puede demostrar que no sean nocivos.

### Malos olores en el horno

Deje chamuscar durante unos minutos **una piel de naranja o limón** en el horno a temperatura media: acabará con los malos olores, y además perfumará agradablemente su cocina.

## Limpieza del microondas

- Lo mejor es **limpiarlo suavemente** después de cada uso.
- Si el interior huele, introduzca un recipiente con **agua y zumo de limón**, déjelo hervir 1 minuto y límpielo a continuación.

## Limpieza del congelador

- En primer lugar es necesario **descongelarlo totalmente**. Utilice bandejas de recogida de agua y una toalla vieja para el agua no controlada.
- Puede acelerar el proceso de descongelado poniendo una **olla con agua caliente** en su interior o con el aire caliente de un secador de pelo.
- Si va a rascar las placas de hielo hágalo siempre con una **espátula de madera**, de otra manera podría dañar el congelador, o incluso dañarse.
- No utilice **nunca objetos punzantes o cortantes** para rascar el hielo: es uno de los principales motivos por los que se estropean estos aparatos.

## Limpieza de la nevera

- Desmonte todos los **elementos móviles**: bandejas, repisas, soportes, etc.
- Lávelos en el fregadero con **agua y detergente** o con bicarbonato disuelto en agua.
- Aclárelos bien y séquelos con un trapo.

- Repase las **gomas de fuelle de las puertas** con cuidado y con una esponja húmeda.
- Limpie las **paredes interiores** con una esponja húmeda con agua y jabón.
- Las **manchas persistentes** salen con lavavajillas.
- Aclare bien y seque el interior de la nevera.
- Pase el aspirador de vez en cuando por las **rejillas de la parte trasera**, puesto que suelen acumular polvo con bastante facilidad y esto afecta a su correcto funcionamiento.
- Los **tiradores de acero inoxidable** de las puertas se limpian muy bien con una esponja humedecida en bicarbonato de sosa.

### Malos olores en la nevera

Ponga en el interior de la nevera durante un rato un recipiente con leche hirviendo y los malos olores desaparecerán.

## Limpieza de bombillas y fluorescentes

Es uno de los lugares donde se acumula más grasa y, por su altura, solemos limpiarlos con menos frecuencia.

- Límpielos **siempre apagados** y después deje que **se enfríen**, ya que además de quemarse, pueden explotar.
- Utilice un trapo impregnado en alcohol de quemar.

## Prevenir la condensación

- **Ventile bien**: ponga el extractor o abra la ventana, sobre todo cuando cocine.
- **Tape bien** las ollas, sartenes y cazuelas y no producirá un exceso de vapor.
- Cocine siempre que pueda en **olla a presión** o en el **horno a baja temperatura**.

## Limpieza de la campana

El correcto funcionamiento del extractor ayuda a conservar la cocina limpia, pues absorbe de manera eficaz los humos y vapores grasos que se crean al cocinar.

- Use una esponja húmeda con un detergente amoniacado.
- Procure **no mojar el motor** del extractor al limpiar las aspas del ventilador.
- **Séquelo inmediatamente** después de la limpieza.
- Si la campana incluye **filtros y rejillas**, desmóntelos periódicamente y lávelos en el fregadero con agua y detergente.

## Manchas en la encimera

Deje que unas gotas de **limón o vinagre** actúen durante un par de minutos; no lo deje durante más tiempo porque el ácido puede atacar el mármol si la encimera es de esa piedra.

## Baldosas y azulejos

- Límpielos con detergentes domésticos y aclare después.
- Utilice agua con un poco de lejía para limpiar las juntas.
- Si quedan restos o manchas de jabón, aclare mejor con agua y unas gotas de vinagre.

## Contra los malos olores en la cocina

- Caliente **azúcar moreno** junto con unas **ramas de canela** a fuego lento: el olor que impregnará la cocina es parecido a cuando se está horneando un plato.
- Hierva unas **rodajas de limón** para eliminar el olor a comida quemada.
- Ponga un vaso de **vinagre blanco** junto a la sartén y evitará el olor a fritura.

# El ahorro en la cocina

*"Donde comen tres, comen cuatro", reza el dicho popular. Pero esto sólo ocurre en algunas casas. ¿Se han fijado en que hay casas a las que llegan invitados, a veces dos parejas, y en un momento todos están comiendo? En otras, sin embargo, llega uno de trabajar y no hay nada para cenar, y eso que vive solo. Lo más curioso es que en las casas donde se cumple el dicho, además, se suele comer bien, así que el mérito es doble, y en algunos casos casi un arte. Éstos son algunos consejos básicos para organizar los recursos de su cocina, optimizar los resultados y además ahorrar un poquito.*

## Cocine para 2 días

Ahorrará tiempo y dinero. Si cocina unas lentejas estofadas y son 3 en casa, no lo dude, haga el doble de cantidad, añada unos granos de arroz y unas patatas en tacos. Aporte sabor con unos dientes de ajo y unos trozos de chorizo. Al día siguiente, ya tendrá un plato preparado. Además, los estofados son mucho más sabrosos cuando han reposado de un día para otro. En ocasiones, el cambio es tan notable que no tendrá la sensación de repetir la misma comida. Al día siguiente, además, no perderá tanto tiempo en la cocina ni tendrá que volver a consumir energía en los fogones. Haga lo mismo con la tortilla de patatas, a muchas personas les gusta incluso fría. Siga el mismo consejo para los guisos en general y para las sopas. Procure recalentar sólo una vez y no guardarlo más días.

## Compre productos de temporada

En la estación adecuada, las frutas, por ejemplo, son mucho más sabrosas y económicas. No se deje seducir por los primeros frutos que vea en el mercado o en la tienda porque los pagará a precio de oro. Seguramente son importados o los primeros de la temporada. Las setas constituyen un caso típico: a principios de otoño se ven las primeras, y la escasez y la novedad dispara los precios. A finales de otoño, sin embargo, aparecen a montones y el precio es muy asequible. Si alguien le quiere hacer un regalo ya lo tiene claro: existen magníficos libros que relacionan los productos naturales con la estación más adecuada para así adquirirlos a buen precio y disfrutar de todo su sabor.

## Controle la calidad de los alimentos

Sea prudente en todo momento y no lleve el ahorro y el buen hacer en la cocina a extremos innecesarios. Si un producto o un plato cocinado han estado varios días en la nevera, nota que huele un poco más fuerte de lo normal o sospecha que puede estar en mal estado, no lo dude un instante: tírelo sin contemplaciones.

## Reaproveche bien los alimentos

Haga croquetas o canelones con el pollo que le sobra del caldo, o prepare una tortilla con la verdura del día anterior. Si hace un sofrito, haga un poco más y prepare algo de pasta. Si queda una botella de vino abierta, guárdela para cocinar: utilice el tinto para los estofados y el blanco para los pescados o para el pollo. Aproveche la fruta muy madura y haga mermeladas o macedonias. Acostúmbrese a pensar siempre así y la inventiva se irá desarrollando sin que se dé cuenta. Empezará haciéndolo por ahorro y acabará descubriendo una afición. Llegará un día en que se dará cuenta de que todo tiene un segundo sabor, una segunda forma y también un gran ahorro.

## Compre grandes cantidades

Sobre todo en los productos que consume habitualmente. Los precios son mejores en envases grandes que en pequeñas porciones. Tenga cuidado con las fechas de caducidad. Ahorrará tiempo y desplazamientos, y recuerde que hay numerosos establecimientos con servicio a domicilio, incluso gratuito a partir de un determinado importe. Compare el precio del pescado troceado o comprando piezas enteras: a veces es desorbitada la diferencia. Igual ocurre con el pollo troceado y un pollo entero. Compre un pollo entero y con la diferencia adquiera unas buenas tijeras de cocina. O mejor aún, compre una merluza entera y pida que se la corten en rodajas y la pongan en 2 paquetes: 2 rodajitas por persona, unas patatas laminadas, una cebolla troceada y unos minutos con el caldo de la cabeza hervida, es un plato más que respetable. Luego, déjelo reposar y verá al día siguiente; estamos hablando de una merluza de 9 euros, con la que una familia de 3 miembros cena hoy y mañana come pescado fresco.

## Cocine con imaginación

Con ingredientes muy económicos se pueden hacer comidas excelentes. Sólo hay que dar un toque de gracia a lo más básico. Añada unos ajitos a las patatas fritas, haga pasta con un simple calabacín, invente tortillas de diferentes verduras y revueltos de huevo con setas, trigueros, cebolla o un simple tomate. Añada espinacas y huevo duro a un estofado de garbanzos, disfrute de cómo las patatas se impregnan del sabor del pescado. Juegue y verá cómo no hay límites: haga el pollo a la plancha, añada otro día ajo y perejil, cocínelo al limón, frito con almendras, troceado y al ajillo, dorado al *curry*, al horno y relleno, en filetes de pechuga rebozados, guisado con zanahorias o con setas y así hasta descubrir que es un juego de sabores, colores y texturas tan maravilloso como barato.

## Organice el consumo para no tirar nada

Programe bien en qué orden irá comiendo lo que tiene en la nevera para que nada se estropee. Coma las verduras frescas el día que las compra. Consuma con prioridad lo que ya tiene cocinado. Controle las fechas de caducidad y organice un orden razonable. Es absurdo tomarse un yogur que caduca al cabo de 20 días y dejar el frutero lleno de fruta fresca. La señal de que se ha organizado bien es precisamente ésta: no tiene que tirar nunca nada.

### Recuerde

*- Tenga siempre en cuenta las fechas de caducidad, especialmente si compra en grandes cantidades.*
*- En la cocina no se tira nada, pero ante la duda se tira todo.*

# Terrazas y balcones

*Las terrazas y los balcones son un espacio abierto al exterior, un mundo nuevo que aporta una diferente dimensión al piso y que bien organizado puede transportarle a ambientes muy acogedores. Un mobiliario cómodo, un toldo que proteja del sol y cuatro macetas bien escogidas pueden hacer de su terraza un verdadero paraíso.*

## El problema del peso

Las plantas constituyen un elemento básico para hacer que su terraza en medio de la ciudad se convierta en un pequeño rincón de rico colorido y diferentes fragancias. Es muy importante, sin embargo, que distribuya correctamente sus macetas y jardineras, ya que el peso que alcanzan una vez llenas de tierra es muy elevado:

- Recuerde que el borde de la terraza es la parte más resistente del suelo, así que distribuya las macetas más pesadas en las esquinas y alrededor de la terraza.
- No haga grandes agrupaciones de macetas para que el peso no se concentre en un solo punto.
- Descarte la idea de poner una gran maceta en el centro de la terraza: come mucho espacio y se asienta sobre el punto menos resistente al peso.

- Adquiera jardineras ligeras, de plástico o fibra de vidrio.

- Utilice preferentemente sustratos ligeros, como la tierra compuesta de turba.
- Utilice también bolsas de crecimiento: aunque no resultan muy estéticas, son muy útiles cuando se trata de plantas colgantes, y las tapan en pocas semanas.
- Las macetas colgantes no contribuyen a acumular peso sobre la terraza, ya que se apoyan en la fachada de la casa, así que ante problemas de debilidad en el suelo son una buena solución.
- Si quiere hacer un gran jardín en su terraza, consulte al arquitecto de su edificio y asegúrese de la normativa de su Ayuntamiento.

## El riego

- Eleve las macetas del suelo con listones de madera, soportes, patas u otros sistemas que permitan que el exceso de agua fluya libremente.

### ¡Cuidado!

*Tenga mucho cuidado con las azoteas de las casas: muchas veces no están pensadas para ser habitadas, y su resistencia al peso es muy inferior a la de terrazas y balcones.*

- Riegue de noche para que el sol no caliente el agua.
- Procure que el agua no gotee a la calle o a terrazas inferiores: si es necesario, utilice bandejas de recogida de agua del riego.

## El viento y el sol

El viento y el sol son por lo general dos de las molestias

más frecuentes en una terraza, tanto para usted como para las plantas, así que es muy conveniente tomar algunas medidas de protección:

- Afiance bien las plantas que coloca en el muro de su terraza para que el viento no pueda tirarlas y originar un accidente que pudiera ser mortal.
- Sitúe las plantas fuera del batido continuo del viento: el tambaleo continuado acaba dañando las hojas, los vientos fríos son muy duros para muchas plantas, y los vientos cálidos secan muy rápidamente la tierra y pueden quemar el follaje.
- Estudie bien el tipo de plantas que elige de acuerdo con la orientación de su terraza y con la intensidad y las horas de sol que recibe. Utilice el toldo tanto para usted como para sus plantas, ya sea ante el tórrido sol del mediodía como ante una granizada ocasional (en este último caso deberá elegir entre proteger las plantas o proteger el toldo).
- Evite los paneles rígidos para protegerse del viento, ya que crean turbulencias, son más peligrosos por la resistencia total que ofrecen y suelen ser más antiestéticos.
- Son preferibles los entramados de madera, que filtran y dispersan el viento más suavemente, dejando en ocasiones un suave movimiento de aire que se agradece, y por los que puede encaramarse una bonita enredadera.
- Recuerde que las hiedras son las plantas más resistentes para cubrir estos entramados "paravientos". También sirven las rosas trepadoras de pequeño tamaño, el jazmín amarillo y la hortensia trepadora.

## Su jardín acuático

Los nenúfares y otras plantas son cada vez más solicitadas para crear jardineras acuáticas: las especies vegetales que se utilizan no son muy habituales, así que se gana en originalidad, al tiempo que la superficie quieta del agua crea agradables reflejos que se alternan con el suave movimiento del agua cuando sopla el viento:

- Elija una maceta de tamaño moderado: piense que va a estar llena de agua y que el agua es muy pesada.
- Debe elegir jardineras resistentes, como las de hormigón, aunque una buena elección es media tina de madera.
- Es necesario que estas jardineras tengan bastante profundidad (unos 45 cm como mínimo).
- Elija especies pequeñas, que no tapen la superficie del agua, que es tan protagonista o más que las propias plantas.

# La despensa en la terraza

*Cultivar frutas y verduras en la terraza no sólo es posible, sino mucho más fácil de lo que parece. No hace falta un gran espacio ni obras especiales, sólo la elección de jardineras y maceteros adecuados, unas buenas semillas y los cuidados normales que precisan otras plantas. Si se eligen bien, servirán tanto para decorar la terraza como para descubrir una nueva afición y proporcionarnos un buen número de alimentos: la recompensa es salir a la terraza y hacerse con unas ramitas de tomillo para la carne, cortar unas hojitas de perejil para una salsa verde, coger unos limones para un zumo o tener unas fresitas para el postre.*

## Los árboles frutales

Muchos árboles frutales pueden crecer en macetas, aunque es preferible que elija árboles enanos, más pequeños y compactos, hoy en día muy habituales gracias a los injertos:

- LOS MANZANOS Y LOS PERALES se encuentran fácilmente como arbustos enanos. Sólo necesita plantar varios para asegurar su polinización cruzada, y por tanto buenas cosechas de frutas. Pida asesoramiento en su centro de jardinería o en viveros especializados.
- LOS MELOCOTONEROS Y LAS NECTARINAS también se encuentran en variedades arbustivas de pequeño tamaño. Estas especies florecen antes de que los insectos polinizadores hagan acto de presencia, así que es necesario colaborar a mano en su polinización. Para ello, sólo hay que dotarse de un pincel y tener la paciencia de frotar ligeramente una flor para poder trasladar el polen de una a otra.
- LOS CÍTRICOS son quizá los más conocidos, tanto los limoneros como los naranjos, a la vez que los más resistentes y los más agradecidos por su colorido.
- LAS HIGUERAS aportan un ambiente muy exótico con sus grandes hojas, y tienen la ventaja de que, al ver reducidas sus raíces a un macetero, se desarrollan en tamaño moderado. Por el contrario, deben protegerse bien en invierno, ya que son muy sensibles a las heladas.
- LA VID crece también muy bien en macetas y tiene la ventaja de que se le puede ir dando forma a medida que crece, además de que en nuestro país suele aguantar bien en el exterior durante todo el año.
- LOS CEREZOS Y LOS CIRUELOS son hoy en día muy frecuentes como ejemplares de pequeño tamaño, pero capaces de dar buenos frutos. Tienen la ventaja de que pueden autofertilizarse, así que basta con un único ejemplar.

## Cuidados generales

- La norma básica para los árboles frutales es mucho sol y resguardo del viento.
- La tierra nunca debe secarse.
- Agradecen generosamente los aportes de abono: en primavera y verano hay que aplicar semanalmente un fertilizante líquido con un alto contenido en potasio, lo que favorece el desarrollo y la maduración de la fruta.

- Si han aparecido las flores de primavera y hay riesgo de alguna helada tardía, cubra los frutales con plástico transparente para que no sufran: si se estropean las flores, no tendrá fruto.
- No deje que produzcan cosechas muy pesadas o al año siguiente la producción será escasa. Corte los frutos jóvenes y deje sólo unos cuantos.
- Cada año, a finales de otoño, es necesario un trasplante para reemplazar la tierra.
- Asesórese sobre las necesidades de poda y fumigado del frutal que ha elegido.

## Las verduras

La posibilidad de tener tomates, rábanos o calabacines en la terraza de casa es más que nada un concepto de hogar. La afición será un magnífico ejemplo para sus hijos, y de verdad que es una satisfacción poder comer algo que nosotros mismos hemos plantado:

- **Las JUDÍAS VERDES** se cultivan bien en macetas. Siembre las semillas directamente en la maceta al principio de verano, espaciadas unas de otras 10 ó 15 cm.

- **Los TOMATES** son una elección muy adecuada, ya que se adaptan bien a las bolsas de crecimiento. Hay que plantar los tomates en el interior a comienzos de primavera, un máximo de 3 plantas por bolsa para no saturarla, y sacarlos fuera cuando ya no haya peligro de heladas.
- **Los PIMIENTOS Y BERENJENAS** requieren veranos calurosos. Se cultivan igual que los tomates.

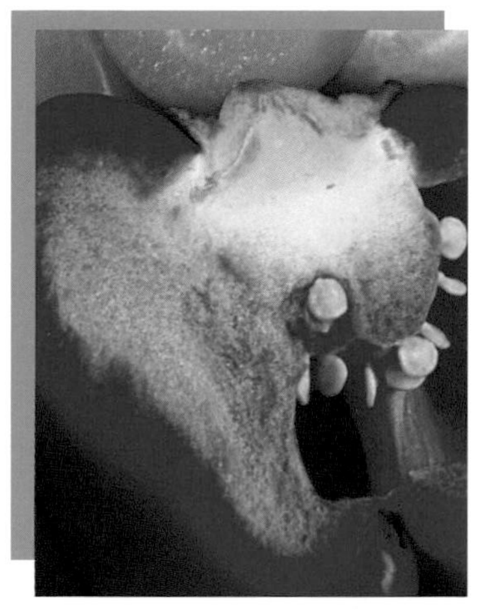

- **Los CALABACINES** son hortalizas muy productivas, aunque también extraordinariamente sensibles a las heladas. En cada bolsa de crecimiento se pueden colocar 2 plantas, disponiendo una a cada extremo.
- **Los RÁBANOS** son perfectos para su cultivo en maceta. Si se riegan correctamente pueden lograr crecimientos sumamente rápidos, hasta el punto de que se pueden plantar en sucesión en intervalos de 2 semanas en primavera y verano.

**Las bolsas de crecimiento** son muy útiles para las verduras: son bolsas de 1 m de largo y 30 cm de ancho, rellenas de tierra, generalmente turba. En la parte superior de la bolsa se hacen unas perforaciones para plantar o sembrar, y son adecuadas tanto para cultivos estacionales (como los tomates) como para varias cosechas sucesivas (como ocurre con los rábanos).

### Un aroma especial

*No sólo piense en frutos y verduras para "arrancar": las plantas aromáticas como el tomillo o la menta pueden proporcionar a su terraza aromas capaces de transportarle a la Naturaleza.*

**La zona de la terraza más adecuada** es aquélla que disfruta de más horas de sol, sobre todo para las verduras tiernas, como tomates, pimientos o berenjenas.

# El jardín

*Es cierto que en las ciudades y en los pisos no se suele contar con un jardín, pero no es menos verdad que en los últimos años han proliferado las casitas adosadas con un pequeño jardín en las poblaciones y en los barrios residenciales de la periferia de la ciudad, así como en los cada vez más abundantes chalés en la playa y en la sierra.*

## Los 6 elementos del jardín ideal

Los 6 elementos que se detallan a continuación constituyen una relación global con la naturaleza. Si todos ellos están bien representados, se establece un perfecto equilibrio que simboliza la más plena armonía:

1. Un estanque para el agua.
2. Un reloj de sol.
3. Una estatua de metal.
4. Árboles que simbolicen la madera.
5. Rojos y naranjas para representar el fuego.
6. Tierra abundante y rica para simbolizar el planeta.

## Las 4 áreas de la vida

El jardín debe representar un espacio para la vida, para el encuentro y el disfrute personal, de manera que tienen que albergar espacios para las diferentes actividades humanas:

1. Un lugar para sentarse, contemplar y meditar.
2. Senderos acondicionados para el paseo.
3. Áreas ocultas para la sorpresa, el misterio y la excitación.
4. Zonas donde comer plácidamente, como un cobertizo de madera.

### Ahorre dinero

*Instale un sencillo sistema de recogida de aguas en el techo de su casa, en el del garaje o en el cobertizo y podrá abastecer su estanque, las fuentes o chorros de agua de su jardín, e incluso parte del riego.*

# Las 10 normas básicas del Feng Shui

### 1 Las cuatro coordenadas

En el mundo ideal del Feng Shui, el jardín debería rodear la casa por sus cuatro costados. La fama se potenciaría al Sur con un bonito césped, la protección la aportaría una montaña al Norte, la sabiduría del dragón vendría de una colina al Este y el tigre se mantendría a raya con un lago al Oeste.

### 2 El predominio de las curvas

La norma fundamental para los jardines, como en gran parte de arte chino de la armonía, es que haya curvas y más curvas, que se suavicen las aristas con diferentes soluciones: un ejemplo es cubrir las columnas cuadradas del porche con plantas trepadoras que asciendan en espiral, lo que no sólo cubre los ángulos, sino que también sustituye la dureza del material por la fragilidad y el color de las plantas.

### 3 La proporción es la base de la armonía

Todo debe estar proporcionado: nada debe ser ni demasiado grande ni demasiado pequeño; sólo así se mantiene el equilibrio.

### 4 La norma es quitar y quitar

En Occidente, un jardín se da por finalizado cuando ya no caben más plantas, más estanques ni más esculturas; en China, un jardín queda acabado cuando ya no se le puede quitar nada más.

### 5 Tapar las vistas desagradables

Las papeleras o cubos de basura se deben tapar con enrejados cubiertos por plantas trepadoras, de la misma forma que las vistas poco bellas o los muros pueden cubrirse con bambú.

### 6 Identifique el resto de zonas

Utilice el Pah Kwa y localice cada zona de enriquecimiento en su jardín: a partir de esta situación, organice el espacio y sitúe las zonas para comer, para pasear, para descansar, etc.

### 7 Ponga lirios en su jardín

Según la tradición china, los lirios representan el oro. Identifique la zona de su jardín que corresponde al dinero y plante unos cuantos lirios para que favorezcan su economía.

### 8 Dé protagonismo al agua

Sitúe un estanque redondo en el centro del jardín y tenga peces y plantas acuáticas en él. Incorpore también agua en movimiento, como un chorro que describe una suave curvatura mientras susurra a sus oídos su continuo movimiento...

### 9 Acceda a la casa en suaves curvas

No es conveniente que el sendero que une la casa y el jardín sea recto, ya que incita a llegar a la puerta de su hogar de manera demasiado directa, rápida y precipitada. Tienda a crear alguna ligera curvatura, haciendo de la aproximación un suave paseo.

### 10 Puertas y vallas de madera

La madera es un material noble, que armoniza con los árboles y con la Naturaleza. Evite también las líneas rectas, los ángulos y las formas duras. Tienda a utilizar troncos redondos y no descarte materiales inusuales, como cañas, ramas y otros elementos naturales.

# La biblioteca

*No todas las casas tienen una habitación destinada a ser biblioteca, así que no nos referimos tanto a una estancia concreta y especializada, como a ese rincón que hay en todo hogar donde se acumulan algunos libros, leídos y por leer, en una estantería de la sala de estar, en una repisa en el recibidor o en un estante en la habitación.*

## El concepto de biblioteca

Una buena definición de biblioteca: "Allí donde se reúnen más de tres libros, presididos por un principio de ordenación y con un proyecto de lectura, nace una biblioteca".

## Criterios de organización

### El truco de las dicotomías

La diferencia entre uno o varios montones de libros y una biblioteca no es la cantidad de libros en sí, sino su organización bajo criterios de clasificación. Un primer paso a dar podría ser dividir sus libros en 2 grandes grupos según diferentes criterios:

- Diferenciar entre libros **útiles** y libros que puedan ser **desechables**.
- Distinguir entre libros **de estudio** y libros **de distracción**.
- Separar los **diferentes géneros literarios**: novelas, ensayos, libros de texto...
- Agruparlos **por materias**: Humanidades, gastronomía...
- Clasificarlos **por tamaños** para que se ajusten a la altura y la profundidad del mueble o de las estanterías de las que se dispone.
- Distinguirlos **según su uso**: los de uso habitual y los de consulta poco frecuente (de manera que se puedan colocar en lugares más o menos accesibles).
- Separar los de gran **valor**, como alguna pieza de colección, de los de menor valor, sobre todo para que no sean accesibles a los niños, por ejemplo, o resguardarlos en un lugar más seguro.
- Los **personales** y los **familiares**, un tema un tanto discutible, pero en cierta manera lógico, como ocurre con libros sobre sexualidad o con temas de violencia, que no quiere que estén al alcance de sus hijos.

### Las bibliotecas son algo más que libros

Las nuevas tecnologías y la gran variedad de soportes que hoy en día se encuentran a nuestro alcance han abierto un gran horizonte en la biblioteca de casa. ***Las colecciones de CDs, los recortes de prensa, los mapas, las revistas, las cintas de vídeo*** y otros tantos soportes acaban intercalándose en la biblioteca hasta formar un nuevo concepto, donde el libro y el papel son sólo dos más de sus múltiples protagonistas. Utilice los mismos criterios de clasificación relativos a los libros para organizar también sus vídeos, CDs, mapas, partituras, disquetes, diapositivas, fichas coleccionables, fascículos, etcétera.

## Las 10 reglas de oro para formar una biblioteca

**Establezca un lugar adecuado para su biblioteca** y calcule cuál puede ser su volumen de crecimiento. Si dispone de una habitación, que esté bien ventilada, sin humedades, orientada al Norte o a levante, que se pueda mantener a una temperatura entre 15 y 20 °C aproximadamente y fácil de limpiar.

**Puede desperdigar su biblioteca:** es decir, distribuirla fragmentadamente por diferentes puntos de la casa, con sus libros técnicos en su habitación de estudio o junto a su despacho, los libros de recetas en una cristalera en la misma cocina, ciertos libros en la sala de estar a disposición de las visitas, libros de lectura junto a su mesita de noche, e incluso un par de libros de relatos cortos para sus "estancias" en el baño.

**Empiece desechando:** en todas las casas se van acumulando (sin saber cómo) pilas de libros que nadie ha leído ni va a leer. Existe un cierto tabú en lo relativo a tirar libros. Regale los libros que no utiliza a organizaciones que los destinan al Tercer Mundo, entréguelos en la biblioteca del barrio o vaya a un mercadillo a venderlos o cambiarlos por otros.

**Conserve bien los libros:** ciérrelos con cuidado para que no se doblen las páginas, utilice puntos de lectura para señalar una página, si quiere marcarlos hágalo con lápiz y suavemente, y cuide su encuadernación. Alguien dijo que son seres vivos...

**Muebles cerrados o muebles abiertos:** los primeros son normalmente acristalados y ofrecen más protección, aunque suelen ser algo más caros y además si el acceso es continuo llegan a cansar, así que se reservan para colecciones especiales; los muebles abiertos, las librerías clásicas o las estanterías, aunque acumulan más polvo y requieren una visita más frecuente del plumero, son más accesibles.

**Piense en la altura de los libros:** uno de los mayores problemas es la altura de los estantes, que muchas veces obliga a situar horizontalmente los ejemplares de mayor tamaño. Lo ideal son las estanterías ajustables en altura, de manera que se puedan establecer espacios bajos para libros de bolsillo y espacios más altos para volúmenes de mayor formato.

**Piense en la anchura de los libros:** no los vaya colocando hasta aprovechar el último milímetro porque necesitan respirar como cada uno de nosotros. Manténgalos lo suficientemente holgados como para que puedan deslizarse hacia nuestras manos con elegancia, sin arrastrar a sus compañeros, como si fuese un ritual de elección en el cual queda claro que sólo ese ejemplar merece hoy "nuestros honores".

**La colocación más adecuada** es situar los libros de gran tamaño en la parte baja y los más manejables en la parte alta. No los ponga hasta tocar el fondo, ya que los libros pequeños quedan demasiado hundidos, pierden presencia estética, y si están muy arriba llegan a desaparecer a la vista.

**No mezcle libros, trofeos y figuritas:** colocar los libros casi hasta el borde le evitará tentaciones: no hay nada peor que necesitar las dos manos para coger un libro y tenerlas ocupadas sujentando cualquier otro objeto.

**Su biblioteca es una buena amiga:** háblele, sincérese con ella, intente enriquecerla como ella le enriquece a usted, cuídela y manténgala limpia.

# El despacho en casa

*Cada vez son más las personas que trabajan en casa: la autoocupación, las nuevas profesiones, los trabajos a tiempo parcial y las posibilidades que han abierto el teléfono, el fax, el ordenador, Internet y otras nuevas tecnologías han provocado que muchas personas organicen en su casa un área de trabajo: a veces una simple mesita con ruedas en el dormitorio, otras veces una mesa en un rincón del salón, y muy a menudo incluso una habitación entera organizada como despacho.*

## El despacho integrado en otra habitación

Es lógico que si su área de trabajo está en la habitación o en la sala de estar, vea condicionada la decoración de su despacho para que se adapte al conjunto de la estancia, pero no deje que esta circunstancia le impida crear un área adecuada para trabajar. Recuerde que los muebles de despacho han de ser funcionales, ya que la prioridad es la comodidad, que le permitirá trabajar a pleno rendimiento. La mejor forma de separar este espacio del resto de la estancia es poniendo una alfombra que delimite su área de trabajo.

## ¿Qué actividad desarrolla?

Tener esta cuestión clara es un elemento básico para determinar dónde se puede colocar el área de trabajo. Un maquetista, por ejemplo, genera continuamente residuos y puede impregnar la sala de olor a pegamento, así que, instalarse en el salón no es lo más adecuado. La sala de estar puede ser muy adecuada si se dedica a escribir, ya que muchas veces es la zona más cálida y acogedora de la casa (aunque también puede ser la menos tranquila si hay mucho movimiento de familia).

## Feng Shui en su despacho

Compruebe en primer lugar dónde se encuentra la zona de trabajo de su casa según las directrices del Feng Shui, y procure establecer allí su despacho o su área de trabajo. Lo más adecuado sería que coincidiera con la zona del dinero y el enriquecimiento, aunque si se encuentra entre las personas a las que les encanta su trabajo, también puede coincidir con la zona del placer. En casos muy concretos, como el de un actor o el de un novelista, incluso puede hacerse coincidir con la zona de la fama.

## La iluminación

Es importante una ***doble fuente de luz***: una iluminación general, que cubra toda la estancia con una luz suave y procedente del techo, y una iluminación más localizada, normalmente en forma de flexo sobre la mesa y situada de forma que provoque la menor cantidad de sombras. De todas formas, la mejor iluminación es la luz natural. Situarse en una habitación orientada al Sur le proporcionará mayor tiempo de sol, y a la vez le permitirá mirar por la ventana de vez en cuando.

## El orden es fundamental

Mantenga su despacho ordenado y limpio, separe el material de trabajo de los artículos para el ocio y tenga una agenda a la vista con el trabajo para toda la semana. Si cambia de tarea, recoja primero lo utilizado para la anterior y empiece la nueva con el despacho impecable. No archive papeles innecesarios y vacíe su papelera con regularidad.

## Aporte personalidad a su despacho

Decórelo según su gusto personal y tenga a la vista detalles de su actividad: cuelgue un tablón de objetivos y márquelos según los va obteniendo, decore las paredes con alguna lámina alusiva a su profesión, enmarque alguna frase que le inspire, o coloque sobre su mesa una foto familiar: le recordarán que lucha por algo más que por usted mismo.

## Espacio multifuncional

Si sólo trabaja esporádicamente en casa, puede concebir su despacho como un espacio multifuncional. Por ejemplo, utilícelo como sala de lectura, ponga una televisión pequeña por si un día hay discrepancias en la familia sobre qué programa ver, instale algún juego para los niños en el ordenador y cuantos otros usos se le ocurran.

# Vestíbulos, recibidores y pasillos

*Las zonas de entrada y acceso a la casa no son en absoluto secundarias. Es cierto que se pasa por ellas de forma fugaz y que son básicamente zonas de paso, pero adquieren gran importancia si consideramos que son las que causan la primera impresión a un visitante, y también las que nos harán respirar una u otra atmósfera al llegar cada día a casa.*

## Formar un único conjunto

Quizá lo más recomendable para transmitir una completa ***sensación de armonía y calidez*** es que tanto el vestíbulo como el pasillo estén pintados de un mismo color y que mantengan idéntico estilo de decoración. Transgreda esta norma únicamente si tiene muy claro qué juego de contrastes quiere ofrecer.

## Materiales prácticos

Estas zonas de paso suelen ser las más transitadas y, por tanto, las más castigadas de la casa.

Puede utilizar TONOS CLAROS EN LAS PAREDES, ya que aportan luminosidad a una zona que no suele tener ventanas, pero evite los tonos claros en los tejidos, ya que el continuo roce los ensucia muy rápidamente.

Coloque CUBREPAREDES alrededor de los interruptores para no manchar la pintura o el papel con el uso diario.

Elija un SUELO RESISTENTE Y FÁCIL DE LIMPIAR y acostúmbrese a utilizar el felpudo de la entrada.

## Busque la calidez

Tienda a los colores más bien cálidos, ya que tienen la propiedad de crear una excelente sensación de acogida, y combínelos a su vez con varias bombillas de bajo voltaje o bien con varios focos en miniatura.

No descarte instalar algún elemento especial, como unas velas, unas flores frescas o una pecera.

Esta última aportará vida al recibidor: el suave movimiento del agua, la luz especial de estos acuarios y unos peces bonitos resultan siempre muy agradables a la vista.

## Aproveche los rincones

Un perchero, un paragüero, una lámpara de pie o una escultura, lo que quiera o lo que le venga bien, pero intente (en la mayor medida posible) romper los ángulos de un recibidor que suele ser cuadrado o rectangular e intente crear un ambiente circular, más acogedor y por donde se fluya con mayor comodidad.

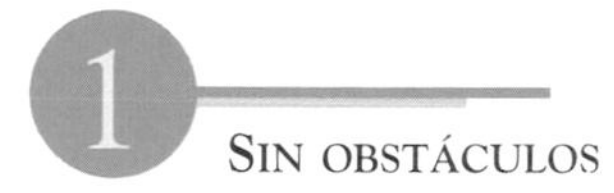


### Sin obstáculos

En el recibidor y en el pasillo debe favorecerse la circulación fluida. No guarde nada detrás de la puerta que pueda impedir que ésta se abra ampliamente y, sobre todo, no ponga obstáculos que hagan difícil el tránsito por el pasillo o puedan suponer un riesgo continuo.

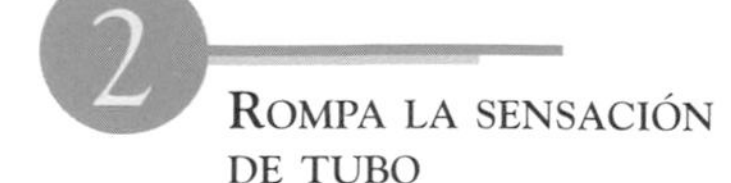


### Rompa la sensación de tubo

Especialmente en los pasillos muy largos unidos a recibidores rectangulares: ponga una puerta entre uno y otro para dividir bien los dos espacios, e intente dar la sensación de que el pasillo se divide en dos zonas; puede ayudarse con dos alfombras diferentes, con un mueblecito en la zona central, o con juegos de luces diferentes.

3

### Rentabilice estos espacios

Que no sólo sean áreas de paso: si tiene espacio en el recibidor, haga un armario empotrado, utilícelo como trastero o como vestíbulo y destínelo a objetos que no quiere que acaben de entrar en casa. Puede bajar los techos y tener un altillo para almacenar trastos, o incluso una vitrina con sus trofeos de caza, sus medallas o su colección de sellos.

4

### La puerta principal y el Feng Shui

La puerta principal de la casa tiene gran importancia. Si la puerta es muy grande, entrará demasiada energía y se sentirá abrumado, pero si es muy pequeña, le constreñirá y se sentirá ahogado.

La puerta de la casa debe estar siempre bien iluminada desde fuera, en especial si se encuentra en la zona de la fama, ya que usted no debe ocultar nunca su propia luz.

# Rincones difíciles

*Si los ángulos de una estancia no son de 90 °C, la decoración se complica. Surgen serias dificultades para adaptar unos muebles que mayoritariamente han sido diseñados para adaptarse a ángulos rectos, de la misma forma que aparecen dificultades cuando una estancia tiene alguna forma redondeada, por ejemplo el típico ventanal que sobresale de la fachada en forma de ábside.*

## Los ábsides acristalados

Si el diámetro del ábside es pequeño, se puede incluso dejar sin amueblar: más vale la sencillez que una pieza mal elegida y con sensación de desubicación. Lo mejor es instalar un riel curvo y adaptar la cortina a la curvatura de la cristalera.

## Utilizar el ángulo como escenario

Un ángulo muy cerrado puede concentrar la visión también de forma positiva, cobijando en esa esquina una escultura o cualquier otra pieza alta y redondeada, forma ideal para que el objeto quede bien contextualizado en el rincón.

## Potenciar la curva

Es un concepto genérico basado en no luchar contra algo que no se puede cambiar. Si hay un problema con una pared curva es mejor potenciarla y hacer que ésta sea el aspecto característico de la sala.

***Un rincón también puede tener un marcado protagonismo.***

## Soluciones prácticas para rincones difíciles

Hay muchas maneras de solucionar el problema de los rincones "molestos". Éstas son sólo algunas sugerencias que pueden orientarle:

- **Haga armarios empotrados**, por ejemplo, en paredes curvas de difícil uso, ya que generalmente no tiene importancia que el fondo del armario tenga forma redondeada. Esta técnica también se puede aplicar debajo de las escaleras, en las zonas de la buhardilla donde el techo inclinado no le deja estar de pie y, en definitiva, en cualquier ángulo muy agudo de la casa.

- **Elimine puertas**, especialmente en las zonas donde se unen hasta 3 puertas que se molestan mutuamente al abrirse y cerrarse.
- **Coloque muebles en diagonal** que rompan directamente el ángulo recto que se forma en la esquina, y dé un aspecto más redondeado a la estancia.
- **Utilice el cristal**, ya sea en mesas, en lámparas o en espejos, ya que dan una visión más ligera.

- **Realce la curva** en lugar de luchar contra ella, por ejemplo poniendo una cortina que se adapte a un ventanal redondeado mediante un original riel semicircular.
- **Utilice estanterías triangulares** para convertir un ángulo en una superficie recta, ya que la estantería encajona uno de sus vértices en el ángulo y lo aprovecha al máximo.
- **Busque un mueble modernista**, ya que destacan las líneas curvas y pueden armonizar bien con los rincones de difícil trazado.
- **Juegue con la iluminación**, dejando esos rincones entre la penumbra y la semioscuridad, lo que hará que pasen más inadvertidos.
- **Desvíe el protagonismo**, colocando en la estancia donde haya un ángulo muy incómodo un gran cuadro, una escultura iluminada u otros elementos que concentren toda la atención.

- **Tápelo al máximo**, por ejemplo con un biombo o haciendo llegar las cortinas hasta el ángulo.
- **Instale un plato de ducha** si el ángulo está en el baño, ya que la cortina lo tapará, y cuando se duche no tendrá gran importancia.

# Muebles y accesorios complementarios

*La organización de la casa implica también una concepción especial de los muebles. Tenerlos empotrados o a medida o, por el contrario, utilizar muebles polivalentes, es una de las decisiones más importantes a la hora de organizar su hogar, sobre todo teniendo en cuenta que hoy en día la movilidad es muy alta y las mudanzas cada vez resultan más frecuentes: de la casa de los padres se pasa a un piso de estudiantes, luego a un piso de soltero, después se incorpora la pareja, muchas veces se opta por un estudio con una habitación, posteriormente se necesita un piso más amplio, y en muchos casos se acaba aspirando a la casita unifamiliar.*

## Armarios empotrados y muebles a medida

No cabe la menor duda de que tanto los armarios empotrados como los muebles a medida se han convertido (cada vez más) en una magnífica solución para organizar la casa, pero tienen un inconveniente: acaban formando parte inseparable de ésta, así que es casi imposible adaptarlos a una nueva vivienda en caso de traslado.

## Muebles polivalentes

1 Pueden ***moverse por la casa*** mediante ruedas o guías, con lo cual se pueden instalar en diferentes rincones, como es el caso de las mesitas con ruedas de las cocinas.

2 Se pueden ***adaptar a espacios pequeños***: el caso más ilustrativo lo constituyen las pequeñas mesas de ordenador, con todo tipo de complementos y especialmente diseñadas para reunir todo el equipo en un espacio muy reducido.

3 Pueden ***utilizarse para diferentes funciones***, como ocurre con un sofá cama, que permite tener de día una estancia en forma de sala de estar, y por la noche o con la visita de invitados, convertirse en un buen dormitorio. Lo mismo ocurre con los baúles y los arcones, que permiten guardar cosas en su interior y ser utilizados como banquetas.

4 Son muy ***adaptables a otra vivienda*** en caso de mudanza, precisamente por su carácter versátil.

## Muebles y accesorios del recibidor

Es fundamental que el recibidor esté organizado de manera que nos permita descargar todo lo que normalmente traemos sin entrar en casa:

- Un **colgador** permite dejar la gabardina, el abrigo, el chubasquero o el paraguas sin necesidad de entrar de pleno en casa (y ocupar parte de un armario donde tiene camisas planchadas o vestidos delicados). Puede tener un perchero a la vista, aunque lo mejor es un pequeño armario en el que dejar las prendas guardadas.

- Una **cómoda** permite tener 2 ó 3 cajones para guardar unos fusibles, algunas monedas y otras cosas que puede necesitar de pronto, aunque son especialmente útiles 2 piezas: un cuenco de madera donde dejar las llaves y siempre saber dónde están (si es de madera, conseguirá evitar sonidos desagradables al dejarlas), y una bandeja donde se deja el correo y así cada miembro de la familia puede cogerlo.

- Un **espejo** conseguirá agrandar la estancia, y a la vez permite que nos demos un último vistazo al salir de casa: no es pura coquetería, sólo una forma de evitar que lleguemos al trabajo con una legaña "indiscreta".

## Accesorios para el televisor

Dos de ellos son especialmente útiles:

- El **carrito de ruedas** circular, que permite trasladar el aparato a cualquier sala.

- La **base giratoria** que permite orientar el televisor sin moverlo.

## Los módulos componibles

Diferentes módulos y accesorios que se combinan eligiendo entre diferentes modelos son una forma de beneficiarse de los buenos precios de la producción en serie, pero adaptándose a sus gustos y necesidades personales.

## Un buen repertorio de mesitas

Las hay de numerosos estilos y pensadas para diferentes funciones:

- **Mesitas auxiliares plegables**, que pueden utilizarse en diferentes puntos de la casa: deben ser fáciles de abrir y cerrar, manejables y bonitas (incluso cuando estén plegadas).

- **Mesitas nido**, consistentes en un grupo de mesitas, normalmente 3, que encajan unas dentro de las otras y ocupan un espacio bastante reducido. Recogidas forman una sola mesa, pero permiten sacar la mesita mediana, la pequeña (o las 2) según las necesidades.

BRILLIANT
LIME

# Bricolaje, decoración y sencillos arreglos y mejoras

La decoración es el arte de imprimir personalidad a su hogar. Decorarlo a su gusto es la manera de personalizarlo, de adecuarlo a su estilo y a su ideal de vida. De hecho, la decoración es el primer paso para que una casa se convierta en un hogar, para que sus cuatro paredes le transmitan singularidad y sentido de pertenencia. Y es que la decoración le permite crear un espacio propio para desarrollarse como persona y convivir con su familia, su pareja o, simplemente, consigo mismo.

No lo dude: la decoración de una casa refleja el alma de una persona, de la misma forma que lo hacen el rostro o la mirada. Defina su propio estilo, más allá de las modas, y haga de su casa un rincón de paz, su refugio ante el mundo exterior, su imagen más personal.

Si además es capaz de hacerlo con sus propias manos, mucho mejor. El placer de concebir y realizar las pequeñas mejoras de su casa tiene una triple compensación: primero, puede disfrutar del arte del bricolaje, realizando usted mismo una multitud de labores de fontanería, electricidad, carpintería, etc.

En segundo lugar, puede ahorrar bastante dinero si compara el coste de hacerlo usted mismo con lo que podría costarle un profesional.

Y tercero, sentirá la satisfacción y el orgullo de la obra acabada, aunque sean pequeñas mejoras, como tapizar una silla del salón o reparar un grifo que gotea.

En las siguientes páginas encontrará consejos prácticos para la decoración de su casa, desde la elección del estilo hasta los mejores trucos para decorar con pintura y empapelados, con telas, con flores o con la iluminación, con algunos consejos si quisiera contratar un profesional.

En las páginas dedicadas a las mejoras del hogar, encontrará consejos prácticos para la realización de sus propias obras de bricolaje. Empezaremos por el equipo de herramientas básicas que necesita, seguiremos con las pequeñas reparaciones de electricidad y fontanería, y también dedicaremos una atención especial a la reparación de muebles, adornos, cuadros, joyas y libros, además de los trabajos con telas. Finalmente, nos centraremos en algunas tareas de mayor importancia, como cambiar un inodoro, combatir las filtraciones de agua y hasta hacer un pequeño jardín.

Recuerde: siempre que pueda, combine estos dos elementos, decoración y obra propia, y además de concebir la casa a su gusto se irá identificando más intensamente con los rincones que ha embellecido con sus propias manos. ¡Buena suerte!

# Bricolaje y decoración

# La decoración de su casa

*El bienestar personal se basa en pequeños detalles que se perciben en el día a día, como puede ser en el trabajo diario, en la relación de pareja, en el trato con los amigos, en la convivencia con la familia, etcétera. Uno de esos detalles, sin duda de los más importantes, es su casa. La decoración que usted elija va a determinar la atmósfera en la que se desarrollará su vida, porque más allá de la estética, la decoración es el arte de crear ambientes.*

## Imagine su casa

Cierre los ojos e imagine cómo le gustaría que fuese su vida. Fíjese en la casa que aparece en esos sueños, qué muebles tiene, qué tipo de iluminación, qué cuadros, qué plantas. Ahora intente crear en su casa, en la medida de sus posibilidades, un ambiente similar, el más parecido posible.

## La elección del estilo

No se deje llevar por ideas ajenas, por lo que opine la vecina o por el bombardeo publicitario de muebles fabricados en serie. Piense en su modelo de hogar perfecto. Si le gusta caminar descalzo y notar el frescor del suelo en verano, olvídese de las modas de la moqueta y el parqué. Si le gusta la pintura, llene sus paredes de cuadros. Si le gusta la lectura, haga de sus libros el principal motivo de decoración. Si le gusta navegar, dele un toque marinero a su casa. Y si le gusta que vengan amigos, no dude en instalar una barra y un mueble-bar en un rincón del salón de su casa.

## El estilo propio

No todas las casas de campo tienen una decoración rústica, ni todos los pisos urbanos un diseño moderno. Incluso no todas las partes de la casa han de tener un estilo uniforme. Cada uno debe definir sus modelos de decoración a partir de un estilo propio, de su propio gusto.

Una casa con decoración clásica puede disponer de una habitación mucho más moderna si tiene un hijo joven, con otros gustos y preferencias. También puede tener una cocina y un comedor modernos y funcionales, y reservar la decoración clásica para el salón donde suele recibir a las visitas.

Asimismo, hay un tiempo para cada estilo: puede cambiar las cortinas y la alfombra en verano, buscando un estilo más fresco y desenfadado, de la misma forma que es normal ir a trabajar con traje y corbata y salir por la noche mucho más modernos y atrevidos. Así, podemos hacer con la decoración de casa lo mismo que hacemos con la ropa: mirarnos una y otra vez en el espejo hasta que coincidan perfectamente nuestra personalidad y nuestro aspecto.

## El equilibrio entre su casa y el mundo exterior

Nuestra casa y el mundo exterior son las dos dimensiones de la vida. Si nuestra actividad exterior es muy estresante, deberíamos procurarnos un hogar apacible que nos proporcione equilibrio. Quizá sería bueno optar por una decoración minimalista, suave y armónica, capaz de transmitirnos la paz y el sosiego para afrontar al día siguiente una nueva jornada. Por el contrario, si nuestra actividad laboral nos parece aburrida y monótona, quizá deberíamos embellecer nuestra casa con colores vivos y numerosas plantas, elementos capaces de transmitirnos alegría y entusiasmo.

## Decoración y funcionalidad

Otro de los factores imprescindibles a tener en cuenta para la decoración de su hogar es el uso específico que se da a éste. El hecho de trabajar en casa, de recibir visitas a menudo o de celebrar de vez en cuando grandes comidas familiares, condiciona inevitablemente la decoración de su casa. En el primer caso, preparando un espacio para el trabajo que cuente con una buena iluminación, aislamiento acústico y unas buenas condiciones de comodidad. Si se trata de recibir visitas, deberá acondicionar una sala acogedora y apartada de las estancias íntimas de la casa. Y en el caso de organizar reuniones familiares multitudinarias con regularidad, piense en soluciones que permitan abrir la mesa del comedor, disponer de más sillas, etcétera, con nuevas opciones en el día a día, cuando sólo está en casa el núcleo familiar.

*Elija la decoración pensando en las situaciones diarias, no en las excepcionales. Procure la comodidad y la funcionalidad de los suyos… y ya se las arreglará cuando vengan visitas.*

*Quizá sería bueno optar por una decoración minimalista, suave y armónica, capaz de transmitirnos la paz y el sosiego que necesitamos.*

*Debe acondicionar un espacio para el trabajo que cuente con buena iluminación, aislamiento acústico y confort.*

# La armonía de los sentidos

*La gran clave de la decoración de una casa es la armonía. No es cuestión de que todos los muebles y complementos deban ser obligatoriamente del mismo estilo, sino que sencillamente deben convivir en buena sintonía. Los colores, las texturas, los estilos, la distribución y otros muchos factores son los que determinan cómo se complementan todos los elementos de una casa. Y estos factores son percibidos por los sentidos, unas veces por la vista (la combinación de colores), otras veces por el tacto (los juegos de texturas), en otras ocasiones por el olfato (unas velas aromáticas), también por el oído (una música de fondo), e incluso por el sabor (el tipo de comida que se nos ha servido). Todo ello, por amplio que parezca, constituye el todo armónico al que hace referencia la compleja e interesante sensibilidad que abarca la siempre agradable tarea de decorar una casa.*

## El sentido de la vista

Es, sin lugar a dudas, el sentido más estimulado mediante la decoración, y el más evidente. Los juegos de colores y la disposición de los muebles muestran sensaciones y mensajes muy claros sobre la función de cada zona de la casa. Los tonos cálidos invitan al descanso y a la comodidad, de la misma manera que puede identificarse a primera vista en qué rincón podría uno sentirse bien para tomar una taza de té tranquilamente. Por el contrario, los colores vivos y la mayor parte de los muebles con ruedas nos dan idea de actividad y movimiento, con lo que la vista acaba determinando estados de ánimo muy concretos.

## El sentido del tacto

No hay mejor sensación de calor para muchas personas que la que nos proporciona tanto la alfombra como la moqueta bajo los pies. El suelo forrado de parqué permite un andar fluido y al tiempo elegante. Las sábanas de seda sobre la cama dan sensación de frescor y

*El **color** es un factor esencial en la decoración de una casa.*

elegancia, mientras que un buen edredón o un nórdico inspiran calidez. Otro ejemplo es el sofá del salón, con su gruesa tapicería en invierno, y cubierto por un cubresofá de suave algodón en verano.

## El sentido del olfato

Cada vez es más común decorar una estancia con olores. Las velas aromáticas son los productos con más amplia gama y los más utilizados, aunque también se utiliza el incienso, los perfumes y los aceites aromáticos.

*Los olores son también una forma de decoración de la casa. Aproveche la amplia gama de velas aromáticas y perfumes.*

## El sentido del gusto

Parece el más difícil de identificar en la decoración de una casa, hasta que lo descubrimos en una. En muchas casas de pueblo se mantiene el botijo de agua o la bota de vino en la entrada de la casa, de manera que uno acaba identificando la visita a aquella casa con aquel frescor sin sabor o con aquel intenso recuerdo del vino tinto.

*La música de fondo puede ser en algunos momentos el mejor complemento para la decoración de una estancia.*

**Frase célebre**

*La decoración es la diferencia entre una casa con muebles y una casa amueblada.*

## El sentido del oído

La música de fondo suele ser la fórmula más utilizada para complementar la decoración de una estancia, aunque no hay duda de que abrir las ventanas para que entre el sonido del canto de los pájaros o el rumor del mar es una de las mejores formas de crear un ambiente especial.

## El sexto sentido

El sexto sentido, la conjunción de todos los anteriores sumada a una sensación difícil de explicar, es la verdadera señal de que una casa está bien decorada. Uno no sabe muy bien cómo explicarlo, pero esa casa es simplemente agradable. Y lo más llamativo: a veces tenemos esa sensación en una casa modesta, sin una gran inversión y sin grandes ostentaciones, porque la decoración no siempre es cuestión de dinero, sino más bien de sensibilidad.

# Feng Shui: el arte chino de armonizar su casa

*El Feng Shui es el arte chino de vivir en armonía con la Naturaleza. Ha sido aplicado a la decoración de la casa desde tiempos ancestrales, y hoy en día es la última moda en el mundo occidental. Proliferan por todas partes los decoradores especializados en estas técnicas, y debemos reconocer que los resultados son excepcionales.*

## La sala de estar

- En una casa tradicional china, la sala de estar tendría un **fuego** como centro de atención. Ya nos podemos hacer una idea de cómo cambiaría el ambiente de nuestro hogar, sobre todo si consideramos que en nuestra cultura el centro de la sala es el televisor. Empiece por ocultarlo, aunque sea en un armario con puertas correderas.
- El Feng Shui desaconseja alinear los **muebles** paralelos a las paredes y organizarlos **de forma circular** para dar un aspecto más acogedor.
- Suavice las esquinas poniendo **plantas**: la energía fluirá mejor, se evitarán las aristas y los ángulos muertos, y darán sensación de redondez.
- Si tiene **espejos**, asegúrese de que no fraccionan su imagen de forma brusca.
- La **posición de honor** de la sala de estar debe reservarse siempre para la persona que más utilice esta estancia.

Debe ser un asiento cómodo, un sillón o la esquina de un sofá para tener un apoyo, y debe permanecer siempre mirando a la entrada y con buena vista sobre el centro del fuego, de manera que pueda adoptar una posición de descanso y al tiempo ver quién llega.

## El dormitorio

- La norma fundamental es que **la cama** no esté justo enfrente de la puerta de entrada de la habitación. Tampoco es conveniente que haya vigas sobre la cama. Si la construcción es así, se recomienda poner telas que hagan de falso techo y suavicen la vista.

- El dormitorio debe ser **luminoso** y lo más **despejado** posible: la energía debe fluir con facilidad para revitalizarle mientras duerme, y la luz del alba debe anunciarle que empieza una nueva jornada y, por tanto, una nueva vida.
- El dormitorio tiene **un solo uso**: es el área del placer y del descanso. No lo utilice como lugar de trabajo.
- La cama orientada al **Este** favorece la sabiduría. Lea algo relajante antes de dormir.
- Si tiene **espejos** no debe verse reflejado ni al entrar ni mientras permanece en la cama.

## El cuarto de baño

- Debe regirse por la **luminosidad** y la **limpieza**.
- Debe eliminarse toda sensación de humedad mediante una buena **ventilación**.

- Tenga la tapa del inodoro bajada: además de higiénico, impide que se vaya la energía positiva.
- Decore el baño con **plantas** y **velas**.
- Tienda a colores **blancos** y **azules** para darle luminosidad y armonía.
- Favorezca las **líneas curvas** para suavizar la dureza de las baldosas y el mobiliario.
- La máxima **sencillez** es garantía de higiene.
- Asegúrese de que los **espejos** estén siempre **limpios** para que su reflejo también lo sea.

## La cocina

- La cocina es el **corazón de la casa**, el área donde se reúne la familia para disfrutar en armonía: ponga en ella todo su cariño.
- Oculte de la vista cuchillos, tijeras y todo tipo de electrodomésticos, especialmente los pequeños (batidora, tostadora, picadora, etc.).
- Nunca tenga el cubo de basura a la vista.
- Procure que el fuego se oriente al Sur; el fregadero, al Norte; la mesa donde se come, al Este, y la despensa al Oeste.
- Utilice **plantas naturales** y **frutas** para darle vida y acercarle el máximo posible a la Naturaleza.

# La pintura

*Pintar es la manera más sencilla y económica de realizar una profunda renovación en la decoración de su hogar. Si se cuida bien, la pintura de las paredes puede durarle entre 5 y 8 años en muy buen estado. Para ello es necesario que elija la pintura de mejor calidad: a la hora de aplicarla le facilitará el trabajo, y a la larga su duración le ahorrará dinero. Disponga de un buen equipo y proteja todos sus muebles y superficies antes de empezar a pintar. Cuando acabe, no descuide la limpieza de los utensilios que ha utilizado para conservarlos en perfecto estado de mantenimiento.*

## TIPOS DE PINTURA

*El tipo de pintura determina los colores y los tipos de acabado que se pueden conseguir*

- LÁTEX Se usa para dar una capa sobre la imprimación antes de pintar la capa definitiva. Le evitará tener que pintar más veces ya que contiene más pigmento que las pinturas normales. No olvide limpiar la brocha con aguarrás.
- PINTURAS DE IMPRIMACIÓN (ALQUIL) Impermeabilizan superficies porosas como el yeso o la madera.
- PINTURAS GOTELÉ Las puede utilizar para disimular grietas o irregularidades en la pared o en el techo. Son pinturas espesas y permiten un acabado áspero, que puede suavizar con una capa de pintura al temple. Algunas precisan de esta última capa, así que tendrá que asesorarse antes de comprarlas.
- PINTURAS DE POLIURETANO Se utilizan para radiadores, tuberías y ventanas metálicas, ya que, al ser pinturas duras y resistentes, aguantan la humedad, los cambios de temperatura y los golpes.
- PINTURAS INCOMBUSTIBLES Son muy útiles para pintar materiales altamente combustibles antes de ser pintados con la pintura definitiva, ya que les aportan una capa protectora.
- PINTURAS AL TEMPLE Son de fácil aplicación y rápido secado, y disponen de una amplia gama de colores. Utilice pinturas mates, en lugar de brillantes, en sitios donde puede haber condensación, ya que soportan mejor el agua. Puede adquirir también pinturas específicas para la condensación que contienen un fungicida que evita la formación de moho. La pintura al temple no tiene un olor tan fuerte como la oleosa. No las utilice para pintar metales, ya que el agua que contienen los oxidaría.
- PINTURAS OLEOSAS Son más resistentes y duraderas. Aplíquelas en espacios con buena ventilación, ya que tardan en secar. Son muy útiles para carpintería, aunque debe aplicar una capa de látex antes de la pintura, pues la madera es muy absorbente. Rebájelas con aguarrás si quiere aprovecharlas mejor.

## La cantidad de pintura necesaria

Calcule la cantidad de pintura que va a necesitar y compre siempre **un poco más** como prevención. Tenga en cuenta, por ejemplo, que si ha hecho una mezcla de color y luego le falta pintura será muy difícil conseguir exactamente el mismo tono. Ajuste la cantidad de pintura que necesite según estas **pautas:**

- 1 l de pintura al temple —cubre— 12 $m^2$
- 1 l de pintura de imprimación — 12 $m^2$
- 1 l de látex — 16 $m^2$
- 1 l de pinturas oleosas — 14 $m^2$

## Equipo básico de pintura

➤ **BROCHAS Y PINCELES.** Compre brochas y pinceles de cerdas naturales: aunque son más caras, se manienen fijas a la abrazadera y duran más. Compre diversos tamaños: una brocha de 10 mm para paredes y techos, una de 50 mm para zócalos y puertas y una de 25 mm para ventanas y zonas estrechas. Adquiera una con mango largo para acceder a la parte posterior de los radiadores.

➤ **RODILLOS.** Le permitirán agilizar el trabajo en las superficies más grandes, sobre todo en los techos, aunque hay que utilizarlos con moderación porque suelen salpicar mucha pintura y no son útiles para los rincones o para rodear detalles. No olvide ponerse gafas protectoras siempre que utilice el rodillo, sobre todo cuando pinte el techo. Compre rodillos de piel de carnero, son más absorbentes que los de nailon. Evite los rodillos de esponja, ya que absorben mucha pintura, salpican demasiado y dejan burbujas en la superficie que, al secarse, se convierten en cráteres. Compre también en rodillos pequeños y estrechos para pintar zócalos y puertas.

➤ **ALMOHADILLAS.** También llamadas brochas de espuma, son más baratas, más ligeras y más rápidas. Están compuestas por una fina lana de angora pegada a una capa de esponja y acopladas a un mango de metal o plástico. Presentan el inconveniente de no poder ser utilizadas en los rincones, pero su ventaja es que no salpican.

➤ **PAPEL DE LIJA.** Tiene diferentes grosores y sirve para preparar la superficie de paredes y maderas antes de ser pintadas. Compre un cepillo de cerda para eliminar el polvo del lijado o utilice una brocha.

➤ **SOLUCIONES DECAPANTES.** Le serán de gran utilidad si tiene que quitar barniz o pinturas viejas. Use una rasqueta para levantar las pinturas antiguas.

➤ **MATERIAL DE LIMPIEZA.** Es imprescindible tenerlo siempre a mano: esponjas, trapos y detergentes que le permitan limpiar las manchas lo antes posible.

➤ **ESCALERA DE MANO.** Para acceder fácilmente al techo y a la parte alta de los marcos de puertas y ventanas.

### Truco casero

*Para que no se caigan las cerdas de los pinceles déjelos toda la noche sumergidos en aceite de linaza, si son de cerda, o en agua, si son de nailon: las cerdas se hincharán y evitará que se caigan. La parte metálica o abrazadera no debe quedar sumergida en el agua, ya que se oxida. Haga un pequeño agujero en el mango e introduzca un alambre, de manera que el pincel pueda quedar suspendido en la boca del bote.*

# Decorar con pintura

*Decorar con pintura es fácil, original y económico. Las diferentes técnicas de pintura y las combinaciones de colores pueden crear cambios radicales en las habitaciones de su hogar. Antes de empezar, asegúrese de tener todas las paredes preparadas de manera adecuada. Cubra la pared con una capa base y aplique posteriormente una de barniz o tinte. Haga las pruebas necesarias en papel viejo, trozos de madera o cartón y compruebe que el resultado es el que usted desea.*

## Pintura lavada

Antes de empezar el trabajo, prepare la pared dando una capa base de emulsión mate o satinada y déjela secar. Elija el mismo color (o un tono similar) y mezcle una emulsión y agua a partes iguales. Escoja una zona y haga una prueba, y continúe después por el resto de la pared con una brocha ancha. Para que el acabado dure más, pase una capa de barniz diluido por toda la superficie.

## Punteado con esponja

Es un método sencillo con el que puede conseguir acabados muy llamativos, sobre todo si utiliza colores contrastados, y también se pueden conseguir efectos muy sutiles. Aplique una primera capa de pintura al agua o satinada y déjela secar. Elija el color de la capa superior y dilúyalo ligeramente con un poco de agua. Sumerja un lado de la esponja y aplíquela en la pared suavemente. La clave está en tener mucho cuidado de que no gotee. Cubra toda la pared o aplique el efecto discontinuamente, más intensamente en la base de la pared y menos cerca del techo, o aplíquelo en unas paredes y en otras no. Si se atreve, deje que sus hijos participen, aunque debe asegurarse de que han entendido que se trata de decoración, no vaya a ser que hagan lo mismo con rotuladores y por toda la casa.

## Moteado con trapo

Es una técnica perfecta para disimular irregularidades en la superficie de las paredes o del techo. Puede escoger entre pinturas al agua o al aceite. No es recomendable trabajar solo, ya que es necesario que una persona pinte el esmalte con una brocha y la otra trabaje con el trapo. Para ello puede utilizar una amplia gama de colores.

## Veteado con bolsa

Aplique el color base con brochazos verticales. Coja una bolsa de plástico y llénela hasta la mitad con trapos sucios. Presione la pintura levantando la bolsa inmediatamente y repitiendo la operación por toda la habitación. Barnice después de haber secado: el resultado es tan sorprendente como original.

## Los efectos de pintar con brocha

Se puede recurrir a este método, sobre todo en paredes de yeso desnudo. Hay que pintar primero el fondo con una capa del color que haya escogido; a continuación, impregne una brocha amplia con otro color y escúrrala sobre un trozo de papel limpio hasta que esté seca. Pinte la pared en todas las direcciones con movimientos secos, dando varias capas y buscando el efecto que más le satisfaga.

## Los colores

No olvide que lo más importante a la hora de decorar una habitación con pintura es el color que va a utilizar. Para dar con la opción más adecuada, será necesario que analice las ventajas y los inconvenientes. Tendrá que adaptarse al color de los muebles si no va a cambiarlos, o al color de la moqueta o las cortinas. Si no atiende a estos factores, puede caer en el efecto dominó, es decir, que un cambio le vaya obligando a otros cambios, y así sucesivamente.

## Decorar en blanco

El blanco es un color que inspira pureza y tranquilidad, y además da la sensación de que los espacios son más grandes, aunque es necesario evitar que una habitación inundada con este color pueda dar una sensación de frialdad y pueda recordarnos a un hospital. Utilícelo para conseguir un contraste con elementos oscuros sin dar sensación de plenitud, y recurra a él para clarear zonas poco iluminadas. El blanco también es una buena elección si piensa cambiar la decoración pronto, pues se adapta bien a diferentes tonos y es fácil renovar los muebles, la moqueta, las cortinas y otros complementos.

## Tonos pastel

Los tonos pastel se caracterizan por producir una agradable sensación de tranquilidad y descanso, por lo que resultan especialmente indicados para dormitorios o salas de estar, así como para pequeños rincones de la casa donde se quiere imprimir claridad o dar la sensación de amplitud. Los tonos azules proporcionan un estupendo efecto de frescor, y los tonos vainilla y melocotón favorecen la calidez.

## Los tonos oscuros

Los tonos oscuros son una opción arriesgada, aunque igualmente interesante en algunos casos: requieren valentía y una idea clara del objetivo final. Piense antes de empezar que, si se equivoca y no le satisface su trabajo, tendrá que aplicar varias capas de pintura clara para conseguir una base que le permita volver a empezar. Puede utilizar estos colores oscuros para habitaciones grandes que estén bien iluminadas, tanto con luz natural como artificial.

# El empapelado

*El empapelado es una opción más para renovar la decoración de su hogar de una manera rápida y económica. El papel para revestir las paredes de su casa le proporciona numerosas posibilidades de combinación de tonos, colores y estampados. Resulta bastante más complicado que pintar, por lo que se recomienda empezar por una habitación pequeña para ir cogiendo práctica.*

## Tipos de papel

Existen diversos tipos de papel dependiendo de las superficies a cubrir. Calcule cuánto va a necesitar y compre siempre un rollo de más, ya que a veces llega una partida nueva del fabricante y los tonos pueden no ser exactamente iguales.

- **Papel de revestimiento** Es el adecuado para cubrir paredes con irregularidades importantes. Se usa como base antes de aplicar el papel definitivo.
- **Papel texturizado o grueso** También sirve para cubrir paredes ásperas, desiguales o con grietas. En este caso, tras ponerlo, debe pintarse. Piense bien esta opción, ya que es muy difícil de quitar.
- **Papel de vinilo** Muy útil para cocinas o cuartos de baño, pues la superficie se lava sin problemas.
- **Papel decorado** El más común y conocido, disponible en una amplia gama de estampados.

## El equipo

Procure adquirir un equipo y un material de cierta calidad: con una buena brocha evitará que se desprendan pelos al encolar, de la misma manera que con unas buenas tijeras podrá cortarlo bien y evitar desgarrar el papel. Compre también una esponja y un cepillo, un cubo con asa, una cubeta para depositar el papel pintado y un rodillo para las junturas. Necesitará igualmente una varilla o una escoba para sostener el papel encolado cuando se disponga a empapelar el techo. Le será de enorme utilidad una mesa para encolar, e incluso una máquina de vapor para disolver el engrudo de detrás del papel viejo (si lo hubiera).

### Truco casero

*Si localiza alguna mancha de grasa en la pared debe pintarla con pintura al temple antes de empezar a empapelar esa superficie. Evitará que la grasa traspase el papel.*

## Eliminar el papel viejo

Antes de empezar es recomendable quitar el papel antiguo, a no ser que mantenga una superficie uniforme y no quiera darse tanto trabajo. Quite el papel viejo con una rasqueta, actuando en dirección ascendente después de haber empapado bien el papel con una esponja y agua. También puede utilizar la máquina de vapor para reblandecer el papel y que el trabajo de la rasqueta sea más suave. Si la pared está pintada, lávela a conciencia y déjela secar bien.

## Empezar a empapelar

Pase una mano de cola por la pared para desplazar el papel y encajarlo. Recorte varios trozos de papel con 10 cm más de longitud que la altura de la pared.

Para fabricar el engrudo siga las instrucciones del fabricante para mezclar agua y polvos. Remueva despacio hasta que desaparezcan las burbujas. Le resultará más rápido y ágil utilizar un rodillo.

## Por dónde empezar

En primer lugar, busque el punto focal de la habitación. Si no lo tiene, empiece a empapelar por la parte izquierda de una ventana y acabe en el rincón más cercano a la puerta. Para practicar, puede cubrir la superficie con papel de revestimiento, lo que le proporcionará además un espacio suave para la posterior capa definitiva.

| Papel para techos | | Papel para paredes | | | | | | | | | | |
|---|---|---|---|---|---|---|---|---|---|---|---|---|
| Perímetro de la habitación | Número de rollos | Altura de la pared | Número de rollos según el perímetro de la habitación | | | | | | | | | |
| de 9 a 12 m | 2 | | 9 m | 12 m | 14 m | 16 m | 18 m | 21 m | 23 m | 26 m | 28 m |
| de 13 a 15 m | 3 | 2,14 m | 4 | 5 | 6 | 7 | 8 | 9 | 10 | 12 | 13 |
| de 16 a 18 m | 4 | 2,45 m | 5 | 6 | 7 | 9 | 10 | 11 | 12 | 14 | 15 |
| de 19 a 21 m | 6 | 2,75 m | 6 | 7 | 8 | 9 | 10 | 12 | 13 | 14 | 15 |
| de 22 a 24 m | 7 | 3 m | 6 | 8 | 9 | 10 | 12 | 13 | 15 | 16 | 18 |

### ¡Cuidado!

*Si desea empapelar el techo, deje las paredes para el final, así evitará que, al hacer el techo, le gotee el engrudo en la pared.*

## Detalles y corrección de fallos

- Para conseguir ajustar al máximo el papel a los interruptores haga una cruz en diagonal en el papel (que ocupe la superficie del mismo), quite después los triángulos resultantes y recorte a nivel. Si se puede, es preferible quitar el protector del interruptor, hacer esta operación y luego volverlo a poner.
- Si detecta burbujas, haga una cruz pequeña con un cúter en el centro, doble las solapas y ponga engrudo. Finalmente, una los bordes y pase una esponja húmeda.
- Si se levantan las juntas, aplique primero engrudo en los bordes levantados y pase posteriormente una esponja.
- Si hay zonas con brillo porque ha quedado engrudo seco, pase una bola blanda de pan.
- Si observa zonas con arrugas, haga un corte a lo largo de la arruga y vuelva a aplicar engrudo pasando una esponja para alisar.
- Si hay manchas o zonas húmedas, habrá que arrancar el papel y volver a empezar.

# Los suelos

*Existe una gran variedad de superficies con las que revestir el suelo de su hogar; una amplia gama que incluye suelos muy caros y suelos muy económicos, unos más elegantes y otros más sencillos, suelos que consiguen dar a la casa un aire clásico, rústico o juvenil, y suelos que por sí mismos son capaces de ser el centro de la decoración de una casa, sobre todo los suelos de madera.*

## La elección del suelo

El tipo de suelo debe escogerse siempre en función del uso que se le da a la habitación, de su estructura y de la idea decorativa que tenga para el resto del espacio, aunque, por su-

puesto, también en función del precio. La mayoría de revestimientos para el suelo son de fácil aplicación, aunque es preferible que se asegure de hacer un buen trabajo. Si no es así, gastará más dinero del necesario, así que si tiene la menor duda, llame a un profesional.

## Las esteras de fibra vegetal

Las esteras de fibra vegetal son muy fáciles de colocar y, a pesar de que algunos estilos son relativamente caros, la gran mayoría resultan bastante asequibles. Existe una gran variedad de tonos y dibujos, y sobre todo son materiales que aguantan

muy bien: fáciles de limpiar y con gran capacidad para que las manchas pasen inadvertidos. Son suelos muy prácticos, ya que le ofrecen la posibilidad de cubrir toda la superficie o de utilizarlos como alfombras, algunas de ellas con ribetes a juego.

## Suelos de corcho

Es una solución fácil y barata, muy adecuada para las habitaciones infantiles, para estudios, para cocinas y para cuartos de baño. El corcho se comercializa en placas que se colocan como las baldosas, o en forma de láminas que tendrá que cortar. Es un revestimiento práctico, fácil de colocar y que proporciona un aspecto cálido al espacio que

ocupa. Es imprescindible limpiarlo y darle 3 capas de barniz o laca de poliuretano, así se asegura el poder limpiarlo mejor en el futuro y hacerlo impermeable. Respecto a los colores, se puede teñir antes de sellar con barniz, aunque no ofrece muchas posibilidades.

## Suelos de caucho

El caucho forma una superficie resistente a la gran mayoría de manchas y es antideslizante. Sólo se puede encontrar en 2 tonos de los colores primarios. También se aplica en forma de placas o en láminas.

## Suelos de cerámica

La baldosas de cerámica mantienen la frescura durante todo el año, así que en invierno resultan suelos fríos, pero son muy agradables en los meses más calurosos. Hay una gran variedad de estilos, colores, texturas y calidades de acabado. Siempre que pueda, compre las baldosas vitrificadas, de lo contrario tendrá que lavarlas regularmente, ya que absorberán mucho más la grasa. Estos suelos requieren cierta habilidad al colocarlos y la superficie de base debe ser muy resistente. La gama de precios es muy amplia.

## Suelos de madera

Los listones de madera desnuda son de una gran belleza por sí mismos. Muchas veces se utilizan coloreados, y suelen combinarse con una estera que cubre una parte de la estancia en una mezcla de texturas que parece muy natural. Si le gusta la idea pero su suelo no es el apropiado para este material, no dude en comprar tiras de madera o losetas de parqué y aplicarlas en su superficie: son relativamente fáciles de colocar y actualmente hay en el mercado materiales muy económicos.

## Suelos de vinilo

Este tipo de suelos son otra buena opción para revestir cocinas, cuartos de baño o zonas de servicio. A diferencia del corcho existe una amplia gama de colores y estampados. El vinilo es un material resistente al aceite y la grasa, impermeable y muy duradero. Se puede adquirir tanto en láminas como en forma de azulejos, variando los precios en función de la cantidad de PVC existente. No olvide consultar con su proveedor a la hora de limpiarlo, ya que algunos detergentes pueden deteriorarlo. Como norma general, se aconseja utilizar agua jabonosa templada y enjuagar bien.

## Suelos de moqueta

La moqueta tiene la cualidad de transformar por completo el espacio que ocupa. Se compone de lana, de fibras sintéticas o de una mezcla de ambas. Puede encontrarse una extensa diversidad de colores, texturas, grosores y dibujos, pero lo mejor es la agradable sensación de bienestar que produce al caminar o sentarse sobre ella. Procure elegir una moqueta de calidad, y recuerde que es muy importante el cuidado y mantenimiento si quiere que le dure muchos años.

## Suelos de linóleo

Es un suelo compuesto por aceites naturales, gomas y resinas, fácil de limpiar y bastante duradero. Es necesario tener cuidado, ya que se pudre fácilmente si le entra agua. Se puede adquirir en placas o láminas y también hay una gran gama de precios. Eso sí, podrá escoger entre un gran número de colores brillantes y estampados.

## Suelos de baldosas de barro cocido

Estas baldosas están hechas a partir de barro de alúmina de sílice y son de color rojo ladrillo, oro o pardo. Son frías como la cerámica, y sus precios pueden oscilar considerablemente. Se pueden picar con facilidad, lo cual les confiere un encanto y atractivo especial, y precisan una limpieza frecuente. Si el fabricante no dice lo contrario, es conveniente sellar con aceite de linaza mezclado con cuatro partes de aguarrás. Después de aplicarse sobre el suelo, se cubrirá con papel de embalaje y se dejará secar durante 48 horas antes de barrer o fregar.

### Truco ecológico

*Limpie sus alfombras de forma económica y ecológica espolvoreando bicarbonato sódico en la superficie, dejándolo actuar durante 15 minutos y, posteriormente, aspirándolo bien. Además de conseguir limpiar la alfombra, logrará eliminar parásitos y olores.*

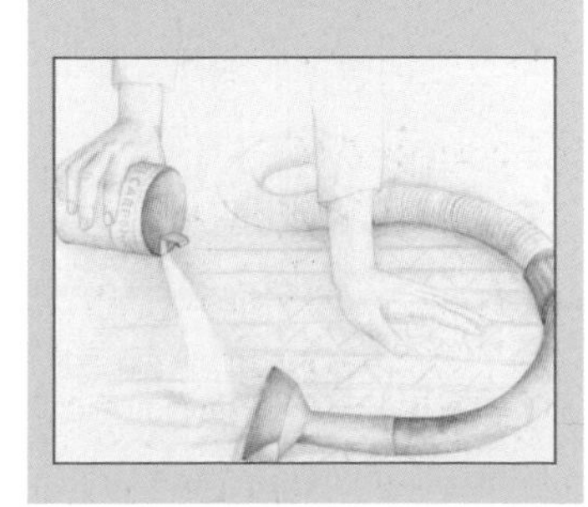

# Los estampados

*Los estampados pueden incorporarse a una estancia en la pintura de las paredes o en el empapelado, como hemos visto, pero también en las alfombras, en los sofás, en las colchas de cama, en las cortinas y hasta en las baldosas del suelo. De la combinación entre superficies lisas y superficies estampadas surgirá un buen equilibrio entre la suavidad y la alegría.*

## Flores y formas geométricas

Las flores son uno de los motivos más recurrentes cuando hablamos de estampados. Por norma general, se utilizan para conseguir ambientes alegres y románticos.

Los estampados con formas geométricas suelen ser más sobrios, aunque todo depende de la combinación de colores que se pretenda conseguir.

Normalmente, las rayas y los cuadros suelen ser formas clásicas, de manera que durante siglos se han utilizado tanto en tapicerías como en alfombras. Muchas veces se combinan con motivos florales, equilibrándose y complementándose mutuamente.

## Consideraciones generales

- Los **diseños uniformes** son los más adecuados para estancias tranquilas o que requieren sentido del orden.
- Las **líneas** más **asimétricas** y fluidas son adecuadas para estancias donde se busca sentido de lo dinámico.

- Los **dibujos grandes** tienden a empequeñecer las habitaciones. Se pueden utilizar en estancias muy grandes para hacerlas algo más íntimas.
- Los **dibujos pequeños** tienden a engrandecer la estancia.
- En general, los **estampados** son adecuados para disimular *irregularidades* en las paredes, una ligera curvatura, una esquina poco afortunada, etc.
- La **combinación** de diferentes estampados da sensación de *ambiente exuberante*. En este caso, debe utilizar el color como punto de convergencia de los distintos estampados.

## La sensación de los colores

Los colores crean sensaciones. Busque colores que sintonicen en el mismo círculo cromático si busca **placidez**, y sólo apueste por colores de gran contraste si realmente quiere dar sensación de **intensidad** y agitación.

- Los **COLORES CÁLIDOS** (el rojo, el naranja y el amarillo) hacen que las cosas parezcan más cercanas.
- Los **TONOS FRÍOS**, como el azul, el gris o el violeta, hacen que las cosas parezcan más lejanas.
- Use un *suave tono azul* para decorar su pequeño estudio.
- Utilice un *amarillo algo intenso* para convertir un amplio pasillo en un espacio más acogedor.
- Los colores pálidos, *vainilla o melocotón*, mejoran la iluminación de una estancia.
- Los colores más fríos (un *azul pálido* o un *verde menta*) son apropiados para habitaciones muy soleadas.
- Las *combinaciones de colores* en los estampados pueden armonizar las diferentes sensaciones.

## Simbologías y usos de los colores

El azul se relaciona con el cielo, con el agua, con el mar y con el zafiro. Simboliza el infinito, la calma y la frescura. Se utiliza en las terapias cromáticas para reducir la presión sanguínea y las inflamaciones.

El verde simboliza la frescura y la armonía, aunque también los celos y la reafirmación. Es un color que inspira la Naturaleza, las hojas de las plantas y la esmeralda. En terapia cromática se utiliza como relajante y proporciona sensación de bienestar.

Los colores neutros simbolizan la sencillez y la armonía. Son los tonos marfil, vainilla, beis, amarillo pálido y otros tantos que completan una extensa variedad, muy combinable en estampados que incluyan el blanco. Representan la tierra y van bien con la madera, la cerámica y la terracota.

El amarillo se identifica con el sol, con el oro, con los narcisos y con los girasoles. Es el símbolo del calor, de la luz y de la energía, así que muy a menudo se considera el color de la alegría y la felicidad. En terapia cromática se utiliza como fuente de calor y como estímulo del organismo.

El rojo transmite calor y energía, así que es muy propio para las alfombras y tapizados de invierno. Se abre en una buena gama de granates, muy utilizados en la decoración más clásica, combinados con dorados o marrones. Se utiliza en tejidos de terciopelo, especialmente en cortinas y tapicerías clásicas.

El blanco significa pureza, inocencia, serenidad y limpieza. Se usa mucho en tejidos de algodón, en ropa de cama y mantelería, en paredes encaladas, en porcelana y en velas.

# Decorar con telas

*La decoración de una casa puede cambiar por completo gracias a la incorporación de telas, de manera que puede reconvertir el ambiente de una habitación de una manera fácil, económica y que no precisa de grandes labores ni de un gran equipo de confección.*

## Las telas básicas de una casa

- **CORTINAS, VISILLOS O ESTORES** son muy agradecidos porque su verticalidad les proporciona una gran presencia, armonizando con las paredes y la claridad de las ventanas.
- Las **TAPICERÍAS** son una pieza clave de la decoración de su casa, y de hecho la tapicería de su sofá suele determinar la decoración de todo el salón.
- Las **FUNDAS** son muy versátiles porque permiten dar frescura a las tapicerías, a la vez que protegen de la suciedad y del desgaste. Son muy recomendables en verano, ya que los tejidos de lino o algodón proporcionan más frescura al sentarse y pueden aportar colores más claros y frescos cuando llega la primavera y el verano.
- Los **COJINES** representan el punto de contraste sobre la tapicería o la colcha. Tienen la ventaja de que aceptan diferentes fundas, así que permiten cambiarlos y dar otro aire al salón (incluso sobre la antigua tapicería).
- Las **TELAS** son el mejor elemento para aportar gran diversidad de colores, dibujos, texturas y pesos, pudiendo encontrar telas delicadas o rugosas, con superficies mates o brillantes, de tejidos más o menos pesados, etc.

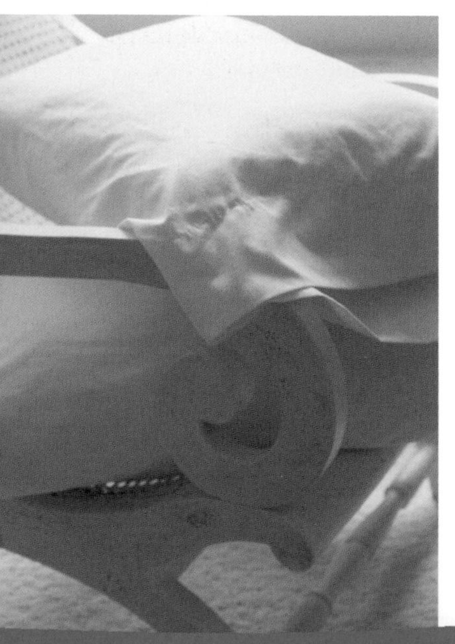

## Elija las telas adecuadas

La elección de las telas es una tarea mucho más importante de lo que pueda parecer a primera vista. Busque una tienda especializada donde le ofrezcan mucha variedad, y donde pueda encontrar cualquier color o textura adecuada a la decoración de su hogar.

Déjese asesorar sin miedo y llévese una muestra a casa para asegurarse. Su objetivo ha de ser encontrar un equilibrio entre color, dibujo, textura y peso.

- Compare el aspecto de las telas, sus tactos y sus caídas.
- Para el tacto no se conforme con la mano. Note el tacto de

### Equipo básico de confección

- Agujas de diversos tamaños para coser a mano
- Agujas para tapicerías
- Alfileres de acero de modista
- Hilo de algodón o de poliéster de colores y grosores variados en función de la tela utilizada
- Quitapuntadas
- Cinta métrica
- Almohadilla para alfileres
- Jaboncillo de sastre o lápiz
- Algodón para hilvanar
- Tijeras pequeñas para bordados
- Plancha de vapor y tabla de planchar
- Cinta métrica
- Tijeras de sastre
- Tijeras para cortar
- Máquina de coser
- Tijeras picafestones para las costuras

la tela en la cara si está eligiendo unas sábanas de seda, porque será en la cara donde al acostarse notará esa sensación, o en el antebrazo.

- Doble una esquina de la tela con la mano para ver si se arruga con facilidad.
- Ponga la tela al trasluz para examinar con detenimiento el tejido y comprobar su transparencia. Piense que cuanto más densa y más opaca, más duradera será.
- Examine el borde cortado y compruebe que no se deshilacha fácilmente.
- Observe si tiene imperfecciones o irregularidades en el estampado.

## Las cortinas

Las cortinas filtran el paso de la luz, suavizan las corrientes de aire y crean un ambiente íntimo al no dejar que el interior de su casa se vea desde fuera. En el esquema decorativo de su hogar tienen un papel muy importante.

Si coloca cortinas de algodón con motivos florales llegando hasta la repisa de la ventana, creará un ambiente fresco e informal; en cambio, si las cortinas son de terciopelo y las deja hasta el suelo, favorecerá un ambiente claramente formal. Su papel es tan importante porque actúan de telón de fondo de la decoración, la parte más visible del marco que constituyen las paredes.

*Para mantener tiesos los visillos de las cortinas introdúzcalos en una solución de azúcar y agua, en la proporción de 15 g de azúcar por cada 600 ml de agua. Para conseguir que cuelguen adecuadamente las cortinas introduzca monedas en el dobladillo de manera homogénea.*

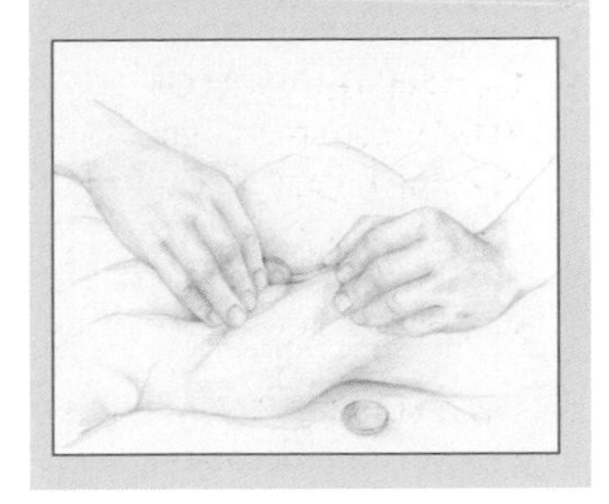

También puede utilizar las cortinas para variar la sensación de la estancia y disimular determinadas características físicas de una habitación, como la altura del techo, las dimensiones de la ventana o la cantidad de luz que entra en la estancia.

## Los estores

Los estores son una alternativa económica y atractiva a las cortinas. Además, se confeccionan y se colocan con facilidad.

Hay algunas telas más opacas que tendrá que levantar para dejar pasar la luz y el aire, pero también hay estores de papel o de bambú, más delicados y más transparentes, muy adecuados para favorecer la claridad en la habitación.

# Decorar con flores y plantas

*Las flores y las plantas realzan de forma muy especial el aspecto de su hogar. Las plantas suelen ser más duraderas que las flores frescas, así que mantienen más tiempo la personalidad de la estancia, mientras que las flores suelen durar sólo unos días pero aportan una gran frescura y novedad. Lo mejor es escoger flores frescas durante todo el año, las propias de cada estación, de manera que su hogar se identifique positivamente con el calendario. Si prefiere algún ramo de flores más permanente, opte por las flores secas. En cuanto a las plantas, elija bien la especie que se adaptará al lugar que le asigne, teniendo en cuenta la cantidad de luz que recibe, su tamaño, su futuro crecimiento, etc.*

## Las flores frescas

- Utilice floreros donde los ramos se hacen prácticamente solos: aquéllos que son más estrechos en la base y se abren en la boca del recipiente, ya que por sí mismos distribuyen los tallos de manera que las flores quedan bien colocadas al momento. Sólo faltarán los últimos retoques.
- Improvise los floreros con libertad y a su gusto, con jarrones, teteras, jarras, copas...
- Para una mejor conservación, procure quitar las hojas que vayan a quedar por debajo del nivel del agua en el florero, de lo contrario se pudren y el ramo se estropea antes.

## Composiciones bien estructuradas

Últimamente está muy de moda formar composiciones con diferentes flores y plantas. Lo mejor es colocar en el centro la planta más alta para crear un centro que, con su altura, hará las funciones de eje de la composición. Luego se rodea con especies más bajas y más tupidas, con lo que se consigue la armonía de la redondez. La composición se completa con algunas especies colgantes que dan naturalidad y equilibrio a la obra. Si la maceta o el florero es bonito, deje colgar sólo algunas puntas, pero si no quiere dar especial interés al recipiente, elija especies colgantes de envergadura, que incluso cubran toda la base.

### Truco casero

*Utilice rulos de plástico o cilindros de cartón del papel de cocina unidos con cinta adhesiva y conseguirá mantener las flores orientadas en la posición que desee. Si se trata de flores secas, utilice una base de corcho blanco o similar para ir clavando los tallos y que se mantengan en su sitio.*

## Composiciones de color

Una tendencia muy actual es planificar las composiciones de color de los ramos de flores con la decoración de la casa. Los geranios, las petunias y las fucsias son muy adecuados; también las caléndulas, dalias y salvias rojas, aunque deberá adaptarse al tono predominante en su hogar. Así, las flores no tienen sólo su propia belleza, sino que pasan a integrarse como un elemento más de la decoración de la casa.

### Truco casero

*Mezcle un poco de té frío o las hojas de té usadas con la tierra de sus plantas. La misma función tiene el poso del café, así que no lo tire y aprovéchelo: con ello conseguirá* ***airear y nutrir la tierra****. Igualmente, aproveche el agua que utiliza para hervir los huevos duros.*

### ALGUNAS PLANTAS COMUNES Y DÓNDE COLOCARLAS

| | Dónde colocarla | Tamaño | Mantenimiento |
|---|---|---|---|
| ESPARRAGUERA | Es un helecho de la familia de los espárragos, muy adecuado para decorar ventanas con mucha luz, donde se desarrolla levantando algunos tallos y dejando colgar otros, siempre muy delicadamente, de manera que no sobrecarga la vista. | Máximo 1,2 m, aunque la finura de sus tallos da la sensación de manor tamaño. | Precisa tierra ligeramente húmeda y temperaturas cálidas. |
| GERANIO DE FRESA | Es una planta compacta, de hojas venenosas con otras colgando de unos filamentos. Su gran aportación es sin duda el colorido. Es adecuada para un lugar con mucha luz y sol matutino, preferentemente en un sitio donde pueda verla a menudo. | La principal puede alcanzar los 20 cm, aunque suele disponerse en macetas alargadas formando una composición. | Necesita la tierra húmeda pero nunca muy mojada, en una zona luminosa y soleada, como los ventanales. |
| FICUS | El ficus es una especie muy adecuada para fines decorativos. Sitúela en un lugar soleado y cálido, y deje que adquiera el protagonismo de ese rincón de la casa. | Máximo: 2 m | Introduzca el tiesto en un recipiente lleno de agua para que absorba la que necesite. Mantenga las hojas siempre limpias. |
| PALMERA | Planta elegante, ideal para decorar rincones, es muy utilizada para dar un toque exótico a la casa. Recuerde que necesita rayos de sol filtrados. | Puede llegar a los 2,5 m, así que debe prever su crecimiento cuando elija el tamaño y su ubicación. | Debe evitar los cambios bruscos de temperatura y regarse regularmente. Controle que no tenga exceso de agua. |

# La chimenea como centro de la casa

*La chimenea es el centro de atención de cualquier estancia donde se encuentre, especialmente la sala de estar o la habitación de matrimonio. Su propia presencia aporta un elegante toque de distinción, así que existen chimeneas únicamente decorativas. Pero su mayor encanto está en el calor, en el fuego que imprime vida a la estancia y la hace acogedora, por su relación con la Naturaleza, con la madera y el calor, o quizá porque en tiempos ancestrales el fuego fue la gran salvación del hombre.*

## La distribución de la estancia

La mayoría de salas de estar se organizan frente al televisor, de manera que las personas quedan una al lado de otra y con la vista al frente. La chimenea es la gran excusa para darle forma circular al salón. Ponga el sofá de cara a la chimenea y dos sillones a ambos lados, de manera que se forme un cuadrado que permita a las personas verse de cara, contemplar el fuego y posibilitar una estancia de reposo y diálogo.

## Decorar el entorno de la chimenea

### Decorar con los complementos

Una de las mejores formas de decorar una chimenea es con sus propios complementos. Por ejemplo, un hueco lateral donde se dispongan ordenadamente los troncos de madera es una de las mejores decoraciones posibles. También puede tener a la vista un viejo caldero de cobre para llevarse las cenizas cuando limpie la chimenea. Incluso las herramientas de hierro para manejar los troncos son muy decorativas colgadas junto a la chimenea.

### Decorar encima y en los laterales

Otra posibilidad es enriquecer el entorno con una o varias repisas donde colocar fotos, trofeos u otros objetos decorativos. Pero lo más decorativo es colocar algún objeto sobre el cuerpo central de la chimenea que sea especialmente representativo de su personalidad. Algunos cazadores ponen una pieza capturada, los aficionados a la náutica pueden

**Recuerde**

*Siempre que cuelgue objetos de la chimenea para decorar deben ser de un peso moderado, y todos los objetos que disponga a su alrededor deben estar a una distancia prudente de seguridad. A partir de aquí, busque la armonía entre la decoración de la estancia y el estilo de su chimenea.*

colocar un timón o dos remos cruzados, y los montañeros unas raquetas de nieve u otros objetos que se le ocurran.

## Decorar sólo con sus materiales

La chimenea puede ser totalmente lisa y sin adornos, dejando que su propia forma y sus materiales adquieran todo el protagonismo. La madera, el hierro fundido, el ladrillo o los azulejos son materiales relacionados con la Naturaleza, así que inspiran pureza y tranquilidad.

## Decorar el interior de la chimenea

Es un recurso menos utilizado, pero igualmente decorativo. La chimenea pasa varios meses al año sin utilizarse, sobre todo en climas cálidos como el nuestro. Durante esos meses puede dejar unos troncos en el interior de la chimenea formando una bonita composición. También puede colocar un ramo de flores secas dentro del caldero de cobre que utiliza para llevarse la ceniza, o un cesto de mimbre con flores, troncos o lo que más le guste. En realidad, se trata de disimular un espacio que vacío puede mostrarse un poco gris y un poco frío, y que no coincide con la sensación de la estación en la que se está.

*Las propuestas del Feng Shui, la técnica oriental de armonía con la Naturaleza, aseguran que el centro de la casa siempre debe girar alrededor de la chimenea. El fuego es calor, representa pasión, es la aventura y el mejor remedio contra el temido aburrimiento. Recuerde que existen chimeneas muy económicas, algunas de las cuales no necesitan obras y resultan muy fáciles de montar.*

## Decoración y seguridad

Cualquier elemento decorativo que se ponga alrededor de una chimenea debe pensarse sin olvidar nunca que el fuego puede ser peligroso. Asegúrese de que la alfombra de la sala se encuentre a una distancia prudencial, así como los sofás. Lo mismo ocurre en el dormitorio, que debe mantener a esta distancia de seguridad las alfombras o la ropa de la cama. Recuerde que existen complementos de la chimenea especialmente concebidos para esta protección, y que algunos de ellos son muy bonitos y pueden ser un elemento decorativo más.

# Las ventanas

*Las ventanas son los ojos de la casa, la vía a través de la cual vemos el mundo exterior, así que deben cuidarse con el mismo cariño que se elige el marco de un cuadro. El segundo factor a tener en cuenta es su conservación, ya que en contacto con los cambios de temperatura, el sol continuado y las lluvias suelen desmejorarse, y en un par de años pueden ser un problema caro de resolver para la decoración de la casa. Finalmente, las ventanas deben ser prácticas, ya que han de ajustar bien para aislar perfectamente la casa y ser cómodas en su uso diario. Las ventanas, por tanto, son elementos decorativos fundamentales, y a la vez más complejos que otros en su diseño y elección.*

## Muchos estilos y muchos materiales

Actualmente uno de los primeros elementos que cambiar en la reforma de una casa algo antigua son las ventanas, junto con los suelos, los baños y la cocina. Los materiales han mejorado mucho y los estilos y preferencias estéticas son hoy tan variados como interesantes. Los bastidores que sujetan los cristales son de aluminio, hierro, madera o PVC, y éstos, a su vez, pueden ser sencillos o dobles, y presentan gran variedad de grosores. A veces se realizan acristalamientos adicionales, sobre todo en construcciones antiguas, con el objetivo de disminuir el ruido o evitar corrientes de aire o pérdidas de calor, conservando las ventanas antiguas que mantienen el carácter de la casa.

## La ventana vista por dentro

Un error habitual es no dar mucha importancia a la ventana porque desde dentro de la casa siempre queda cubierta por las cortinas. Fíjese bien y verá cómo la mayor parte del tiempo están abiertas y la ventana adquiere más protagonismo del que usted piensa.

## Decoración, clima y paisaje

Además, las ventanas son con toda seguridad el elemento de la decoración de su casa que, en mayor medida, depende del exterior, es decir, del clima y del paisaje. Por ejemplo,

### Truco casero

*En las ventanas, un requisito básico: los cristales han de estar tan limpios que parezca que no existen. Para mantenerlos bien limpios puede utilizar agua con amoníaco y alcohol, estos dos últimos en la misma cantidad, y usar un difusor y un paño humedecido con la misma mezcla.*

si se detiene a pensar en cómo es una casa de pescador, probablemente la imaginará con marcos y porticones de color azul, y si piensa en construcciones de las zonas de montaña, esta vez le vendrán a la mente marcos y porticones de color madera, cubiertos con barnices resistentes al frío y a la lluvia.

En los pisos urbanos, por el contrario, cada vez es más frecuente el aluminio, por su ligereza, su facilidad para limpiarlo y sus múltiples posibilidades de montaje.

## Tipos de ventanas

### De guillotina

Se trata de ventanas que comenzaron a utilizarse en el siglo XVII y son típicas de las casas británicas antiguas: se deslizan verticalmente y son de madera. El diseño permite la fuga de aire por el espacio superior y la entrada de aire fresco por la abertura inferior.

La movilidad de estas ventanas precisa mucho mantenimiento y cuidado, ya que el exceso de suciedad o una pintura descuidada puede atascar los ejes, pero en cambio aportan un cierto toque aristocrático.

### De aluminio o PVC

Muy utilizadas actualmente, se suelen instalar para sustituir las antiguas ventanas de madera o de hierro. En ambos casos se fabrican en perfiles complejos para sostener unidades de cristal doble y un burlete contra las corrientes.

Las ventanas van sujetas a marcos auxiliares de madera y no necesitan mantenimiento alguno, por lo que resultan muy prácticas y duraderas.

**¿Sabía que...?**

*Tradicionalmente, las* ***ventanas de guillotina*** *se hacían con un marco en cajón donde se ubicaban las poleas, los cables y los contrapesos.*
*Las hojas se sujetan en los laterales del cajón con un listón divisorio y otro interior de apoyo, que se quitan para poder acceder al mecanismo de la ventana. En la parte donde coinciden las 2 hojas cuando la ventana está cerrada hay un pasador para asegurarla.*

### Ventanas modernas

La comodidad ha dado lugar a ventanas **abatibles** y pivotantes que también cumplen una importante función decorativa. Las primeras están formadas por una hoja móvil que se abre hacia dentro o hacia fuera. Algunas de ellas incorporan una hoja fija, aunque las normales se cierran encajándose en el marco de la ventana.

Las **pivotantes** reciben este nombre porque giran sobre un eje central fijo, siendo especialmente prácticas para las buhardillas.

Se pueden encontrar también ventanas **basculantes múltiples** que están formadas por una serie de lamas de cristal sujetas en sus extremos por soportes pivotantes de aleación.

*Un buen juego de ventanas ya constituye una excelente decoración.*

# La iluminación

*Una buena planificación de la iluminación de una estancia puede llegar a ser el elemento fundamental de su decoración. La entrada directa del sol transporta la estancia hacia el exterior, de la misma forma que una gran claridad pero indirecta da sensación de limpieza y amplitud. Igualmente, una cortina opaca puede dar una gran sensación de frescura en días muy calurosos, dejando una suave penumbra rojiza que invita a la relajación. Y lo mismo ocurre con la luz artificial, con una lámpara de mesa dejando una tenue luz cálida, luces proyectadas sobre el techo o las ya tan comunes iluminaciones graduables.*

## La luz natural

Es la luz por excelencia, natural, así que habrá que adaptarse a ella o modificarla en la medida de lo posible.

## La orientación

- La **luz del Norte** es fría pero constante, así que si quiere darle vida a la estancia esta luz natural no será una gran aliada. Potencie una decoración más viva para contrarrestarla, o destine la estancia a una zona de descanso.
- La **luz del Sur**, por el contrario, es intensa y constante. Los blancos y los azules son perfectos para estas estancias más luminosas, aunque cualquier color que elija será realzado por esta luz natural.
- La **luz del Este** es la más variable a medida que avanza el día, con intensidad por la mañana y neutra más adelante. Es perfecta si le gusta despertarse con la claridad del día.
- La **luz del Oeste** es más intensa a última hora del día, con una luz rojiza que invita al descanso de la jornada.

## Iluminación con velas

Alguien dijo que las velas son el punto medio entre la luz natural y la artificial. La verdad es que aportan una luz cálida, romántica y relajante. Hoy en día, las velas representan uno de los recursos decorativos más utilizados, tanto por su luz como por sus formas y fragancias.

## La luz artificial

## Tipos de bombillas

Existen diferentes tipos de bombillas adaptadas a sus necesidades de iluminación y consumo. Las más comunes son las **bombillas esféricas blancas**, que se utilizan normalmente con pantallas transparentes. Las que tienen forma de seta se usan en pantallas de poco fondo, y las pequeñas o de candelero son ideales para lámparas de pared o de araña. Otros tipos, como las que poseen baño interno de plata, proporcionan un haz de luz concentrado y estrecho, adecuado para el interior de una habitación con iluminación más amplia.

## Diferentes tipos de iluminación

- **Iluminación total o general.** Se utiliza para abarcar toda una habitación, normalmente gracias a un punto de luz en el techo que motiva una iluminación amplia, que desciende verticalmente, pero también potenciada por el extenso reflejo en el techo.
- **Iluminación puntual.** Su intención es iluminar una zona concreta. Se utilizan lámparas de mesa o de pie, con pantallas que evitan los reflejos, y que consiguen una iluminación local, concentrada en un rincón de la estancia.
- **Iluminación acentual o de exposición.** Se usa para resaltar elementos de la habitación, como arcos, plantas o figuras decorativas. Es una ilu-

minación complementaria de la iluminación general.

- **Iluminación decorativa.** Es la más personal e imaginativa. Busca crear efectos decorativos con lámparas especiales, con bombillas o pantallas de colores, con pantallas de cristal-vidriera, pantallas con figuras geométricas recortadas que proyectan sus siluetas sobre la pared, e incluso con móviles que hacen que estas figuras y colores creen una iluminación multicolor y en movimiento.

## Tipos de lámparas

- **Luces colgantes.** Ideales para la iluminación general. Precisan más de 1 bombilla para proporcionar la claridad adecuada y casi siempre es necesario complementarlas con otros centros de luz puntuales, pequeñas lamparillas de mesa o lámparas de pie.

- **Luces de techo.** Muy de moda por su luz agradable y su efecto decorativo sobre el techo. A veces se integran en la obra del propio techo, o se disponen a lo largo de una estructura lineal que varia en el número de puntos de luz, incluso con la posibilidad de que sean móviles y dirigibles.

- **Luces de pared.** Son muy útiles en los lugares de la casa donde el espacio es muy justo para poner una luz de pie o una lámpara de mesa, como en el caso de los pasillos, recibidores o salas estrechas. Proporcionan una iluminación general que puede modificarse enfocando el haz luminoso hacia el techo, lo que producirá una reflexión que iluminará todo el espacio de manera más discreta.

- **Focos.** A veces se utilizan para iluminar toda la estancia, dispuestos a lo largo de un riel en la pared o en el techo, y se orientan en diferentes direcciones. En otras ocasiones se utilizan como luz puntual, para resaltar cuadros, fotografías o esculturas.

### ¡Cuidado!

*No dirija la luz de los focos directamente sobre pinturas o muebles de gran valor. Es una tentación común al intentar resaltarlos, pero el calor de las luces podría deteriorarlos.*

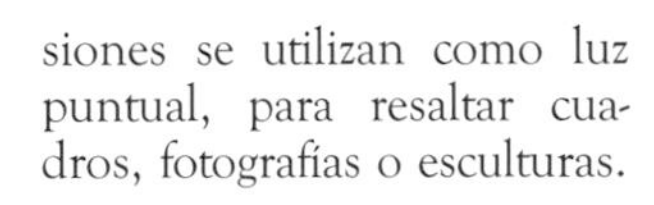

- **Lámparas de mesa y de pie.** Las primeras son las más adecuadas para la iluminación puntual, mientras que las de pie pueden adaptarse para una iluminación general o puntual. Una lámpara de mesa le proporciona una luz perfecta para poder leer o escribir, y una lámpara de pie enfocada al techo creará una claridad inmejorable. Últimamente, algunas lámparas de pie incluyen un brazo dirigible en su estructura que hace las funciones de foco para la lectura.

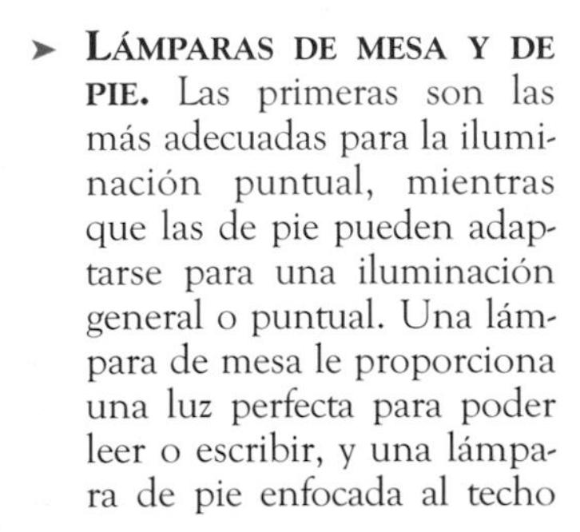

- **Lámparas de despacho.** Los conocidos flexos son lámparas de mesa específicas de despacho. La flexibilidad de su brazo facilita la orientación en función de sus necesidades. Recuerde que para una persona diestra la lámpara debe colocarse en el lado izquierdo, y en el lado derecho para personas zurdas, evitando así los reflejos y las sombras sobre el papel.

- **Tubos fluorescentes colgantes.** Se utilizan sobre todo en cocinas y cuartos de baño por su eficacia y bajo consumo, así como en otros lugares donde se requiere un alto grado de intensidad luminosa. En los armarios de cristal o en las rinconeras resaltan la belleza de los objetos y del conjunto. En los armarios se precisa la instalación de un dispositivo de encendido y apagado en función de cuando se abre o se cierra la puerta.

# Ambientes

*Hasta el momento hemos visto diferentes aspectos a tener en cuenta en la decoración de la casa, pero el verdadero concepto de decoración lo constituye el conjunto, esa perfecta mezcla entre el aspecto y la sensación general que se pretende conseguir al final. Una buena forma de acabar el apartado de la decoración es estudiar detenidamente cuáles pueden ser esos ambientes finales: la combinación entre lo que se ve y lo que se siente. Éstos dos son sólo un ejemplo.*

## Ambiente rústico

La palabra **rústico** evoca el uso de **materiales naturales**, tales como *madera natural, barro, hierro forjado, soga o pajilla*, entre otros. Esto, por supuesto, supone un estilo de decoración más informal, que invita a usar y disfrutar tanto de los muebles como de la decoración en general. El estilo rústico deja atrás la decoración demasiado formal.

Existen **varias vertientes** dentro del estilo rústico: el *estilo country americano*, el *colonial europeo*, el *mexicano* y el estilo de mueble de *corte caribeño*, que es más liviano y fresco, tanto en materiales como en diseño.

### Características:

- Los protagonistas esenciales son los muebles naturales, la piedra y la madera; todo ello encaminado a proporcionar una sensación de calidez y comodidad.
- Se crean ambientes naturales, mezclando estilos distintos, que refuerzan la sensación de antigüedad.
- Por lo que se refiere a las texturas, predominan las telas

## Recuerde

*La decoración de su casa es como su forma de vestir: la imagen de su personalidad.*

gruesas y toscas de colores cálidos, tanto lisas como estampadas.

**Elementos utilizados:**

- Este estilo se inspira en la decoración tradicional de la casa rural: chimeneas, percheros, grupos de cuadros, candelabros, complementos de hierro forjado, etc.
- Cortinas y texturas: tapices, cortinas y visillos de algodón, lana o lino, con barras de hierro forjado o madera.
- Colores: predominan los tonos pastel y azules pálidos. En las paredes también se utilizan los tonos tierra.

## Ambiente minimalista

Este estilo busca la reducción de los elementos al mínimo más absoluto, sin accesorios decorativos, muebles ostentosos o cuadros en las paredes.

**Características:**

- Se crean ambientes autosuficientes, muchas veces ajenos al mundo exterior.
- Sólo se permite la entrada de la luz del sol, pero incluso puede que sea únicamente a través de persianas que originan, con sus sombras, formas abstractas que se integran como parte del diseño.
- Pisos y zócalos de madera.
- Armarios empotrados para guardar los pocos objetos domésticos.

**Elementos utilizados:**

- Debido al enfoque estrictamente minimalista, cualquier detalle que aparezca en escena, aunque sea ínfimo, adquiere una importancia extrema.
- Los cuadros muchas veces se instalan sólo ocasionalmente, para luego volver a guardarse en armarios.
- Cortinas y texturas: se reduce al mínimo el papel de las texturas y los acabados. Las cortinas, cuando existen, son blancas, de líneas rectas y simples.
- Mobiliario: se acerca mucho a la austeridad de la arquitectura japonesa. No siempre existen muebles fijos. Muchas veces se esconden o guardan en otros muebles o estanterías.
- Colores: todas las paredes son blancas.

**¿Dónde usarlo?:**

- Principalmente en edificaciones de arquitectura moderna. Puede usarse en construcciones antiguas, pero no rústicas.
- Lo fundamental, lo que le da la fuerza, es la existencia de una estricta coherencia entre los distintos espacios que forman el todo.

# Contratar un profesional

*Una de las posibilidades más utilizadas es contratar un decorador o una decoradora. Años atrás quizá fuera un privilegio de unas pocas personas, pero en la actualidad hay muchos profesionales dedicados al diseño y la decoración que son capaces de adaptarse a estilos y presupuestos muy diferentes, incluso los más ajustados.*

## Dónde encontrar un decorador

- En la misma tienda donde ha visto unos muebles que le gustan. Muchas tiendas de muebles tienen su propio equipo de decoradores. La ventaja es que pueden prepararle un proyecto de decoración a partir de un mueble completo que ha visto y le ha gustado. Además, la tienda podrá dirigirse al mismo fabricante, y presentarle otros muebles elaborados con los mismos materiales y de estilo similar.
- También puede suceder que la tienda no tenga su propio equipo de decoradores, pero seguro que podrán recomendarle algún decorador de confianza con el que colaboran de forma habitual.
- Pregunte a aquellos amigos, familiares o compañeros de trabajo que sepa que, en su día, contrataron los servicios profesionales de un decorador. Este sistema tiene la ventaja de que ya ha visto cómo decora una casa, además de que puede obtener información sobre su forma de trabajar y sus presupuestos aproximados.
- Consulte en los listines profesionales de su localidad: encontrará un buen surtido.

## Cómo elegir el profesional más adecuado

- Si el proyecto incluye grandes obras en la casa, tendrá que contratar un arquitecto, ya que a los aspectos puramente decorativos se une la obligación de garantizar unas estructuras resistentes y cumplir la normativa legal de obras.
- Si tiene un proyecto decorativo ya definido, procure que su decorador supervise el diseño de obra del arquitecto: no siempre es la misma persona la que cubre los dos aspectos.
- Pregunte a los dos profesionales si pueden enseñarle reportajes fotográficos de obras anteriores, si existe la posibilidad de ver personalmente otras obras que hayan realizado o si les pueden dar otras referencias de su trabajo.
- Pida un proyecto previo y compárelo con otras propuestas. Aclare si un simple boceto va a tener que pagarlo o si es sólo el proyecto bien definido el que deberá pagar. Lo más probable es que le cobren cualquier proyecto. Aclare las condiciones y el presupuesto, y establezca la forma de pago por anticipado.

### Ahorre tiempo

*Si tiene absoluta confianza en su decorador y está convencido del proyecto, aproveche las vacaciones para que decore su casa: cuando usted vuelva, se habrá evitado todo el proceso y se encontrará la casa decorada. Si quiere seguir de cerca toda la transformación, lo mejor es ir a verla cada día: ahorrará mucho tiempo si detecta las cosas que no le gustan antes de que las pongan en su casa.*

## Consejos para el contrato escrito

- Considere el contrato como una forma de aclarar las cosas, para que no falle la memoria y para que ambas partes cumplan lo estipulado sin confusiones.
- Especifique un precio cerrado en el que vea desglosado el precio de cada cosa.
- Exija un presupuesto cerrado para los profesionales subcontratados, por ejemplo, si el decorador va a contratar carpinteros, fontaneros, etc.

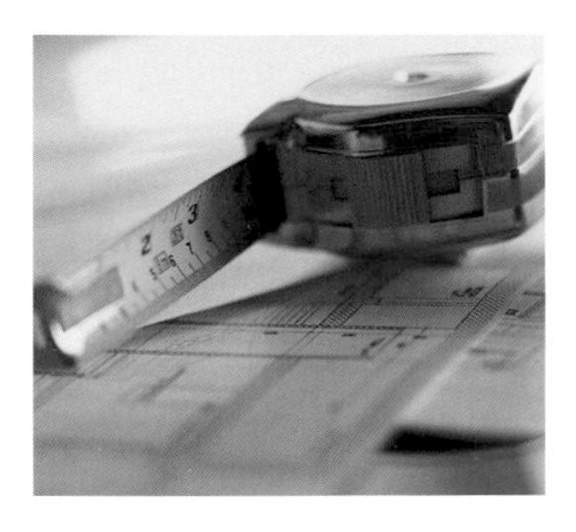

- Abra una cláusula especial para extras, por si al final decide, por ejemplo, cambiar los pomos de la puertas por unos mejores.
- Incluya una cláusula que responsabilice al profesional de los escombros que cree el proyecto.
- Establezca las cantidades que va a pagar a cuenta: si la obra es pequeña será mejor que pague al final, cuando todo esté correcto; si la obra es de gran envergadura, será lógico que adelante una cantidad en concepto de diseño del proyecto, adquisición de materiales y salarios de los profesionales subcontratados.
- Reserve siempre un 10% del presupuesto para pagar 30 ó 60 días después de la obra: muchos errores se ven solamente al cabo de un tiempo.

## Exigencia y flexibilidad

- Debe encontrar el punto medio entre los extremos: sin duda, debe ser exigente en cuanto al proyecto acordado, pero flexible en cuanto a su realización y resultados.
- Pueden surgir imprevistos durante el proyecto; por ejemplo, que llueva y no puedan acabar la fachada en el período establecido.
- También puede ocurrir que la casa no quede exactamente como usted la había imaginado. No debe de olvidar que cada persona interpreta las cosas de forma diferente, y que cualquier proyecto, por fiel que sea a los bocetos, no termina siendo exactamente igual en todos los aspectos.

### La regla de oro

*Todo debe quedar por escrito antes de empezar: presupuesto, forma de pago, proyecto decorativo, calidades, calendario de realización y responsabilidades por incumplimiento de contrato. Recuerde que algunos profesionales, sobre todo constructores, dan su garantía de cumplimiento de calendario, y si no la cumplen le abonan una cantidad determinada por cada mes de retraso.*

### Recuerde

*El proyecto sobre el plano puede ser muy bueno, pero siempre es irreal, más bien frío y racional. Al llevarlo a la práctica hay que dejar un margen para los retoques finales. Deje que su decorador gire más un sofá, suba el tono de las cortinas o cambie la alfombra que habían acordado. Recuerde que los últimos retoques, aunque se salgan del guión, son los que acaban de redondear la obra.*

- Dé a su decorador un margen de confianza razonable: a veces los mejores proyectos surgen precisamente cuando la creatividad es capaz de improvisar y adaptarse a la verdadera realidad de la casa.

# Sencillos arreglos y mejoras

# Mejoras y mantenimiento del hogar

*Más allá de los elementos puramente decorativos, entre los que hemos incluido la pintura y el empapelado, entraremos ahora en otros aspectos decorativos de más envergadura, que precisan tener un equipo básico de herramientas y ciertas dotes para el bricolaje. Incluso iremos más allá de lo decorativo y procuraremos mejoras prácticas en nuestro hogar, además de algunos cuidados y reparaciones que garantizarán su buen mantenimiento. Para muchos, el espacio que se abre ahora se refiere casi a una afición, e indiscutiblemente, a una forma de mejorar y mantener nuestro hogar haciéndolo nosotros mismos y ahorrando algo de dinero.*

## Hágalo usted mismo

El principio básico de este capítulo es precisamente éste: hágalo usted mismo. Haga sus propias mejoras y repare usted mismo las posibles averías de su casa. Es una forma de ahorrar dinero, pero también una satisfacción.

## ¿QUÉ MEJORAS PODEMOS HACER EN CASA?

Las mejoras dependen de su imaginación, del presupuesto disponible, de su equipo de herramientas y, sobre todo, de su habilidad y su voluntad de hacerlo. Estos son algunos ejemplos de las tareas que puede hacer usted mismo:

### Mejoras en el hogar

- Hacer un armario empotrado con planchas prefabricadas.
- Bajar los techos del pasillo.
- Instalar una pequeña chimenea en casa.
- Poner un suelo de parqué flotante.
- Poner un suelo o una pared de corcho.
- Cambiar el zócalo del pasillo.
- Pintar o barnizar los porticones de las ventanas.
- Cambiar el mármol de la cocina, etc.

### Reparaciones y mantenimiento del hogar

- Arreglar goteos o escapes de agua y desatascar las tuberías.
- Arreglar fallos en el sistema eléctrico.
- Arreglar puertas que no abren bien o rozan al abrirse y cerrarse.
- Arreglar pequeños electrodomésticos averiados.
- Arreglar muebles rotos o viejos.
- Reparar persianas encalladas.
- Reparar objetos decorativos que se han roto accidentalmente.
- Limpiar manchas sobre alfombras, tapicerías, suelos, muebles y ropa.
- Mantener el jardín bien cuidado y sano, etc.

## 10 consejos útiles para la mejora y mantenimiento de su hogar

1

Inicie sólo tareas que sepa que puede hacer, contando siempre con los materiales, recambios y herramientas que pueda necesitar, y sobre todo siendo consciente de sus capacidades y limitaciones.

2

Tenga un equipo de herramientas básico: las herramientas deben ser de buen calidad; de lo contrario, un trabajo agradable y creativo se convierte en una tortura.

3

Tenga un equipo de limpieza adecuado para la tarea que emprende, y que una reparación no acabe estropeando otras cosas: piense que algunos disolventes, por ejemplo, pueden estropear la pintura de la pared, un mueble o el propio suelo.

4

Proteja sus manos con guantes si no está acostumbrado a manejar herramientas, y sobre todo si utiliza productos corrosivos. Utilice gafas y máscaras protectoras si hubiera riesgo de lesiones en la vista o inhalaciones peligrosas.

5

Planee bien el trabajo antes de empezar, para que los pasos a seguir sean los adecuados. Recuerde que acabar un montaje entero y ver una pieza que se ha olvidado le supone desmontarlo todo otra vez.

### Sabía que...

*Hay tiendas especializadas en bricolaje que, además de vender las herramientas y artículos necesarios, le asesoran sobre el trabajo que quiere hacer en su casa, y también le alquilan a muy buenos precios herramientas de especialista (e incluso un vehículo para que pueda llevárselas).*

6

Tenga en cuenta la hora y el día que ha elegido para trabajar. Los domingos los vecinos suelen dormir hasta bien entrada la mañana y podría molestarles al arrastrar muebles, con los martillazos o con el ruido del taladro.

7

Controle también las repercusiones que la tarea tendrá sobre el ritmo normal de la vida familiar. Si pinta la habitación, es fácil que no pueda dormir en ella esa noche.

8

Tenga ropa vieja para estas ocasiones: la experiencia demuestra que se empieza pensando que va a ser poca cosa y que no es necesario cambiarse, y al final siempre hay una gota o un enganchón que estropean nuestra ropa de calle.

9

Acostúmbrese a calcular qué le habría costado llamar a un técnico y considere su trabajo como un ahorro económico comprobado.

10

No haga de estas mejoras y reparaciones una molestia: tómelas como algo creativo y acabará descubriendo una afición.

# Las herramientas básicas

*La diferencia fundamental entre disfrutar del bricolaje y sufrir para acabar haciendo una chapuza es contar con un buen equipo de herramientas. Incluso un tornillo puede ser una pesadilla si el destornillador se despunta, o si el tornillo se deshace o entra torcido. Un buen equipo de herramientas dura toda la vida, así que vale la pena comprarlo de calidad. El material básico no es muy extenso: bien elegido, ahorrará tiempo y dinero, facilitará el trabajo y acabará dando grandes satisfacciones.*

## Instrumentos de medida

Una **regla**, una **escuadra** y un **cartabón** servirán para las medidas más sencillas y para los ángulos rectos, aunque también es importante tener una **escuadra graduable**, por ejemplo, para guiar cortes en otros ángulos.

Muy útil para medidas más largas es el **metro plegable**, preferiblemente metálico, ya que se mantiene rígido y facilita ciertas maniobras, de muy fácil manejo (gracias a que es enrollable) y suele tener un práctico sistema de bloqueo.

## Martillos

- Los **martillos de carpintero** tienen una parte delgada que permite hundir los clavos en la madera hasta que agarran. Una vez bien orientados, pueden clavarse ya con la parte contundente del martillo, sujetándolo por el borde del mango, ya que así se optimiza la fuerza del golpe.
- Los **martillos de orejas** tienen dos extremidades que actúan como tenazas y que resultan muy útiles para arrancar clavos.
- La **maza** tiene mucho más cuerpo y un gran tamaño en su cabeza, y sirve generalmente para golpear con gran fuerza sobre otra herramienta como, por ejemplo, un escoplo.
- El **mazo de madera** o **de goma** se utiliza cuando la superficie a golpear puede deteriorarse; por ejemplo, si hay que presionar dos trozos de madera para encolarlos.

Asimismo, si hay que clavar un clavo sobre madera delicada es mejor utilizar un **botador de clavos** que ayude a concretar el golpe.

## Tenazas y alicates

- Las **tenazas** se usan básicamente para arrancar clavos; también como pinzas cortantes, siendo el largo de su mango lo que condiciona la fuerza que desarrollan, ya que trabajan por efecto de palanca.
- Los **alicates** también pueden utilizarse como pinzas

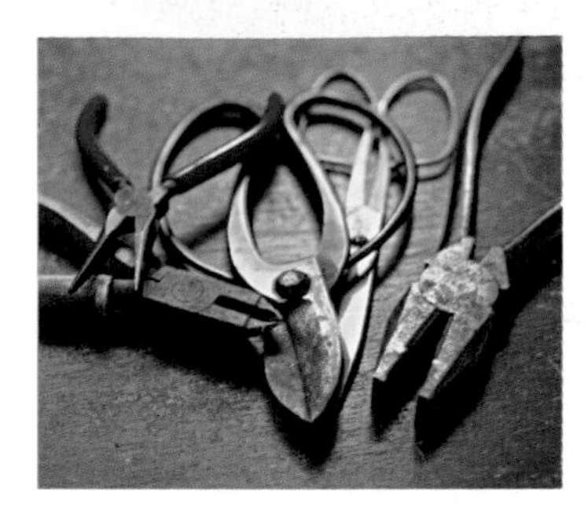

cortantes, por ejemplo para pelar cables eléctricos o cortar alambre, aunque su punta dentada proporciona otras utilidades: con su parte plana se pueden sujetar firmemente pequeños objetos, para lijarlos o para acercarlos a una fuente de calor, y con su parte circular dentada se pueden sujetar otros objetos, como varillas, o destornillar roscas o tornillos cuya cabeza se ha deteriorado y, por tanto, ya no puede hacerse con la llave inglesa.

## La llave inglesa

Existen 3 modelos básicos:

- La **llave fija** (o plana) tiene diferentes medidas numeradas que encajan perfectamente con los tamaños de los pernos o de las tuercas, y suele ir en un mango con una llave en cada extremo.
- La **llave ajustable** es muy útil si no se dispone de toda la numeración de llaves fijas, ya que se adapta a diferentes tamaños de tuercas.
- La **llave corrediza** presenta una boca redondeada y dentada que se adapta a objetos cilíndricos, como tuberías o grifos. Normalmente servirá una llave de 235 mm. Es importante no utilizar esta herramienta para tuercas corrientes, ya que sus dientes se comen su cabeza hexagonal y luego no pueden emplearse las llaves inglesas adecuadas.

## Cortar y serrar

- El **serrucho de carpintero** permite serrar todo tipo de maderas, listones y tableros. La **sierra de costilla** incorpora una cinta de acero en la parte superior de la hoja dentada, que le aporta rigidez y permite un corte limpio y recto, ideal para cortar tacos, aunque a veces esta misma cinta ejerce de

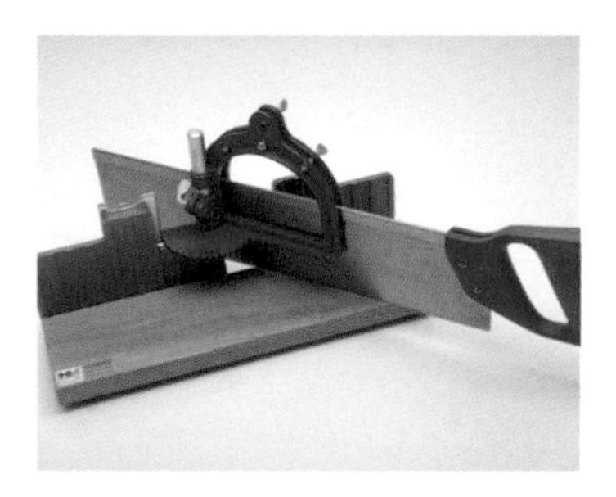

tope y no se puede profundizar en el corte más allá del alto de la hoja dentada. Esta misma sierra, pero más estilizada y con un dentado menor, sirve para cortar ingletes con la ayuda de una escuadra de ingletear.

- Las **sierras en arco** se usan para cortar metales o materiales sintéticos, en este caso con los dientes hacia delante y con un mango metálico en forma de arco.
- Las **cuchillas universales** de hojas desechables, también llamadas cúter, se utilizan para cortar cuero, papel, cartón, plástico u otros materiales, muchas veces apoyadas sobre una regla para obtener un corte lineal y siempre con la máxima precaución, ya que su punta es muy fina e incisiva.
- Unas buenas **tijeras** son también imprescindibles para sus múltiples usos.

## Limas

Existen diferentes tipos de limas: **planas**, **mediacaña**, **redondas**, **cuadradas** y **rectangulares**. La más polivalente es la mediacaña. Alisa la madera y el metal, iguala las superficies, elimina las irregularidades y afila las hojas. Asimismo, es útil tener diferentes grosores de papel de lija.

## Destornilladores

- Los **destornilladores rectos** y los **de estrella** son los más frecuentes. Se pueden tener puntas reversibles para unos y otros, o hacerse con un juego completo de tamaños para los dos tipos. Hay que tener en cuenta no sólo el tamaño de la hendidura del tornillo, sino también una longitud del brazo del destornillador que permita llegar con facilidad al tornillo. Para trabajos de electricidad se utilizan destornilladores de brazo largo y a menudo recubierto por una funda aislante.
- La **barrena** es un buen complemento del destornillador, ya que permite preparar el agujero inicial sobre el que se asienta la punta del tornillo antes de atornillarlo.

# Otras herramientas y complementos

*La caja de herramientas se completa con otros útiles más comunes o más especializados, desde cinta adhesiva o alguna cuerda hasta una escalera o aceite para mantener las herramientas sin óxido, pasando por unas gafas de protección y unos guantes gruesos para los trabajos más duros.*

## Taladradora y atornilladora

Esta herramienta incorpora una fuerza superior a la mano del hombre, así que abre unas posibilidades magníficas en nuestra caja de herramientas. Sus dos usos más frecuentes son el empleo de brocas para abrir agujeros en madera y paredes (para lo cual se utilizan brocas diferentes) y las funciones de atornilladora y destornilladora, aunque cuenta con numerosos accesorios adicionales para pulir, serrar, amolar, etc.

### Ahorre tiempo

*Adhiera una pieza en la parte exterior de cada bote con cinta adhesiva y deposite en cada uno el mismo tipo de clavo, tornillo, punta o taco; de esta manera podrá encontrar rápidamente lo que necesita.*

## Pequeños accesorios siempre útiles

- Papel de lija con granulado diverso y el taco de lijar, donde envolver el papel y realizar el trabajo de una manera más cómoda. La lijadora mecánica es preferible alquilarla en ocasiones puntuales y cuando sea absolutamente necesaria.
- Piedra para afilar y mantener en buen estado todas las herramientas cortantes.
- Un nivel de burbuja le será imprescindible para comprobar la verticalidad y horizontalidad de las superficies con exactitud. Procure que mida entre 50 y 70 cm.
- Puntas, tornillos y clavos de diferentes tamaños y formas, para madera o metal, así como para fijar moquetas o tapicerías.
- Tacos que permiten sujetar o aumentar la fijación: diversos tipos dependiendo de la superficie en la que se apliquen.
- Escoplos o formones de varios tamaños para trabajos de carpintería.
- Guantes resistentes y gafas protectoras son parte de la indumentaria necesaria para poder trabajar en unas condiciones de seguridad óptimas.
- Cinta adhesiva y cinta aislante.
- Cable eléctrico, cuerdas y cordeles.

## Complementos de la caja de herramientas

- Muchas veces se hace necesaria una buena **escalera plegable** para acceder a techos o altillos con comodidad. Procure que sea de un material ligero.
- Tenga siempre a mano un **botiquín básico** por si sufriera alguna herida al utilizar el cúter u otra herramienta.
- Es recomendable tener un **pequeño extintor** para casos de urgencia.
- Si dispone de espacio, es recomendable también tener un **banco de trabajo** donde realizar algunas operaciones concretas, como por ejemplo el serrado, el lijado, el encolado de piezas, etc.

## Cada herramienta en su sitio

Mantenga ordenado todo el equipo de herramientas; así encontrará lo que necesita de manera ágil y rápida, y conservará cada pieza en perfecto estado.

- El **tablón de herramientas** es muy práctico. Sujete a la pared un tablero de madera, clave los diferentes soportes y dibuje la silueta de cada herramienta sobre la madera para que cada pieza tenga su lugar concreto. Colgar las brochas evitará que las cerdas se estropeen, y las sierras y martillos se conservarán más tiempo en perfectas condiciones.
- La **estantería** es básica para tener los tarros con diferentes tamaños de clavos o los botes de pintura, disolventes, etc.
- Los **armarios** y **cajones cerrados** le aseguran que sus hijos no cojan las herramientas y puedan despuntarlas o hacerse daño.
- Los **bolsos de lona** facilitan el transporte de las pequeñas herramientas.

## Mantenimiento de las herramientas

Las herramientas suelen estar largos períodos de tiempo sin utilizarse, lo que provoca la formación de óxido y su deterioro general. Puede ahorrar dinero y tiempo llevando a cabo algunas tareas que optimizarán su conservación:

- Utilice cera en pasta (para automóviles) para encerar las hojas de las herramientas.
- Elimine los disolventes o similares después de utilizarlas.

### Truco casero

*Deposite varios trozos de tiza en cada uno de los departamentos de su caja de herramientas y evitará la formación de óxido: la tiza absorbe la humedad.*

- Si se le acumula óxido, frote con un disolvente de óxido y un estropajo de acero y después pase un poco de aceite.
- Para afilar las herramientas cortantes, como los escoplos, puede recurrir a una tienda o hacerlo usted mismo con piedra de afilar.
- Elimine las asperezas de los mangos de las sierras con una lija, evitando de esta manera que le salgan ampollas en las manos.

# Consejos básicos para el electricista aficionado

*Las reparaciones básicas en el circuito eléctrico de su vivienda no son difíciles, pero resulta esencial contar con un equipo mínimo y tener siempre presentes algunas medidas de seguridad. A partir de aquí será fácil afrontar un apagón inesperado o pequeñas reparaciones en la instalación eléctrica de su casa, cosas sencillas como cambiar un enchufe o sustituir el fluorescente de la cocina.*

## Equipo básico de herramientas

➤ VELAS Y UNA LINTERNA para afrontar cualquier apagón inesperado y poder trabajar bien mientras la luz está cortada. Téngalas siempre a mano, en un cajón específico donde pueda localizarlas inmediatamente. No olvide ir cambiando las pilas de la linterna periódicamente, para que no estén en mal estado precisamente el día en que las necesite. Tenga también un mechero y una caja de cerillas para encender las velas.

➤ ALICATES Y TENAZAS son las herramientas básicas para trabajar con cables eléctricos, ya que se usan para doblarlos, cortarlos y pelarlos. Elija siempre los que tienen las abrazaderas con plástico aislante.

➤ NAVAJA O CÚTER, también adecuadas para cortar y pelar cables eléctricos.

➤ JUEGO DE DESTORNILLADORES, preferiblemente con mango aislante, algunos con puntas planas y otros de estrella, sobre todo de medidas pequeñas, que son las que suelen corresponderse a la instalación eléctrica de una casa.

➤ CINTA AISLANTE para realizar pequeñas reparaciones temporales, como proteger un empalme o un cable que ha quedado algo pelado, o también para aislar alguna punta de cable que provisionalmente va a quedar a la vista, por ejemplo porque aún no ha colocado la lámpara.

➤ BOMBILLAS DE REPUESTO, para no pasar incomodidades y cambiar la que se ha fundido al momento.

Piense que en algunas habitaciones sólo hay una bombilla, y que no tener una de repuesto puede suponer tener la habitación a oscuras hasta que compre otra.

➤ UN PEQUEÑO EXTINTOR de espuma apto para incendios eléctricos.

### Ahorre tiempo

*Tenga un cajón en el recibidor, que es donde suele estar la caja de la instalación eléctrica de su casa, y guarde en él las velas, la linterna, las cerillas y el mechero de emergencia. Si tiene espacio, guarde también sus herramientas básicas, ya que si las tiene mezcladas con el resto de su caja de herramientas puede tardar en encontrar un pequeño fusible o un destornillador.*

## TRES NORMAS BÁSICAS DE SEGURIDAD

### 1. OJO CON EL BRICOLAJE

- La instalación eléctrica puede verse afectada cuando haga determinados trabajos de bricolaje en casa, ya sea por sobrecarga de la instalación, si está utilizando aparatos muy potentes, o por sobrecarga de un punto concreto, por ejemplo si enchufa varios aparatos en un mismo enchufe. La línea puede sobrecalentarse e incluso arder. Esté atento a los olores a quemado y controle que ningún punto del cable o del enchufe esté ennegrecido.
- Antes de utilizar el taladro, por ejemplo, asegúrese de que allí donde va a hacer el agujero no hay cables en el interior de la pared, ya que puede sufrir una descarga eléctrica o producir un cortocircuito. Fíjese en los juegos de enchufes e interruptores que tiene a la vista y calcule por donde pueden ir los cables.

### 2. EL AGUA ES UN ENEMIGO DE LA ELECTRICIDAD

- El agua y la humedad son grandes enemigos del electricista, ya que el agua es conductora de la electricidad.
- Nunca trabaje con las manos mojadas, ni siquiera húmedas, ni con el pelo mojado o alguna prenda húmeda o muy sudada, ya que se puede producir una descarga.
- Sea igualmente prudente cuando trabaje en lugares con un alto grado de humedad o condensación, como puede ser el baño.
- No utilice nunca agua para extinguir un incendio provocado por un contacto eléctrico. Si llegara a arder, corte primero la luz y luego intente apagarlo. Piense que, si tira agua sin cortar la corriente, ésta hará de conductor y transmitirá la electricidad a todas las zonas mojadas. Recuerde que existen extintores de espuma específicos para incendios del sistema eléctrico.

### 3. TENGA LA INSTALACIÓN ELÉCTRICA EN CONDICIONES ÓPTIMAS

- Adapte su instalación a las nuevas normas de seguridad y tenga siempre instalado un diferencial que salte automáticamente ante cualquier anomalía en la instalación. Se evitará averías y estará más seguro.
- Procure que en las instalaciones en sótanos o en las instalaciones situadas al aire libre, el tendido eléctrico se lleve a cabo a partir de cajas de distribución, enchufes y llaves de seguridad: así reducirá riesgos.
- Inspeccione regularmente cables y enchufes situados en lugares ocultos y repárelos en cuanto vea la más mínima anomalía. En caso de problema, forre el cable con cinta aislante sólo provisionalmente y sustitúyalo lo antes posible.

# Pequeños trabajos de electricidad

*Cambiar una bombilla, el tubo fluorescente de la cocina o unos fusibles fundidos son tareas muy sencillas que no requieren llamar a un técnico, así que puede hacerlas usted mismo sin mucho esfuerzo y sólo con un poco de cuidado.*

## Cambiar una bombilla

Es una operación muy sencilla, así que sólo tiene que recordar 3 detalles:

- Aunque sea una operación fácil, corte la luz para trabajar tranquilamente.
- Si no va a cortar la luz, como ocurre habitualmente, coja la bombilla por el cristal y desenrósquela sin tocar el casquillo.
- Recuerde esperar a que la bombilla fundida se enfríe si se ha fundido después de haber estado un rato encendida, ya que si hubiera llegado a calentarse mucho podría quemarse los dedos. Si tiene mucha prisa por cambiarla, utilice un trapo como protección.

## Mantenimiento de los tubos fluorescentes

Es muy habitual que cualquier día los fluorescentes de la cocina o de cualquier otra estancia empiecen a parpadear o dejen de dar luz normal. Puede que haya habido un bajón temporal de fluido eléctrico, aunque si las anomalías continúan mucho tiempo es posible que el tubo no esté en condiciones.

- Si sólo se encienden los extremos del tubo, parpadea constantemente, o se enciende y apaga de manera regular tendrá que cambiar el cebador.
- Reemplace el fluorescente si nota que los extremos están ennegrecidos: puede haber un mal contacto.
- En caso de que un tubo recién comprado ofrezca una luz tenue, enciéndalo y apáguelo regularmente hasta que adopte la intensidad adecuada.
- No lo cambie si cree que puede haber algún problema en el circuito eléctrico: podría estropearlo.

- Asegúrese de que el cebador y el tubo fluorescente que quiere cambiar son los apropiados para su circuito.

## Uso y cambio de fusibles

Los fusibles, como su propio nombre indica, se funden e interrumpen la corriente ante la sobrecarga o el recalentamiento de algún cable, así que evitan daños mayores.

- Coloque fusibles de 3 amperios para aparatos de hasta 700 vatios, como mantas eléctricas, herramientas, equipos de música, relojes, lámparas, etcétera, y para el resto un fusible de 13 amperios. Nunca utilice un fusible con más amperios de los que necesita, ya que aumenta su capacidad de resistencia y evita que cumplan su función. Si no sigue esta regla, podría provocar sobrecargas, recalentamientos o incluso un incendio.

- Cuando tenga que trabajar en alguna reparación puede optar por cortar la corriente de la llave general o por quitar el fusible. En este último caso, guárdeselo en el bolsillo para no perderlo.
- Marque con un bolígrafo o rotulador a qué corresponde cada fusible; así podrá cortar la corriente sólo en la zona de su hogar que necesita para trabajar, y evitará dejar toda la vivienda sin electricidad. Habrá visto alguna vez una caja de la instalación eléctrica con cartelitos que ponen garaje, casa, lavadero, etcétera. Es muy útil y le permitirá organizar mejor su trabajo. Además, podrá detectar rápidamente dónde está el problema en caso de saltar un fusible.

## Interpretar los cables de colores

Observará que los cables eléctricos son de diferentes colores. El objetivo de esta distinción es trabajar con más seguridad al poder reconocer con facilidad cada cable. En las instalaciones modernas los de color verde-amarillo van a tierra, el azul es neutro y el negro o marrón es el de polaridad. En los antiguos sólo hay dos polos, uno gris que es el neutro y otro negro que es el de polaridad. Aun así, compruebe con el destornillador de polaridad cuál es realmente el cable polarizado.

### Terminología básica sobre electricidad

- **Amperio:** unidad eléctrica que mide la cantidad de corriente de un circuito.
- **Cable vivo:** cualquier cable por el que pasa corriente eléctrica.
- **Circuito:** círculo completo por el que pasa la corriente eléctrica.
- **Conductor:** cualquier objeto susceptible de transmitir electricidad.
- **Cortocircuito:** circuito que se desvía por cables que no pueden soportar la cantidad de calor generada.
- **Fusible:** resistencia débil que protege, desconectando la corriente si detecta algún fallo.
- **Hilo de tierra:** lleva la electricidad hasta el suelo en caso de haber algún fallo en el circuito.
- **Hilos:** componentes de un cable. Hilo neutro, hilo con electricidad y cable de tierra.
- **Vatio:** unidad que mide la cantidad de electricidad consumida por un aparato eléctrico.
- **Voltio:** unidad que mide la diferencia de potencial en un circuito.

# Fontanería de emergencia

*El problema de las emergencias de fontanería es que tienen un alcance mucho mayor que su propia avería. No sólo crean la incomodidad de que lo dejan todo mojado, sino que el agua tiene un poder destructivo enorme: puede estropear zócalos, muebles de madera y alfombras, puede crear un cortocircuito si llega a tocar la instalación eléctrica, y hasta puede filtrarse por el suelo y empezar a gotear en el piso de abajo, de manera que usted tendría que hacerse cargo de los gastos de reparación de su vecino, especialmente de la pintura del techo, así que vale la pena tener nociones básicas de fontanería de emergencia y actuar cuanto antes mejor.*

## La cisterna se desborda

- Cierre la llave de paso del agua, que suele estar en la pared y detrás de la cisterna, y así dejará de recibir agua.
- Si estuviese atascada, cierre la llave de paso general de su casa.
- Otra solución rápida es levantar el flotador que marca el nivel máximo de llenado y atarlo en esta posición, ya que cierra la entrada de agua. De hecho, si está saliendo agua es porque este dispositivo ha fallado.

### ¡Cuidado!

*Cierre la llave general de la luz si hay agua cerca de los aparatos eléctricos o los cables. Recoja toda el agua posible y seque los cables antes de volver a conectar la electricidad, ya que podría recibir una descarga eléctrica al tocar el interruptor.*

- Si efectivamente el flotador está estropeado, tendrá que comprar otro: los más pequeños son para cisternas de inodoro, aunque existen otros más grandes para depósitos de agua que puede tener en el terrado o sobre el garaje. Asegúrese de que es el flotador correcto y que cumple bien su función de limitador del nivel de agua.
- También suele ocurrir a veces que el flotador tiene el brazo torcido. En este caso, el flotador queda demasiado alto y no cierra completamente la válvula de entrada de agua. Si el brazo es de metal, puede utilizar una llave inglesa para doblarlo y darle su posición original, y si es de plástico, afloje la tuerca y baje el flotador.
- También puede ocurrir que la arandela de la válvula esté desgastada y continúe entrando agua en la cisterna aunque esté llena. Cierre la llave de paso para reemplazarla, quite el pasador que sujeta el brazo a la válvula, y cambie la arandela vieja por una nueva.

## Lavadora y lavavajillas

- Si una lavadora automática empieza a perder agua, gire inmediatamente el mando del programador hasta el final y apáguela.
- Si no se ha mojado el enchufe ni usted tampoco, desenchúfela.
- Si existiera la más mínima posibilidad de que haya contacto entre el agua y la instalación eléctrica, corte la llave de paso de la luz inmediatamente. De hecho, cortar el suministro eléctrico debería hacerse en cualquier caso.
- Posteriormente, recoja el agua extendiendo toallas en la zona inundada.

- Si la lavadora desagua en el fregadero, compruebe que la goma está bien colocada: a lo mejor es que simplemente se ha salido de su sitio.
- Asegúrese de que ha utilizado el tipo y la cantidad de detergente adecuado: a veces es una simple cuestión de exceso de espuma.
- Compruebe siempre que el filtro y el cajetín del detergente estén colocados correctamente.
- Si intuye que la inundación puede ser consecuencia de un problema mecánico en la lavadora, lo mejor es llamar rápidamente al técnico, pero entretanto vacíe la lavadora, apáguela y desconéctela.

### Truco casero

*Puede también echar un puñado de sal en los desagües diariamente. La sal retrasa el punto de congelación del agua.*

## Descongelar una tubería

Es un problema habitual en lugares donde los inviernos pueden ser ocasionalmente muy fríos. El agua de las tuberías se congela y por tanto se dilata, de manera que puede llegar a romper las tuberías. Esto sólo ocurre en casos extremos, pero lo más frecuente es que estos tramos congelados no dejen pasar el agua.

- La norma básica es descongelar lentamente: el hielo puede haber causado grietas en las tuberías y se podría provocar una inundación.
- Con paciencia, puede utilizar una estufa de aire caliente: el aumento de la temperatura en el habitáculo hará aumentar lentamente la temperatura de la tubería.
- Si no se sabe el punto exacto donde se ha congelado, abra todos los grifos uno a uno y observe qué pasa: en el momento en que llegue a la parte congelada el agua volverá a salir.
- Si la tubería está a la vista, utilice un secador de pelo. Si no es así, vierta por el desagüe un poco de agua caliente.
- De todas formas, lo mejor es prevenir. Si va a dejar toda la semana la casa cerrada y pueden venir heladas, corte el agua y deje los grifos abiertos hasta que las tuberías se vacíen. Así, aunque haga mucho frío, no habrá en ellas agua para congelarse. Al llegar el próximo fin de semana, encienda el agua y no olvide ir cerrando los grifos que dejó abiertos.

## Reventón de tuberías

El problema es que el reventón puede estar en un punto oculto, de manera que usted sólo ve el agua en la pared o en el techo.

- Cierre la llave general del agua y abra los grifos hasta que se vacíen todas las tuberías.
- Si ve el punto del reventón, ate un trapo alrededor de la grieta y ponga un recipiente debajo para recoger la gotera. Inmediatamente, llame al fontanero.
- Si el reventón está en una tubería exterior, tendrá que cerrar la llave de paso exterior. Téngala localizada para no tener que buscarla ante una emergencia. En ocasiones, necesitará una llave especial para cerrarla: téngala a mano. También es interesante que 2 ó 3 veces al año abra y cierre esta llave para que no se atasque al estar siempre en la misma posición.

# Pequeñas reparaciones de fontanería

*Un simple goteo en un grifo, una fisura en una tubería, las cañerías atascadas o con mal olor, o incluso un ruido molesto en un conducto de agua son problemas de fontanería muy usuales, que pueden resolverse de una manera sencilla.*

## Goteo en los grifos

En la mayoría de ocasiones se trata de sustituir la arandela de goma estropeada por una nueva. Compre arandelas sintéticas de color negro, apropiadas para grifos de agua caliente y fría. Vaya a la ferretería con la muestra de la vieja para acertar con el tamaño y el grosor. Si no la encuentra exactamente igual, compre las más aproximadas y recórtelas a medida. Compre varias por si alguna no se puede aprovechar.

- Empiece cerrando la llave general de paso y dejando salir toda el agua que haya en las tuberías.

### Truco casero

*Para eliminar la molestia que produce el goteo de un grifo ate un trozo de cordel a la boca del mismo. El agua descenderá silenciosamente por el cordel.*

- Quite el tornillo que sujeta la parte superior del grifo. A veces, aparece tapado por un plástico.
- Quite la cubierta del grifo. Si le cuesta, vierta agua caliente o ate un trapo alrededor y desenrosque con una llave inglesa. Sujete el resto del grifo para que gire sólo la parte superior.
- Desatornille la tuerca principal, levante después la válvula, quite el tornillo que sujeta la arandela y cámbiela por la nueva.
- Coloque la pieza en su sitio y a contiuación abra la llave de paso y el grifo hasta que empiece a salir el agua. No se olvide de hacerlo; si no, se formará una bolsa de aire en la tubería que provocará ruidos molestos.

## Goteo de una tubería

El goteo en una tubería implica muy posiblemente la existencia de una grieta. Igual que cuando gotea un grifo, lo primero es cerrar la llave de paso y abrir todos los grifos hasta que se vacíe por completo la tubería.

- Para iniciar la reparación necesitará cola de resina de dos componentes y cinta impermeabilizante.
- Antes de aplicar la cola, lije bien el espacio que ocupa la grieta y asegúrese de que está completamente seco.
- Mezcle la cola y el endurecedor y colóquele encima la cinta, aplicando sobre ella otra capa de cola.
- Esta última capa deberá secarse y endurecerse antes de que vuelva a pasar el agua. El tiempo de secado puede oscilar entre 10 minutos y 24 horas, dependiendo del tipo de producto utilizado.

**¡Cuidado!**

*Tenga cuidado si utiliza sosa cáustica: reaccionará con la grasa y formará una pasta que podría tapar por completo el desagüe.*

- Puede realizar una reparación de emergencia en un tubo de cobre, revistiéndolo con un tubo de plástico 10 cm más largo que la grieta, y envolviendo éste en cinta para mangueras.

## Tuberías con ruido

- Puede que haya alguna tubería mal instalada, con lo que únicamente será necesario colocar algunas bridas en los tramos donde veamos que podemos corregir las vibraciones.
- El ruido puede ser debido también a la formación de burbujas de aire en el tubo. En este caso habrá que buscar dichas burbujas, que suelen producirse en los puntos muertos de los sifones, ya que la corriente del agua las arrastra por las tuberías.
- Otra posibilidad es una junta defectuosa, así que habría que cambiarla.

## Fregaderos e inodoros atascados

- Si tiene el fregadero atascado, lo primero que tiene que hacer es sacar el agua con un recipiente y probar con cristales de sosa y agua hirviendo. La proporción es una taza de cristales de sosa por cada 2 l de agua. También puede utilizar una taza de sal y una de bicarbonato sódico, seguidas igualmente de un par de litros de agua hirviendo, o bien, una taza de vinagre seguida de agua caliente.
- Si esto no funciona, utilice un desatascador y proceda a bombear por el desagüe del fregadero para crear un vacío. Tape mientras lo hace los otros desagües: de lo contrario, el agua pasará de uno a otro.
- Una última opción consiste en pasar un alambre por el espacio donde está el tapón del sifón. Cuando consiga desatascarlo, eche cristales de sosa y agua hirviendo.

**¡Cuidado!**

*No eche por los desagües del lavadero o del lavabo sustancias como manteca derretida, grasa, restos de café molido, hojas de té, pelos, pañales desechables o pañales de gasa, ya que podrían bloquear las tuberías o producir olores muy desagradables.*

- Si el atasco es en el inodoro, sobre todo no intente tirar de la cadena, ya que se puede desbordar el agua. Utilice un chupón, un desatascador para inodoros o incluso una escobilla. Mueva el desatascador hacia arriba y hacia abajo y logrará crear un vacío que desatascará el inodoro.

# Reparación de cristales

*Uno de los elementos más frágiles de la casa son los cristales. En el caso de las ventanas, el mayor riesgo lo constituyen tanto las corrientes de aire como las posibles roturas que provocan los portazos. En la cocina y en la mesa, el mayor riesgo son las roturas accidentales de vasos o copas. En cualquier caso, lo más importante es, sin duda, recoger los cristales sin cortarse y conocer las técnicas básicas de reposición y reparación de cristales.*

## Recoger los cristales rotos

- Recoja todos los cristales con una escoba y un recogedor. Barra a conciencia para que no queden restos en el suelo. Recuerde que el cristal, al caer al suelo, estalla de tal manera que aparecen pedazos de cristal a varios metros de distancia.
- Evite en la medida de lo posible coger los cristales con la mano; si lo hace, utilice para ello unos guantes lo suficientemente gruesos como para evitar que se corte.
- En el caso de cristales rotos en una ventana, quite los restos que queden en el marco con la máxima precaución: utilice siempre unos guantes gruesos, pero asegúrese de que el tejido no es resbaladizo.
- Si gran parte de los cristales han quedado fijados al marco tendrá que acabar de derribarlo con sumo cuidado. Coloque varias tiras de cinta adhesiva para sujetar el cristal y que no salte en mil pedazos. Póngase guantes y gafas protectoras. Coloque un trapo grueso en el punto donde va a golpear y dele un golpe con un martillo grande.
- Si quedase algún trozo de cristal muy sujeto al marco, dele unos golpecitos con mucho cuidado hasta conseguir que se desprenda. Utilice un martillo pequeño envuelto en tela: así podrá sacarlo sin que el cristal se astille.
- Ponga varias hojas de periódico en el fondo y en los laterales de la bolsa de basura: evitará que los cristales la perforen. Cubra también la superficie con una capa de periódicos para no cortarse al cerrarla.

- Cuando haya recogido todos los cristales visibles, pase el aspirador para acabar de recoger los pequeños trocitos de cristal que pueden haber quedado en las juntas de las baldosas o en otros rincones: así evitará que se peguen a la suela de los zapatos y se extiendan por toda la casa.

## Asegurar el cristal de la ventana

La masilla que soporta el cristal puede endurecerse con el tiempo: entonces se rompe y se va cayendo a trozos, de manera que el cristal pierde sujeción:

- Compruebe si la masilla está muy agrietada, si ha perdido adherencia y se desprende con facilidad, o si el cristal empieza a moverse o a vibrar.
- Si es así, proceda a quitar toda la masilla y a reponerla por completo.
- Quite la masilla con un formón. A medida que la quita, vaya asegurando el cristal con unos clavitos sobre la marquetería. Reponga luego todo el perímetro con masilla nueva. Asegúrese de que el cristal queda bien fijado.

## Cambiar el cristal de la ventana

- Si se ha roto el cristal y va a cambiarlo, recuerde que el nuevo debe ser 1 ó 2 mm más pequeño de la medida del hueco del marco.
- Elimine los restos de masilla, limpie bien el marco y rellene con una capa de masilla.
- Coloque el cristal presionando suavemente por los extremos: si aprieta por el centro del cristal, podría romperse.
- Asegure el cristal en su posición con unos clavitos sobre el marco. Rellene con masilla y alísela bien con la espátula.
- Coloque los listones de marquetería o cualquier otro tipo de soporte.

### Truco casero

*A menudo guardamos los vasos apilados unos encima de otros, quedando encajados. Es frecuente que al intentar desencajarlos se rompan y, por ello, nos cortemos. Un truco sencillo para evitarlo es poner hielo en el vaso interior para que se contraiga, y sumergir en agua caliente el vaso exterior para que se dilate. En unos segundos resulta facilísimo desencajarlos.*

- Asegúrese de que el cristal ha quedado perfectamente colocado para que no vibre o deje pasar el aire.

## Reparación de muescas en vasos y copas

- Las muescas en la boca de un vaso o de una copa son sencillas de reparar: frote la zona astillada con un trocito de papel de lija extrafina hasta alisar totalmente el canto.
- Si ha tenido que rebajar mucho la zona, lije alrededor hasta igualar el perímetro de la boca.
- Cuando a simple vista parezca igualado, compruebe que ha quedado perfectamente pulido pasando el dedo suavemente.
- Para asegurarse de que la reparación ha sido impecable, haga la prueba final: llévese la copa a los labios para comprobar que ha quedado perfectamente.

## Reparación del pie de una copa

- Lave las piezas con agua y lavavajillas y séquelas bien.
- Ponga la copa boca abajo sobre un trapo de cocina.
- Pruebe de adaptar el pie para asegurarse de que encaja bien y que no falta ningún trozo de pie.
- Aplique una gota de pegamento sintético en la zona de rotura del pie de la copa. Utilice un aplicador de precisión para que el pegamento no se derrame. Asegúrese de utilizar pegamento transparente y resistente al agua.
- Mantenga las dos piezas firmemente unidas durante 1 minuto.
- Aplique cinta adhesiva para asegurar el pie y deje secar unas horas.

### Recuerde

*El cristal nuevo debe ser 1 ó 2 mm más pequeño que el hueco del marco de la ventana.*

# Reparación de muebles

*Arañazos, manchas de humedad que ha dejado un vaso, pequeños golpes y desconchados en la madera, burbujas de aire o quemaduras de cigarrillo. Estas son las cicatrices que quedan sobre los muebles con el paso de los años y que les dan un aspecto deteriorado y viejo. Algunos trucos muy sencillos pueden devolverles casi su aspecto original, así que ¡manos a la obra!*

## Equipo básico de herramientas

- Alcohol metílico y aguarrás para limpiar las superficies y quitar barnices
- Quitapinturas
- Líquido para diluir lacas
- Goma laca
- Cera de abejas para dar brillo
- Anilina para tintes
- Pegamentos
- Unos alicates para sacar puntas
- Aceite lubricante para aflojar tuercas y tornillos
- Lejía y amoníaco para quitar manchas
- Aceite de hígado de bacalao y líquidos reparadores especiales para tratar los arañazos
- Papeles de lija y estropajo de alambre fino para limpiar superficies
- Torno de mano para sujetar los muebles mientras se está secando el pegamento

## Reparación de manchas y arañazos

- Ante una mancha o un arañazo sobre la superficie de un mueble, lo primero es eliminar el polvo y la cera con un quitapinturas.
- Utilice lejía diluida para ablandar el barniz, o amoníaco en caso de que las manchas sean muy profundas.
- Frote por último con un estropajo fino de alambre y vuelva a barnizar después.
- Aplique con un pincel varias capas de barniz diluido con alcohol metílico para quitar los arañazos de sus muebles.
- Cuando se sequen, rebaje para que queden al mismo nivel que el mueble.
- Para disimular los arañazos es una buena idea utilizar aceite de hígado de bacalao, dejando que penetre en la madera.
- Rellene arañazos más profundos con cera natural de abeja, derretida y teñida con anilina para que sea más oscura.
- Si quiere quitar alguna abolladura, elimine primero la capa de pintura o barniz con aguarrás y un trapo suave. Coloque un trapo húmedo encima y aplique la plancha hasta que la madera absorba el agua y se hinche. Tenga en cuenta que podrá estar varias horas para conseguirlo. Una vez seca, líjela y píntela o barnícela.
- Para hacer desaparecer las quemaduras de cigarrillos, pase lija de vidrio y pinte la madera. Espere que se seque y sáquele brillo.

### ¡Cuidado!

*No deje que la carcoma invada las superficies de sus muebles. Dé una capa de barniz o de algún otro producto especial para conservar la madera.*

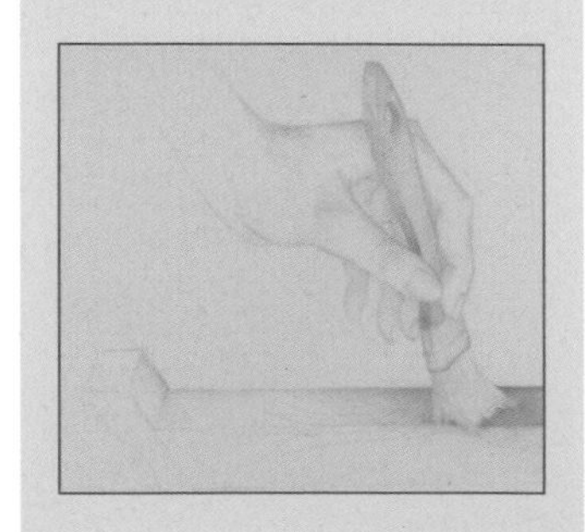

- Para eliminar las burbujas de aire, córtelas con una cuchilla, introduzca pegamento en el interior del corte y cubra el espacio con papel de aluminio y una sábana doblada. Pase la plancha durante 1 minuto y deje peso sobre la burbuja hasta que el pegamento se seque.

## Restauración de las partes metálicas

Los tornillos, los clavos, los remaches o los tiradores de metal de sus muebles pueden mostrar un aspecto oxidado u oscurecido que empeora mucho la imagen del mueble. Hay tratamientos muy sencillos para estas partes metálicas, pero lo básico es que las repare sin dañar la madera de alrededor.

- Recuerde que restaurar no es siempre la mejor solución: además de un aspecto deteriorado, puede ser que el tornillo se halle realmente en mal estado y esté debilitando la ensambladura. En este caso, debe olvidarse de restaurarlo y decidirse a sustituirlo antes de que estropee las piezas de madera.
- Suavice los tornillos o tuercas que estén muy apretados con aceite lubricante o, en su defecto, con vinagre. Espere unos minutos para que actúen y desatornille con cuidado, procurando no dañar la muesca del tornillo.
- Trate de sacar las puntas que están muy metidas en la madera golpeándolas por el otro extremo.
- Saque las puntas que están algo salidas con un martillo de uñeta o con unos alicates, colocando un cartón sobre la madera para no dañarla al hacer palanca.
- Si nota que flojean los tiradores de los cajones o de las puertas no dude en sacarlos, rellenar el hueco con papel y pegamento y volver a colocarlos dejándolos secar.

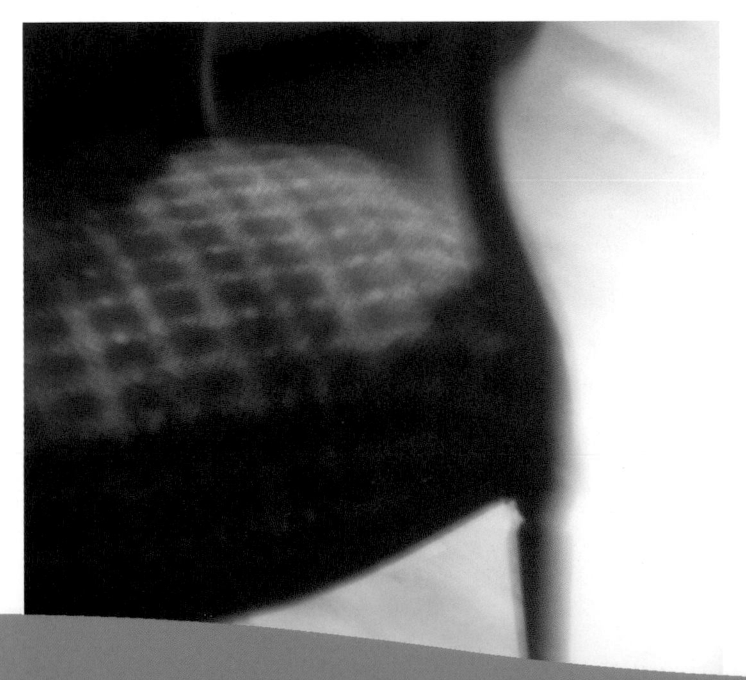

- Siempre que pueda, desmonte las piezas metálicas y trátelas por separado: así evitará que los productos de limpieza de metales afecten a la madera del mueble.
- Utilice siempre productos especiales para metales: son realmente útiles.

## Reparar las patas de los muebles

- Si se da cuenta de que un mueble tiene una pata inestable y está sujeta con un tornillo de tuerca, probablemente baste con apretarlo. Pero si esto no fuera suficiente, pruebe a cambiarlo por uno más grueso.
- Si detecta que existe una desigualdad entre las patas de uno de sus muebles, procure alargar las más cortas en vez de acortar las largas; en caso contrario, si se equivoca ya no podrá dar marcha atrás para solucionar el problema. Utilice para el alargamiento placas de madera muy fina clavadas en la base de la pata.
- Es posible que, con el tiempo, las patas de las mesas le den problemas y tenga que reforzarlas. Primero encólelas y espere a que se sequen. Cuando la cola esté seca, refuércelas pegando un taco de madera a la mesa, al lado de cada pata.
- Clave unos tacos de goma en la base de las patas de las sillas o de las mesas para evitar que rayen el suelo. Estos tacos se utilizan también para nivelar las patas si están desiguales. En las sillas, esta solución también evita que la silla haga ruido al arrastrarse en el uso diario.

# Conservación y reparación de adornos

*La cerámica, la porcelana o el cristal son los materiales habituales en los adornos de una casa. Presentan dos inconvenientes: primero su propia delicadeza, que obliga a limpiarlos y tratarlos con máximo cuidado para que no se rompan, y segundo, la cantidad de polvo que pueden acumular si no se limpian regularmente. Su conservación, por tanto, requiere un trato cuidadoso y regular, y también algunas pautas básicas si hubiera que reparar alguna muesca, algún pequeño golpe o alguna rotura.*

## Porcelana y cerámica

- Este tipo de materiales no necesitan una limpieza muy intensa: quite el polvo regularmente, y de cuando en cuando hágalo más a fondo con un trapo humedecido en agua con jabón. Seque con un trapo de lino.
- No use detergentes ni lejías para quitar las manchas de la cerámica.
- Puede pasar un cepillo de cerdas suaves para limpiar los dibujos sin deteriorarlos.
- Para limpiar el interior de un jarrón de cerámica deposite un puñado de arena o sal, llénelo con lavavajillas diluido con agua, y agítelo dejando que actúe la mezcla durante una noche.
- Utilice cola epoxídica para juntar piezas de porcelana rotas. Antes de aplicarla, limpie a conciencia las superficies de contacto con un material que no deje pelusa.
- Para disimular las grietas que quedan tras el encolado, limpie bien la zona y cubra la grieta con un trozo de algodón humedecido en agua caliente y lleno de bicarbonato sódico. Moje el algodón de cuando en cuando durante varios días.
- Finalmente, frote con un cepillo de cerdas finas mojado en una solución de agua y amoníaco (5 ml por cada taza de agua). Aclare y seque bien.

## Cristal

- Nunca coja una copa por el pie cuando vaya a limpiarla: se puede romper fácilmente.
- Limpie con un algodón humedecido.
- Si el cristal tiene relieve, utilice un pincel de cerdas finas humedecido.
- Si el cristal tiene monturas de metal, procure que no se mojen.
- Recuerde que los cristales antiguos o cualquier otro ob-

jeto adornado con pinturas o dorados son extremadamente delicados. Límpielos con un pincel de acuarela o con un cepillo para lentes de cámara fotográfica.

- Después de lavar la cristalería con sumo cuidado, meta las piezas en un recipiente de plástico con agua y pieles de limón. El limón corta la grasa, y el ácido liberado abrillanta las copas.
- Una vez lavadas las piezas, póngalas sobre un trapo o papel de cocina para que se sequen; nunca las deje sobre una superficie dura, lisa y mojada, ya que pueden resbalarse.
- Procure no exponer el vidrio a altas temperaturas ni a cambios bruscos de temperatura, ya que puede romperse.
- Guarde las copas boca arriba: de lo contrario se estropearán los bordes y tendrán olor "a cerrado".
- Si nota mal olor en los objetos de vidrio, déjelos una noche en remojo con una solución de 5 g de mostaza seca y 1 l de agua tibia, aclarándolos bien cuando acabe.
- Si se le hace una muesca en una copa, frote el borde con un trozo de lija extrafino para alisarla. Si ha tenido que rebajar mucho, haga lo mismo con el resto del borde hasta igualarlo. Recuerde que debe dejarlo impecable para que no sea molesto a los labios.

## Mantenimiento de floreros

En contraste con la belleza que aportan, los floreros sufren el proceso de desgaste del agua durante varios días, así que requieren cuidados especiales.

- Para quitar el anillo blanquecino que deja el agua en el jarrón, empape un algodón o papel de cocina en vinagre y déjelo sobre la marca 5 minutos.
- Para eliminar el cardenillo, esa capa verdosa o azulada que se forma en las piezas de cobre, llene la parte inferior del florero con perdigones de plomo y agite. Llene el florero con agua y añada 10 ml de amoníaco. Déjelo reposar toda la noche y, por la mañana, lave y aclare.
- Eche arena limpia con un poco de lavavajillas y agua caliente. Agítelo y déjelo en remojo toda la noche. Por la mañana, vuelva a agitar y aclare el jarrón.
- Mezcle 15 mg de dentífrico en polvo con medio vaso de agua caliente, déjelo reposar toda la noche y aclare por la mañana.
- Para eliminar los restos de plantas de la base de un florero, eche un puñado de hojas de té cubiertas por una capa de vinagre y agite.

### Truco casero

*Para pulir una copa de cristal fino, haga una pasta fina con levadura y agua para frotar con ella la copa. Posteriormente, aclare y seque con un paño suave para que brille bien.*

# Cuadros, joyas y libros

*Los cuadros, las joyas y los libros son piezas que suelen estar durante años en nuestra casa y de las cuales hay pocos conocimientos sobre su cuidado, conservación y restauración. Sin embargo, suelen ser recuerdos familiares y personales de gran importancia, así que vale la pena tener algunas nociones básicas para mantenerlos en buen estado.*

## Los cuadros

- Las **acuarelas** pueden restaurarse ligeramente frotando una miga de pan con cuidado y luego limpiando la superficie con un pincel muy suave. Recuerde que este tipo de cuadros deben mantenerse enmarcados con cristal.
- Para los **óleos** se utiliza aceite de oliva o se frota muy suavemente media cebolla blanca (en este último caso, debe airear el cuadro después). Las dos técnicas devuelven brillo y color a la obra.
- El **moho** se limpia con una brocha suave y dejándolo en la habitación más cálida y seca durante unas semanas.
- El ensombrecido a causa del **humo** se restaura vaporizando la habitación (el cuadro no) con agua y un poco de amoníaco.
- Para la **humedad** se pone el cuadro entre capas de papel absorbente. Si la humedad permanece, quítele el marco y ponga el cuadro entre papel secante y con un peso encima. Cambie el papel a diario durante varios días.

## Las joyas

- Para deshacer un nudo en una cadena puede espolvorearla con polvo de talco y frotarla entre las palmas de las manos durante unos segundos. También puede poner un par de gotas de aceite sobre el nudo e intentarlo con 2 alfileres.
- Guarde las joyas en bandejas con compartimentos separados, y envuelva las más delicadas en algodón o papel de seda.

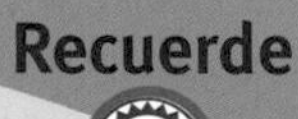
Recuerde

*Una eficaz forma de evitar que los hongos aparezcan sobre el cuadro consiste en poner una pequeña bolsa de gel de sílice en la parte trasera de cada esquina del marco.*

- La mejor forma de conservar las perlas es usarlas: el contacto con la piel hace que conserven su blancura. Si han perdido su color, cepíllelas cuidadosamente con polvo de magnesio. Reviva el color sumergiéndolas en agua de mar, o en casa con agua y sal marina.
- La plata se restaura introduciendo la pieza en agua muy caliente con una solución con jabón en polvo durante 2 minutos. Luego, se frota con un cepillo de dientes.
- Las piezas de oro y platino se limpian con una gamuza. Cuidado con el chapado, pues desaparece con facilidad.
- Un diamante se mantiene en buen estado sumergiéndolo en agua caliente con 2 gotas de amoníaco y jabón durante unos minutos. Cuando el diamante está frío se mete en aguarrás. Luego se coloca sobre pañuelos de papel y se deja secar. El engarce se limpia con un cepillo de dientes.

## Los libros

El papel está expuesto a diferentes procesos de degradación, desde la decoloración que lo hace palidecer y amarillear, hasta su verdadera desintegración. La humedad y el sobrecalentamiento son sus principales factores de riesgo, así que hay que controlarlos o poner en práctica algunos trucos de restauración: de esta manera, el papel puede durar siglos.

- Las cubiertas de cuero suelen agrietarse. Límpielo suavemente con agua y jabón sólo humedeciéndolo.
- Las polillas de papel se evitan fumigando. Un repelente natural es una bolsita con cáscaras de naranja secas.
- Las manchas de grasa en el papel se van con un algodón humedecido en alcohol y mucho cuidado.

- La habitación debe estar protegida de la humedad, del exceso de calefacción y del sol directo. Los libros no deben estar en contacto con el suelo.
- Debe quitar el polvo regularmente y no colocarlos muy apretados unos con otros.
- El espacio libre por delante y por detrás mejora la ventilación.
- Ponga bolsitas de gel de sílice en el medio de la estantería y en las esquinas para evitar la humedad. Cuando el sílice se vuelve blanco, es que ya no puede absorber más humedad.
- Restaure las portadas de cartón con una simple goma de borrar.

# Trabajos con telas

*Además de la costura que precisa el vestuario personal, la mejora y mantenimiento del hogar también requiere algunos trabajos de costura que pueden emprenderse fácilmente, desde coser y colocar unas cortinas hasta tapizar unas sillas o teñir telas para reaprovecharlas.*

## Coser y colocar unas cortinas

### Tipos de telas

- Aunque la gama de telas es muy amplia, los tejidos más utilizados son los de lino o algodón.
- Si quiere claridad, opte por un algodón muy ligero o una simple gasa.
- Si quiere un estilo más clásico, elija terciopelo o seda.
- Para cocinas y cuartos de baño, utilice telas plastificadas.
- Piense que puede emplear galones o tiras bordadas para rematar la tela de las cortinas.

### Las medidas de la cortina

- Es uno de los temas más delicados, ya que a veces es fácil equivocarse, de manera que, después de mucho trabajar, las cortinas quedan cortas o muy estiradas, al no haber calculado más anchura para que se formen los pliegues naturales.
- Deje siempre tela de más para hacer un dobladillo grande: si la cortina encoge al lavarla, siempre podrá sacarle un poco de dobladillo y no le quedará corta.
- Las cortinas deben llegar hasta el suelo, e incluso pueden arrastrar un poco.
- Los visillos cortos son apropiados para ambientes rústicos y para cocinas y baños.

### Colgar las cortinas

- Lo más común son las barras o rieles con un sistema de poleas y carriles que permiten correr la cortina.
- La barra debe ser algo más ancha que la ventana, para que al poner la cortina tape el marco y la cinta de la persiana.
- La barra se puede disimular con una galería de cortina del mismo tejido.
- Las barras que se encuentran a la vista pueden sostener cortinas sin sistema de cierre y apertura, de forma que la cortina se sujeta por anillas y se abre y se cierra tirando de la tela. Es práctico, pero la tela acaba ensuciándose en la zona que siempre tocamos.
- Fije bien la barra a la pared, con taladro, tacos y buenos tornillos, para que quede bien sujeta y no haya peligro de que se caiga al tirar un día para abrirla o cerrarla.

## Tapizado de una silla

Tapizar una silla es casi como estrenar una nueva. Si se atreve con todo el proceso, verá que es más sencillo de lo que parece.

- Si es la primera vez que lo hace, opte por telas de estampados pequeños: es más fácil cortar y situarlo sin que el dibujo quede entrecortado al ponerlo en la silla.
- Tome las medidas con cuidado asegurándose de que son correctas: recuerde que si le cambia la espuma, la nueva no estará deformada por el peso, tendrá un poco más de volumen y puede necesitar algún centímetro de tela más.
- Tome la medida sobre la silla, y luego contrástela con la medida de la tela vieja una vez quitada: le puede servir de patrón.
- Recuerde que la tela necesita un buen dobladillo para dar una mejor sujeción a los remaches.
- Fije la tapicería nueva con unos alfileres o unas grapas provisionales para ver si queda bien. Una vez comprobado, ponga los remaches definitivos.

# Tintado de telas

Es un recurso no muy utilizado en casa y, sin embargo, muy sencillo y de estupendos resultados.

## Tipos de tinte

- **Tintes de agua fría**: se presentan en polvo y se mezclan con agua o con sosa. Se utilizan a mano y a máquina. Son muy apropiados para telas que se lavan a menudo, ya que no destiñen. Se recomiendan para las fibras naturales y para las mezclas de poliéster y algodón.
- **Tintes líquidos de agua caliente**: son muy fáciles de utilizar, a mano y a máquina. Son recomendables para telas lavables y fibras sintéticas, pero no para el poliéster. Hay que tener cuidado porque pueden desteñir.
- **Tintes multiuso**: se presentan en polvo y también pueden utilizarse a mano o a máquina, pero pueden asimismo desteñir.

## Telas no apropiadas para el tinte

- No son adecuados los acrílicos, la angora, el pelo de camello, el cachemir, las fibras tratadas y las mezclas con poliéster o lana.
- Pruebe siempre el tinte en una parte de la tela que no sea visible y verá cómo queda.

## Proceso de tintado

- Para que la tela absorba el tinte de manera uniforme, es imprescindible que antes **lave la tela** para eliminar manchas o restos de almidón.
- Si la tela original tiene zonas descoloridas, es preciso un tratamiento de **decoloración** que haga la tela uniforme antes de teñirla definitivamente.
- Recuerde que las marcas de lejía o las quemaduras de plancha son muy difíciles de teñir.
- Asegúrese de que el recipiente que va a utilizar es suficientemente grande para mover la tela en su interior con comodidad.
- Empape la prenda antes de sumergirla en el tinte y procure que quede totalmente sumergida.
- Si quiere obtener el tono que indica el tinte, no utilice más de 7 l de agua por bote de tinte. Lea siempre las **instrucciones** y las dosis adecuadas.
- Si utiliza la lavadora, pase las telas al final por un programa de agua caliente con detergente y un poco de lejía.

# Instalar un WC

*Un golpe accidental puede abrir una grieta o un desconchado en su inodoro, o simplemente puede ocurrir que esté muy viejo y quiera cambiarlo. Parece una tarea muy complicada, pero en realidad es bastante sencilla y le ahorrará que un técnico le cobre el desplazamiento, la mano de obra y el recargo sobre el coste del inodoro nuevo.*

## Desmontar el viejo inodoro

- Lo primero es cerrar la llave de paso del agua.
- Asegúrese de que la cisterna está vacía. Si no es así, tire de la cadena.
- Desmonte la cisterna y el tubo de entrada del agua.
- Posteriormente desatornille la taza del inodoro: está sujeta al suelo con tornillos grandes que suelen verse sin ninguna dificultad. Tendrá que darle unos golpes con el pie porque, además de los tornillos, está encolada al suelo.

- Cuando quite la taza le quedará a la vista el desagüe: elimine los restos de cola, masilla o escombros que pueda haber.

## Instalar el nuevo inodoro

- Coloque el manguito o codo de plástico adecuado a la salida del desagüe.
- Encaje bien la salida y la taza y coloque ésta en su sitio exacto hasta que vea los agujeros del suelo para los tornillos de sujeción.
- Si no coinciden los puntos de sujeción, sitúe la taza nueva de manera que tape los viejos agujeros y utilice el taladro para abrir agujeros nuevos.
- Utilice tacos de plástico para que la sujeción sea óptima.
- Utilice tornillos de entre 5 y 7 cm de longitud y los tacos correspondientes.
- Es probable que la forma de la taza no le deje hacer los agujeros en vertical y se vea obligado a perforar en diagonal. No se preocupe, aunque procure que todos tengan la misma inclinación para que las fuerzas que soporta la taza se repartan uniformemente y no corra el riesgo de agrietarse.
- Proteja la taza con arandelas de plástico que eviten que al atornillar fuerte se pueda desconchar o romper la cerámica de la taza.
- Coloque y atornille la cisterna, y conecte el man-

**Recuerde**

*Antes de dar por finalizado el trabajo debe asegurarse de haber conectado bien el desagüe de salida y el manguito de entrada. De lo contrario, se encontrará con una inundación.*

## Ahorre dinero

*Muchas veces basta con cambiar la tapa de la taza del inodoro para darle un aspecto más nuevo. Si su viejo inodoro funciona todavía bien y no quiere gastar tanto dinero, busque una nueva tapa (las de plástico son muy económicas) y combínela con una alfombra de baño o unas toallas a juego y verá cómo el cuarto de baño mejora su aspecto.*

guito del agua. Abra la llave de paso y asegúrese de que la cisterna se llena bien y el mecanismo del flotador funciona a la perfección para detener el llenado. Tire de la cadena y compruebe que el desagüe no pierde.

- Finalmente, coloque la tapa de la taza del inodoro.

## Adaptación del manguito

- Es frecuente que el modelo nuevo no coincida con el antiguo, así que el manguito de entrada del agua no siempre se empalma con facilidad.
- Opte por manguitos flexibles en lugar de tuberías rígidas y será más fácil la adaptación.
- Adquiera manguitos con la llave incorporada y se evitará adaptar una llave de paso.
- Procure que los manguitos lleven también en los extremos o bien boquillas o bien empalmes de rosca, puesto que facilitarán en gran medida la operación de empalme.
- Lo mejor es que cuando compre el inodoro nuevo se asegure de que viene con todos los empalmes y manguitos. Si no es así, pida asesoramiento en la misma tienda especializada para que le proporcionen los complementos que se ajustan al modelo que ha elegido.
- Recuerde que todos estos empalmes dependen del modelo de inodoro: si la cisterna se encuentra en lo alto de la pared se suelen utilizar tuberías rígidas, y si la cisterna está justo encima de la taza, a modo de respaldo, bastará con un manguito corto y flexible.

# Combatir la humedad y las filtraciones de agua

*Existen causas muy diversas que pueden provocar humedad en una casa. A veces la propia porosidad de los materiales de construcción deja pasar el agua o la humedad, otras veces son pequeñas grietas o fisuras en las paredes las que dejan pasar la humedad igualmente, y en ocasiones puede ser incluso muy alta la condensación, ya que el vapor de agua se convierte en pequeñas gotitas al contactar con el frío de la pared. Conocer la causa es, sin duda, el primer truco para combatir la humedad.*

## Limpieza de la superficie

La pared que va a recibir el tratamiento debe limpiarse concienzudamente antes de la aplicación de cualquier capa protectora contra la humedad. Lo más contundente es un limpiador de alta presión, que puede alquilar o comprar en tiendas especializadas en bricolaje.

## Tratamiento antimusgo

El musgo se forma en lugares húmedos, frescos y poco soleados. Cuando aparece en grandes cantidades impide la ventilación y aumenta aún más la humedad de la zona. Quítelo con el mismo limpiador de alta presión y luego aplique un producto antimusgo con un cepillo, una esponja o una pistola, y luego enjuague con agua. Utilice el tratamiento también como prevención antes de que se haya formado musgo.

## Las pinturas viejas

Muchas veces, las pinturas viejas forman desconchados y grietas donde se acumula la humedad, que acaba calando e infiltrándose por la pared. Utilice una vez más el limpiador de alta presión y luego acabe la labor con una rasqueta hasta que sólo quede pintura bien adherida a la pared. Deje secar bien, aplique un fondo que tape cualquier grieta y luego vuelva a pintar de nuevo.

**Recuerde**

*Un limpiador de alta presión es lo más adecuado para lavar aquella superficie que va a recibir un tratamiento antihumedad.*

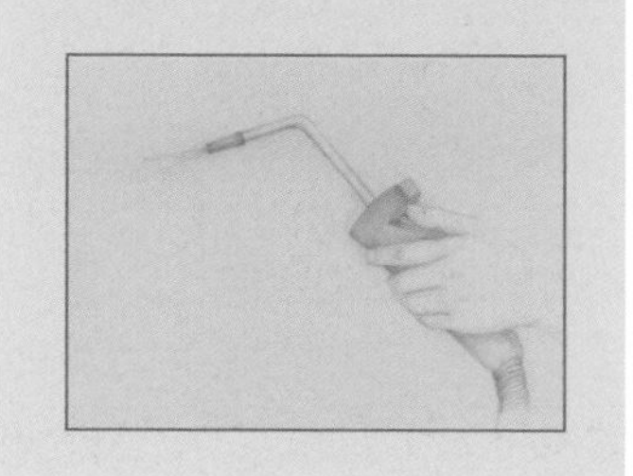

## Los techos

Cambie cualquier teja, pizarra o uralita que presente la más mínima rotura. A buen seguro, se ahorrará males mayores. Aplique un producto aireante sobre estos techos, con el que conseguirá tapar los poros del material e impedirá filtraciones.

## Los puntos de unión

Los puntos de unión son lugares muy vulnerables para que se cuele el agua. La junta entre el tejado y la chimenea es un punto típico de humedad,

como también lo son las juntas del suelo de la terraza con la pared. Utilice cintas de estanqueidad especiales para cubrir y proteger estas líneas de unión.

## Recubrir superficies

A veces es toda una superficie la que sufre de porosidad, por ejemplo el techo plano de un cobertizo o un terrado. Lo mejor es cubrirlos totalmente con una capa de goma líquida. Primero se da una capa de fondo y luego se aplica una goma líquida con un rodillo. La goma se infiltra totalmente en los poros y en las desigualdades formando una capa uniforme y aislante.

## Soluciones de emergencia

Si descubre la infiltración en plena tormenta, recuerde que existen productos especiales para reparaciones de urgencia. Son productos preparados para aplicarse incluso bajo la lluvia, en forma de pasta, con rodillo o brocha, así que aunque pasen unos minutos, tape el punto de infiltración como pueda, ponga algún recipiente que recoja el agua si llega a gotear y vaya rápido a la tienda especializada. Si cuando vuelve sigue lloviendo, podrá aplicar el producto igualmente y evitar que siga deteriorando su casa.

## Limpieza de las canalizaciones

Las canalizaciones acumulan hojas, ramas y otros residuos que pueden llegar a embozar algún punto del recorrido del agua. En ese punto, por contacto continuo, se producirán filtraciones. Mantenga las canalizaciones del tejado (y las que van al pie de la pared) siempre despejadas, y esté atento a cualquier mancha en las paredes de su alrededor.

## Las paredes enterradas

Las paredes que se prolongan por debajo del nivel del suelo exterior pueden verse castigadas por las aguas que se filtran a través de la tierra. Si esto ocurre, tendrá que cavar la tierra hasta dejar a la vista la parte de la pared oculta, proceder a realizar un tratamiento impermeabilizador y luego volver a poner la tierra en su sitio.

### Recuerde

*Vale la pena hacer bien el tratamiento aunque sea muy pesado: si lo hace, habrá solucionado el problema para siempre, pero si no es un buen trabajo, puede tener el mismo problema en pocos días.*

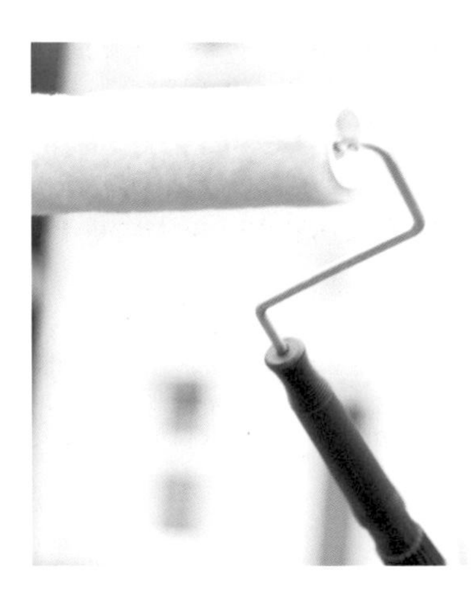

## Los cimientos

En este caso, no sirven los tratamientos que forman una película protectora en la superficie del material. Es necesario utilizar productos que penetren en los poros y neutralicen la humedad. Será necesaria una capa sobre fondo seco y luego hasta 3 capas más suplementarias.

# Hacer un pequeño jardín

*Si la terraza constituye una buena forma de prolongar la casa, el jardín resulta todavía más importante, ya que a la gracia del aire libre hay que sumarle el suelo natural, la tierra y el césped. La sensación es mucho más natural, el suelo no es tan duro y permite la incorporación de plantas, pequeños estanques, fuentes y otros detalles.*

## Preparar el suelo para sembrar césped

- Elija bien el emplazamiento, ya que algunos factores, como el tipo de suelo, van a determinar si resulta viable el desarrollo y conservación del césped.
- Un suelo arenoso, que deja pasar con facilidad el agua y los elementos nutritivos, puede mejorarse con aportaciones de humus, arcilla o turba.
- Trabaje el suelo con una profundidad de 20 cm. Puede alquilar un pequeño arado motorizado.
- Elimine piedras, raíces y cascajos.
- Extienda después los abonos y los productos correctivos mencionados.
- La vuelta del suelo se efectúa preferentemente antes del invierno. Luego, el suelo tendrá tiempo de volverse a cerrar de forma natural antes de la primavera.
- Después del invierno hay que aplanar el suelo con un rastrillo.
- Lo siguiente es allanar el suelo con un rodillo, en un día de buen tiempo y con el suelo seco.

## Sembrar el césped

- Se siembra en primavera, con la tierra suficientemente caliente y húmeda, casi siempre una mezcla de diferentes tipos de césped.
- Antes, hay que rastrillar bien el suelo para desmenuzar la tierra en superficie, lo que facilita mucho la germinación de las simientes.
- Puede sembrar a mano, con un gesto amplio y regular. Calcule unos 35-40 g/m$^2$.
- Luego pase el rodillo para apisonar. No se trata de enterrar las semillas, sino de hundirlas y cubrirlas suavemente de tierra.
- Riegue con una lluvia fina y delicada que no mueva la tierra. Si el tiempo es seco, humedezca la tierra cada día.

## El primer corte

- El primer césped sale a la semana, aunque puede tardar 3 ó 4 semanas.
- Cuando alcance los 5 cm de altura pase el rodillo para aplanar la tierra, lo que a su vez favorecerá el crecimiento.
- El primer corte se hace al alcanzar los 10 cm.
- No deje la hierba cortada sobre el césped.

### ¿Sabía que...?

*Limpie muy a conciencia con alcohol sus herramientas después de haber podado un árbol o un arbusto que estuviera enfermo.*

## Un pequeño huerto

- Busque un rincón con buen suministro de luz y calor, preferiblemente orientado al Sur.
- Protéjalo del viento: un seto es la mejor solución.
- Prevea caminillos de acceso para no pisarlo.
- Una parcela de 3 x 4 m ya le permite tener algunos productos durante todo el año.
- Para no agotar la tierra, alterne los cultivos.
- No olvide que un huerto requiere tiempo y cuidados.
- Iníciese en la tarea con verduras "precoces", como las zanahorias de primavera, los rábanos o las lechugas.

## Mantenimiento del césped

- Los bordes se mantienen pulcramente delimitados cortando en vertical con una pala y un tablón que haga de guía.
- Utilice un cortacésped con sistema de recogida simultánea de la hierba y así al acabar no tendrá que recogerla.
- El césped requiere un riego abundante para que el agua alcance las raíces. Los riegos frecuentes pero escasos no sirven prácticamente de nada.
- La aportación de abonos hace que el césped esté más robusto y sea resistente al pisoteo, y lo protege mejor contra los musgos y las malas hierbas.
- No utilice nunca herbicidas durante el primer año de crecimiento
- Tendrá que ir resembrando algunas zonas: malas hierbas como el trébol o el diente de león irán ganando espacios que luego dejarán huecos pelados, ya que son plantas anuales.

## Calendario de mantenimiento del césped

- Se **siembra** en los meses de abril, mayo y junio, aunque también en septiembre y octubre.
- Los **tratamientos antimusgo** se hacen en febrero, marzo y abril.
- Los **abonos** se aportan de marzo a junio.
- Se **escarifica** entre febrero y abril.
- Los **herbicidas** se utilizan entre mayo y junio.
- Se **airea** en junio.
- En septiembre se puede sembrar, escarificar, airear y hacer los tratamientos herbicidas.

## Los setos

Se podan decorativamente al gusto, aunque si quiere una poda completa hágala a 20 cm del suelo y rebrotará como si fuese nuevo, pero con un crecimiento muy rápido, ya que las raíces son mayores.

# La limpieza de la casa y el cuidado de la ropa

La limpieza es el elemento más noble de una casa. De hecho, es la forma más sencilla y sincera de cuidar de nuestro hogar, de nuestra familia y, en definitiva, de nuestra vida.

Más allá de los requisitos higiénicos básicos, el cuidado y la limpieza de la casa no deberían constituir una tarea pesada, sino que deberían formar parte de un conjunto de hábitos que mejoran nuestra calidad de vida, como son la higiene personal, una buena alimentación o elegir la ropa que más nos favorezca. Eso sí, para plantearlo de esta manera se tiene que cumplir un requisito imprescindible: que estas tareas se distribuyan equilibradamente entre todos los miembros de la familia.

A partir de esta premisa, planteamos una serie de trucos y consejos que se organizan en dos grandes bloques: el primero está dedicado al cuidado y la limpieza de la casa, con un buen número de apartados relativos al cuidado y la limpieza de la cocina y el baño, las dos zonas que más cuidados requieren, y luego se tratan aspectos específicos como el cuidado y la limpieza de suelos, paredes, techos, cristales, ventanas, persianas y muebles.

El segundo bloque está dedicado al cuidado y la limpieza de la ropa. Primero, se centra en el lavado de la ropa, y muy especialmente en el tratamiento de las manchas, para seguir con algunos consejos prácticos sobre el secado y el planchado de la ropa. Luego, unas páginas más variadas, dedicadas a la costura de emergencia y a la máquina de coser, al teñido de la ropa, al cuidado y la limpieza de los complementos y a la organización de la ropa, tanto en los armarios como en la maleta. Finalmente, se ofrecen unas indicaciones acerca del cuidado y la limpieza de alfombras, tapicerías y cortinas.

Todo resulta muy cotidiano, ya que son aspectos a los que se enfrenta cualquier hogar.

Esperamos que estos trucos y consejos prácticos le ayuden a mejorar su calidad de vida.

# La limpieza de la casa

# Equipo básico de limpieza

*Como en toda tarea, las herramientas adecuadas, los productos adecuados y el correcto uso de unos y otros se convierten en un factor determinante también para la limpieza de la casa, así que es necesario tener un equipo de limpieza bien elegido y bien utilizado.*

## Equipo de limpieza

- ESCOBA Y RECOGEDOR. Es el sistema tradicional para barrer. Lave la escoba con agua y jabón 1 vez al mes y la conservará en buen estado. Guárdela boca arriba, colgada de la pared, y las cerdas no se deformarán.
- ASPIRADORA. Además de barrer, recoge el polvo, así que es muy útil. Sirve asimismo para limpiar moquetas, alfombras y tapicerías. Utilice bien los diferentes accesorios y optimizará su uso.
- FREGONA Y DOS CUBOS CON ESCURRIDOR. Es el sistema tradicional para fregar el suelo. Es muy práctico utilizar dos cubos, uno con agua jabonosa caliente, y otro con agua tibia para ir enjuagando: de esta manera no se le irá ensuciando el agua a medida que friega.
- CEPILLOS. Además de la escobilla del inodoro, tenga un par de cepillos para limpiezas específicas, como las juntas de las baldosas. Límpielos bien inmediatamente después de su uso.
- TRAPOS Y BAYETAS. Hay que tener un buen surtido: trapos, para secar la vajilla, para los baños, etc. Complemente su uso con un plumero para el polvo y algunas gamuzas, estropajos y esponjas. Utilice toallas viejas para estos usos, pero descarte utilizar camisetas viejas y otras telas poco absorbentes.

## La compra de una aspiradora

- Compre **aspiradoras cilíndricas**. Son las más adecuadas para el uso doméstico. Son ligeras, portátiles y muy manejables.
- Compruebe que **ruedan bien** sobre suelos duros y también sobre las alfombras y las moquetas.
- Elija modelos con **cable extensible** y **sistema de recogecable automático**. No tendrá que ir de enchufe en enchufe y recogerá el cable cómodamente.
- Elija modelos de **bolsa grande** para no tener que estar cambiándola con frecuencia. Elija un modelo que tenga un sistema de recambio de bolsas cómodo.
- Procure elegir un modelo con **espacio para guardar los accesorios** (diferentes bocas y cepillos), y así los tendrá siempre a mano.

- Existen modelos que, además de aspirar, **sueltan aire**. Son útiles para limpiar detrás de la nevera, detrás de los radiadores o en otros lugares de difícil acceso.
- Elija un modelo con **varias velocidades** si tiene moquetas o alfombras delicadas que precisan un aspirado suave.

## Productos básicos de limpieza

La enorme variedad de productos de limpieza que se encuentran en el mercado parece indicar que existe un producto específico para cada superficie. Por problemas de espacio, es imposible tener todos estos (tampoco sería práctico), pero muchos de ellos son muy parecidos, así que con una selección básica será suficiente.

- **Lavavajillas**: uno líquido para lavar a mano y uno específico para su lavavajillas, en cualquiera de las texturas en las que se presentan.
- **Detergente líquido**: preferentemente con desinfectante, adecuado para la correcta limpieza del baño, la cocina y los suelos en general.
- **Detergente y suavizante**: los productos necesarios para su lavadora.
- **Otros productos complementarios**: el amoníaco, la lejía, el alcohol de quemar, el bórax, la sosa y una larga lista de productos comercializados, como por ejemplo los limpiacristales y otros limpiadores, pueden ser muy útiles para usos y superficies determinadas.
- **Productos naturales**: no olvide el poder desengrasante que tienen productos naturales como el limón, la sal, el vinagre o el bicarbonato sódico.

### ¡Cuidado!

- *Mantenga los productos de limpieza fuera del alcance de los niños, ya que en demasiadas ocasiones son altamente tóxicos. Identifique bien los envases donde guarde productos a granel o sin etiquetar.*
- *Trabaje con guantes siempre que el producto pueda ser abrasivo.*
- *No mezcle limpiadores, es frecuente que reaccionen reforzándose. Si una superficie no ha quedado limpia con un producto, aclare bien antes de utilizar otro.*
- *Trabaje con ventilación para evitar los vapores de algunos productos, y tenga cuidado con las llamas y las chispas.*
- *Si no accede cómodamente a la zona que quiere limpiar no intente hacer equilibrios sobre sillas o taburetes: es una de las principales causas de accidentes domésticos. Tenga a mano una pequeña escalera plegable.*

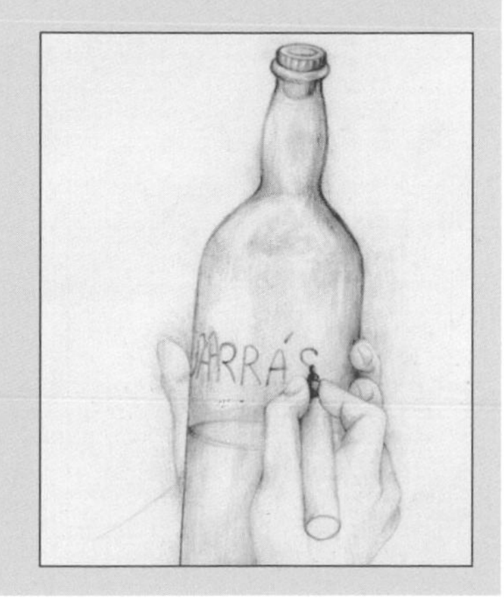


## La limpieza ecológica

- Añada un poco de **vinagre** en el agua de fregar los platos: ahorrará detergente y conseguirá más brillo.
- No utilice lejía ni salfumán para desatascar los desagües: los desatascadores de ventosa son muy eficaces.
- Recuerde que hay limpiadores naturales para el suelo, como el jabón de escamas o la lejía de ceniza de leña.
- El limpiacristales se puede sustituir por una mezcla de agua, vinagre y sal gruesa.
- Los inodoros se desinfectan con esencias de cedro, clavo o tomillo, con un vaporizador, o añadiendo un poco de alcohol de quemar.
- Vierta el mínimo de productos químicos: la mayoría son muy contaminantes.

# La limpieza general de la cocina

*La cocina es la zona de la casa que más suciedad puede acumular, y junto con el baño, la estancia que más cuidado e higiene necesita. De hecho, tanto en la cocina como en el baño no basta con la limpieza aparente, sino que es necesario garantizar unas buenas condiciones de desinfección. En la cocina, los dos grandes "enemigos" son los restos de alimentos y la grasa que se forma al cocinar, así que habrá que dedicarles especial atención.*

## La limpieza mientras cocina

➤ Para evitar la fuerte condensación que engrasa las paredes, procure mantener la cocina a una temperatura moderada y constante.

➤ Aísle bien las paredes pintándolas con pintura al temple, o cubriéndolas con ciertos materiales como corcho o polietileno.

➤ Cocine con el extractor conectado y mantenga alguna ventana abierta. intente que la corriente de aire no apague los fogones, ya que podría seguir saliendo gas.

➤ Deje la cocina abierta y el extractor funcionando durante un rato después de haber acabado de cocinar para que desaparezcan humos y olores.

➤ Tenga siempre a mano un trapo húmedo o esponja para ir limpiando mientras cocina.

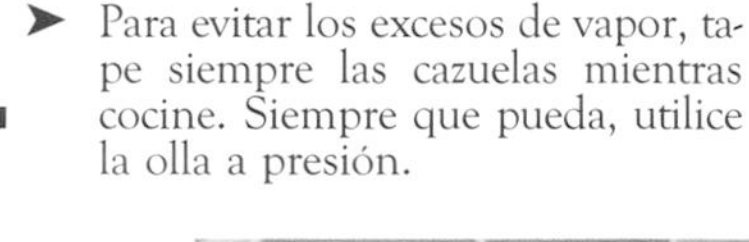

➤ Para evitar los excesos de vapor, tape siempre las cazuelas mientras cocine. Siempre que pueda, utilice la olla a presión.

➤ Un poco de tomate o de huevo sobre la encimera es muy fácil de limpiar, pero una vez secos forman manchas difíciles de eliminar. El rallador, por ejemplo, queda perfectamente limpio con una pasada de agua si se hace en el acto, pero si se dejan secar, los restos de tomate o de cebolla se incrustan en los agujeros y luego son difíciles de eliminar. Si no puede limpiarlo en el momento, déjelo a remojo.

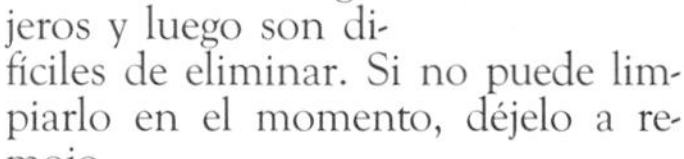

➤ Haga lo mismo con las salpicaduras de la encimera. No deje líquidos derramados en la superficie si puede limpiarlos enseguida: evitará que permanezcan algunas manchas. Si no puede limpiarlos al instante, vierta un poco de agua con detergente y más tarde lo acabará de limpiar.

## La limpieza después de cocinar

- No deje la cocina por recoger durante demasiado tiempo: si es posible, empiece a limpiar inmediatamente después de haber cocinado. Cuando recoja la mesa sólo deben quedar la vajilla y la cubertería utilizada, pero ya debe haberse librado de cazuelas, sartenes, ralladores, picadoras y demás accesorios.
- Si no friega en el acto, por lo menos déjelo en remojo o métalo en el lavavajillas.
- Procure desmontar los quemadores una vez al mes o después de una sesión intensa, lavándolos en agua caliente y con detergente.
- Utilice vaselina cáustica para eliminar los restos de comida quemada de la encimera. Aplíquela con un cepillo de dientes.
- Aunque no los desmonte siempre, compruebe que los quemadores permanecen limpios utilizando un estropajo de alambre o un cepillo. En caso contrario podrían obstruirse fácilmente las salidas de gas.

## La limpieza de las encimeras

- Antes de empezar a limpiar la encimera y los mármoles, asegúrese de haber retirado todos los objetos y utensilios de cocina que haya utilizado. No rasque nunca con un cuchillo sobre las superficies: utilice un estropajo de nailon para las manchas difíciles.
- Encimeras de **mármol**: límpielas con un trapo empapado en agua con detergente suave. Asegúrese de no dejar el mármol húmedo, ya que este material es muy poroso.
- Encimeras **plastificadas**: utilice un trapo húmedo empapado en bicarbonato sódico y aclare después con agua.
- Encimeras **de arce, de teca o de caoba**: límpielas dos veces al año con aceite de linaza o de teca, siguiendo siempre la veta.

## La limpieza del extractor

- No olvide pasar un paño por la campana que cubre el extractor cada vez que cocine: es un lugar donde se acumula mucha grasa. Límpiela a fondo una vez a la semana.
- Limpie regularmente los filtros que recogen la grasa y reemplácelos periódicamente.
- Desenchufe el extractor antes de limpiarlo. Desmonte la tapa superior y lávela con agua bien caliente en el fregadero. Limpie las hélices con un trapo húmedo (procurando no mojarlas mucho). Antes de montarlo de nuevo, asegúrese de que está totalmente seco.

## La limpieza de los armarios

- Procure limpiar los armarios como mínimo una vez al mes para evitar que la acumulación de migas y pequeños restos de alimentos atraigan a los insectos.
- Desmonte el interior de los armarios limpiando a fondo todos los rincones con detergente suave diluido en agua. Mantenga un rato las puertas abiertas para que se sequen bien.
- Repase las fechas de caducidad y el estado de los alimentos, y tire los que estén caducados o en mal estado.
- Limpie los tarros y botellas con agua caliente y detergente: así evitará que se acumule grasa en ellas. Asegúrese de que la base está completamente limpia antes de volver a colocarlas.

# El cuidado y la limpieza de los electrodomésticos

*Los grandes electrodomésticos de la cocina merecen un cuidado y una limpieza especial, no sólo porque son aparatos de precio elevado y vale la pena mantenerlos en buen estado de conservación, sino porque su correcto funcionamiento depende de ello. Piense que una simple junta de goma de la puerta de la nevera estropeada puede modificar la temperatura, de modo que no se mantengan los alimentos e incluso que la nevera acabe estropeándose.*

## El frigorífico

- Limpie su frigorífico con detenimiento por lo menos cada 2 meses: evitará sobre todo los malos olores, pero también problemas de funcionamiento.
- Desmonte todos los elementos móviles (rejillas, bandejas, etc.) y lávelos en el fregadero con agua y detergente. También puede utilizar bicarbonato disuelto en agua.
- Limpie el interior de la nevera y seque bien toda la superficie con un trapo seco.

- Aproveche cada limpieza para dar un repaso a las gomas de la puerta y asegúrese de que sigue cerrando herméticamente.
- Utilice una esponja suave, humedecida con agua y jabón, para limpiar las paredes exteriores.
- Limpie los tiradores con una esponja humedecida en bicarbonato de sosa y séquelos bien para que brillen.
- Pase el aspirador un par de veces al año por la parte trasera para evitar que se acumule mucho polvo, ya que puede provocar un aumento en la temperatura del motor.
- Aproveche para limpiar el suelo y la pared, donde siempre se acumula polvo y la suciedad propia de los rincones inaccesibles.

### Truco casero

*Si necesita acelerar el proceso de descongelación puede colocar una cazuela con agua muy caliente en el interior del congelador, o bien utilizar el secador de pelo con aire caliente.*

### ¡Cuidado!

*Todas las técnicas del cuidado y la limpieza de electrodomésticos requieren una condición previa: desenchufar el aparato.*

- Descongele el congelador regularmente: alargará la vida del frigorífico.
- Utilice una espátula de madera para quitar las placas de hielo que queden enganchadas en las paredes, de esta manera evitará rayarlas. No utilice nunca objetos punzantes: podría estropear el congelador.

## El horno

- Nunca limpie el horno en caliente, sino cuando ya se haya enfriado. Es cierto que resulta más fácil limpiarlo así, pero el trabajo es desagradable y altamente tóxico.
- Utilice papel absorbente de cocina para limpiar la grasa más consistente.

- Limpie las paredes interiores con agua caliente y lavavajillas líquido.
- No olvide limpiar la parte interior de la puerta del horno.
- Aclare bien con agua fría y séquelo bien con un trapo seco.
- Friegue con un estropajo sólo en ocasiones puntuales, como cuando haya que quitar manchas difíciles. En cualquier caso, no lo utilice nunca sobre el cristal de la puerta: podría rayarlo.

## El microondas

- No se ensucia tanto como el horno, pero precisa también de una buena limpieza.
- Antes de limpiar el interior, coloque dentro un recipiente lleno de agua caliente con un trozo de limón y déjelo hervir hasta que se produzca mucho vapor: así se ablandará la suciedad.

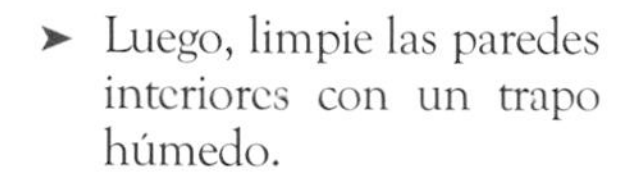

- Luego, limpie las paredes interiores con un trapo húmedo.
- Para las paredes exteriores utilice un detergente cremoso.

## La lavadora

- En primer lugar, una norma básica para el cuidado de la lavadora es limpiar regularmente los filtros que retienen los hilos y las impurezas que resultan del lavado de la ropa.

*Si tiene la necesidad de adquirir un horno nuevo, sería conveniente que se asegurase de que cuenta con un sistema de autolimpieza: actualmente, la gran mayoría de modelos lo incorporan y resulta muy cómodo y práctico.*

- No olvide limpiar a menudo la goma que asegura el cierre hermético de la puerta de carga. Es esencial asegurarse de que no hay impurezas en la goma, y que queda siempre bien seca una vez se acaba la colada: de esta manera evitará que haya marcas de sal y que la goma se pudra con el tiempo.
- Repase la parte inferior de las cubetas de los productos limpiadores: se suele acumular detergente que puede llegar a obstruir algunos canales de circulación.
- Ponga un poco de sal en la cubeta del detergente para evitar un posible rebosamiento.

## El lavavajillas

- Para la limpieza general de su lavavajillas, retire las rejillas que actúan como filtros por debajo del aspersor de agua y límpielas en el fregadero con agua y jabón.
- Ponga un programa de lavado sin nada dentro del lavavajillas para que haga un autolimpiado.
- En su uso diario, aclare bien los platos antes de colocarlos y asegúrese de que no quedan restos importantes de comida, ya que podrían atascar el desagüe.

- Asegúrese de introducir sólo utensilios que sean adecuados: la madera, por ejemplo, necesita una temperatura baja para que no se dañe.

### Ahorre dinero

*Compruebe que el lavavajillas y la lavadora están llenos antes iniciar un programa de lavado: ahorrará bastante consumo de agua y electricidad. Aproveche también la variedad de programas de sus electrodomésticos.*

# El cuidado y la limpieza de los electrodomésticos pequeños

*Además de los grandes electrodomésticos de la cocina, hay una serie de aparatos eléctricos más pequeños, como batidoras, picadoras, licuadoras, tostadoras y otros muchos, que facilitan enormemente las tareas domésticas, pero que muchas veces no se cuidan y limpian de manera conveniente. Éstos son algunos ejemplos: la obstrucción de los conductos en la cafetera tras varios usos, o los restos secos de naranja en los rincones del filtro del exprimidor.*

## La cafetera

- Si su cafetera es eléctrica, desmóntela para limpiarla y utilice agua con lavavajillas. Asegúrese de aclararla bien con abundante agua.
- Utilice una esponja humedecida en agua y jabón para lavar el módulo donde se encuentra la resistencia, aclarando con una bayeta y secando bien.
- Para evitar la obstrucción de los conductos internos a causa de la cal del agua, utilice filtros de agua especiales que puede adquirir en una droguería o en una ferretería.
- En caso de que el agua que se utiliza sea muy calcárea, añada en el depósito una mezcla de agua y vinagre, y haga funcionar la cafetera un par de veces. Vuelva a repetir la misma operación con agua 2 ó 3 veces más para aclarar bien.
- En caso de tener una cafetera a presión, asegúrese de que las gomas que cierran herméticamente las dos piezas están en perfectas condicionesy lávela con agua.

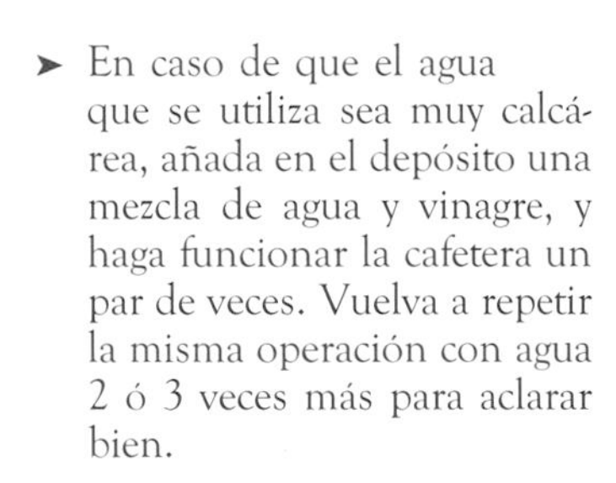

## La freidora

- Si va a comprar la freidora, elija un modelo con cubeta independiente: facilita mucho su limpieza.
- Vacíe y filtre el aceite, ya que se acumula mucha suciedad.
- Limpie el exterior de la freidora con una esponja, agua y jabón.
- Cuando retire la cubeta, aproveche para limpiar los posibles restos de aceite y grasa en el resto de la freidora. Espolvoree harina o cualquier otro producto absorbente en polvo y limpie con papel de cocina.
- Limpie también los muebles que hay alrededor con regularidad.

## La tostadora

- El principal aspecto a solucionar en la tostadora en la acumulación de restos de pan en la superficie o en la gaveta desmontable.
- No se complique: hay que dar la vuelta a la tostadora y volcarla para que caigan las migas de pan. Evitará la suciedad y el olor a quemado. También puede resultar útil una pequeña aspiradora manual.

- Use una esponja con agua y jabón para limpiar la carcasa externa y la gaveta interior desmontable.

## Batidoras, picadoras, licuadoras y exprimidores

- El mejor cuidado para estos aparatos es tener sólo los indispensables: ocupan mucho espacio, y en muchas ocasiones se utilizan un par de veces al año. En la mayoría de casos, tener sólo los necesarios evita mucho trabajo.
- Límpielos por fuera con agua y jabón y aclárelos vigilando que no se introduzca humedad en los motores, ya que éstos suelen ser sencillos y podrían averiarse.
- Por norma general, desmonte todos los accesorios y lávelos uno por uno.
- Póngalos en remojo en cuanto acabe, y así los restos de alimentos no se quedarán tan adheridos. Lo mejor es lavarlos con agua y un poco de lavavajillas en cuanto se acaben de utilizar.
- Procure que no queden pequeños restos de comida en los rincones poco accesibles: se pudren y podrían provocar infecciones.
- Periódicamente, limpie también el cable eléctrico, que puede haberse ido manchando con el uso.
- Seque con cuidado todos los componentes del aparato eléctrico: recuerde que la más mínima humedad puede crear un riesgo de descarga eléctrica.

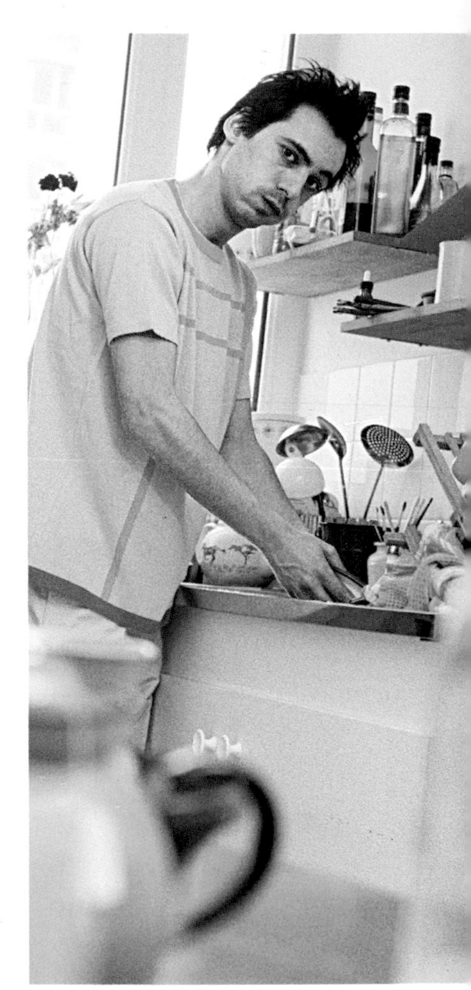

### Ahorre energía

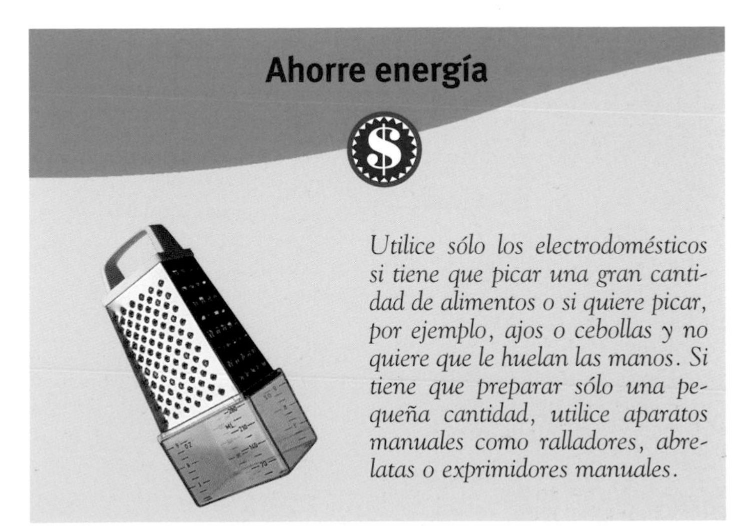

*Utilice sólo los electrodomésticos si tiene que picar una gran cantidad de alimentos o si quiere picar, por ejemplo, ajos o cebollas y no quiere que le huelan las manos. Si tiene que preparar sólo una pequeña cantidad, utilice aparatos manuales como ralladores, abrelatas o exprimidores manuales.*

# El cuidado y la limpieza de recipientes y utensilios de cocina

*Cazuelas, ollas, sartenes, cubiertos y otros utensilios son las herramientas básicas en la cocina. De su perfecto El cuidado y la limpieza depende que nos duren más o menos tiempo, que nos den buenas garantías higiénicas y que cumplan eficazmente su función, sin desconcharse o rayarse. De hecho, la mayoría de las sartenes en las que empieza a pegarse la comida deben su mal estado a un cuidado y a una limpieza que no han sido los adecuados.*

## El cuidado y la limpieza de las cazuelas

### de aluminio

- Para eliminar las manchas oscuras, hierva en la cazuela a fuego lento una solución de agua y vinagre o frote con alcohol de quemar.
- Para abrillantar el interior, cocine en ella algún alimento ácido, como manzanas o limones.
- Evite el lavavajillas. Lávelas siempre a mano, con un estropajo suave para no rayarlas, utilizando agua y jabón y aclarando con agua caliente.

### de acero inoxidable

- Lávelas preferiblemente a mano, con agua caliente y jabón, y séquelas bien para evitar la formación de manchas calcáreas.
- Aunque son recipientes a prueba de óxido, pueden aparecer picaduras y manchas. Trátelas con un estropajo de alambre y detergente en polvo.

## Cuidadado y limpieza de la olla a presión

- No escatime tiempo en el cuidado de su olla a presión: es una pieza muy delicada. Lávela después de cada uso.
- Utilice un trapo jabonoso para limpiar la tapa. Aclare con un trapo húmedo limpio. Sobre todo, no meta la tapa en agua: se podría dañar el manómetro y atascar las válvulas.
- Lave la olla con una esponja suave, agua y detergente, y aclárela bien.
- Controle el buen estado de la junta de la goma y límpiela regularmente. No dude en reemplazarla si la ve gastada.

## El cuidado y la limpieza de las sartenes

- Es muy importante su limpieza después de cada uso: procure no reaprovechar sartenes

medio limpias para cocinar de nuevo.

- Utilice siempre una esponja suave (que no raye) empapada en agua y jabón.
- **Sartenes de hierro colado**: déjelas reposar en agua y lejía si se le han quemado. Asegúrese de aclararlas y secarlas, ya que es fácil que se forme óxido (si se llegara a formar, frote con un estropajo). Aplique aceite de cocina para conservarlas mejor.
- **Sartenes de aluminio**: utilice un trapo impregnado en alcohol de quemar y unas gotas de aceite. Si ennegrecen, hierva pieles de patata con agua: el resultado es espectacular. Hierva agua limpia para que los restos desaparezcan por completo.

### Truco casero

*En caso de encontrar dos vasos de cristal atascados, sepárelos introduciendo el de abajo en agua caliente y el de arriba en agua fría.*

- **Sartenes antiadherentes**: es un material muy delicado: conviene utilizar utensilios de madera para remover y trabajar los alimentos mientras se cocina. Use una esponja blanda impregnada en detergente suave con unas gotas de limón. Aclare abundantemente y deje escurrir bien.

## El cuidado y la limpieza de los cubiertos

- **Acero inoxidable**. Son los cubiertos que se utilizan más habitualmente. Límpielos con agua y jabón, séquelos para evitar manchas de cal, y saque brillo con un trapo de algodón. Si aparece óxido, se frota con un corcho y detergente en polvo o con un estropajo de alambre.
- **Plata**. Reserve una bayeta para limpiar los cubiertos de plata impregnándola con alcohol. No olvide secarlos bien y guardarlos individualmente envueltos en seda para mantenerlos alejados de los efectos de la luz.
- **Madera**. Reserve los utensilios de madera para un mismo tipo de comida: la madera retiene los olores y puede mezclar sabores sin darse cuenta. Lávelos con agua y detergente y séquelos inmediatamente para evitar que se pudran. Si necesita lavarlos más a conciencia, puede hacerlo con agua caliente y amoníaco.

## El cuidado y la limpieza de la cristalería

- No limpie las jarras de cristal con detergente: le resultará muy difícil aclararlas.
- Puede lavar la cristalería fina en el lavavajillas, ya que los nuevos modelos incorporan programas específicos para este tipo de material tan delicado. Un producto con limón eliminará la grasa y un abrillantador los restos de cal. Aun así se recomienda el lavado a mano.
- Mantenga los vasos y las copas a la misma temperatura fuera y dentro del agua: el cambio de temperatura provoca que se empañen y puede provocar roturas. Guarde las copas boca abajo y evitará olores y acumulación de polvo.
- Lave la cristalería más valiosa con un detergente sintético, aclarándola con agua caliente, dejándola sobre un trapo suave y secándola suavemente con uno de lino.

# Lavar los platos

*Fregar los platos es probablemente la actividad, dentro de las tareas de la casa que menos simpatías despierta, primero porque se lavan al mediodía y hay que volver a lavarlos por la noche, y así día tras día, pero también porque después de comer o de cenar lo que le apetece a cualquiera es sentarse un rato a descansar, charlar o ver la televisión más que ponerse a recoger y limpiar la cocina. Por ello, unos cuantos trucos seguro que serán bien recibidos.*

## Lavar los platos a mano

- Lo que más ayuda a la hora de fregar los platos es mantener todos los elementos ordenados; esto le reducirá el trabajo considerablemente.
- Lave primero los elementos menos sucios para evitar que el agua se ensucie rápidamente. Por norma general, lave primero las copas, luego la vajilla, después la cubertería y, finalmente, las ollas y sartenes.
- Reserve un estropajo para copas, vajilla, cubertería o cualquier otro enser que requiera un poco de cuidado, y utilice otro distinto para las ollas y sartenes. De esta forma, no arrastrará la grasa de las piezas más sucias a otras más delicadas.
- Controle la cantidad de detergente que utiliza en el fregado: un poco es suficiente para que actúe sobre la grasa.
- Utilice siempre agua lo más caliente posible: conseguirá una mejor limpieza y un secado más rápido.
- Llene un recipiente de agua caliente y utilícelo para aclarar la vajilla. No introduzca los platos en el agua para no ensuciarla; por el contrario, enjuague la vajilla sacando agua con la palma de la mano. Ahorrará mucha agua al no tener el grifo continuamente abierto.
- Un excelente sistema para ahorrarse el secado a fondo de los platos y de la cubertería consiste en utilizar un escurridor tras haberlos aclarado con agua bien caliente.
- Una simple bayeta o cualquier otro tipo de trapo con capacidad para absorber agua le será útil para poner la vajilla que no quepa en el escurridor.
- Una vez termine de lavar todo, no olvide limpiar bien alrededor del fregadero para evitar que se acumule suciedad o se formen humedades.
- El desagüe necesita también máxima atención para evitar atascos: limpie el filtro después de cada sesión y desmonte los tubos situados debajo del fregadero un par de veces al año para su total limpieza.

### ¿Sabía que...?

*Uno de los despilfarros de agua más importantes de una casa es mantener el grifo abierto durante los 15 ó 20 minutos que está fregando los platos. Se llegan a perder hasta 100 l. El agua potable es un bien escaso, así que utilice un barreño lleno y dosifique el gasto.*

## Poner el lavavajillas

- Elimine los restos de comida antes de introducir los platos en el lavavajillas. Basta pasar un poco de agua o frotar ligeramente con un cepillo especial. Así evitará olores si los deja para el día siguiente, y también que los filtros se atasquen.
- Utilice el programa de preaclarado para los platos sucios que llevan tiempo dentro del lavavajillas.
- Asegúrese de la colocación correcta de toda la vajilla, dejando el espacio adecuado entre platos para permitir que el agua llegue a todos los rincones.
- Procure no obstruir las salidas de agua y de detergente.
- Use siempre el mismo detergente y el mismo abrillantador.
- Utilice detergentes alcalinos.
- Ponga la cantidad adecuada de detergente: en caso contrario puede provocar mucha espuma y una "costra" en la vajilla.
- Utilice menos detergente si tiene purificador de agua o si vive en una zona de aguas blandas.
- Si aparecen manchas en los platos, es posible que sea debido a la dureza del agua. Es necesario que cambie de detergente e instale un purificador.
- Compruebe regularmente el nivel del purificador.
- Cuando acabe el programa de lavado, vacíe primero la bandeja inferior para evitar que caigan gotas desde la parte superior.

### Comprar un lavavajillas

- Dedique un poco de tiempo a analizar con detenimiento sus necesidades reales: si vive solo y come poco en casa, quizá sea mejor que lave a mano los pocos platos que ensucia. Además, es fácil caer en la tentación de ir metiendo platos sucios en el lavavajillas y dejarlos varios días esperando a llenarlo para poner un lavado.
- Si finalmente se decide por la compra, mida con exactitud el espacio que tiene para colocar su lavavajillas en la cocina. En caso de no tener suficiente sitio debajo de la encimera, compre un lavavajillas pequeño que podrá colocar sobre la encimera y conectarlo a los grifos.
- Puede encontrar modelos con cestas intercambiables que le facilitarán el trabajo en función de la cantidad de vasos o platos que tenga.
- Compre su lavavajillas **sin columna vertebral**, pues tienen más espacio útil.
- Resulta sumamente útil contar con un **filtro triturador** para evitar tener que limpiar los platos antes de introducirlos en el lavavajillas.
- Cómprelo con **dispositivo anti-inundaciones**.
- Asegúrese de que tiene purificador de agua si en su hogar reciben aguas duras.
- Cómprelo con diversos **niveles de presión** para deshacerse con facilidad de la suciedad más escondida.
- Compruebe que tiene los **programas necesarios**. Algunos programas de lavado son muy útiles cuando hay pocos platos o cuando no están muy sucios.

# Cuidado y mantenimiento de la despensa

*Aunque actualmente la despensa ya ha desaparecido como habitación específica, en cualquier casa sigue habiendo una zona o unos armarios donde se guardan comestibles. Esto supone dos inconvenientes: primero, que los alimentos se ven sometidos a la temperatura ambiente y a sus cambios (calefacción, calor de la encimera, etc.), y en segundo lugar, que los alimentos están días, semanas e incluso meses almacenados, de manera que la limpieza, el cuidado y el mantenimiento han de ser muy estrictos.*

## Cuidado de las estanterías y de los armarios

➤ Acostúmbrese a **limpiar las estanterías por lo menos una vez al mes**, vaciando todo el armario para evitar que queden restos de alimentos: la harina o el pan rallado, por poner un ejemplo, son muy propensos a dejar rastros. Piense que estos restos atraen insectos y ratones. También evitará que los malos olores se apoderen del interior de su despensa.

➤ Son muy recomendables las **estanterías forradas con materiales plastificados**, puesto que resultan fáciles de limpiar. Para ello, basta con utilizar un trapo húmedo empapado en bicarbonato sódico o bien detergente cremoso. Deje abierto el armario para que se ventile y se seque bien.

➤ Utilice **armarios cerrados**: evitará que se llenen de polvo y que cojan la grasa que se forma al cocinar.

## Organización de la despensa

- Ponga las cosas siempre en el mismo sitio y le serán fáciles de encontrar. De un solo vistazo sabrá qué le falta cuando vaya a hacer la compra.
- Guarde los alimentos en tarros de cierre hermético: evitará que se mezclen los olores de los diferentes alimentos y que pierdan aroma. También evitará que los restos que puedan caer de paquetes abiertos o mal cerrados ensucien la despensa. Recuerde limpiar bien la base de cada tarro antes de colocarlo de nuevo en la despensa: es fácil que se pueda ensuciar sobre la encimera cuando estamos cocinando. Recuerde también que, si elige bien los tarros, puede dar un toque decorativo a su despensa.
- Organice la colocación de los productos que deban ir en su despensa de manera que los más antiguos queden siempre en primera fila. De esta manera, organizará su consumo de manera racional y evitará que los alimentos más antiguos se vayan quedando en el fondo. Si lo hace así, evitará el engorro de tener que tirar artículos caducados.
- Compre mirando siempre las fechas de caducidad. Recuerde que muchas ofertas en las grandes superficies se deben a que las fechas de caducidad están muy próximas.

## Combatir hormigas y parásitos

- Cuelgue ramitas de poleo seco (o en su defecto de ruda) en el interior de la despensa y evitará que entren hormigas.
- Si ya tiene hormigas en la despensa, espolvoree menta seca en el camino que recorren. También puede utilizar pimentón o bórax.
- Si por suerte ha podido detectar cuál es el lugar por dónde consiguen entrar, plante menta junto a la ventana o la puerta.
- Si llega a descubrir el hormiguero y quiere eliminarlo, le dará un resultado estupendo la mezcla de bórax y azúcar glaseado, poniéndola junto al hormiguero: las hormigas saldrán atraídas por el azúcar y se envenenarán con el bórax.
- Si en vez de hormigas son cucarachas, puede preparar una mezcla de harina, cacao en polvo y bórax a partes iguales. Si le resulta más cómodo, puede utilizar azúcar glaseado y bicarbonato sódico también a partes iguales.

## La despensa a la vista

La despensa a la vista es más bien propia de las decoraciones rústicas, donde los tarros de porcelana, las ristras de ajos y los botes de especias, entre otros elementos, forman parte de la decoración de la cocina. Recuerde que deberá extremar su limpieza, ya que el polvo y la grasa de la cocina se acumulan con más facilidad.

Un truco muy útil es tener unas cortinitas de quita y pon para el día a día, de manera que se puedan quitar con facilidad en días especiales.

# La limpieza y el mantenimiento del baño

*Junto con la cocina, el baño es la pieza de la casa que más limpieza y desinfección necesita. El cuidado y la limpieza del baño deben ser diarios, ya que es un lugar muy propenso a la formación de gérmenes, mientras que una vez a la semana es imprescindible hacer una limpieza a fondo. Sólo así se tendrán las mínimas garantías de higiene y desinfección, se evitarán las humedades, la sensación de suciedad, los malos olores y las infecciones.*

## Equipo básico para el cuarto de baño

- Jabón de manos, gel de baño y champú
- Esponjas y manoplas
- Toallas limpias
- Alfombrilla y cortina de ducha
- Papel higiénico
- Escobilla para el inodoro
- Equipo de limpieza básico para el cuarto de baño
- Papelera con bolsa y recambios
- Cesta de la ropa sucia
- Cepillo, pasta de dientes e hilo dental
- Ambientador natural

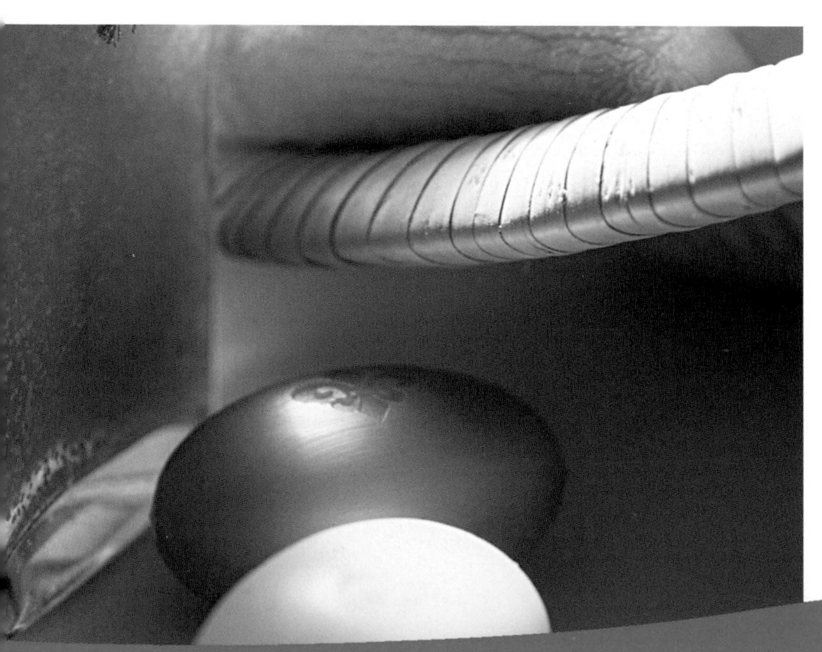

## El uso de la lejía

La lejía es agua en la que se han disuelto álcalis o sus carbonatos. La que se obtiene cociendo ceniza es la que se utiliza para la colada. Por sí misma, la lejía no es un agente de limpieza, simplemente deja las cosas más blancas.

Utilícela siempre con cuidado, ya que puede dañar laminados, cromados y otros materiales plásticos, y sobre todo toallas y cortinas sobre las que salpique. Su uso como producto de limpieza dejará durante un buen rato un fuerte olor que no siempre resulta agradable. Recuerde también mantenerla lejos del alcance de los niños, ya que es tóxica.

### Ahorre esfuerzo

*El vinagre, el zumo de limón y los desinfectantes suaves son igual de efectivos que la lejía y mucho más seguros.*

## LIMPIEZA GENERAL DEL BAÑO

| | |
|---|---|
| **Baldosas y azulejos**  | Tanto unas como otros se limpian con detergente líquido y se aclaran bien para eliminar restos y evitar que queden rastros. Si persisten algunas manchas de jabón, pase una esponja con agua y un poco de vinagre y luego aclare bien. Las juntas de unión se limpian con lejía diluida en agua. Si la junta está muy sucia, se puede pasar un pincel fino con un poco de pintura, a juego con el color de las baldosas y los azulejos. |
| **Mármoles**  | A pesar de su fuerte apariencia, el mármol presenta una superficie porosa, así que debe secar cualquier acumulación de agua alrededor de los grifos o del lavamanos. Para las manchas comunes, le dará muy buen resultado el agua con un poco de agua oxigenada. Las manchas difíciles se eliminan dejando un poco de sal sobre la mancha durante un par de horas, luego cepille y vuelva a aplicar sal hasta que absorba la mancha por completo. |
| **Plásticos** 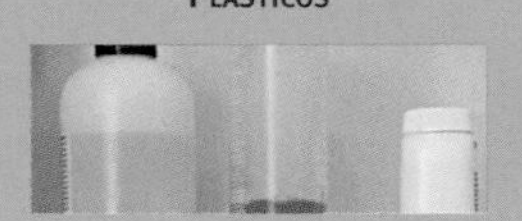 | Límpielos normalmente con agua y lavavajillas. En superficies grandes, como las mamparas del baño, utilice un limpiador en aerosol para proteger el plástico del polvo. Utilice agua y vinagre para las manchas de cal. Las jaboneras y otros recipientes de plástico se dejan en remojo toda la noche con agua tibia y bicarbonato sódico. |
| **Duchas y bañeras**  | Las manchas en las bañeras acrílicas se eliminan frotando con pulimento para metales. Si son de esmalte o de porcelana se limpian con productos no abrasivos, tratando las manchas difíciles con trementina o alcohol blanco y aclarando con agua caliente y lavavajillas. Las que son de fibra de vidrio deben tratarse con cuidado para no alterar el color, evitando todo producto abrasivo y limpiándolas normalmente con agua tibia y lavavajillas.<br>En general, las manchas azules o verdes las crean los minerales del agua y se utilizan limpiadores para esmalte vítreo. Para las manchas de óxido se utilizan limpiadores especiales para bañeras. Para las manchas de cal se utiliza un limpiador para esmalte vítreo en superficies esmaltadas, y un limpiador en crema para superficies acrílicas. Las manchas del nivel de agua se tratan con alcohol blanco y se aclaran con agua y unas gotas de lavavajillas. |
| **Desagües** 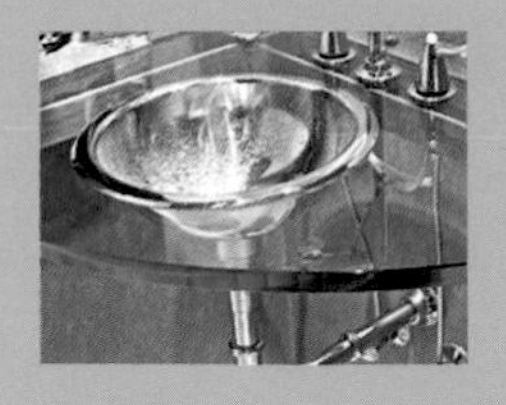 | Debe prestar especial atención a los desagües y las cañerías del baño, ya que se atascan con bastante asiduidad y un uso descuidado podría fácilmente provocar continuos atascos que taponarían del todo una cañería, con lo cual no pasa el agua, o bien taponarla parcialmente, con lo cual emanarían olores desagradables. Utilice por norma general filtros para los desagües y recoja después de cada ducha los cabellos que se suelen acumular en el filtro. Haga lo mismo en el lavabo después de peinarse. Una vez a la semana tire por el desagüe un chorro de lejía o posos fríos de café. |
| **Toallas**  | Cuélguelas extendidas para que se ventilen adecuadamente y no retengan humedades. Cámbielas periódicamente y lávelas con frecuencia. Utilice un programa de lavado en caliente y no las mezcle con otro tipo de ropa por si el rizo suelta algo de pelusa. Utilice suavizante y cuando las cuelgue limpias harán las funciones de ambientador, y el tacto también será más suave y agradable. Sacúdalas bien antes de tenderlas y las recogerá sin arrugas. |
| **Alfombrillas**  | ➤ Lave las alfombrillas de plástico con agua caliente y jabón.<br>➤ Las de tela se lavan en la lavadora.<br>➤ Las de corcho se limpian simplemente con un paño húmedo. |

# La limpieza de sanitarios y otros accesorios

*Los sanitarios son las piezas que más hay que cuidar en el baño: las más propensas a los malos olores, las que pueden concentrar las suciedades más desagradables y las que tienen más posibilidades de convertirse en focos de infección... y, como a diario están en contacto con nuestra piel, habrá que extremar su limpieza y desinfección.*

## Limpieza de la ducha y la bañera

Todos los sanitarios del baño están sometidos a la acción del agua, pero la ducha y la bañera están expuestos al agua de una manera total, por lo que la humedad o la acumulación de cal son 2 factores básicos a considerar.

- **Los grifos**. Limpie los grifos después de cada ducha con una bayeta, de esta manera evitará las manchas de cal. Cuando quiera limpiarlos más a fondo use una esponja húmeda y un detergente líquido, o un poco de bicarbonato de sosa. Sáqueles brillo con un trapo suave después de aclararlos. También puede eliminar los restos de cal mojándolos con sal gruesa. Después aplique vinagre caliente, frote suavemente y aclare con agua.
- **La jabonera**. Con el uso diario, la jabonera suele mancharse de restos de jabón y del agua que se ha estancado. Basta con limpiarla con agua caliente y secarla bien con una bayeta.
- **Cortinas y paredes**. La humedad actúa sobre todo en las cortinas y en las paredes, pudiéndose formar moho y apareciendo ese color negruzco tan poco agradable a la vista. Extienda la cortina después de cada ducha y se secará con más facilidad, sin retener tanto la humedad en los pliegues. Acostúmbrese a pasar una bayeta por las paredes de la bañera y de la ducha después de cada uso. Si ya se han formado algunas manchas, utilice una bayeta húmeda impregnada con lejía.

## Limpieza del lavabo

- **Los grifos**. Límpielos como los grifos de la ducha y la bañera. Recuerde que se pueden encontrar sin excesiva dificultad máquinas de vapor que son de gran ayuda para la limpieza y mejora del color de las juntas de goma que unen el grifo y el lavabo.
- **El desagüe**. Los atascos del desagüe del lavabo son frecuentes en cualquier casa, ya que a menudo se cuelan productos cosméticos y otras sustancias que quedan adheridas al desagüe y a las tuberías. Una manera práctica y fácil de solucionar estos atascos es tirar por el desagüe los posos

ya fríos del café. Déjelos circular por el desagüe y acabarán con toda la grasa acumulada en las tuberías.

## Limpieza del inodoro

El inodoro requiere un cuidado especial y su limpieza diaria es imprescindible para garantizar la desinfección del cuarto de baño.

- Por norma general, límpielo con agua y detergente líquido desinfectante.
- También puede utilizar amoníaco mezclado con agua, pero sólo si se encuentra en un lugar muy ventilado.
- El vinagre constituye un remedio casero realmente útil y de enorme poder desinfectante. Llene el inodoro de vinagre y déjelo actuar durante un rato. Ventile luego para que desaparezca el olor.
- Utilice pastillas desinfectantes regularmente. Actúan de manera eficaz desinfectando el agua cada vez que se tira de la cisterna. Son más recomendables las pastillas que se colocan en el borde de la taza que las que van en el interior de la cisterna.
- No tire desperdicios al inodoro, ya que existe el peligro de atascarlo; si ocurrre, lo mejor que puede hacer es verter una bolsa de sosa cáustica y dejarla actuar durante un buen rato. Manipúlela con mucho cuidado. Trabaje con guantes, con un cubo de agua y procure no salpicar.

### Truco casero

*Con el tiempo, es posible que el color blanco de sus sanitarios se vuelva algo amarillento. Aplique con una esponja una mezcla de esencia de trementina y sal para recuperar el esmalte blanco. Déjela actuar un rato y después lave la superficie con agua caliente y jabón. Para aclarar, aplique agua fría.*

## Limpieza de otros accesorios

- **El toallero y soporte del papel higiénico**. Limpie los elementos de acero inoxidable, como el toallero o el soporte del papel higiénico, con una esponja húmeda y jabón. Séquelos bien. Si son de plástico, límpielos con agua y lavavajillas. Si son de madera, utilice agua y unas gotitas de lejía.
- **Los cepillos**. Límpielos después de cada uso, así evitará que se acumulen pelos y suciedad en las cerdas. Ponga un poco de agua y desinfectante en el recipiente donde los guarda y cambie el agua regularmente. Elimine los restos con otro cepillo y depositelo en un recipiente con agua y amoníaco.
- **Las esponjas**. Acostúmbrese a utilizar para el cuerpo una esponja natural. Asegúrese de que la limpia después de cada uso, aclarándola bien para que no queden restos de jabón, y dejándola también sin restos de cabello. Deje la esponja en remojo con agua salada una vez a la semana. En caso de que la esponja adquiera algún olor desagradable, déjela un rato en agua tibia con zumo de limón, después aclárela y déjela secar.

# Combatir las humedades y los malos olores

*Dos de los problemas principales del baño son las humedades y los malos olores. La ventilación continua ayuda a combatirlos, pero también existen pequeños trucos para evitar la condensación de agua, reducir las humedades y eliminar los malos olores.*

## Prevenir la condensación

- Ante todo, deben tenerse muy presentes 3 reglas básicas: ventilación, calefacción tenue y un buen aislamiento.
- La ventilación se consigue abriendo regularmente la ventana, o en su defecto instalando un extractor de aire.
- La calefacción tenue se consigue con un radiador, un calefactor o un toallero eléctrico.
- El aislamiento se consigue con un cristal doble y con paredes de polietileno o corcho.

## Evitar que se empañe el espejo

- Prevenga la condensación frotando el espejo con un poco de lavavajillas.
- Recuerde que los espejos de plástico no se empañan tan fácilmente, puesto que se trata de superficies más calientes.
- Limpie los espejos con agua y vinagre.

## El cuidado de la cortina de la ducha

- Deje la cortina extendida tras la ducha para que circule el aire y no se formen humedades y moho.
- Las manchas de moho son difíciles de eliminar: pruebe con agua caliente y unas gotas de lejía. Después, seque bien.
- Una bolsita de cristales de sílice colgada de la barra de la cortina absorberá la humedad y retrasará la aparición de moho.
- Recuerde que existen telas antihumedad y antimoho para las cortinas del baño.

## Inodoros y bidés

- Aclárelos y séquelos bien después de limpiarlos para evitar manchas y humedades.
- Las posibles salpicaduras de orina en los cantos del inodoro se eliminan con agua y vinagre. Aclárelo con abundante amoníaco y evitará los malos olores.

## Cuidado de las baldosas

El moho se concentra en las juntas de las baldosas formando una línea negruzca muy desagradable. Limpie estas juntas con agua caliente y lejía al 50% utilizando un viejo cepillo de dientes. Si no desaparece el color oscuro, puede pasar un pincel fino con pintura clara.

## Papeleras en el baño

- Escoja papeleras que no sean de metal, pues este tipo de material se oxida en poco tiempo.
- Utilícelas siempre con bolsa. para desechos que no produzcan olores desagradables, como por ejemplo algodón desmaquillador, maquinillas de afeitar desechables o pañuelos de papel. Por norma general, cambie la bolsa diariamente.

## Cestas de la ropa sucia

- Forre las cestas de la ropa sucia con algún tipo de plástico.

## Los armarios del baño

- Manténgalos sin humedad colocando trozos de tiza en su interior.
- Ponga también una pastilla de jabón y los mantendrá perfumados.

## Ambientador natural

Un pequeño recipiente con vinagre puede hacer las funciones de ambientador en cualquier punto de la casa; incluso si la tiene cerrada durante mucho tiempo, mantiene un fresco aroma. Añada también vinagre al agua de los humidificadores. Asimismo, puede utilizar otros ambientadores naturales.

# La ecología en el baño

*Existen dos factores fundamentales al plantearse un uso ecológicamente racional del baño: primero, el consumo de agua, que es un bien escaso, y segundo, el uso de productos contaminantes, especialmente los utilizados para la limpieza que se vierten por el inodoro y por los desagües. Ambos están íntimamente relacionados, ya que cuanto más contaminada esté el agua residual más difícil será potabilizarla de nuevo para el uso doméstico.*

## Ahorro de agua en la limpieza

- La limpieza es un buen momento para controlar que ningún grifo gotea: una gota de agua cada segundo puede provocar que se pierdan 200 l a la semana.
- Llene un cubo de agua con detergente líquido y haga todo el baño: abra cada grifo sólo para aclarar.

## Los residuos por el inodoro

Se calcula que una ciudad de 200 000 habitantes llega a tirar 6 t de productos de limpieza por el inodoro (el agua sucia de fregar el suelo, los desinfectantes del propio inodoro, lejía, etc.). Lo peor es que la cantidad de residuos se multiplica enormemente al tirar también preservativos, compresas, rollos de papel higiénico, colillas, medicamentos caducados y envoltorios varios.

- No olvide que todo lo que tira va a algún sitio, no se desintegra, casi siempre acaba llegando a algún río o al mar, contaminando sus aguas. Aunque las depuradoras de aguas son cada vez más utilizadas y más sofisticadas, el alud de residuos hace que sean insuficientes, que estén saturadas e incluso que funcionen deficientemente.
- Recuerde que los desinfectantes químicos resultan siempre muy agresivos para los ecosistemas acuáticos.
- Utilice productos de limpieza alternativos, como el vinagre, que limpia y desinfecta el suelo y las baldosas del cuarto de baño, e infórmese de los muchos productos ecológicos que ya se comercializan.
- Los desagües y el inodoro se desatascan con un par de cucharaditas de sosa y sal; media hora después vierta despacio un poco de agua muy caliente.
- La tapa de plástico del inodoro se limpia con un paño suave humedecido previamente en alcohol de quemar.

## Los productos ecológicos de limpieza

- No se crea cualquier cosa que lea en las etiquetas: la falsa ecología es una de las estrategias que más utilizan las grandes multinacionales para vender sus productos. Muchas de ellas incorporan frases como “Producto ecológico” o “Sin fosfatos”, pero los análisis muestran muchos otros componentes contaminantes.
- Como medida general, intente reducir siempre que pueda el número de productos que utiliza para limpiar su casa: no es en absoluto lógico ni tampoco necesario tener un producto para cada superficie.

## SUSTANCIAS CONTAMINANTES

### La espuma

Cualquier producto que forme mucha espuma es *contaminante*, ya que es muy difícil de eliminar. Hay productos que añaden sustancias antiespumantes, pero perduran las sustancias contaminantes que forman el detergente. Utilice poco detergente o limpiador: los fabricantes suelen recomendar más cantidad de la necesaria para que el consumo sea mayor.

### Fosfatos

Se emplean para desendurecer el agua y mantener la suciedad en suspensión. En las aguas residuales provoca el crecimiento de algas, que consumen la práctica totalidad del oxígeno y los peces se asfixian. Las depuradoras sólo consiguen eliminar los fosfatos en un 80%. Otro desendurecedor de agua aún más peligroso es el **NTA**. Algunos detergentes y productos alternativos son el **jabón vegetal de Marsella** y el **laurisulfato de coco**, la **zeolita** reforzada con carbonato sódico, el **sulfato mineral** y el **percarbonato**.

### Jabones

Las sustancias químicas que llevan los jabones penetran directamente por nuestra piel, ya que ésta no es totalmente impermeable. Además, muchos jabones llevan sebos y extractos de grasa de buey, cordero o ballena. Utilice jabones fabricados con aceites vegetales, de coco, de palmera, de girasol o de oliva. Elija jabones puros, neutros, con poco perfume y sin colorantes: su biodegradación es rápida y la grasa natural favorece el buen estado de la epidermis.

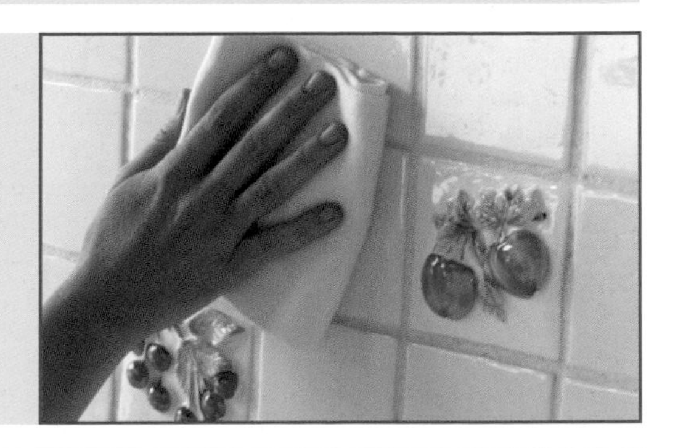

### Aromatizantes

Nos suele encantar que un producto de limpieza huela a limón o a pino, pero esa misma sensación se puede conseguir con ambientadores naturales, y no químicos. Utilice un vaporizador y esencias de cedro, clavo o tomillo.

### Blanqueadores

Se utilizan para las manchas más difíciles, así que son *sustancias muy agresivas*, muchas veces utilizadas en el bidé para lavar prendas concretas. El **perborato** es uno de estos blanqueadores; en el agua produce boro, altamente tóxico para el riego agrícola. Sin embargo, el **percarbonato** resulta igualmente eficaz y no es contaminante.

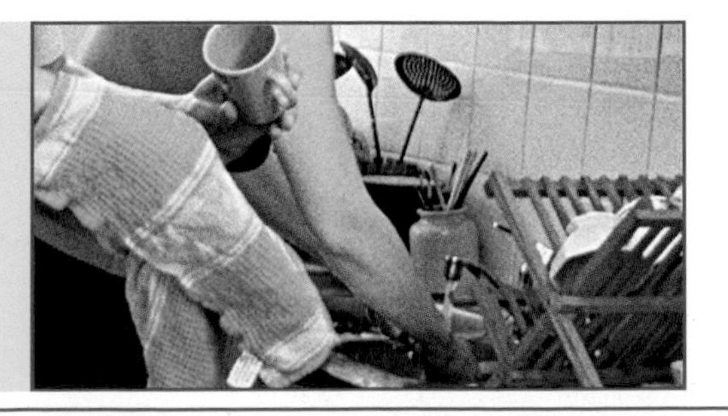

# El cuidado y la limpieza de suelos

*Los suelos son las superficies de la casa que más sufren las contínuas pisadas, los zapatos que vienen de la calle, las cosas que se nos caen, las humedades, el peso de los muebles, etc., así que son superficies que hay que cuidar muy especialmente.*

## Dos normas básicas

Los zapatos y lo que viene enganchado a las suelas son, sin duda, los peores enemigos del suelo de su casa.

- El mejor cuidado es una alfombrilla en la puerta de entrada a la casa.
- También es muy adecuado acostumbrarse a cambiarse de calzado al entrar, de modo que los zapatos quedan en el zapatero del recibidor, sustituidos por las zapatillas de estar en casa.

## Barrer y aspirar

- Pase la escoba tradicional o el aspirador un par de veces a la semana por toda la casa, y diariamente por las zonas más delicadas, como alrededor de la mesa donde comen: de esta manera, evitará que con las pisadas se esparzan migas de pan por toda la casa.
- Recuerde que existen escobas con tejidos especiales que, además de barrer, tienen la cualidad de imantar la suciedad.
- Recuerde que para barrer tiene que ir cogiendo el polvo del suelo sin levantarlo. Si lo hace bruscamente, el polvo se levantará un par de palmos y después volverá a posarse en el suelo.
- En cuanto al aspirador, controle que el tubo y la bolsa están en buen estado para que el aspirado sea efectivo.

## Fregar el suelo

- Friegue una vez a la semana.
- Utilice 2 cubos con escurridor: uno con agua limpia, caliente y jabonosa, donde moja la fregona para fregar, y otro donde enjuaga la fregona sucia. Si no lo hace así, cuando lleve un rato fregando tendrá el agua con jabón pero muy sucia.
- Haga una primera pasada con la fregona muy mojada, siempre que el suelo se lo permita. Deje actuar unos segundos mientras seca bien la fregona, y recoja ahora el agua con la fregona seca.
- Organice la ruta de fregado que seguirá para no tener que pisar el suelo mojado.

## Abrillantado de los suelos

➤ Encere siempre con los productos adecuados y recuerde que la cera se acumula: un día habrá que eliminar alguna capa. Para ello se utiliza un limpiador de suelos, amoníaco o productos especiales.

➤ Si no tiene una enceradora eléctrica puede utilizar un trapo del polvo atado a una escoba blanda.

➤ Existen 3 tipos de ceras:

- **Ceras de emulsión acuosa.** Apropiadas para cualquier suelo excepto vinilo, madera no impermeabilizada y corcho. Contienen silicona y son fáciles de aplicar.
- **Ceras de pasta sólida.** Se utilizan para abrillantar suelos de vinilo, madera y corcho. El brillo es muy duradero, pero la aplicación no resulta fácil (se aplican a mano).
- **Ceras de disolvente líquida.** Para los mismos suelos que las anteriores y más fáciles de utilizar, aunque los resultados son menos duraderos.

*Las marcas de la suela de los zapatos o del tacón se eliminan bien con una simple* ***goma de borrar****. Si quedan restos, utilice con cuidado un poquito de* ***gasolina****.*

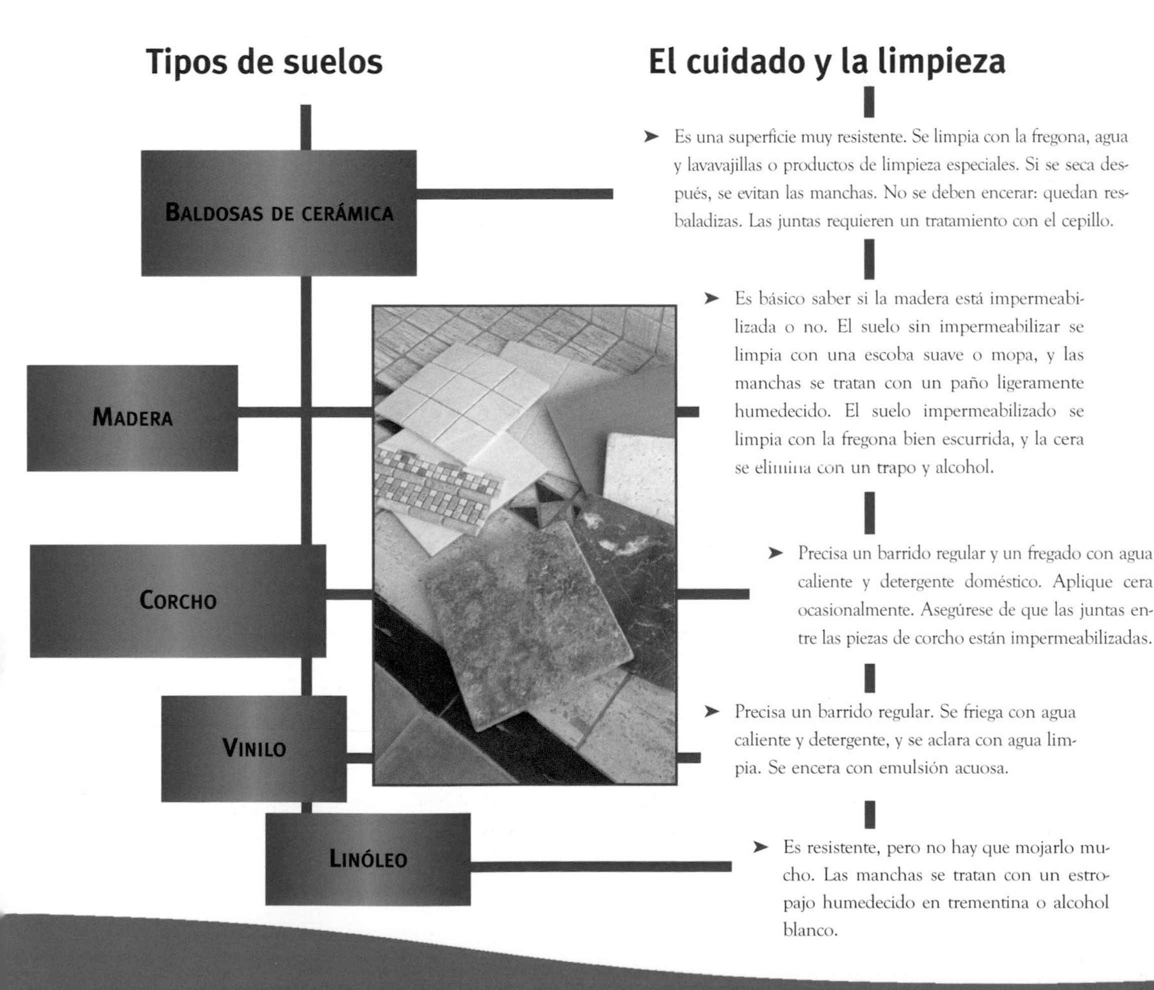

## Tipos de suelos

## El cuidado y la limpieza

**Baldosas de cerámica**

➤ Es una superficie muy resistente. Se limpia con la fregona, agua y lavavajillas o productos de limpieza especiales. Si se seca después, se evitan las manchas. No se deben encerar: quedan resbaladizas. Las juntas requieren un tratamiento con el cepillo.

**Madera**

➤ Es básico saber si la madera está impermeabilizada o no. El suelo sin impermeabilizar se limpia con una escoba suave o mopa, y las manchas se tratan con un paño ligeramente humedecido. El suelo impermeabilizado se limpia con la fregona bien escurrida, y la cera se elimina con un trapo y alcohol.

**Corcho**

➤ Precisa un barrido regular y un fregado con agua caliente y detergente doméstico. Aplique cera ocasionalmente. Asegúrese de que las juntas entre las piezas de corcho están impermeabilizadas.

**Vinilo**

➤ Precisa un barrido regular. Se friega con agua caliente y detergente, y se aclara con agua limpia. Se encera con emulsión acuosa.

**Linóleo**

➤ Es resistente, pero no hay que mojarlo mucho. Las manchas se tratan con un estropajo humedecido en trementina o alcohol blanco.

# El cuidado y la limpieza de paredes y techos

*La contaminación, el humo del tabaco, los vapores de la comida y el polvo son factores que afectan a las paredes y a los techos por muy cuidadoso que se sea. A ellos hay que sumar el roce continuo de las manos al encender o apagar un interruptor de la luz, los roces ocasionales un día que llega a casa con paquetes, o las inevitables manchas en la pared si tiene niños en casa.*

## El cuidado y la limpieza de una pared empapelada

- Como norma básica, no deje que se acumule el polvo sobre el papel.
- Pase regularmente un paño seco y suave. Sobre todo, no utilice agua: puede desprenderse el papel de la pared.
- Si encuentra alguna mancha, utilice una goma de borrar o bien una bola (muy apretada) de miga de pan para eliminarla.

- Si hay una mancha de grasa, ponga sobre la pared una hoja de papel absorbente y pase la plancha por encima con cuidado. Repita la operación varias veces cambiando el papel, hasta que desaparezca la mancha.

## El cuidado y la limpieza de paredes y techos pintados

- Los techos se limpian regularmente cubriendo una escoba con un paño limpio y seco. Limpie el trapo de cuando en cuando y así no arrastrará el polvo de un lugar a otro.
- Si las paredes son lavables, utilice una esponja humedecida con agua y lavavajillas. Procure limpiar toda la pared para que no queden unas zonas limpias y otros sucias.
- Si las paredes están muy sucias, utilice jabón de azúcar diluido en agua antes de utilizar otros limpiadores.
- Para las manchas y las rozaduras puntuales, utilice goma de borrar.
- Compre e instale protectores alrededor de los interruptores de la luz y logrará evitar las manchas habituales, puesto que es una zona que se ensucia inevitablemente.
- Si fuma, debería procurar ventilar la casa bastante a menudo.

## El cuidado y la limpieza de paredes de azulejos

- Los azulejos se limpian con una bayeta y los productos para este uso podrá encontrarlos en cualquier droguería.
- Utilice preferentemente los desinfectantes que contienen amoníaco. Use también una mezcla de agua y vinagre.
- Recuerde aclarar y secar bien para evitar las manchas y los reflejos irregulares.
- En las juntas es donde más suciedad se acumula. Use un cepillo de dientes viejo, humedecido en lejía diluida con agua. Si las líneas están muy sucias y la técnica del cepillo no funciona, puede ser útil un pincel fino y un poco de pintura a juego con los azulejos.

**Recuerde**

*Antes de empezar, si el techo o la pared están muy manchados, plantéese pintar la sala entera y no se complique la vida.*

- En el baño y en la pica de la cocina son muy habituales las manchas ennegrecidas de humedad. Límpielas periódicamente con agua caliente y lejía y evitará su formación. Si ya las tiene, haga un par de limpiezas intensivas con esa misma mezcla o con un cepillo de dientes, agua caliente y vinagre.

## El cuidado y la limpieza de paredes de madera

Las paredes de madera son especialmente acogedoras, pero requieren unas atenciones muy particulares:

- Elimine el barniz que siempre se levanta de la madera con un estropajo de acero y alcohol blanco. Frote con extrema suavidad en el mismo sentido del dibujo de la madera. A continuación, pase una nueva mano de barniz. Hágalo periódicamente.
- El aceite de linaza es un excelente protector de cualquier tipo de madera, así como de la terracota, de los embaldosados y del gres. Se adquiere en tiendas especializadas y se utiliza puro o disuelto en aguarrás.

## El cuidado y la limpieza de las paredes de obra vista

- Lo mejor es aplicar una capa de impermeabilizador a la pared, y en adelante sólo habrá que quitar el polvo y lavarla. Antes de aplicarla, deje la pared bien limpia y bien seca.

## El cuidado y la limpieza de las fachadas

- Las paredes exteriores de la casa también requieren El cuidado y la limpieza. Lo más útil es un limpiador de alta presión, aunque debe asesorarse de que los materiales de la fachada de su casa permiten su uso (los limpiadores de alta presión pueden alquilarse en tiendas especializadas).

## El cuidado y la limpieza de los tejados

- En el tejado, el máximo riesgo es sin duda la formación de musgo. Utilice también el limpiador de alta presión.
- La formación de musgo también se puede prevenir extendiendo algunos hilos de cobre a lo largo del tejado.

# El cuidado y la limpieza de cristales, ventanas y persianas

*Las ventanas son los ojos de la casa, el lugar por donde nuestra vista se abre al exterior. En muchas casas los cristales están limpios, pero con numerosas huellas de haber pasado el paño inadecuado o no haber utilizado el producto correcto. Los marcos y las persianas, por su parte, son los grandes olvidados. Muchas veces dejamos que se acumule gran cantidad de polvo en sus molduras y hendiduras.*

## La limpieza de los cristales

- Por norma general, las cristaleras se limpian con productos limpiacristales que encontrará en cualquier droguería.
- Un limpiacristales natural se puede obtener mezclando agua y un poco de amoníaco con alcohol (estos dos últimos a partes iguales).
- Otro producto natural para cristales es añadir un poco de vinagre al agua. El vinagre corta la grasa y da un buen brillo. Use pulverizadores para su difusión en el cristal, y limpie aplicando la mezcla con un paño humedecido.
- Las gomas limpiaparabrisas son también muy útiles. Empiece por la parte superior y vaya bajando. Tenga en la otra mano un trapo para secar.
- Son muy útiles las esponjas con mangos extensibles, sobre todo si el cristal es muy grande.
- Séquelos con papel de periódico. Es una opción económica y los cristales quedan muy brillantes.
- Elija trapos que no dejen pelusas.

## Trucos caseros

• *Limpie primero el marco y luego los cristales. Si no, el polvo del marco ensuciará los cristales.*
• *Si los marcos son de madera, procure mojarlos lo mínimo posible. Cambie el agua cada vez que la vea sucia, en caso contrario sólo irá desplazando la suciedad de un lugar a otro.*
• *Los marcos de aluminio se limpian muy bien con agua y jabón.*

## La limpieza de los marcos

➤ La norma general es limpiar siempre el marco y luego los cristales. Si no se hace así, el polvo del marco acabará ensuciando los cristales limpios.

➤ Si los marcos son de madera, procure mojarlos lo mínimo posible. Cambie el agua cada vez que la vea sucia; en caso contrario, sólo irá desplazando la suciedad de un lugar a otro.

➤ Los marcos de aluminio se limpian muy bien simplemente con agua y jabón.

## La limpieza de las persianas

➤ El peor enemigo de las persianas es el polvo que se acumula durante semanas y llega a incrustarse en las hendiduras. Pase un plumero o el trapo del polvo por lo menos una vez a la semana.

➤ Limpie a fondo una vez al año. Lógicamente, necesitará bajar la persiana. Humedezca toda la persiana con un trapo humedecido. Deje reposar un minuto, y utilice un cepillo de cerdas suaves para limpiar las juntas. Después, limpie las grandes superficies planas con un trapo seco.

➤ Utilice agua con detergente convencional. Si la persiana está muy sucia, puede añadir unas gotas de amoníaco.

➤ Las persianas graduables son muy cómodas y decorativas, pero especialmente incómodas de limpiar. Póngase unos guantes de tela. No utilice guantes de cuero ni de goma: se trata de empapar los dedos de los guantes con agua fría y unas gotas de amoníaco. Así podrá ir pasando los dedos por las láminas y limpiar una a una. Resulta algo lento, pero es lo mejor. Si tiene una máquina de vapor, utilícela al principio para reblandecer la suciedad. Limpie los guantes si los dedos van quedando muy sucios. Haga toda la operación intentando no ensuciar los cristales, los marcos o la pared. Otro sistema es descolgar la cortina, meterla en la bañera y proceder del mismo modo (pero con más libertad).

# El cuidado y la limpieza de los muebles

*De todos los materiales utilizados para los muebles, el más común es la madera, aunque de muy diferentes tipos. Pino, roble, caoba, teca o una amplia gama de aglomerados. Las maderas nobles son por sí mismas las más resistentes, así que hay que cuidar sobre todo los golpes y los arañazos, mientras que las maderas más frágiles, como los aglomerados, deben mantenerse lejos del agua, ya que la absorben con facilidad, se dilatan y se estropean de forma irremediable. En cuanto a los modernos muebles de plástico, se deterioran fácilmente con fuentes de calor cercanas, aunque son cómodos de limpiar.*

## Muebles de madera

- Los abrillantadores no alimentan la madera, ya que no pasan de la superficie del mueble, pero facilitan el trabajo de quitar el polvo y rellenan y tapan las posibles manchas.
- Para los arañazos sobre la madera, utilice productos reparadores: dan muy buenos resultados. Para su limpieza utilice un trapo limpio y suave, y recuerde que puede usar también una pequeña cantidad de crema para muebles
- Limpie los muebles encerados con trapos suaves y utilice abrillantador para que la madera no pierda el color claro.
- Para las maderas pintadas, barnizadas o impermeabilizadas utilice agua caliente y detergente, dejando aclarar y secar posteriormente.
- Use un trapo húmedo para muebles lacados o tratados con barniz japonés. Para eliminar las marcas de los dedos use una gamuza húmeda y un trapo suave. Abrillante regularmente con crema para muebles o con un aerosol.
- Los muebles dorados requieren el uso del plumero y limpiarlos con un trapo suave humedecido con aguarrás tibio. Si nota que el dorado está a punto de desprenderse, no lo limpie y contacte con un profesional.

## La madera antigua

- Los muebles antiguos de madera suelen ser de muy buena calidad: basta con quitarles el polvo regularmente con un trapo seco y limpio.
- No utilice en ningún caso el plumero: puede arañar la superficie.
- Abrillante 1 ó 2 veces al año con crema pastosa o cera especial para muebles antiguos. Use poca crema y distribúyala suavemente y de manera uniforme.
- No ponga abrillantador en las piezas rotas o en partes que estén despegadas: podría dificultar el ensamblaje cuando quiera repararlas.

## Muebles de cuero

- Los muebles de cuero se mantendrán en buen estado utilizando la aspiradora o quitando el polvo con un trapo.
- Periódicamente pase un jabón especial para cuero, siempre usando muy poca agua.
- Una o dos veces al año, frote el cuero oscuro con aceite de ricino, o también con el aceite que se obtiene de las pezuñas de las vacas (así evitará que el cuero se abra).
- Utilice vaselina para el cuero de color claro.
- No utilice nunca cera: el cuero no la absorberá.
- Puede utilizar betún.
- Si ve grietas o el cuero tiene una apariencia seca, aplique un producto especial con un algodón y en pequeñas cantidades. Déjelo reposar 24 horas y después saque brillo con un trapo suave.
- Puede pasarle una esponja humedecida con 5 ml de amoníaco, 20 ml de vinagre y 600 ml de agua. Después aplique aceite de ricino con un trapo, y sáquele brillo al cuero seco con crema para muebles.
- Las manchas de tinta en el cuero deben tratarse con algodón humedecido en aguarrás.
- En el caso de las sillas de cuero, intente no manchar la madera o los relieves dorados con los productos para el cuero.

## El resto de los muebles

- Los muebles de metal tubular no requieren una limpieza regular. Quite el polvo periódicamente y use a veces un trapo humedecido con agua caliente y jabón. El metal puede haber sido tratado con productos especiales, sobre todo lacas, y una limpieza inadecuada puede dañar esta capa y estropear su aspecto.
- Si tiene que limpiar alguna parte del mueble con productos especiales y quiere proteger las partes de metal, puede cubrirlas con papel o con una capa de silicona.
- En el caso de los muebles de mármol, no utilice demasiada agua: a pesar de su aspecto resistente, el mármol es muy poroso y se mancha fácilmente. Límpielo de manera regular con un trapo humedecido en una solución de agua y detergente suave. Cuando acabe, séquelo y abrillante con un trapo suave.
- Con los muebles de bambú o mimbre use la aspiradora y cepíllelos. No deje que se acumule el polvo en las juntas y rincones. Si se ha descuidado un poco, utilice un cepillo mojado en agua caliente y jabón: no utilice nunca detergentes. En los muebles que estén sin pintar aplique también amoníaco. Si quiere sacarles brillo use crema especial para este tipo de muebles.

### Truco casero

*- Si el barniz de un mueble está reseco y agrietado, prepare una mezcla de aceite de linaza, alcohol y zumo de limón a partes iguales y frotela zona afectada con un paño húmedo.*
*- No limpie nunca muebles decorados con pinturas sin asesorarse. La mayoría de las pinturas no soportan ni siquiera el contacto con el agua: consulte a un ebanista.*

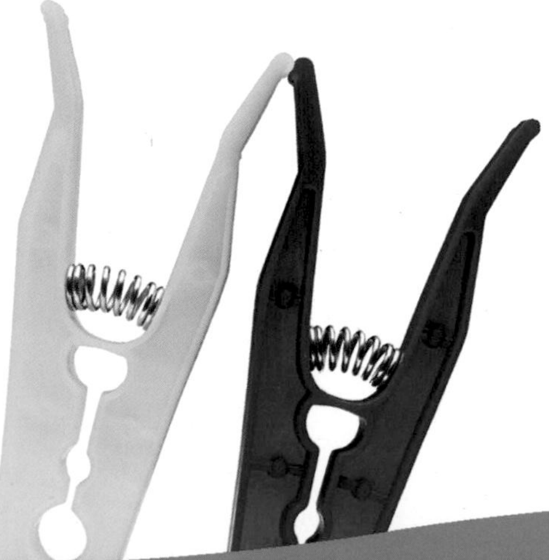

# El cuidado de la ropa

# El cuidado y la limpieza de la ropa

*La mayoría de la ropa de una casa no llega a desgastarse por el uso. Muchas veces tenemos que darla o tirarla porque se ha encogido, se ha deformado, se ha desteñido o se ha manchado. Estos son algunos trucos y consejos para su correcto cuidado y limpieza.*

## La etiqueta de instrucciones

- La gran mayoría de las prendas incorporan una etiqueta con las instrucciones para su tratamiento.
- Consulte ésta antes de comprar la prenda, y ya sabrá si adquiere una prenda delicada o una prenda más resistente.
- En ella encontrará la composición del tejido y las instrucciones de lavado y planchado.
- Atienda al programa de lavadora que puede utilizar. Por regla general, el programa normal es para prendas de algodón y demás telas que soportan un lavado intenso; el programa reducido, para fibras sintéticas y semejantes, y el programa mínimo, para lana y prendas con mezclas de lana.
- Observe si admite el uso de lejía.
- Fíjese si se recomienda el lavado a mano o en seco, si puede meter la prenda en la secadora.
- Atienda a las indicaciones sobre la temperatura de la plancha.
- En caso de duda, consulte en la tienda o en la tintorería.

## Detergentes y otros productos

- **Detergentes:** utilice preferentemente los biológicos. Para el lavado a mano, utilice jabón en escamas o detergente líquido para prendas delicadas.
- **Suavizantes:** utilice un suavizante normal, pruebe varios y quédese con el que le deje mejor la ropa. Opcionalmente, puede añadir unas gotas de vinagre blanco en el último aclarado.
- **Almidón:** le ayudará a mantener las camisas, los manteles de algodón y la ropa de cama más frescos y limpios. Aplique el almidón por el lado derecho, cuando la prenda esté seca, antes del planchado. Utilícelo también para los trapos de cocina y no le dejarán pelusa al secar los vasos.
- **Lejía:** se usa para la ropa blanca, siempre diluida. Recuerde que el zumo de limón es la alternativa natural a la lejía.
- **Bórax:** se utiliza eficazmente para eliminar manchas, ya sea en polvo o en aerosoles comerciales.

| Tipos de tejidos | Su tratamiento |
|---|---|
| **Algodón** | ➤ Compruebe primero la composición mirando la etiqueta. El algodón es un tejido muy resistente y se puede lavar en la lavadora, bien en agua fría o en agua caliente y con centrifugado largo, aunque si lleva cualquier tipo de mezcla tendrá que lavarlo basándose en las necesidades del componente más delicado. Es mejor que no deje secar la prenda totalmente y así le será más fácil plancharla. |
| **Acrílico** | ➤ Es un tejido derivado del aceite. Requiere un lavado bastante frecuente, ya que puede desprender olores con facilidad. Es preferible lavarlo en agua fría o, como mucho, tibia. Acepta lejías derivadas del cloro. Recuerde plancharlo del revés, cuando esté completamente seco y con la plancha a poca temperatura. |
| **Lana** | ➤ Es una fibra natural obtenida de la oveja. No la deje en remojo durante mucho tiempo. Utilice un detergente especial, lave a mano estrujando suavemente la prenda, pero no la frote o deformará el tejido. Para blanquearla se deja un rato en remojo con una solución débil de peróxido de hidrógeno. Aclare en agua tibia. Algunas prendas aceptan lavado en la lavadora. No la centrifugue nunca. Tienda con cuidado o deje que se seque extendida. |
| **Lino** | ➤ Se trata de un tejido bastante resistente; por tanto, puede lavarse en la lavadora con agua caliente y centrifugado. Puede almidonarse, de manera que dominará su tendencia natural a arrugarse. Planche la prenda húmeda y le será más fácil "dominarla". |
| **Pana** | ➤ Puede ser de algodón, viscosa o de una mezcla de algodón y poliéster. Lave a máquina pero del revés y según las indicaciones del componente más delicado. No lo frote o estropeará el pelillo. Normalmente no necesita plancha. Si estuviera muy arrugado, planche en húmedo poniendo varias telas encima para no deformarla. |
| **Ropa vaquera** | ➤ Es un tejido muy fuerte pero bastante propenso a encogerse y a formarse rayas en las zonas de pliegue y después de los lavados. Compre tejidos ya lavados y evitará que destiñan. Si compra tejidos originales, lávelos por separado hasta asegurarse de que no destiñen. Por norma general, lave del revés para evitar la formación de rayas y señales. Abroche cremalleras y botones, planche la prenda húmeda con la plancha caliente. |
| **Seda** | ➤ El tejido es muy sensible al sudor, así que deberá lavarlo cada vez que lo utiliza, aunque únicamente sea poniéndolo en remojo. No utilice jamás detergentes biológicos. Si tiene prisa, utilice una esponja humedecida y limpie por lo menos la zona de las axilas, cuello y puños; se secará en un momento. Pero, sobre todo, no frote en exceso el tejido cuando esté húmedo. Tienda en una percha en un lugar aireado y casi no necesitará planchado. Si lo precisa, hágalo con la prenda algo húmeda y a temperatura suave. |

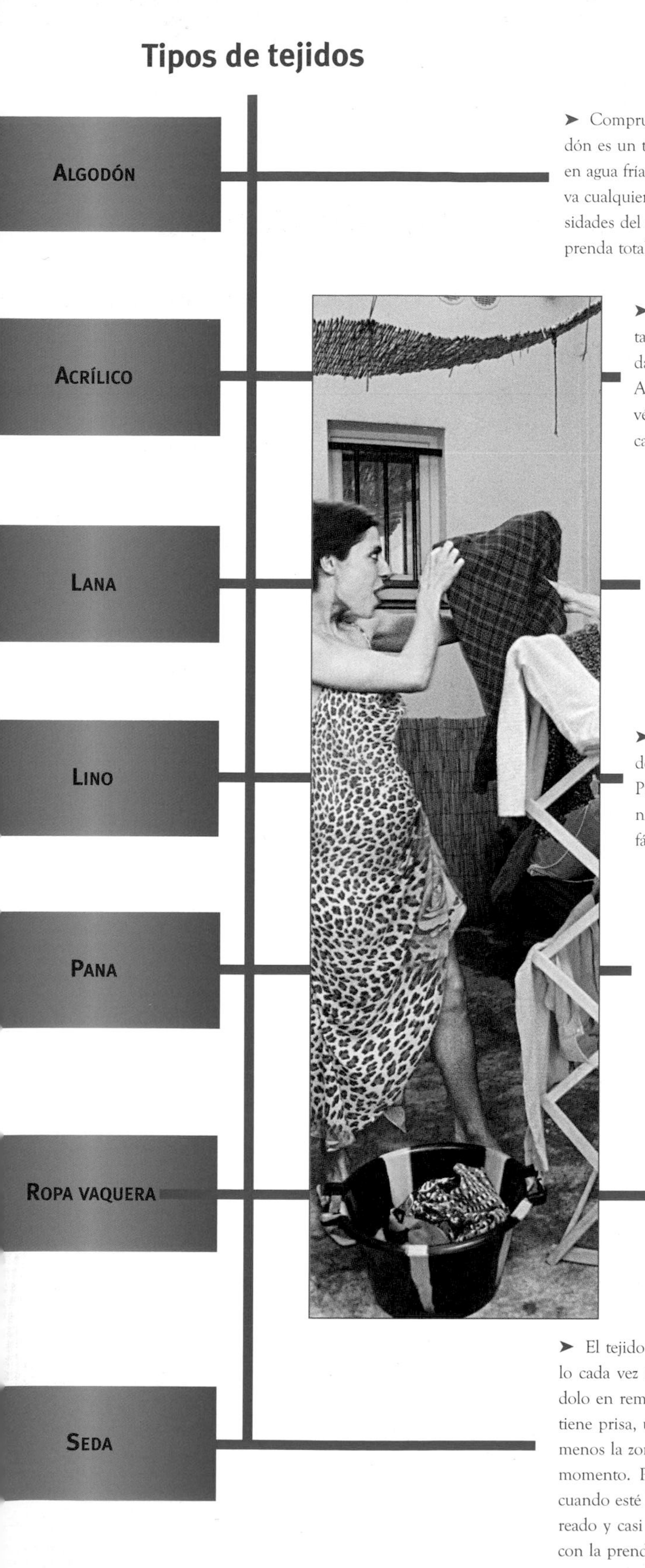

# El lavado de la ropa

*El lavado de la ropa es, sin lugar a dudas, el momento más delicado para su cuidado y conservación. Consulte las instrucciones de la etiqueta, trate las manchas importantes antes de lavar y elija bien el programa de lavado.*

## Las prendas que destiñen

Si tiene dudas sobre una prenda que puede desteñir, no se arriesgue a introducirla en la lavadora con el resto de la colada. Humedezca un algodón y déjelo 10 minutos sobre una parte no visible de la prenda, el dobladillo, por ejemplo. Pasado este tiempo, compruebe si ha teñido el algodón. Si es así, lávela aparte.

## Poner en remojo

- Es muy recomendable poner en remojo antes del lavado aquellas prendas que están muy sucias para no juntarlas con el resto de la colada.
- Utilice un barreño de plástico, el bidé o el programa de prelavado de la lavadora.
- Disuelva bien el detergente antes de introducir la prenda.
- Llene el recipiente hasta que el agua cubra totalmente la prenda.
- Aunque existe la creencia contraria, el agua tibia es más eficaz contra la suciedad que el agua caliente.
- Si hay manchas importantes, frótelas con detergente líquido puro antes de ponerlas en remojo.
- Deje las prendas en remojo durante 2 ó 3 horas para que actúe bien.
- No ponga en remojo prendas de seda, lana o cuero.
- No deje las prendas con partes metálicas (como cremalleras) durante mucho tiempo en remojo, se pueden oxidar.

## Lavado a mano

- Siga las instrucciones de la etiqueta para la temperatura del agua: 30° es fresca al tacto, 40° es agua tibia-caliente y 50° es lo más caliente que la mano puede aguantar.
- Disuelva bien el detergente antes de introducir la prenda.
- Déjela un rato en remojo antes de lavarla.
- Trate los puños y los cuellos de las camisas blancas antes del lavado. Frótelos con una pastilla de jabón para eliminar las rozaduras. Si es necesario, frote con un cepillo de uñas o de dientes.
- Puede utilizar la lavadora para centrifugarla siempre que la prenda lo permita.

## Lavado en lavadora

➤ Separe la ropa blanca y la de color como norma básica. No haga excepciones. Si se le cuela una prenda que destiñe y la colada sale rosácea o azulada, quite esa prenda y vuelva a lavar todo inmediatamente: el color aún no habrá penetrado bien en los tejidos y podrá recuperar los colores originales.

➤ Puede mezclar prendas de diferentes composiciones. Utilice el programa adecuado para los tejidos más delicados.

➤ Utilice poco detergente.

➤ Si quedan restos de jabón después del último aclarado, puede añadir unas gotas de vinagre y dar un aclarado rápido.

## Uso de la lejía

➤ La lejía debe utilizarse siempre diluida en agua; en caso contrario quema el tejido, deshace los colores y puede llegar a perforar la ropa.

➤ Consulte las etiquetas de las prendas antes de utilizar lejía.

➤ Aclare a conciencia después de utilizar lejía.

➤ No lave prendas en las que ha utilizado lejía con otras prendas que no aceptan lejía, ya que el primer tejido puede no estar bien aclarado y estropear el más delicado.

➤ No utilice recipientes de metal: la lejía los puede oxidar. Pruebe con un poco de lejía en los recipientes de color antes de usarlos, ya que la lejía podría desteñirlos y afectar a la ropa que se introduzca en ellos.

➤ Trabaje siempre con guantes de goma o de plástico.

### CÓMO CONSERVAR LAS PRENDAS NEGRAS

➤ Cuando forman pelusa y pierden su color negro es que tienen un exceso de jabón. Póngalas a remojo con agua tibia y un poco de vinagre blanco.

### CÓMO CONSERVAR EL COLOR DE LAS PRENDAS VAQUERAS

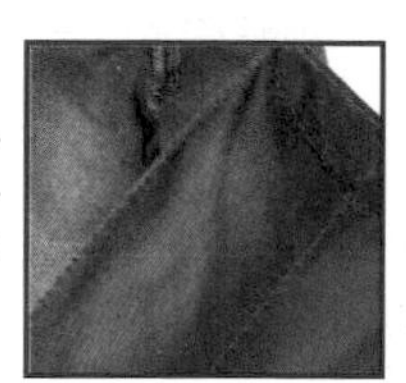

➤ Si quiere evitar que los vaqueros nuevos pierdan su color al lavarlos, póngalos en remojo durante media hora con 5 l de agua y 60 ml de vinagre.

### CÓMO MANTENER VIVOS LOS COLORES

➤ Para mantener los colores vivos, ponga las prendas en remojo antes del primer lavado utilizando agua fría y sal.

### CÓMO BLANQUEAR LA ROPA

➤ Los calcetines de deporte se blanquean hirviéndolos en una olla junto con unas cuantas rodajas de limón. También le será de la misma utilidad cualquier lavavajillas.

➤ Conseguirá que las prendas de lino y algodón se blanqueen añadiendo un taponcito de lejía a 10 l de agua y dejándolas en remojo durante 15 minutos.

➤ La lana se blanquea en agua con un buen chorro de agua oxigenada dejándola en remojo toda la noche.

➤ El nailon se blanquea con agua muy caliente con lavavajillas y un poco de lejía. Mezcle bien, deje enfriar e introduzca la prenda durante media hora.

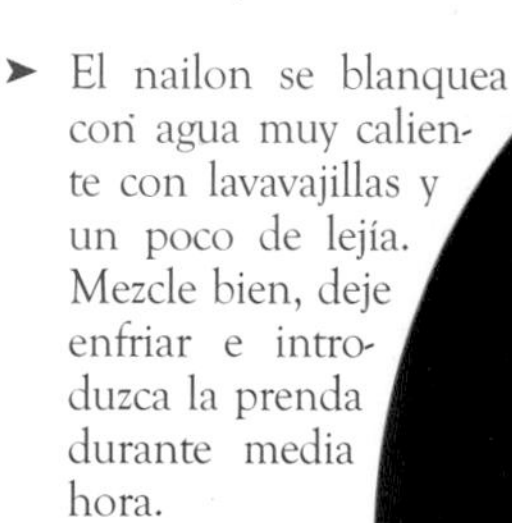

# Manchas habituales en la ropa

*La clave para eliminar las manchas de la ropa es actuar inmediatamente, antes de que se sequen y calen profundamente en la fibra. De todas formas, el tratamiento de cada mancha depende de la sustancia que se trate.*

## 4 normas básicas para afrontar las manchas

1 Actuar inmediatamente.

2 Absorber o rascar con cuidado la mayor parte de la sustancia derramada para que no cale más en el tejido.

3 No olvide nunca tratar la mancha por la cara contraria por la que se ha vertido: es más fácil eliminarla en sentido contrario al que entró, que intentarlo empujándola más adentro.

4 Limpie en movimientos circulares, desde el exterior hacia el centro, para no aumentar así el círculo manchado.

## Un buen equipo quitamanchas

Tenga a mano siempre que le sea posible un pequeño equipo quitamanchas, que puede constar de:

- Un **cepillo para la ropa** y un **juego de esponjas** de tamaño reducido.
- **Tela blanca de algodón** absorbente y **pañuelos o servilletas** de papel.
- **Algodón**, que se utilizará para aplicar tanto detergentes como limpiadores.
- Un **vaporizador de agua** para aplicar directamente agua sobre las manchas.
- Una **cucharita** será muy útil para retirar al máximo la sustancia derramada.
- **Limpiadores comerciales**, como barras o pulverizadores prelavado, quitamanchas en espuma o en aerosol y disolventes de manchas.
- **Limpiadores naturales** como el limón, el vinagre o el aceite de eucalipto.
- Una serie de **sustancias líquidas** como amoníaco, alcohol de quemar, bórax, agua oxigenada, alcohol blanco y, por último, acetona.

## Tipos de manchas

- **Sustancias sólidas.** Intente retirar toda la sustancia derramada que le sea posible cuanto antes. Hágalo utilizando una cucharilla, una espátula o, en su defecto, la parte que no corta de un cuchillo.
- **Ácidos.** Ponga la prenda bajo el grifo de agua y posteriormente pase una esponja empapada en agua fría con amoníaco o bicarbonato sódico. 
- **Grasa.** Aplique detergente líquido sobre la mancha y frote a conciencia. Después, lave la prenda con agua muy caliente si el tejido lo permite. Si no es así, lave en seco.
- **Líquidos.** Utilice sal o servilletas de papel para absorber el líquido derramado. Ponga la prenda en remojo con agua fría. Si la prenda no es lavable, utilice arcilla absorbente o polvos de talco. Después, trate la mancha con quitamanchas comerciales.

## MANCHAS HABITUALES

**MANCHAS DE ALIMENTOS Y BEBIDAS** — Aceite, café, chocolate, fruta, vino y salsas

- Aceite: empape la prenda y trátela con alcohol metílico y un poco de vinagre blanco. Si queda mancha, utilice solvente para limpieza en seco.
- Café: remoje la prenda en agua tibia y detergente. Trate la mancha con alcohol metílico. Si quedan restos, use peróxido de hidrógeno diluido.
- Chocolate: retire los restos y aclare en agua fría. Ponga en remojo con detergente biológico. Utilice solvente para las manchas residuales.
- Fruta: retire los restos y aclare en agua fría. Ponga en remojo con detergente biológico. Utilice solvente para las manchas residuales.
- Vino: absorba con sal todo lo que pueda, remoje en agua fría o en una solución de bórax durante media hora. Lave la prenda después.
- Salsas: retire los restos y ponga en remojo en agua fría con detergente. Si es necesario, trate con alcohol metílico.

**MANCHAS DE COSMÉTICOS** — Maquillaje, barra de labios y esmalte de uñas

- Maquillaje: frote con detergente líquido y aclare bien. También puede utilizar solventes para la limpieza en seco.
- Barra de labios: utilice solvente para la limpieza en seco o alcohol metílico. Lave con detergente líquido y amoníaco.
- Esmalte de uñas: trate la mancha con amilacetato o acetona. No use quitaesmaltes aceitosos. Limpie con aguarrás y lave normalmente.

**MANCHAS BIOLÓGICAS** — Sangre, vómitos, orina y heces

- Sangre: es necesario lavar inmediatamente con agua fría y un poco de sal. Es importante que no utilice agua caliente. Si la sangre ya está seca, frote con un cepillo, y remoje después la prenda en agua fría con detergente biológico o peróxido de hidrógeno.
- Vómitos: retire los restos sólidos y absorba los líquidos con servilletas de papel. Aplique un chorro de sifón y limpie con una esponja humedecida en una solución de bórax. Lave con detergente biológico.
- Orina: utilice sal abundante para absorber los restos. Aclare con agua fría. Trate los restos con amoníaco puro, aclare y aplique vinagre blanco. Lave normalmente, a ser posible con detergente biológico.
- Heces: elimine los restos sólidos y remoje en una solución de bórax durante al menos media hora. Lave normalmente, a ser posible con detergente biológico.

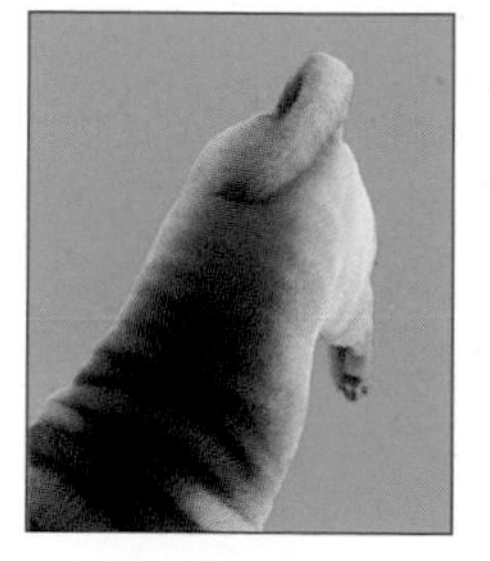

# Manchas poco habituales en la ropa

*Las manchas de alimentos y bebidas o las manchas de maquillaje son muy habituales porque se corresponden con actividades que se realizan a diario, pero existen actividades que pueden crear manchas sobre la ropa menos corrientes, y por tanto menos conocidas a la hora de darles solución, así que quizá algunos trucos puedan ayudarnos a recuperar prendas manchadas de sustancias que no tenemos ni idea de cómo limpiarlas.*

## 4 normas básicas para las manchas poco habituales

1. Cuando utilice solventes, lejías o quitamanchas, utilice siempre pequeñas cantidades.

2. Trabaje cerca de una ventana abierta y lejos de cualquier fuego.

3. Haga una prueba para comprobar que el producto no afecta al color de la prenda.

4. No mezcle solventes. Deje secar la prenda y aclárela antes de aplicar otro solvente.

## Prevención de manchas difíciles

➤ Tenga un **mono de trabajo o ropa vieja** específica para sus tareas de bricolaje, mecánica, jardinería, etc.

➤ Póngase su ropa de trabajo **aunque la tarea que va a realizar sea sencilla**: cosas aparentemente tan simples como comprobar el nivel de aceite del coche, barnizar una barandilla o hacer trabajos manuales, pueden acabar con inoportunas manchas de grasa, barniz o pegamentos.

➤ Incluya en su vestuario también unos **zapatos**: de nada sirve ponerse un mono de trabajo completo y dejar que los zapatos de ante se manchen con cualquier goteo.

## Tratamiento de manchas en los zapatos

➤ **Calzado de piel:** aplique un pequeño parche para bicicletas sobre la mancha de grasa lo antes posible. Déjelo actuar toda la noche. Retírelo al día siguiente y aplique betún o crema nutritiva para el cuero.

➤ **Zapatos de ante:** absorba la mancha con servilletas de papel y frote con un limpiador específico. Si la mancha es intensa, trátela con un algodón empapado en gasolina para mechero sin estropear el ante.

## Tratamiento de quemaduras en la ropa

Frote la mancha de la quemadura bajo el grifo de agua fría utilizando para ello otro trozo de tela y no los dedos. Después, ponga un rato la prenda en remojo en una solución de bórax. Lave normalmente. Si la prenda no es lavable, aplique una solución de glicerina durante un par de horas y luego frote con agua tibia.

## MANCHAS POCO HABITUALES

**MANCHAS PROPIAS DE LAS ACTIVIDADES DOMÉSTICAS** — Betún, cera de vela, medicamentos, tinta de bolígrafo

- Betún: las manchas de betún acostumbran a tratarse con solvente para limpieza en seco. Después se lava con detergente líquido o se aclara con alcohol metílico.
- Cera de vela: se pone la prenda en el congelador o se congela con cubitos de hielo hasta que la cera salga con facilidad.
- Medicamentos: las pomadas deben recogerse con servilletas de papel y tratarse con un disolvente de grasas. Si quedan restos, aplique alcohol de quemar con un algodón. Los jarabes acostumbran a irse con el lavado normal, pero si quedan restos puede utilizar alcohol de quemar. El yodo se elimina lavando a mano con agua, jabón de escamas y unas gotas de amoníaco. Si el tejido no es lavable, utilice quitamanchas comerciales para té y café.
- Tinta de bolígrafo: las manchas de tinta de bolígrafo se pueden eliminar cubriéndolas con un poco de leche o frotándolas con medio tomate. También puede aclarar la mancha varias veces con alcohol metílico y airear después.

**MANCHAS DE JARDINERÍA** — Barro, hierba, flores

- Barro: lo mejor es dejar que el barro se seque completamente y luego utilizar un cepillo suave. Después, se lava normalmente. Utilice alcohol de quemar en manchas persistentes. Si es necesario, se aplica un producto de limpieza en seco.
- Hierba: las manchas de hierba son muy típicas en las rodilleras de los pantalones. En general, basta con mantenerlas un rato en remojo y lavar normalmente. Si las rozaduras persisten, frote con una pastilla de jabón húmeda. Otra posibilidad es aplicar un limpiador comercial o un poco de alcohol de quemar. Aclare bien y lave normalmente. Si las manchas se han secado, utilice clara de huevo y glicerina a partes iguales para ablandarlas.
- Flores: algunas plantas y flores pueden manchar al cortarlas o podarlas. Empape la prenda en agua y frote con detergente líquido. Si quedan residuos, limpie con solventes para limpieza en seco, amilacetato o alcohol metílico.

**MANCHAS DE BRICOLAJE** — Aceite de motor, pegamento y pintura

- Aceite de motor: las manchas de aceite de motor se frotan con detergente líquido sin diluir, aclarando bien. También se puede utilizar solvente para limpieza en seco..
- Pegamento: los pegamentos de celulosa se tratan con agua fría, con amoníaco diluido o con detergente biológico, aclarando concienzudamente después. Los pegamentos de resina se tratan antes de que se sequen con alcohol metílico. Las colas de aeromodelismo se eliminan con acetona o amilacetato.
- Pintura: la pintura acrílica se lava con el detergente habitual. También puede utilizar un solvente o bien alcohol metílico. Las pinturas de celulosa, por el contrario, precisan productos específicos. La pintura al temple debe lavarse cuando está fresca, ya que una vez seca es muy difícil de tratar. Las pinturas de aceite se limpian con aguarrás y lavándolas con detergente líquido.

# Manchas imposibles

*Algunas manchas, por sus características especiales, es imposible hacerlas desaparecer, unas veces porque no sabe con qué limpiarlas, y otras porque la sustancia es realmente difícil de eliminar. Estos son algunos trucos para manchas muy difíciles y algunas soluciones ante las manchas definitivamente imposibles.*

## QUEMADURAS

➤ Las más habituales son las de cigarrillo. Unas veces llegan a agujerear la ropa, y otras simplemente dejan una mancha de color marrón muy desagradable. Si el tejido es lavable, frote la prenda debajo del grifo de agua fría, pero no lo haga con los dedos: utilice un trozo de tela. Luego ponga la prenda en remojo en una solución de bórax (25 g por cada 1/2 l de agua). También puede tratar la mancha con dos partes de agua y una de glicerina frotando suavemente. Luego, póngala en remojo con bórax como se ha comentado.

## MOHO

➤ Las manchas de moho son relativamente fáciles de quitar, pero cada prenda necesita un tratamiento diferente (dependiendo de su composición). En general, estas manchas se van con lejía diluida. La ropa blanca se trata también con una solución de agua oxigenada, aunque este tratamiento no es adecuado si la prenda es de nailon. Para la ropa de color resulta más adecuado una pastilla de jabón duro sobre la mancha humedecida con agua.

## ÓXIDO

➤ Son manchas aparentemente muy difíciles, pero que pueden limpiarse bien con zumo de limón. Empape la mancha de zumo de limón y cúbrala de sal. Deje reposar 1 hora y luego sacúdala bien. Ponga un trapo bajo la mancha para que no traspase y manche otras partes de la prenda.

## ALQUITRÁN

➤ El alquitrán deja manchas que al principio son muy aparatosas, pero se pueden tratar con éxito utilizando aceite de eucalipto. Aplíquelo por debajo de la mancha con un algodón empapado y ponga sobre la mancha un paño absorbente y blanco.

## YODO

➤ A pesar de lo espectacular de su color, las manchas de yodo se pueden limpiar con relativa facilidad humedeciendo la prenda con agua y poniéndola al sol. También se pueden limpiar con alcohol metílico. También puede usar quitamanchas comerciales para té o café.

## GRASA

➤ Quite el máximo de grasa con una cucharilla y lave con agua muy caliente, si el tejido lo permite, utilizando sosa y bórax. También puede utilizar peróxido de hidrógeno y parafina. Si hay manchas residuales, utilice un solvente en seco.

### MARCAS DE ETIQUETAS

➤ Algunas etiquetas adhesivas dejan restos de pegamento que a veces se complican aún más al intentar limpiarlos. Humedézcalas con un trapo húmedo y frote después con alcohol metílico o aguarrás.

### MARCAS DE TINTE

➤ Las manchas de tinte, en general, son muy difíciles de limpiar. Aclare con agua fría y aplique detergente líquido. Si la mancha persiste, utilice amoníaco, alcohol metílico o amilacetato.

### CERA ABRILLANTADORA

➤ La única forma de quitar las manchas de cera abrillantadora es utilizar un solvente para la limpieza en seco, y luego un detergente líquido.

## Eliminar el trozo de tela

Puede ocurrir que, a pesar de estos tratamientos que se han ido explicando, algunas manchas persistan en una de nuestras prendas favoritas. Ya lo ha probado todo y la mancha no se va; ¿hay trucos para las manchas realmente imposibles? Una posibilidad es eliminar el trozo de tela o bien sustituirlo:

➤ Si tiene **manchas en los puños de sus camisas blancas**, descosa el puño, dele la vuelta y cosa el botón por la otra cara. Puede utilizar este sistema también cuando los puños se encuentren algo deshechos por el rozamiento.

➤ Si su **camisa preferida de manga larga** tiene alguna mancha imposible en las mangas, puede cortarlas, hacer un dobladillo y convertirla en una camisa de manga corta.

➤ Si las **manchas de maquillaje** ya no se van del cuello de sus camisas, córtelo y dele la vuelta. Otra posibilidad que tiene es cambiarle el cuello a su camisa, e incluso ponérselo de otro color. Utilice esta técnica también en caso de **cuellos muy rozados y desgastados**.

➤ Si se mancha la **parte baja de una blusa** y no hay manera de eliminar completamente la mancha, córtela, haga un nuevo dobladillo y conviértala en una blusa más corta.

➤ Si mancha irremediablemente **los bajos de los pantalones**, puede hacerse unas bermudas.

## La opción de los parches

Otra alternativa ante las manchas imposibles consiste en colocar un buen parche encima, al estilo de las coderas o las rodilleras.

➤ Este truco se suele utilizar bastante tanto en vaqueros como en ropa tejana, consiguiendo incluso que la prenda adquiera una personalidad diferente a la que tenía. Puede poner parches de la misma ropa vaquera o atreverse con telas de colores (e incluso estampadas).

➤ Para los niños resulta una buena idea utilizar parches con figuras de animales divertidos o algo parecido.

➤ En americanas o prendas de abrigo quedan muy bien los parches de ante, y algunas veces incluso realzan aún más la prenda con un toque elegante.

➤ Otra posibilidad es cambiar de sitio la etiqueta que llevan visibles algunas marcas y colocarla sobre la mancha, siempre que el tamaño de ésta y su ubicación no dejen la etiqueta en un punto que resulte muy "extraño".

➤ Si el lugar es adecuado, incluso puede añadir un bolsillo complementario, sobre todo en pantalones y prendas deportivas.

**Recuerde**

*Hay parches para coser, pero también otros muy fáciles de poner, utilizando únicamente la plancha. De todas formas, es recomendable reforzar estos últimos con algún punto de costura.*

# El secado de la ropa

*Existe cierta conciencia de la necesidad de lavar cada prenda de acuerdo con las especificidades de su composición, pero no se suele dar tanta importancia al hecho de secar la ropa. Sin embargo, el secado es un momento decisivo en el cuidado de la ropa: la forma de tender la ropa en el tendedero puede deformar las prendas, arrugarlas y hacer más difícil su planchado o deteriorar los colores por la exposición al sol, mientras que las secadoras no resultan adecuadas para todo tipo de prendas.*

## 10 consejos prácticos para tender la ropa

1 No olvide sacudir y extender cada prenda cuidadosamente y de esta manera se verá facilitado el planchado.

2 Siempre que su zona de tender lo permita, evite el centrifugado de la ropa.

3 Si le resulta posible, tienda al aire libre, preferentemente en zonas bien ventiladas: el propio aire planchará la ropa.

4 Recuerde que las pinzas de plástico dejan menos marcas en la ropa que las de madera. Es cierto que también tienen menos agarre, así que deberá poner varias pinzas si el día es especialmente ventoso.

5 Ponga las pinzas en las costuras y dejará menos marcas en la ropa.

6 Tienda las camisas en una percha: no se deformarán y podrá recogerlas y llevarlas directamente al armario. Para que no se deslicen en la percha, ponga unas gomas en los extremos de los hombros de la percha.

7 No deje la ropa tendida horas y horas al sol, ya que se deterioran los colores.

8 Tienda del revés y protegerá los colores del efecto del sol.

9 Si tiende en una habitación interior, abra una ventana: la condensación de agua no es buena para la ropa ni para las paredes.

10 Si tiende en una galería o patio interior, evite tener la ropa tendida a las horas de comer y cenar: normalmente, las cocinas dan a estos espacios y la ropa se impregnará de los olores que salgan de las cocinas de sus vecinos.

## Ahorrar tiempo en el secado de la ropa

➤ Pase una esponja húmeda por las cuerdas de tender una vez a la semana para evitar que ensucien sus prendas blancas y tenga que volver a lavarlas.

➤ Tienda los calcetines emparejados y de esta manera no tendrá que ir buscando su pareja a la hora de doblarlos y guardarlos.

➤ Recoja algunas prendas cuando estén todavía húmedas: las planchará más fácilmente y, mientras, se acabará de secar el resto.

➤ Las toallas, manteles, sábanas y otras telas grandes se secan más rápidamente si las tiende entre 2

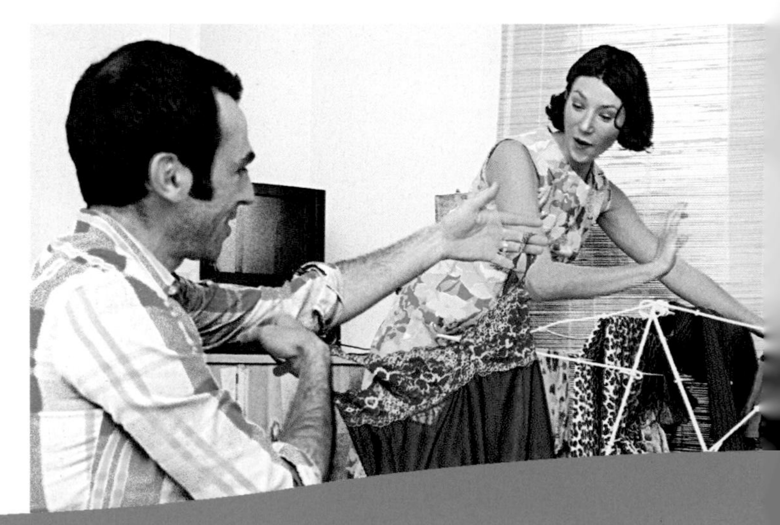

cuerdas, dejando un espacio de aire entre una capa y otra.

## El uso de la secadora

- Consulte la etiqueta de sus prendas.
- Las secadoras de aire caliente son, sin lugar a dudas, las más eficaces, pero el sistema también es el más caro.
- Puede utilizar la secadora para centrifugar prendas lavadas en la lavadora e incluso también las que ha lavado a mano.
- Evite las arrugas en la ropa sacándolas en cuanto acaba el programa de la secadora y doblándolas inmediatamente.
- Utilice telas suavizantes para evitar que las prendas se arruguen, especialmente las que no quiera planchar, como las toallas. Utilice media hoja: resulta igual de eficaz que una entera.
- Opcionalmente, puede utilizar una manopla mojada de líquido suavizante diluido con agua. Escúrrala y añádala a la colada que mete en la secadora.
- Meta las prendas de lana en fundas de almohada para que no se deformen.
- Utilice temperaturas moderadas para las fibras sintéticas. Las fibras naturales saldrán menos arrugadas si también controla la temperatura.

## Secado en plano

Los tejidos delicados se secan en plano. Enrolle la prenda en una toalla para eliminar el exceso de humedad. Devuelva a la prenda su forma original y deje secar sobre una toalla seca. No deje que le toque la luz solar directa o perderá su color.

## Secado de urgencia

Utilice un secador de pelo con aire caliente para secar alguna prenda fina que todavía esté algo húmeda, y acabe de quitarle la humedad al plancharla.

### Atención

*No utilice las estufas para secar la ropa: como ya sabrá, son innumerables los accidentes domésticos provocados por incendios debidos a esta causa.*

# El planchado de la ropa

*El planchado es una tarea lenta, laboriosa si son varios miembros en la familia, y muy pesada si en sus compras no elige tejidos fáciles de planchar. Al mismo tiempo, es importante tener una buena plancha, una superficie adecuada de planchado y algunos conocimientos sobre las técnicas de planchado.*

## Consejos prácticos para elegir una plancha

- Siempre que pueda, compre una plancha con graduación de temperatura para ajustarse a las necesidades de cada tejido. Elija un modelo con termostato que le avisa de cuando la plancha ha llegado efectivamente a la temperatura deseada.
- Elija un modelo de mango cerrado: es más seguro y se agarra mejor.
- Elija un modelo ligero, pero compacto. Descarte las planchas muy pesadas porque al poco rato notará el cansancio en el brazo, pero tampoco adquiera un modelo muy ligero porque son menos efectivos en el planchado. Recuerde que si la plancha es de vapor tendrá que sumar el peso que supone llenar el depósito de agua.
- Compruebe que el cable salga de un punto de la plancha que no le moleste al planchar. Recuerde que hay planchas sin cable.
- Fíjese en si la punta de la plancha tiene una ranura específica de manera que se llegue mejor alrededor de los botones.
- Elija un modelo con superficie antiadherente.
- Compruebe que la plancha lleve la etiqueta de garantía de cumplimiento de la normativa de seguridad vigente.

## Consejos prácticos para elegir una tabla de planchar

- Elija una tabla con un soporte vertical para la plancha, así podrá dejarla en un lugar accesible y seguro mientras prepara la prenda o espera a que la plancha se caliente. Las hay con soporte para el cable, para que no moleste y se eviten los tropezones.
- Elija una mesa de planchar regulable en altura y ganará en comodidad. De igual manera, podrá ajustarla si le ayuda a planchar cualquier otro miembro de la familia de diferente estatura que la suya.
- Cómprela ligera pero con la máxima estabilidad, y sobre todo plegable: ganará mucho espacio y también podrá manejarla con comodidad.
- Escoja para su tabla un ancho medio, excepto si requiere planchar a menudo ciertas prendas especiales.
- Proteja la tabla con una funda especial ajustable, que podrá encontrar en diferentes versiones en cualquier comercio especializado. Asegúrese de que sea de un tejido que no se manche ni se queme. No se preocupe del estampado, puesto que es mucho más importante que sea un tejido que retenga el calor: le ayudará a planchar mejor.

## Seguridad en el planchado

- Asegúrese de que la plancha está totalmente fría si quiere enrollar el cable alrededor de ella para guardarla: si la plancha estuviera todavía caliente no sería de extrañar que se quemase accidentalmente el cable de alimentación.
- Cambie el cable de la plancha si se ha doblado hasta pelarse o, si por contacto accidental con la plancha, se ha quemado la cubierta protectora.
- Jamás deje la plancha encendida si suena el teléfono y tiene que ponerse, o si lloran los niños o llaman a la puerta.
- No rellene con agua la plancha de vapor cuando está enchufada: podría electrocutarse.
- No planche con niños pequeños cerca.
- Si se le cae la plancha, reprima el acto reflejo de intentar cogerla: las quemaduras en las manos son muy dolorosas.

### Truco casero

*Cuelgue la camisa que se quiera poner por la mañana en una percha y colóquela en el baño mientras se ducha. Los tejidos ligeros se alisan muy bien gracias al vapor que se forma en el cuarto de baño por el agua caliente, además de por su propio peso.*

### Consejos prácticos para planchar

- No olvide que no puede pasar la plancha por encima de botones metálicos o cremalleras: puede estropear la plancha.
- Planche las prendas delicadas poniendo un trapo húmedo encima y planchando sin tocar directamente la prenda. De esta manera, también evitará los brillos irregulares que aparecen en algunas prendas al plancharlas.

- Planche los cuellos por los dos lados, primero del revés. Planche desde la punta hacia dentro y evitará las arrugas.
- Intente que las piezas grandes, como las sábanas, no arrastren por el suelo al plancharlas: si no tiene el suelo impecable, pueden mancharse con facilidad.
- Si su plancha no es de vapor (o sí lo es, pero resulta insuficiente) puede ayudarse de un pulverizador manual de agua.
- Puede planchar cierto tipo de prendas bien dobladas por la mitad y se ahorrará bastante tiempo. Los pañuelos, las servilletas, los manteles y las sábanas, por ejemplo, se pueden planchar así rápidamente.

# Costura de emergencia

*Las labores de costura no tienen la presencia y la importancia que tuvieron en los hogares de nuestras abuelas, pero sigue habiendo algunas tareas a las que debemos enfrentarnos, pequeñas labores que hemos llamado costura de emergencia: un botón que se cae, la goma elástica que se rompe, una cremallera que se estropea, un dobladillo, etc.*

## Equipo básico de costura

- Tijeras de costura
- Dedal
- Alfileres
- Una máquina de coser

- Frascos y fundas adecuados para cada uno de ellos (no tenga nada suelto)
- Surtido de agujas, alfileres e imperdibles
- Botones de repuesto
- Un costurero cómodo y manejable para guardarlo todo
- Hilos de diferentes colores

## Cómo coser un botón

➤ Cosa con varias pasadas, formando un cuadrado o una cruz en los 4 agujeros del botón y raramente volverá a caerse. Asegúrese de hacer un buen acabado antes de cortar el hilo sobrante.

➤ Refuerce los botones que aguantan mucha tensión cosiendo otro botón por la parte interior. Utilice hilo fuerte o hilo de ganchillo para reforzar el cosido.

➤ Si son botones de una prenda gruesa, como una chaqueta de piel, ponga una cerilla entre el botón y la piel al coserlo: así dejará la separación necesaria para que al abrochar la piel entre bien.

## Condiciones de trabajo

➤ Luz ambiental y una lamparita para iluminar la zona de trabajo.

➤ Una silla cómoda y una mesita de trabajo.

➤ Un rincón para su máquina de coser.

➤ Una pequeña cajonera para retales de tela y prendas por arreglar.

➤ Un espejo, preferiblemente de cuerpo entero, para probarse la ropa.

## Cómo arreglar una cremallera

➤ Si la cremallera se engancha pero no parece rota, frótela con un trozo de cera de vela: ya verá como corre mucho mejor y se evitará cambiarla.

➤ Si se rompe algún diente de la parte inferior de la cremallera, dé unas cuantas puntadas por encima de la rotura para fijar un nuevo tope y evitará los dientes deformados. Es un arreglo provisional, así que no olvide cambiar la cremallera en cuanto tenga un poco de tiempo.

## Cómo arreglar la goma elástica de un pantalón

➤ La goma elástica del pantalón del pijama o del pantalón del chándal se puede arreglar muy fácilmente. El problema más común es que la goma pierda elasticidad y se afloje: se puede cortar un trozo y coserla más corta, aunque lo mejor es poner una nueva.

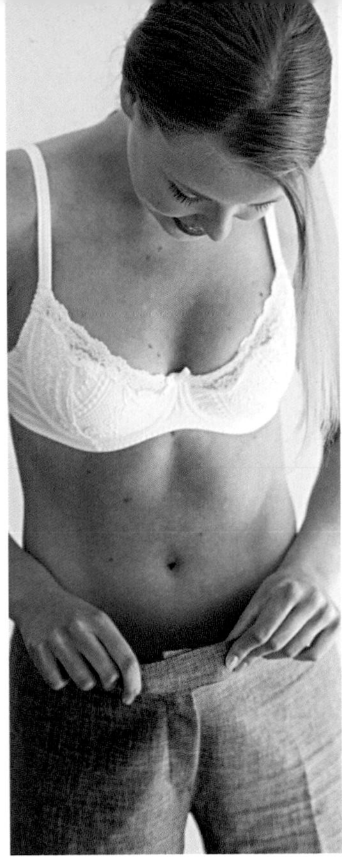

➤ Deshaga la parte frontal de la costura del pijama o chándal hasta que aparezca la goma. Córtela y ponga un imperdible en cada extremo de la goma para que no se le cuele dentro de la cintura del pantalón. Corte un trozo de goma y cósala más corta para que se mantenga más tensa.

➤ Si finalmente decide cambiar la goma elástica, quite la vieja y compre un pedazo de goma nueva. Tome su cintura como referencia y corte la medida que le sea más cómoda. Ponga un imperdible de tamaño pequeño en un extremo y hágalo correr a través del hueco de la goma hasta rodear toda la cintura. Ponga otro imperdible en el extremo final para que no se cuele en el interior del pantalón. Cosa la goma elástica y cierre la costura que la protege.

## Cómo poner coderas y rodilleras

➤ El desgaste en codos y rodilleras suele ser muy frecuente. Si le tiene cariño a su viejo jersey o su hijo pequeño ha agujereado sus pantalones más nuevos, no dude en coser coderas, rodilleras o cualquier otro tipo de parche.

➤ Recuerde que los más prácticos son posiblemente los parches adhesivos: se pegan muy bien a la tela tan sólo con el calor de la plancha, y además son útiles incluso para las prendas vaqueras.

➤ Haga un corte limpio alrededor del agujero para evitar que se vaya deshilachando con el tiempo.

➤ Recorte un parche 2 cm más ancho que el agujero por cada uno de sus lados.

➤ Ponga un parche interior y otro exterior, así se reforzarán mutuamente.

➤ Refuerce siempre el parche, ya sea adhesivo o de los que se cosen, con un cosido fuerte en zigzag.

### Truco casero

- *Afile sus tijeras de costura cortando varias veces un pedazo de papel de lija fino.*
- *Si el tornillo que hace de eje en las tijeras se afloja, desatorníllelo, ponga un par de gotas de esmalte de uñas y vuelva a atornillarlo.*
- *Lave las telas antes de coserlas: si tienden a encoger, lo notará antes de ponerse a trabajar.*

# La máquina de coser

*Las máquinas de coser permiten trabajos de costura más completos, más rápidos y con mejores resultados. Vale la pena elegir un modelo eléctrico, ya que pueden coser hacia delante y hacia atrás, y muchas de ellas también en zigzag.*

## Consejos prácticos para elegir una máquina de coser

- Cómprela en una tienda especializada y asesórese bien sobre el tipo de trabajos que va a poder realizar para elegir el modelo que más se adapte a sus necesidades.
- Elija una máquina más resistente si es que va a trabajar con telas muy gruesas, telas dobles o muy grandes.
- Asegúrese de que el modelo elegido permite regular la tensión de la tela.
- Pregunte si el tensor está preparado para mantener la misma tensión en la capa superior y en la inferior de una tela doble.
- Asegúrese de que puede parar el cosido en cualquier momento, por ejemplo para incorporar un botón, ya que le facilitará las tareas.
- Compruebe que la máquina incorpora un indicador que mantiene la costura siempre a la misma distancia del borde de la tela.

## Cómo tener la máquina en buen estado

- **Limpie el polvo y la pelusa** de la canilla y debajo de la aguja. Utilice para ello un pincel de cerdas duras, que muchas veces ya viene incorporado a la máquina de coser. Así evitará que el mecanismo llegue a atascarse.
- Cada 2 ó 3 meses como mucho, si es que utiliza la máquina con frecuencia, **intente repasar los tornillos principales** de la máquina de coser y asegúrese de que están perfectamente atornillados. Casi todas las máquinas incorporan un destornillador, de lo contrario compre en la ferretería uno pequeño.
- **Engrase la máquina regularmente**, siguiendo las instrucciones del fabricante. Limpie el exceso de grasa cosiendo durante un rato sobre un trozo de tela doble.
- **Si falla la tensión o el tamaño de las puntadas**, llame a un técnico porque hay algún fallo en el mecanismo de la máquina.

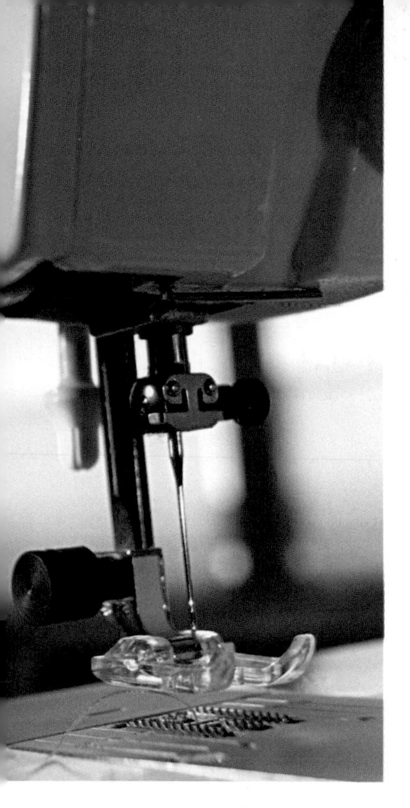

## Normas básicas para coser a máquina

- Haga correr la tela de forma continuada, sin tirones ni empujones.
- Fije la mirada en el pie que presiona la tela y no mire la aguja: así mantendrá la costura recta.
- Cosa los extremos, las curvas y los festones antes de cortar la tela sobrante.
- Mueva suavemente la tela para coser las curvas con precisión.
- Remate las curvas dando otra pasada por encima.
- Practique primero en retales de tela que no vaya a utilizar. Practique con telas dobles y ensaye haciendo varias esquinas. Haga pruebas con diferentes tipos de telas.

## 10 soluciones para los problemas más comunes

1 **La tela se arruga al coserla.** En general, reduzca la presión sobre la tela. Si la tela es muy fina, puede ser que las puntadas son muy grandes: hágalas más pequeñas. Por el contrario, si la tela es muy gruesa, pruebe a aumentar las puntadas. También puede ocurrir que la aguja sea muy grande para la tela o el hilo esté mal colocado.

2 **No cose en línea recta.** Puede ser que la aguja esté doblada o que el pie de presión está suelto o doblado. También puede ser que usted esté tirando o empujando la tela excesivamente.

3 **Aparecen puntadas sueltas o nudos.** Es posible que haya polvo o pelusa que bloquee el paso del hilo. Limpie concienzudamente la canilla. Asegúrese de que el hilo está bien puesto y que la tensión es la correcta. Asegúrese de que utiliza la placa adecuada para sujetar la tela y el tamaño adecuado de aguja. Consulte las instrucciones.

4 **Se rompe la aguja.** Puede que la tela sea más fuerte de lo que pensaba: ponga una aguja más gruesa. Asegúrese de que la aguja queda bien colocada. También puede ser que usted esté tirando demasiado de la tela.

5 **La aguja no entra.** Fíjese en que las agujas de las máquinas de coser tienen un lado redondeado. Debe colocar la aguja con la cara redondeada mirando hacia usted.

6 **Se rompe el hilo.** Es fácil que esté utilizando el hilo incorrecto. Recuerde que las telas elásticas necesitan hilos elásticos. También puede ser que la tensión o la longitud de la puntada no estén bien ajustadas. Consulte el manual de instrucciones. Finalmente, también puede ser que usted esté estirando excesivamente de la tela mientras cose.

7 **La máquina no suena bien.** Puede estar sucio el mecanismo, o también puede estar poco lubricado. Lubríquelo y asegúrese de que utiliza el lubricante recomendado por el fabricante.

8 **El motor va muy lento.** Asegúrese de tener el regulador de velocidad en la posición adecuada. Asegúrese de que el voltaje de su casa es el adecuado para la máquina. También puede ser que la correa del motor esté demasiado tensa.

9 **El motor va muy rápido.** Como en el caso anterior, puede tener el regulador de velocidad en una posición incorrecta, o puede haber un problema con el voltaje.

10 **Las instrucciones no se entienden.** A pesar de que los fabricantes se esfuerzan en hacer las instrucciones lo más fáciles posibles, no siempre lo consiguen. Unas veces faltan ilustraciones que acompañen la explicación, otras veces la letra es tan pequeña que casi no se puede leer, y otras veces el fabricante es extranjero y las traducciones no siempre están muy logradas. Haga que le expliquen bien todo el funcionamiento en el momento de comprarla, y asegúrese de que le proporcionan un servicio técnico de consulta telefónica.

# Teñir la ropa

*Teñir la ropa es una solución práctica, barata y sencilla para recuperar prendas descoloridas o aquéllas a las que se les quiere dar otro aire. Utilice la amplia gama de tintes que se comercializan para renovar su ropa blanca y rejuvenecer su vestuario.*

## Tipos de tintes

➤ **Tintes líquidos de agua caliente:** son tintes muy fáciles de aplicar, tanto a mano como a máquina, así que son muy utilizados para todo tipo de prendas lavables y fibras sintéticas, aunque no resultan recomendables para el poliéster. El único inconveniente es que pueden llegar a desteñir, así que las prendas deben lavarse por separado.

➤ **Tintes de agua fría:** normalmente se presentan en polvo para ser mezclados con agua, aunque existen marcas que precisan algo de sosa. En general se trata de tintes que se pueden utilizar tanto para teñir a mano como en la lavadora. Su principal ventaja es que no destiñen, así que es el tipo de tinte adecuado para prendas que se lavan muy a menudo. Utilice este tinte para las fibras naturales y las mezclas de poliéster y algodón.

➤ **Tintes multiuso:** los tintes multiuso se presentan en polvo y de igual manera son adecuados para teñir prendas a mano o a máquina. Son aconsejables para fibras naturales y nailon, acetato y algunos tipos de rayón, aunque tienen el inconveniente de que destiñen ligeramente. Si tiñe a mano, utilice un recipiente que se pueda calentar, dejando hervir entre 10 y 20 minutos, dependiendo del tejido. Consulte las instrucciones.

➤ **Tintes de lavar y teñir:** son tint muy adecuados para todo tipo de pre das, especialmente las prendas m grandes, y tienen la ventaja de que n destiñen. Se utilizan siempre en la dora, ya que incorporan una mezcla tinte y detergente que permite una ap cación muy sencilla. Aclare a fon cuando acabe el lavado.

## Tejidos que no aceptan tintes

Por lo general, es mejor que no utilice tintes comerciales con los siguientes tejidos:

- Acrílicos
- Angora
- Cachemir
- Tejidos impermeables
- Mezclas con poliéster
- Mezclas con lana

## Consejos básicos para teñir la ropa

- **Lea atentamente las instrucciones de uso del tinte** y asegúrese de que es el apropiado para la prenda que quiere teñir.
- **Utilice exactamente las proporciones de agua y tinte** que recomienda el fabricante o no conseguirá el color deseado.
- **No intente teñir prendas desteñidas irregularmente o manchadas**: el tinte cogerá con diferente intensidad en las distintas zonas y no conseguirá un tono homogéneo.
- **Lave la prenda antes de teñirla** para eliminar los posibles restos de almidón.
- **Enjuague bien la prenda** para que no queden restos de detergente.
- **Empape la prenda en agua** antes de sumergirla en el recipiente con agua y tinte para asegurarse de que está mojada uniformemente.
- **Decolore la prenda antes de teñirla** si presenta irregularidades que no ha podido eliminar con el lavado.
- **Asegúrese de que el recipiente que va a utilizar permite sumergir por completo la prenda** y darle vueltas sin salirse del agua.

## Teñir en la lavadora

- Ponga la prenda a remojo en agua fría antes de meterla en la lavadora.
- Meta la prenda en la lavadora y luego añada la solución de agua y tinte en las proporciones adecuadas.
- Asegúrese de utilizar el programa recomendado.
- Cuando la prenda ya esté teñida, aclárela bien para eliminar el exceso de color.

- Al acabar todo el proceso, debe poner un programa de lavado con la lavadora vacía para eliminar los restos de tinte. Hágalo con agua caliente, detergente y un chorro de lejía. Por si acaso, al día siguiente no haga su primera colada con ropa blanca.

## Teñir prendas grandes

- Utilice tintes de lavar y teñir, que son los indicados para prendas grandes.
- Si va a teñir 2 cortinas, hágalo por separado para que tengan espacio en la lavadora para coger bien el tinte. Utilice un tinte nuevo para la segunda cortina para que coja exactamente el mismo color que la primera.
- No tiña mantas de fibra acrílica o poliéster: normalmente no admiten bien el tinte.

## Compatibilidad de colores

- Recuerde que el color que finalmente consiga depende en gran medida del tinte que compre, pero también del color original de su prenda.
- De hecho, la suma del color base y del color del tinte dará un tercer color, que será el que usted obtendrá.
- Por ejemplo, una prenda amarillenta que quiere teñir de azul es muy probable que quede verdosa. Esa misma prenda amarilla quedará anaranjada si le aplica un tinte rojo.

### Ahorre tiempo

*Si es la primera vez que va a teñir ropa en casa, haga una prueba con una prenda vieja para asegurarse de que domina la técnica y de que los resultados son los deseados. También puede hacerla en una parte no visible de la prenda que quiere teñir. A veces merece la pena teñir la capucha extraíble de un abrigo y hacer la prueba: si sale mal, sólo perderá la capucha. Así ahorrará tiempo... y disgustos.*

# El cuidado y la limpieza de los complementos

*Calcetines, medias, corbatas, guantes, pañuelos y otros complementos son también prendas importantes que merecen un cuidado y una limpieza especial. Éstos son unos cuantos trucos prácticos que le ayudarán a mantenerlos en buen estado.*

## CALCETINES

- Es una buena idea lavar los pares **cogidos con un imperdible** y de esta manera no tendrá que ir buscando parejas (ya sea para tenderlos, o bien para doblarlos).
- Ponga una **bolsita de plantas aromáticas** en el cajón de sus calcetines y tendrán una suave fragancia.

***Añada un poco de azúcar al agua cuando lave sus medias: les dará un poco más de resistencia y evitará los enganchones. Las medias duran más tiempo si, antes de estrenarlas, las deja en remojo con agua tibia y las deja secar en horizontal.***

## MEDIAS

- Lávelas dentro de una **bolsita especial** para prendas delicadas y evitará los enganchones.
- Si las lava a mano, quítese todo tipo de anillos y pulseras.
- Lo mejor es utilizar **guantes muy finos** para lavarlas, ya que incluso pueden producirse enganchones con las uñas.
- Tienda las medias **sin pinzas**.
- Cuando se las vaya a poner, procure no tener las manos muy secas: puede utilizar un poco de **agua** o una **crema hidratante** suave.
- Frote el interior de sus zapatos con **parafina** y evitará carreras en sus medias.
- Si ya tiene **una carrera en la media**, ponga esmalte de uñas, un poco de pegamento o unas gotas de laca para evitar que se haga más grande.

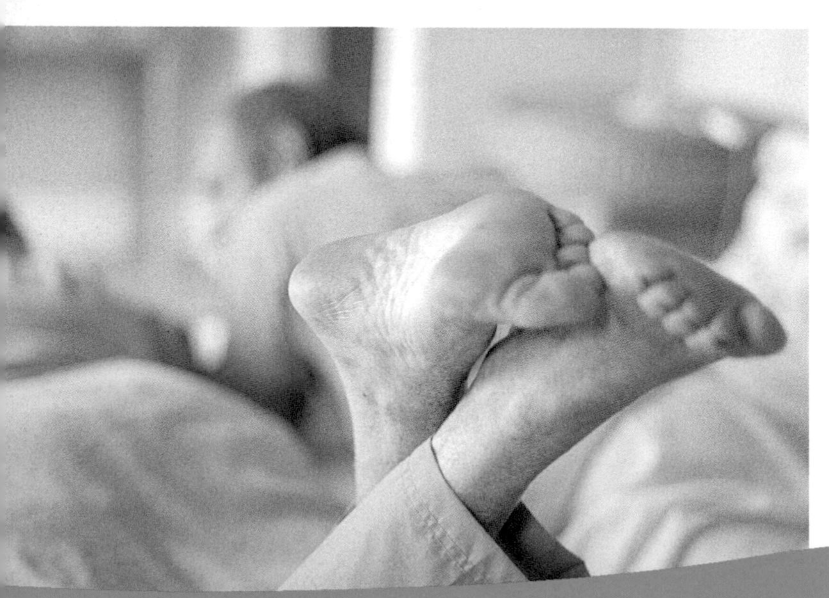

## CORBATAS

- Lleve las corbatas de seda o de lana a limpiar a la **tintorería**.
- Si las mete en la lavadora, use **detergente líquido**, póngalas en una bolsita para ropa delicada, y utilice un programa de lavado suave y **sin centrifugado**.
- **No mezcle** lavadoras de **diferentes tejidos** en el mismo lavado.
- **Séquelas con una toalla** presionando ligeramente. Deje que se sequen **extendidas** sobre una toalla seca.
- **Plánchelas cuando todavía estén húmedas**. Regule la temperatura de su plancha según el tipo de tejido. Ponga un cartón fuerte entre las 2 telas para que no se marquen las costuras.

- Si tuviese que tratar **una mancha** en su corbata, ponga papel absorbente entre las 2 capas de tela para evitar que la mancha o el producto quitamanchas traspase al otro lado.

## CORDONES

- Se limpian pasando un **trapo humedecido con agua y jabón**. Utilice trapos que no sueltan pelusa, y preferiblemente del mismo color que el cordón, sobre todo si se trata de cordones blancos de calzado deportivo.
- Los cordones blancos muy sucios se dejan **en remojo** con agua y un poco de lejía.
- Si **se deshilachan los extremos**, agrúpelos retorciéndolos entre los dedos hasta dejar un extremo afilado. Utilice cinta adhesiva para hacer una nueva terminal cilíndrica.

## SOMBREROS

- Guárdelos **en una bolsa de plástico inflada**: los protegerá del polvo y el aire de la bolsa impedirá que otras prendas los aplasten o los deformen.

## GUANTES

- Los guantes **de lana o de tela** se lavan con agua tibia y jabón. Aclare a la misma temperatura con abundante agua y un chorro de amoníaco en los guantes de color, y un chorro de lejía en los guantes blancos.
- Los guantes **de piel** lavable se suelen lavar utilizando un truco: póngase los guantes y lávese las manos con un producto para la limpieza de pieles. Después, aclare con agua tibia y seque con una toalla. Deje secar del todo sobre una toalla seca.
- Póngase los guantes un par de veces mientras todavía están húmedos para estirar la piel y darles forma.
- Si quedan excesivamente **acartonados** al secarse, úntese las manos con aceite de ricino y póngase los guantes de nuevo: así recuperan la flexibilidad y la suavidad de antes del lavado.
- Si la piel no es lavable, aplique polvos de talco, póngaselos y frótese bien las manos. Sacúdalos enérgicamente para eliminar los restos de talco. Si están muy sucios, frótelos con un trapo impregnado de tricloroetileno.

## PAÑUELOS

- Lávelos con un **detergente muy suave** y con **agua tibia**, **uno a uno** para evitar problemas con los que destiñen.
- Déjelos **en remojo** durante poco tiempo y no los frote excesivamente.
- Puede **evitar que destiñan** aclarando con agua abundante y unas gotas de vinagre blanco.
- Planche el pañuelo inmediatamente después de haberse secado.

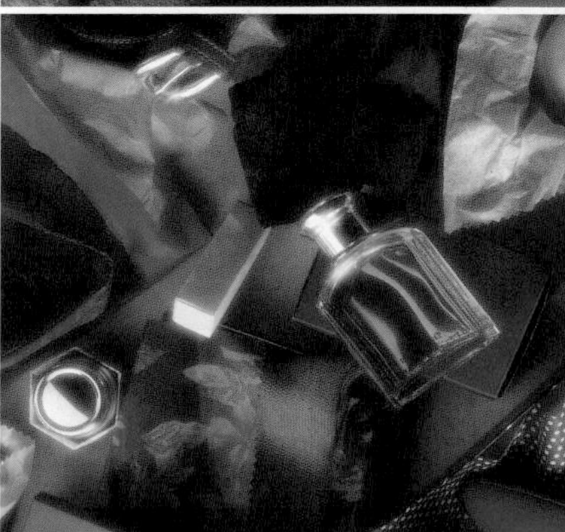

# Organizar y guardar la ropa

*El correcto almacenamiento de la ropa en armarios y cajones es un factor clave para su buen cuidado y conservación. Siguiendo unas pautas sencillas se puede evitar que la ropa se arrugue, se deforme, adquiera malos olores o sea atacada por las polillas. Además, una buena organización de su ropa le hará más cómodo tener a mano las prendas que usa a diario.*

## 10 consejos prácticos para organizar el armario

1 Organice la ropa en 2 temporadas: verano e invierno. Utilice el armario de su dormitorio para la ropa de esta temporada, y el cuarto de los armarios o los altillos para guardar la ropa de la próxima temporada.

2 Organice la ropa por grupos: cuelgue todas las camisas juntas, luego todos los pantalones, dedique un cajón a las camisetas, otros a ropa interior, etc.

3 Guarde las prendas delicadas o que use poco (como trajes o vestidos de fiesta) cubriéndolos con una funda de plástico que evitará la acumulación de polvo y las rozaduras.

4 Utilice perchas resistentes, preferiblemente de madera, para las prendas pesadas, como los abrigos: las perchas de alambre se deforman y pueden dejar marcas en los hombros.

5 Utilice perchas con gomaespuma en la barra horizontal para que los pantalones no se deslicen ni queden con marcas.

6 Puede guardar las camisas dobladas y apiladas en un estante, aunque evitará rayas y cuellos aplastados si las cuelga en perchas. No las apriete mucho, deben estar holgadas.

7 Cuelgue las prendas bien centradas en la percha para que no se deformen. Ponga unas gomas en los extremos de la percha para que las prendas no se deslicen. Abroche un par de botones para que se mantengan mejor en la percha.

8 Cuelgue los vestidos largos doblados por la mitad para que no arrastren ni puedan engancharse con la puerta o mancharse por el rozamiento.

9 No cuelgue las prendas de lana: su propio peso las deforma. Dóblelas con cuidado y apílelas en un estante. No apile muchas prendas para que el peso no las deforme.

10 Guarde los jerséis de color en bolsas de plástico y conservarán mejor el color.

### Truco casero

*Guarde sus prendas de encaje fino en envoltorios de papel vegetal. Envuélvalas formando varias capas, utilizando preferentemente papel de color, ya que el blanco deja pasar la luz y podrían amarillear. Asegúrese de que el papel no destiñe.*

## Guardar mantelerías y ropa de cama

- Guarde la ropa planchada y bien doblada.
- Apile los juegos de cama y mantelerías en un estante o en un cajón amplio.
- Guarde el juego completo de ajustable, cubrecama y funda de almohada juntos para que no se desparejen. Haga lo mismo con sus manteles y servilletas.

- Guarde las sábanas limpias en la parte inferior del montón: irá rotando los diferentes juegos y no utilizará siempre los mismos.
- Cubra el montón de ropa de cama con una manta fina y se conservará fresca y limpia.
- Guarde los edredones en una bolsa de plástico y en un altillo: evitará las rozaduras y que se deformen.
- Utilice productos antipolillas.

## Cómo combatir las polillas

- Recuerde que las fibras sintéticas ya tienen tratamiento antipolillas, pero si vienen mezcladas con fibras naturales deberá tomar medidas preventivas.
- Siempre que le sea posible, es mejor que guarde la ropa en cajones herméticos, en canastillas con forro de plástico o colgada en bolsas de plástico.
- Existen diferentes productos antipolillas, pero recuerde que los aerosoles son dañinos para el medio ambiente.
- Utilice siempre que pueda productos naturales: el espliego y el ajenjo dan excelentes resultados. Prepare bolsitas de tela y póngalas entre la ropa, en los rincones de los cajones o colgadas de la barra del armario. Extienda unas cuantas pieles de naranja seca sobre la ropa de sus cajones.

***Si nota algo de humedad en el armario, cuelgue en éste unos pedazos de tiza: absorberán la humedad.***

## Cómo guardar los zapatos

- Lo mejor es, sin duda, disponer de un mueble zapatero. Es mejor que sea una pieza independiente del armario: evitará posibles olores corporales o a betún.
- Si no tiene un mueble específico, guarde el calzado en las cajas originales que le dieron cuando compró sus zapatos: es la forma más ordenada e higiénica de guardarlos. También evitará que se deformen.

Apile las cajas ordenadamente en la parte baja del armario. Escriba en el lateral de la caja qué zapatos contiene para así identificar rápidamente dónde están los que necesita. Ponga en la parte baja los más pesados, por ejemplo unos patines, y en la parte alta los más ligeros, como las zapatillas. Ponga también en las cajas superiores los zapatos que más utilice.

# La maleta

*Respecto al tema de las maletas vamos a plantear dos cuestiones que consideramos básicas: por un lado, la maleta de viaje, especialmente cómo organizarla, y por otro lado, el espacio que ocupa la maleta de viaje en casa y cómo aprovecharlo. Las dos cuestiones tienen la misma importancia, porque de una maleta bien hecha depende que no nos olvidemos de nada al irnos de viaje, que las prendas lleguen sin arrugarse (o haciéndolo lo menos posible) y que nos quepa en la maleta todo lo que queremos llevarnos. En segundo lugar, se trata de aprovechar las maletas mientras estamos en casa para guardar ropa de otra temporada, mantas y otro tipo de objetos.*

## Cómo preparar la maleta

Preparar una buena maleta tiene **dos secretos sencillos**:

1. **Seleccionar** bien **qué nos llevamos** (es decir, sólo lo necesario).

2. **Colocarlo bien en la maleta** (para que quepa y para que llegue en buen estado).

Para una buena selección, nada mejor que **poner sobre la cama todo lo que queremos llevarnos**: así tendremos a la vista qué nos llevamos, qué nos falta y qué llevamos en exceso.

Para hacer la maleta hay que seguir 5 pautas básicas:

- Las cosas **pesadas** van al fondo.
- Los objetos **delicados**, como la cámara de fotos, va en el medio.
- La **ropa delicada** y la ropa que se quiere tener a mano van encima.
- Los **huecos** se rellenan con prendas pequeñas (como calcetines y ropa interior).
- El conjunto se cubre con una **tela protectora** que evita los posibles enganchones con la cremallera o con los cierres.

## Elegir el tipo de maleta

- **Una maleta de viaje**, grande y rígida, para los grandes viajes, con un destino fijo al que llegar y poder establecerse. Como suelen tener una gran capacidad, es imprescindible que elija un modelo con tirador y ruedas.
- **Una maleta de mano**, de tamaño medio y manejable, más versátil y apropiada para viajes más flexibles. Lo mejor es que escoja un modelo con tirador extensible y ruedas, así podrá llevarla a peso o tirando de ella. Elija el modelo más grande, pero sin alcanzar los tamaños máximos establecidos en cuanto al equipaje de mano de un avión; así dispondrá de espacio para su ropa y podrá evitar la facturación en viajes rápidos.

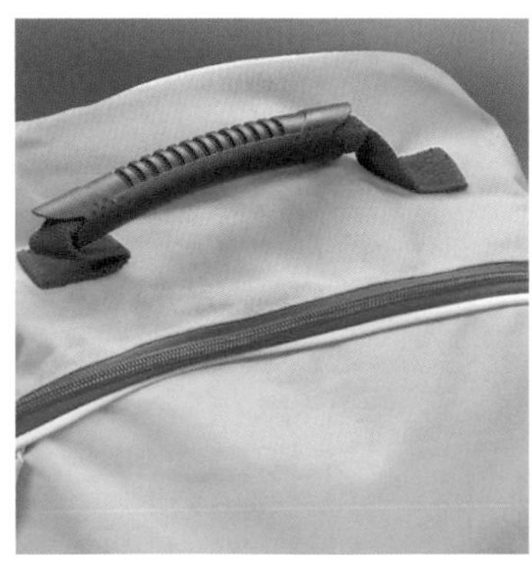

- **Un neceser**, que cada vez más importante tenerlo como pieza independiente de la maleta. Adquiera un neceser bonito, pero que no parezca necesariamente un neceser. Elija modelos que parecen maletines o bolsas de mano. Ganará espacio y tendrá todo más ordenado y más a mano. También evitará manchas desagradables en la ropa.
- **Una mochila grande**, para los viajes más informales y cuyo destino sean zonas más inhóspitas. En este caso tendrá que extremar al máximo todos los consejos anteriores: su espalda se lo agradecerá.
- **Una bolsa de deporte o una mochila pequeña**, muy adecuadas ambas para actividades deportivas puntuales, y también para salidas de un día. Elija bien qué se lleva.

## La maleta como segundo armario

- Aproveche su maleta de viaje para guardar la ropa de temporadas anteriores, zapatos, mantas, juegos de cama, su vestido de novia o cualquier prenda que no utilice a menudo. De esta manera, optimizará el espacio colocando dos cosas que utiliza poco en un mismo espacio.
- Guarde en su maleta de mano los complementos que sólo utiliza cuando viaja: su neceser pequeño, su secador de pelo de viaje, su pequeño transistor, etc.
- Puede aprovechar su mochila grande para guardar sus artículos de trotamundos: sus botas de montaña, algunas cuerdas, su gorra preferida, su navaja multiusos, etc.
- Utilice su pequeña mochila o su bolsa de deporte para no mezclar con la ropa de casa sus prendas de deporte o de aventura que más se ensucian. Meta en bolsas de plástico las botas que siempre tienen restos de barro, o el calzado deportivo con el que juega al tenis, que también lleva tierra, y acostúmbrese a dejarlas siempre dentro de la mochila.

## La maleta como "baúl de los recuerdos"

También puede ocurrir que haya adquirido recientemente un nuevo juego de maletas. No se deshaga de sus queridas y viejas maletas sin pensar si pueden servirle como contenedor multiusos:

- Utilice su vieja maleta de viaje como contenedor de cualquier trasto que tenga en el garaje, en el cuarto trastero o debajo de la cama.
- La maleta se llenará de polvo, pero no todos los objetos que guarde en ella.
- Cubra la maleta con una bolsa de plástico de uso industrial y también la podrá conservar sin polvo.
- Guarde en ella todos esos recuerdos que tiene desperdigados por cajones, carpetas y armarios, como pueden ser cartas, postales, fotos, etc.
- Otra idea es utilizarla incluso como caja de herramientas: de hecho, las pequeñas cajas de herramientas que se venden terminan al cabo de poco tiempo totalmente desbordadas: no cabe el taladro, ni la maza grande, ni las escuadras, etc.

# El cuidado y la limpieza de las alfombras

*Las alfombras aportan color y calidez a los suelos, pero son mucho más delicadas. Las pisadas continuas, el polvo que se va acumulando, las marcas de la mesita que hay encima o un poco de café que se ha derramado pueden dejar huellas que den un aspecto sucio o envejecido, así que habrá que cuidarlas siempre con una gran dosis de esmero.*

## 3 técnicas básicas

1 **El aspirador** es el método más rápido, cómodo y efectivo para el El cuidado y la limpieza de alfombras.

2 Si tiene oportunidad, también es aconsejable **sacarlas al exterior y golpearlas**. Si el aspirador no es muy potente, este sistema puede remover suciedad impregnada en lo más hondo del tejido de la alfombra, sobre todo si es gruesa. Pase después el aspirador.

3 Complemente la limpieza si es necesario con **productos especiales para la limpieza de alfombras** en seco y en húmedo.

## 3 trucos para recuperar el color

- Espolvoree serrín humedecido con vinagre de alcohol y déjelo actuar un rato. Sacuda bien la alfombra y luego pase el aspirador.
- Espolvoree posos de café todavía húmedos o té suelto después de haber hecho una infusión y deje actuar un rato. Sacuda y pase el aspirador.
- Si tiene jardín y ha nevado, aproveche las cualidades revitalizadoras del color que tiene la nieve. Tienda la alfombra boca abajo sobre la nieve y déjela un rato. No la deje demasiado para que el tejido no se hiele. Luego, sacúdala bien para que no queden trozos de nieve.

### Recuerde

*No encere el suelo donde tiene la alfombra: es muy probable que se dañe el tejido.*

## El cuidado de los flecos

- Limpie los flecos con agua y jabón. Aclare y deje reposar en agua con almidón.
- Una vez limpios y secos, péinelos suavemente para que no se enreden.
- Si los flecos se levantan, coloque un paño húmedo encima y déjelo toda la noche con un peso sobre él.

## Tejidos especiales

- Alfombras de paja: se limpian con agua y jabón.
- Alfombras de sisal: este tejido es muy sensible al agua, así que se suele usar un trapo ligeramente empapado de petróleo. Procure no tener cigarrillos ni productos inflamables cerca y utilice guantes.

## Las manchas de la alfombra

- **Tinta de bolígrafo**. Se puede limpiar con un trapo humedecido en leche. Cuando haya eliminado la mancha, aclare la zona con agua y deje secar.
- **Aceite y productos grasos**. Antes del tratamiento hay que dejar que la mancha se seque. Una vez seca, aplique disolvente líquido o quitamanchas en seco hasta que desaparezca. Deje secar y cepille con cuidado.
- **Productos lácteos o huevo**. Primero recoja todo lo que pueda con papel de cocina. Utilice después disolvente o quitamanchas en seco. Finalmente, frótela suavemente con agua y mucho detergente. Aclare y deje secar.

- **Infusiones, zumos y otras bebidas**. Seque la mancha con papel de cocina y frote con agua fría y detergente.
- **Cera de las velas**. Frote la zona con la mano o bien con un trapo, con el fin de que la cera forme bolitas que serán más fáciles de eliminar. Las manchas se limpian utilizando la plancha: ponga papel secante encima de la alfombra y pase la plancha para que la cera se derrita y se enganche al papel. Para acabar, elimine los restos de parafina con algún producto de espuma seca especial para alfombras.

- **Orina**. Es una mancha habitual cuando se tiene un cachorro. Actúe lo más rápidamente posible eliminando líquido y enjuagando varias veces con agua mineral con gas. En caso de no conseguir que desaparezca la mancha, lávela con agua caliente con un poco de jabón y vinagre. Si la mancha se resiste y se muestra persistente, intente eliminarla aplicando agua y vinagre en igual cantidad durante 15 minutos y después aclare y seque. No olvide poner la alfombra a ventilar toda la noche para eliminar el olor a vinagre.
- **Quemaduras de cigarrillos**. Lo primero es cortar con cuidado las fibras más dañadas. Luego, aplique una mezcla de agua oxigenada y agua. Aclare con agua y deje secar.

### Truco casero

*Si sólo utiliza la alfombra en invierno, es muy importante que la guarde adecuadamente. Cúbrala con papel de periódico, enróllela y vuelva a envolverla en papel de periódico. El olor a tinta evitará que las polillas se instalen, y también posibles manchas accidentales.*

# El cuidado y la limpieza de tapicerías y cortinas

*En ocasiones, se da por supuesto que los suelos o las alfombras deben limpiarse 1 ó 2 veces a la semana, pero no siempre se concede la misma importancia al El cuidado y la limpieza de las tapicerías y las cortinas. Es un error: las tapicerías son uno de los puntos donde más se acumula el polvo, lo que puede provocar problemas respiratorios y alergias, mientras que las cortinas, que suelen ser claras, van tomando un color cada vez más envejecido.*

## El uso del aspirador

- El **aspirador** es el método más sencillo y rápido para el cuidado y la limpieza de tapicerías y cortinas. Páselo por el sofá, las sillas y los cojines periódicamente.
- Utilice el aspirador a baja potencia: podría deshilar algunas telas o tapicerías.
- Para tapicerías y cortinas son mejores las aspiradoras de mano, más manejables y menos potentes.
- No utilice los cepillos: castigan mucho las tapicerías. Use el accesorio de limpieza general.
- No utilice el aspirador si hay flecos delicados, lentejuelas u otros accesorios que puedan desprenderse.

## Eliminar las pelusas

- Utilice cinta adhesiva rodeando toda la palma de la mano. También es útil para retirar los pelos que dejan sobre las tapicerías los animales domésticos.

## Fundas para el sofá

- Las fundas son la mejor manera de cuidar una tapicería. Póngalas en ocasiones puntuales, cuando vengan niños pequeños a casa toda la tarde y coman chocolate con churros, por ejemplo.
- Las fundas más cómodas son las elásticas: se adaptan bien y entran en la lavadora sin problemas.

## El cuidado y la limpieza de sillas tapizadas

- Para la tapicería de las sillas también es útil el aspirador. Utilícelo regularmente, y complete la limpieza con un cepillo suave o con un trapo húmedo si hubiera alguna mancha.
- Recuerde que también hay una gran variedad de fundas para sillas.
- Si la tapicería es de piel, debe limpiarla con un trapo húmedo y un poco de jabón. No hace falta que la aclare.

## El cuidado y la limpieza de los cojines

- Debe limpiarlos sin humedecer el relleno, ya que la espuma o las plumas se estropearían.
- Recuerde que incluso los productos utilizados para la limpieza en seco pueden llegar a mojar el relleno.
- Utilice preferentemente fundas de cojín de quita y pon y no tendrá este problema.

## Manchas en las tapicerías

- Seque cualquier líquido en cuanto caiga para que no cale en el tejido. Utilice sal o papel de cocina. Si cae un sólido, retire todo lo que pueda con un cuchillo por el lado que no corta.
- Tenga siempre el quitamanchas adecuado para la tapicería de su sofá o sus sillas.

## El cuidado y la limpieza de las cortinas

- Elimine el polvo regularmente con la aspiradora, sin castigar la tela.
- Descuelgue las cortinas una vez al año y llévelas a la lavandería.
- Dependiendo del tejido y del tamaño, tal vez pueda utilizar su lavadora. Tenga en cuenta que cuando las saque, mojadas, pesarán bastante y no será fácil encontrar un sitio para tenderlas. La opción de colgarlas en su sitio para que se sequen, suele acabar con la cortina y el riel por los suelos.
- Cuidado también con lavarlas en casa si la cortina y el forro no son de la misma tela: una tela podría encoger más que la otra.
- Recuerde quitar los ganchos y los pesos que pudiera tener la cortina.
- Si la cortina es de tejido grueso, puede llegar a pesar tanto que cause una avería en la lavadora. Lávela en la bañera.

## El cuidado y la limpieza de visillos

- Se ponen en remojo en agua abundante con jabón y se remueve de vez en cuando. Utilice un recipiente grande: si es pequeño, los visillos se arrugarán mucho.
- Recuerde que existen productos especiales para blanquear visillos.
- Si quiere darles más consistencia, métalos un momento en almidón después del lavado.
- Cuélguelos con un punto de humedad y su propio peso y el movimiento del aire los alisarán.

# Convivencia familiar, seguridad y primeros auxilios

Las encuestas publicadas sobre el sistema de valores de los españoles indican que la familia es el aspecto más importante de la vida, por encima del trabajo y de la amistad, y muy por encima del tiempo libre, la religión o la política. De hecho, un 99% de los entrevistados declaran que es muy importante o bastante importante.

Así debe de ser, si tenemos en cuenta que somos el país de Europa donde los hijos se marchan de casa a una edad más avanzada, por lo general entre los 26 y los 30 años. También parece confirmar esta circunstancia el hecho de que la media de edad para el matrimonio esté entre los 26 y los 28 años, y para tener el primer hijo entre los 28 y los 30 años. Mirado así, parece que no hay dudas: vivimos casi la totalidad de nuestra vida en familia; y en cuanto salimos de la familia de origen, formamos una nueva familia.

La serie de trucos y consejos prácticos que encontrará a continuación han sido estructurados en dos partes. Una primera parte está dedicada a la vida en familia, con varias páginas sobre los hijos, atendiendo a las cuestiones referentes a la alimentación, el desarrollo de las capacidades del niño y a su educación. A esta primera parte, se suman otra serie de apartados dedicados a la actividad diaria en casa, con algunos trucos para la colaboración en las tareas domésticas, para trabajar y estudiar en casa, para coordinar los horarios de la familia, etc.

La segunda parte trata de la seguridad en el hogar en un sentido amplio. Encontrará información para mantener el orden y la armonía familiar (una prioridad, sobre todo cuando vienen visitas o se organizan cenas, comidas o fiestas en casa) y varios trucos y consejos para asegurar la intimidad y preservar el ritmo habitual de su casa. Además, la prevención de accidentes domésticos y otras medidas de seguridad, que atienden más específicamente a la integridad física de su familia, no se dejan de lado y se completan con primeros auxilios y con consejos prácticos sobre cómo actuar ante los accidentes más comunes en el hogar.

Finalmente, dedicamos las últimas páginas a algunos trucos de seguridad en el hogar si va a cambiar de casa, tanto en lo que se refiere a la mudanza como a la llegada a un nuevo hogar.

# Convivencia familiar

# Una vida sana

*Se puede afirmar que el valor más importante que transmite la familia es la idea de una vida sana en su sentido más amplio. Una alimentación sana, natural y equilibrada en la primera edad se convierte en el mejor hábito para toda la vida. A ella hay que sumarle el hábito del ejercicio, del desarrollo corporal, unido también a una buena higiene personal. Estos tres pilares, aparentemente centrados en el cuidado del cuerpo, son la mejor garantía para un desarrollo mental sano. La dicotomía entre el cuerpo y el alma es propia de filósofos y teólogos, pero en el ámbito de la familia se desarrollan en un todo.*

## Alimentación equilibrada

- Una alimentación equilibrada es aquella en la que **todos los elementos alimenticios** están presentes en su debida proporción.
- Como norma básica, un adulto medio que no realice esfuerzos físicos extras necesita **proteínas, grasas e hidratos de carbono** en la proporción 1-1-6.

Ejemplo 1: un hombre de 70 kg de peso debe consumir 70 g de proteínas, 70 g de grasa y 420 g de hidratos de carbono. En total, aproximadamente 2 500 calorías diarias.

Ejemplo 2: una mujer de 55-60 kg de peso debe consumir 60 g de proteínas, 60 g de grasas y 360 g de hidratos de carbono. En total, unas 2 200 calorías.

- Si realiza actividades fuertes, como deportes intensos, un trabajo que requiera esfuerzo físico o exposición a temperaturas frías, debe complementar su alimentación con más grasas e hidratos de carbono.
- Sin embargo, en circunstancias especiales (durante el embarazo, en el período de

### CUADRO DE SUSTANCIAS NUTRITIVAS

- También llamados carbohidratos, son las sustancias que proporcionan energía al cuerpo. Se encuentran en los azúcares, las frutas, los cereales, las leguminosas, los tubérculos, etc.
- Junto con los carbohidratos, las grasas se encuentran en los alimentos que nos proporcionan energía; son necesarias, pero en pequeñas cantidades. Se encuentran en el aceite, en la mantequilla, en los huevos y en la carne.
- Son cualquiera de las numerosas sustancias que forman parte de la materia fundamental de las células y de las sustancias vegetales y animales. Las obtenemos del pescado, de la carne, de las legumbres, de la leche, etc.
- Las vitaminas son indispensables para el crecimiento, la salud y el equilibrio nutricional tanto por su función reguladora, como por actuar como enzimas en los procesos metabólicos. Se encuentran en los alimentos frescos, como verduras o frutas.
- Ayudan a regular muchas actividades corporales y componen parte de los dientes y de los huesos. Los encontramos en las frutas, las verduras de hoja, los cereales de grano entero, la leche y los huevos.
- La vida sería imposible sin agua: el agua mantiene en solución todos los materiales alimenticios, de manera que pueden trasladarse por el cuerpo hasta el lugar donde se necesitan; además, el agua participa en la construcción de toda célula.

lactancia, o cuando los niños están en edad de crecimiento) la alimentación debe enriquecerse con proteínas.

## Ejercicio físico

El ejercicio físico es muy conveniente para la salud del cuerpo y de la mente: realice siempre algún ejercicio de forma rutinaria para mantenerse en forma.

- **Caminar** es un ejercicio excelente: haga los recados del día a día preferentemente a pie, utilice menos el coche, baje una parada de autobús antes o aproveche cuando saca al perro para darse un buen paseo.
- Prepare **pequeñas excursiones** los fines de semana.
- Utilice el ascensor de su edificio sólo para subir, y acostúmbrese a **bajar a pie**.
- Acérquese a un **gimnasio** o a las **instalaciones deportivas** de la zona donde vive: verá que existen numerosas y muy variadas actividades con horarios flexibles y, en muchos casos, muy económicas.
- Otra posibilidad es adquirir algún **libro** y **vídeos con tablas de ejercicios** para realizar en casa.

## Los esfuerzos

Algunas **actividades domésticas**, incluso las más corrientes, como puede ser cargar la cesta de la compra o mover unas macetas, pueden ser perjudiciales si los esfuerzos no se realizan con cuidado:

- Si transporta varias bolsas, reparta el peso entre los dos brazos de forma equilibrada.
- Para levantar un peso, agáchese flexionando las piernas y apoye una rodilla en el suelo. Cójalo con las dos manos, sosténgalo contra su cuerpo y levántese de forma que las piernas hagan el máximo esfuerzo. Si tiene que transportarlo, acérquelo a su pecho, curve un poco la espalda hacia atrás y haga fuerza con los brazos. Si descansa por el camino, deje el objeto en zonas que estén a la altura de su cintura.
- No sobrecargue la zona de los riñones: no se agache doblando la espalda por la cintura; es mejor agacharse doblando las rodillas.
- Procure que gran parte del esfuerzo se concentre en los brazos y en las piernas.
- En lugar de agachado, trabaje de rodillas o sentado.
- Si trabaja de rodillas, hágalo con el torso erguido y las rodillas separadas para ganar estabilidad.

### Recuerde

*Existen actividades que no son estrictamente deportivas pero que resultan muy convenientes para el mantenimiento corporal, como el baile o el yoga.*

# La alimentación del niño hasta los 3 años

*Hasta hace pocos años se creía que la estatura era un factor determinado por la herencia genética. Hoy se sabe que la alimentación no sólo es clave para alcanzar una mayor estatura, sino también para desarrollarse de una manera sana. Además, la alimentación de estos primeros años es una de las bases fundamentales en la educación integral de la persona.*

## La teoría del plato base

Como norma general, cada comida debe tener un plato base, que es el que aporta las **cantidades necesarias de proteínas, minerales y vitaminas**; el entrante y el postre se consideran platos complementarios.

## No hay que obsesionarse con que coma mucho

- En este período, el niño alcanza ya cierta madurez en su crecimiento, de manera que el peso y la talla ya no aumentan con tanta rapidez: es normal, por tanto, que al final de esta etapa no necesite comer tanto, aunque su alimentación sí será más variada.
- La propia madurez alimenticia hace que el niño tenga ya sus primeras preferencias: procure mantener una dieta variada para no empobrecer su alimentación.

## Desarrollo del olfato y del gusto

- La **variedad de alimentos** no sólo es un requisito para conseguir una alimentación equilibrada, sino también la mejor forma de desarrollar y afinar los sentidos del olfato y el gusto.
- Como norma básica, **no** presente los **olores y** los **sabores mezclados**: de esta forma, el niño podrá apreciar y educarse en los olores y los sabores puros.
- Durante este primer período debe elegir siempre **olores y sabores muy suaves**.
- La expresión de la cara del niño es la mejor señal de haber acertado con el olor o el sabor.

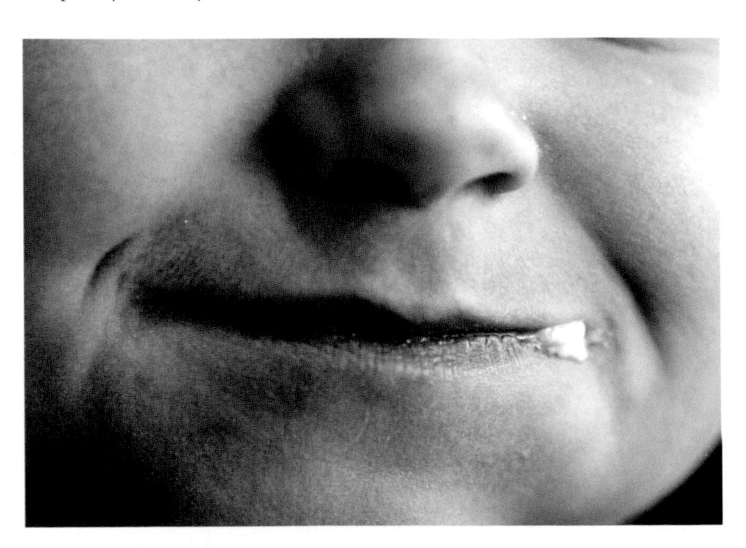

### Recuerde

- ✘ *El gusto y el tacto de los objetos en la boca es para los niños una de las maneras de conocer las cosas a esta edad.*
- ✘ *La sensación de olor y sabor es una forma básica de la educación sensitiva, y también una de las mejores vías para despertar su curiosidad.*
- ✘ *Recuerde que la sensación es el primer paso para el conocimiento.*

## La leche como base alimenticia

La leche es el alimento básico hasta los 2 años de edad.

## Los 4 sabores básicos

Durante el primer y el segundo año de edad, el niño debe comer e identificar ya los 4 sabores básicos: **dulce, salado, amargo** y **agrio**.

## El uso de la sal

Ni el paladar ni las necesidades nutricionales del niño requieren mucha sal, así que utilícela poco.

## Aceptar nuevos sabores

- Es uno de los problemas más comunes, ya que los sabores extraños pueden crear rechazo.
- Acostumbre al niño cuanto antes a la variedad de sabores.
- El truco es introducir cada sabor de forma suave: un poco dulce, con una pizca de sal, otro poco ácido, suavemente amargo...

## La educación de los olores

- Aunque parte del gusto se aprecia por vía retronasal, es bueno que acerque la cuchara a la nariz de su hijo antes de llevársela a la boca: así, despertará el sentido del olfato y asociará los olores a sus alimentos.
- Evite todo tipo de especias y condimentos: pueden mejorar el aroma de la comida, pero es frecuente que produzcan alergias, tanto por ingestión como por inhalación.

## Reparto de calorías

Un 25% de las calorías se ingieren en el desayuno, un 30% en la comida, un 15% en la merienda y un 30% en la cena.

## Necesidades nutricionales diarias

- Varían ostensiblemente según la talla, el peso y la actividad física de cada niño, aunque se pueden establecer unas necesidades medias.
- Entre el primer y el segundo año de edad son necesarias unas 1 200 calorías, 25 g de proteínas, 40 g de grasas y unos 100 g de hidratos de carbono al día.
- Entre los 2 y 3 años de edad las cantidades aumentan sensiblemente: hasta 1 400 calorías, 40 g de proteínas, 50 g de grasas y 180 g de hidratos de carbono al día.
- En cuanto a los minerales, en este período se precisan diariamente 800 mg de calcio, 800 mg de fósforo, 150 mg de magnesio, 70 mg de yodo, 15 mg de hierro y 10 mg de cinc.

# La alimentación del niño de los 3 a los 6 años

*La velocidad de crecimiento y desarrollo en esta etapa de la vida del niño no es tan rápida y espectacular como en el período anterior, así que por norma general disminuye el apetito. Además, a esta edad la actividad física es muy variable de unos niños a otros, razón por la cual la alimentación se deberá ajustar a cada caso.*

## El cambio más importante

- Está comprobado que el cambio más importante en la alimentación del niño a esta edad se produce con el contacto con otras personas: la alimentación ya no es sólo un asunto de los padres...
- El problema no es que el niño coma en la guardería o en el colegio: se supone que en estos centros se ofrecen dietas correctas y equilibradas. El problema reside en la gran cantidad de novedades que se ofrecen: helados, caramelos, bebidas gaseosas y una larga lista de productos que, muchas veces, llevan grasas inadecuadas, conservantes, colorantes, antioxidantes y cientos de sustancias que no son apropiadas para una correcta alimentación.

## Cómo afrontar el cambio de gustos

- Estos productos suelen tener en una **presentación divertida y colorista**, así que llaman la atención del niño.
- Lo mismo ocurre con el sabor dulce, con **excesos de azúcar** tan atractivos como desproporcionados para su correcta alimentación y para su salud dental.
- No deje que la alimentación se convierta en un juego: descarte todo tipo de pasta con forma de animales, galletas y artículos similares.
- No haga de la comida un juego: es tentador cuando el niño no quiere comer y da resultados a corto plazo, pero provoca distorsiones nutricionales.
- Haga de la comida un valor por sí mismo, un **placer** en el sentido más sano de la palabra.
- Es mejor que el niño se deje la comida, incluso que deje una merienda o una cena entera, pero no le cambie la comida.

## Te acuerdas de...

- Es un buen truco para educar a su hijo en la cultura de la alimentación: incítele a pensar en los sabores, a recordar comidas buenas y a sentirlas como un placer.
- Ayúdele a asociarlas con momentos importantes para la familia, a reuniones en casa de la abuela, a su cumpleaños o al día de Navidad.

## La comida como una demostración de afecto

- Enséñele que preparar una comida sana y buena es un **acto de cariño**. Explíqueselo mientras prepara un aperitivo para su pareja: el niño querrá que le prepare algo y sentirá la comida como una muestra de amor.
- No lo haga sólo en momentos excepcionales: detalles tan sencillos como calentar un poco más una sopa que se ha enfriado tiene el mismo efecto.

## Comer todos juntos

- Otro gran cambio para el niño es que, a partir de ahora, va a comer normalmente **con el resto de la familia en la mesa**. A esta edad el niño ya se debe comportar correctamente, tanto en casa como en casa de unos amigos o en un restaurante.
- Enséñele lo amplia que es la **dimensión social de la comida.** Además de comportarse bien en la mesa, es el momento de enseñarle que un desayuno, una comida o una cena es un momento de reunión familiar y una invitación a la conversación.
- También es el momento adecuado para enseñarle algunos **detalles de buena educación**. Empiece por algo tan sencillo como ofrecer pan a los demás antes de coger su trozo. Cuando esté un poco más "fuerte", podrá ofrecer agua o el frutero.
- Ponga la televisión excepcionalmente, o difícilmente le quitará la costumbre. Plantéese si es usted quien necesita hacer el esfuerzo: un hijo también es una buena oportunidad de mejorar uno mismo.

## Necesidades nutricionales diarias

- Entre los 3 y los 6 años se precisan, como media, 1 800 calorías, 70 g de proteínas, 70 g de grasas y 250 g de hidratos de carbono diariamente.
- Las necesidades de minerales recomendadas son: 800 g de calcio, 800 g de fósforo, 200 g de magnesio, 10 g de hierro y 10 g de cinc diariamente.
- Son muy importantes los aportes de vitaminas liposolubles A, D y E, y de vitaminas hidrosolubles C, $B_1$, $B_2$, $B_6$ y $B_{12}$.

# La alimentación del niño de los 6 a los 10 años

*De los 6 a los 10 años la actividad física de la inmensa mayoría de los niños aumenta de manera muy notable. La afición que se despierta por los deportes, la gimnasia en el colegio y una energía que les hace correr, nadar e ir en bicicleta de forma inagotable, son básicas durante este período. Es una edad de crecimiento más lento, pero muy importante en su alimentación si se quiere compensar todo el desgaste que provoca tantísima actividad.*

## Controlar lo que se come entre horas

- Uno de los riesgos de esta etapa es que el niño acaba un ejercicio e inmediatamente siente tanta hambre como sed. Como no está en casa, puede recurrir a refrescos con gas, bocadillos y pastas dulces que no se corresponden con la alimentación que necesita.

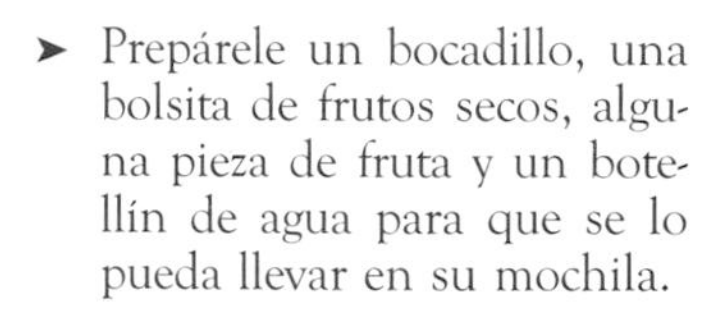

- Prepárele un bocadillo, una bolsita de frutos secos, alguna pieza de fruta y un botellín de agua para que se lo pueda llevar en su mochila.
- Acostúmbrele a que resista un poco hasta volver a casa: si llega con hambre es que no ha comido nada, y así usted seguirá controlando su alimentación para que sea la más adecuada.
- Tenga la comida a punto cuando llegue: le dará la confianza de que, al volver, tendrá todo a punto y así sabrá esperar hasta llegar a casa.

### Recuerde

*Lo más importante a esta edad es motivar a su hijo para que sea él quien desee una alimentación completa y equilibrada.*

## El deporte como cultura de la nutrición

- El deporte constituye, sin lugar a dudas, una de las prácticas más educativas que se conocen, ya que fomenta valores hasta ahora bastante desconocidos por el niño: así, su práctica desarrolla tanto el trabajo en equipo como la estrategia, el entrenamiento físico y técnico, las ansias de superación, el conocimiento del propio cuerpo y de las propias limitaciones, etc.
- Sea listo y aproveche el deporte que tanto entusiasma a su hijo para educarle en la cultura de la alimentación. Infórmese de los aportes nutricionales específicos que se recomiendan para el deporte que practica. Deje que él mismo vaya conociendo qué le sienta mejor y cuáles son sus necesidades nutricionales según el deporte que practique.

## Verduras, frutas y pescados

- A esta edad es muy típico el rechazo a las verduras, la fruta y el pescado. Su ausencia puede crear carencias de vitaminas A y C, de fibra dietética y de proteínas.
- Asegúrese de que estos productos están en la alimentación de su hijo, aprovechando la gran variedad que existe y las muchas posibilidades de servirlos.

- Si hay rechazo, no presente las verduras como un plato específico: haga canelones de espinacas, tortilla de verduras, purés, etc. Pruebe con diferentes tipos de verduras: vaya al mercado y elija las verduras que nunca compra: descubrirá muchos sabores.

- Si su hijo rechaza la fruta es, muchas veces, por la pereza que le da pelarla. Se le puede pelar la fruta al principio: luego se acostumbrará a comerla y ya lo hará él mismo. Lo que siempre funciona son los zumos: utilice el exprimidor de naranjas y las licuadoras para las peras, los plátanos, las manzanas, etc.

- La clave para que coma el pescado es enseñarle a limpiarlo. A nadie le gusta el pescado si, al comerlo, se encuentra espinas continuamente. Saber comer bien el pescado constituye la norma básica para disfrutarlo, y también un signo inequívoco de educación en la vida social.

## La posibilidad de una dieta vegetariana

- La mayoría de dietistas desaconsejan una dieta exclusivamente vegetariana a esta edad, ya que las necesidades fisiológicas son muy importantes durante este período, y cualquier carencia puede tener consecuencias importantes.

- Si sus convicciones le llevan a esta alimentación, consulte con un especialista para garantizar los aportes necesarios y los posibles complementos.

## Cosas de familia

*Puede utilizar la estatura como estrategia para que sean sus propios hijos los que quieran una buena alimentación. Enséñeles que si comen bien se harán altos muy pronto, y así conseguirá no sólo que coman de todo, sino que se interesen por los alimentos con mayor valor nutricional, e incluso de cómo hay que prepararlos para que no pierdan vitaminas.*

## Necesidades nutricionales diarias

- Entre los 6 y 10 años se precisan 2 200 calorías, 82 g de proteínas, 75 g de grasas y 300 g de hidratos de carbono diariamente.

- Son muy importantes los aportes de vitaminas liposolubles A, D y E, de vitaminas hidrosolubles C, $B_1$, $B_2$, $B_6$ y niacina.

- Se precisan 800 g de calcio, 800 de fósforo, 10 de hierro y 10 de cinc diariamente.

# El niño no quiere comer

*Se acepta con resignación que el niño se despierte por las noches y no nos deje dormir, más adelante se aceptan como normales las rivalidades entre hermanos y, llegada la adolescencia, incluso se admite como propio de la edad el carácter algo indisciplinado. De todas formas, que el niño no quiera comer es algo que afecta especialmente a los padres desde que el niño es bebé. Al asunto se le da tanta importancia que se vive con preocupación durante la infancia del niño, durante su adolescencia e incluso cuando el hijo ya es mayor. Algunos consejos prácticos, en muchos casos muy sencillos, pueden ayudarnos a solucionar este problema.*

## ¿Niño enfermo o padres inexpertos?

- Se calcula que la mitad de los padres han tenido alguna vez problemas para que sus hijos coman. En la gran mayoría de los casos se debe al desconocimiento del desarrollo normal del niño por parte de los padres. El porcentaje de niños con verdaderos problemas médicos es muy reducido.
- El desconocimiento de la evolución natural del crecimiento del niño y las variaciones de peso y apetito que conlleva hacen que el tema de la alimentación sea una lucha que se da hasta 4 veces al día. Por norma, cualquier cosa que le cree problemas 4 veces al día requiere un cambio inmediato de perspectivas.
- Recuerde que la consecuencia más grave no es que el niño no coma: quizá lo peor sea seguir insistiendo en el mismo error, o acabar perdiendo la confianza en la propia capacidad como padres.

### Recuerde

*Estimular a su hijo a comer solo es uno de los pasos más importantes hacia el gran objetivo de la educación: formar una persona autónoma. Cuanto antes empiece, mejor.*

## Él puede comer solo

- Alrededor de los 7 meses, el niño ya es capaz de mantenerse sentado solo, coger objetos y colocarlos en su sitio. Procure que a los 9 meses ya sepa coger una galleta, llevársela a la boca y comérsela. No haga del ejercicio un juego parecido a llevarse a la boca cualquier juguete: hay que dejarle siempre claro que está comiendo.
- Entre los 12 y 15 meses debe manejar ya la cuchara con suficiente destreza como para tomar alimentos blandos del plato y llevárselos a la boca sin causar demasiados “estropicios”. Invierta en baberos y se ahorrará tiempo y preocupaciones en el futuro.
- Por norma general, el niño empieza a sentirse independiente hacia los 3 años. Es una edad en la que aprende a decir “no” de una manera sistemática. Puede ser una auténtica locura, así que deje que el hambre ponga las cosas en su sitio. Consúltelo antes con su pediatra.

## Desarrollo normal y variaciones del apetito

- El crecimiento de un niño no es uniforme. Durante el primer año aumenta de tamaño y de peso de forma muy rápida, pero luego el crecimiento se hace más lento. Es normal que esto provoque también variaciones en el apetito. Es un proceso simple, relacionado con las necesidades fisiológicas del organismo.
- A partir de los 2 años, el crecimiento se vuelve bastante más lento en comparación con períodos anteriores. Por lo tanto, es normal que a medida que crece quiera comer menos.
- Siga el calendario de visitas que le indique su pediatra y, sobre todo, fíjese en si su hijo juega, corre y salta y ríe todo el día. Seguramente todo va muy bien, excepto que no come mucho: es muy probable que la cantidad que coma sea la que necesita.

**Recuerde**

*El cuerpo humano tiene sistemas reguladores del hambre y de la sed que funcionan a las mil maravillas. ¿Verdad que su hijo, después de estar jugando un buen rato, viene y le pide agua, y lo hace desde muy pequeño?... Pues lo mismo hará con la comida si sabemos esperar un poco.*

## Los gustos del niño y la imaginación de los padres

- Uno de los argumentos más recurrentes del niño cuando no quiere comer es que no le gusta. No se sabe muy bien por qué, pero nunca le creemos. Diga lo que diga el niño, sólo hacemos una lectura: no quiere comer.
- La solución tampoco es muy buena. Cuando se nos acaba la paciencia acabamos diciendo: "si no quiere el pescado, por lo menos que se coma el yogur...".
- Además de esperar a que el niño tenga apetito, la solución más adecuada es ponerle un poco de imaginación: las trituradoras resultan de gran ayuda para presentar verduras, las licuadoras son perfectas para los zumos de frutas, puede hacer unas magníficas croquetas de pescado, pasteles de verduras, etc.
- Fíjese en los detalles que no son propiamente "alimenticios": un simple diente que está saliendo le puede molestar durante unos días y le incomoda la masticación, o quizá le guste la sopa tibia.

## Las dichosas comparaciones

- No se preocupe demasiado por las comparaciones con otros niños. Recuerde que cada niño tiene su ciclo de crecimiento y sus necesidades específicas.
- Tampoco lo compare con niños de otras épocas: en pocos años, los hábitos alimenticios han cambiado mucho.
- No intente darle cada día exactamente los 300 g de hidratos de carbono que recomienda el último libro que ha leído. Las ciencias exactas no son tan exactas cuando se trata de los seres humanos.

# La misma alimentación para todos

*La hora de la comida no puede ser, de ninguna manera, un campo de batalla. La mejor solución es, posiblemente, que el niño se incorpore lo antes posible a comer en la mesa con el resto de la familia y a comer lo mismo que todos. Quizá tenga que ajustar su alimentación a la del niño, pero seguro que usted también ganará en salud.*

## 10 consejos para comer en familia

**1.** Intente que las comidas sean un **momento agradable**, una hora de reunión familiar en la que se reparten las tareas y se disfruta de la conversación.

**2.** Siéntense a la mesa con buen apetito, **disfrutando** de la comida. No coman en exceso y llegarán a la próxima comida con apetito.

**3.** Por norma general, coman **todos lo mismo**, sin demasiadas excepciones, a no ser que algún elemento no le guste a alguien: puede ocurrir y debe respetarse con sabores fuertes (como las sardinas, el pepino, el pimiento u otros), pero no acepte generalizaciones como "no me gusta el pescado" o "no me gustan las verduras".

**4.** Sirva habitualmente lo que no quiera comer el niño y cómanlo ustedes. La **familiaridad** y ver que toda la familia lo come le harán irse acostumbrando.

**5.** Intente no darle de comer ni ayudarle si ya ha alcanzado la edad de **comer él solo**. Cuanto antes empiece, mucho mejor.

**6.** **No fuerce al niño** a comer: es muy importante que él mismo sea capaz de controlar la cantidad de comida que necesita. De esta manera, hará de la comida un placer, y no una imposición.

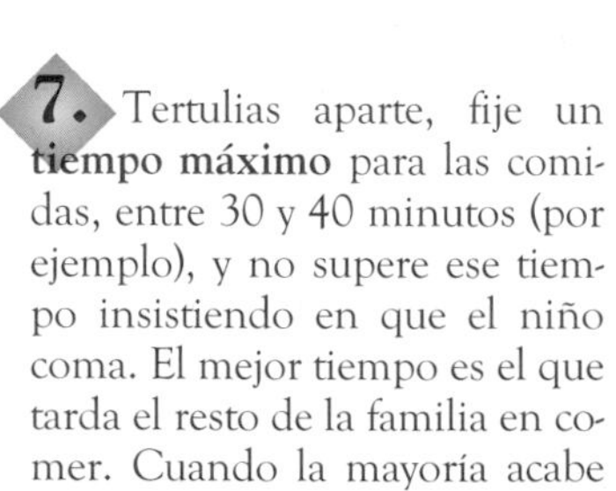

**7.** Tertulias aparte, fije un **tiempo máximo** para las comidas, entre 30 y 40 minutos (por ejemplo), y no supere ese tiempo insistiendo en que el niño coma. El mejor tiempo es el que tarda el resto de la familia en comer. Cuando la mayoría acabe de comer, recoja la mesa sin decirle nada: en la próxima comida seguro que tiene hambre. Sentirse diferente del resto de la familia tampoco le gustará, así que ya verá cómo empieza a comer. Cuando lo haga no le diga nada: no es un mérito, sino lo que se espera de él.

**8.** Haga de la mesa un espacio de **educación** en el buen comportamiento: lávense las manos antes de comer, no hagan ruido con los cubiertos, no se levanten si no es para ayudar en el servicio de la mesa, etc.

**9.** Mantenga, siempre que le sea posible, unos **horarios** más o menos ordenados: la alimentación agradece cierta disciplina.

**10.** **Haga partícipes** de la comida a todos los miembros de la familia: pregunte qué les ha gustado más, inicie conversaciones que interesen a todos los presentes, hable de nuevas comidas para los próximos días y haga que cada uno asuma una función (poner la mesa, recogerla, cortar el pan, etc.).

## Comer en la guardería y en el colegio

- La guardería y el colegio representan el otro lugar donde el niño empieza a comer, no sólo con otros, sino también lo mismo que otros. Le sorprenderá ver cómo su hijo come allí muchas cosas que en casa rechaza...
- Ésta es la prueba más evidente de que su hijo domina las situaciones en casa a su antojo: es una actitud muy corriente entre los niños que han aprendido a acaparar toda la atención a base de rabietas, pataletas y lloriqueos.
- Si tiene dificultades para darle de comer, recuerde que en la guardería o en el colegio no serán mayores; todo lo contrario: el comportamiento del grupo es el mejor agente educador. El niño observa cómo se comportan los demás y empieza a comer sin problemas.
- Además, la disciplina del grupo es menos sentimental, principalmente porque no se le atiende de forma personalizada, sino como uno más, con lo cual ya no es el centro de atención.
- El truco es muy sencillo: si realmente tiene problemas para darle de comer, llévelo cuanto antes a la guardería o al colegio. Consulte con los profesionales del centro durante los primeros días para verificar que todo va bien y confíe en ellos.

## Control de la obesidad

- Comiendo de todo con normalidad es difícil que aparezcan problemas de desnutrición, aunque cada vez son más frecuentes los casos de obesidad.
- Recuerde que hijos de padres obesos tienen tendencia a la obesidad, así que habrá que consultar con su pediatra si es bueno aplicar una dieta especial antes de que aparezcan síntomas alarmantes.
- Recuerde que la obesidad es una enfermedad que sólo se da en los países desarrollados: la causa fundamental es la sobrealimentación, sobre todo el consumo abusivo de grasas, harinas refinadas y bebidas edulcoradas.
- Combatir la obesidad no sólo es cuestión de alimentación: el ejercicio físico también resulta fundamental.
- Evite la obesidad infantil siempre que pueda.

No sólo es una cuestión estética, sino un problema de salud: la obesidad repercute en el aparato respiratorio, siendo más frecuentes los ahogos, queda mermada la capacidad de hacer determinados ejercicios físicos, las rodillas pueden tender a juntarse (y a separarse los pies para estabilizar el cuerpo), y el obeso es más propenso a la hipertensión.

Además, puede sufrir su autoestima y surgir problemas de adaptación social.

# Educación y desarrollo psicomotriz en los niños

*Además de si el niño come o no come, otro de los grandes temas de preocupación es a qué edad empieza a andar. Los estudios comparados muestran que, en todas las culturas, la edad en la que se comienza a andar varía en unas pocas semanas, alrededor del año de edad. Aun así, son muy importantes los ejercicios para el desarrollo de sus habilidades.*

## Los 3 principios del desarrollo de las habilidades

1. El desarrollo de habilidades comienza en la cabeza y va hacia los pies: primero se controlan los gestos y los giros de la cara y el cuello, y luego se van coordinando las partes inferiores del cuerpo.

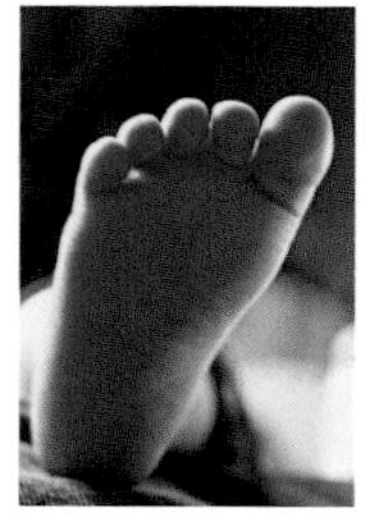

2. El desarrollo de habilidades sigue la misma norma en las extremidades: primero se controla el brazo, luego la muñeca, después la mano y finalmente los dedos.

3. Por último, las habilidades se desarrollan de la acción general a la acción más concreta, de manera que primero se realizan acciones más primarias y después las más complicadas.

## Consejos prácticos para potenciar las habilidades

- Mueva el sonajero lentamente de un lado al otro sobre la cabeza de su bebé y le ayudará a ejercitar la musculatura y la movilidad de la cabeza y del cuello. Hágalo cuando su hijo está en diferentes posturas para que el ejercicio abarque todos los movimientos posibles.

- Deje que vaya acostumbrándose a estirarse para coger objetos: moverá la cabeza para detectar la situación del objeto, coordinará los brazos y el cuerpo para alcanzarlo, y aprenderá a cogerlo. No lo suelte enseguida; es bueno que se acostumbre a agarrar bien y con fuerza.

- A los 6 meses debe poder realizar el ejercicio sentado, sobre todo dirigiendo el cuerpo hacia un objeto sin perder el equilibrio. Al principio, siéntelo contra la pared para que tenga un apoyo, y con las piernas ligeramente abiertas para que tenga más estabilidad.

- Para incitarle a gatear es recomendable que gatee usted: aprenden mucho por imitación. Deje un juguete sobre la alfombra para que tenga un objetivo hacia el que gatear. Debería conseguirlo hacia los 9 meses.

- No le regañe si tira sus objetos desde la cuna o la silla: es un buen ejercicio. Dedíquese a cogerlos y devolvérselos: es un juego como otro cualquiera.

- A los 9 meses debería empezar a andar cuando usted lo coge por las manos. A los 11 meses debería andar cogiéndose a un mueble, y pronto empezar a dar pasos libremente, aunque al principio debe estar atento a sus caídas.

- Debe empezar cuanto antes a controlar sus movimientos con la máxima precisión: utilice juegos de construcción sencillos (con cubos de plástico, por ejemplo), y anímele a formar pequeñas torres.

- A partir del primer año tiene que desenvolverse con soltura en movimientos más complejos: correr, saltar, subir y bajar escaleras, etc. Ayúdele con dos técnicas sencillas: hágale andar sobre superficies diferentes, como hierba o arena de playa, y hágale andar hacia atrás.

## Consejos prácticos para que descubra el mundo

- Haga del movimiento una forma de conocer el mundo. Con cuidado, ayúdele a notar el ligero empuje de una ola de mar, la sensación de caminar contra el viento, etc.
- Déjele la máxima libertad de movimiento para que sea atrevido. Ayúdele a que conozca los límites a partir de los cuáles una acción es peligrosa. Si lo aprende con un par de ejemplos, sabrá entender la idea para otras actividades. No le transmita miedo innecesariamente.
- Ayúdele a situarse en el mundo a través de su propia experiencia: que disfrute de su cuerpo para conocer las posiciones de arriba y abajo, delante y detrás, cerca, lejos, etc.
- Juegue a las imitaciones: su hijo aprenderá muchos gestos, relacionará lo que ve con lo que puede hacer, y se lo pasará estupendamente.

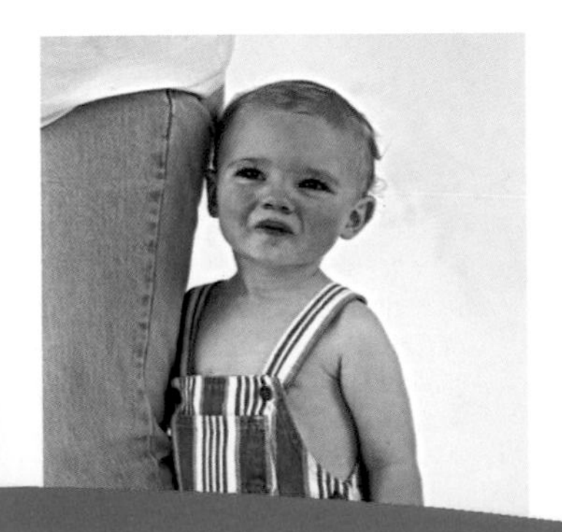

- Trabaje el sentido del equilibrio: enséñele a caminar sobre una línea recta trazada previamente en el suelo, o jueguen a pasar de baldosa en baldosa sin pisar las juntas.
- Hágale representar cosas sencillas a través de la mímica, por ejemplo un cuento: así relacionará los conceptos con su expresión corporal.
- Cójale de la mano para realizar algunos movimientos: así se acostumbrará a sincronizar sus movimientos con otra persona.
- Fomente las actividades con otros niños: cuando se encuentran entre iguales se fijan muchísimo.

## "Este niño lo tira todo..."

- No se desespere si todo lo que coge el niño lo quiere golpear o tirar. No es en absoluto ni malo ni desobediente. Lo que ocurre es que todavía no ha desarrollado una capacidad de movimiento más precisa y está entusiasmado con lo que sabe hacer.
- Es una etapa que no dura demasiado, así que déjele ejercitarla con libertad. Pronto descubrirá asombrado que puede retener el objeto en la mano, girarlo y mirarlo por todos sus lados, y ya no lo tirará más.

## Cuidado si...

No se alarme innecesariamente, pero si nota alguno de estos retrasos en el desarrollo psicomotor del niño, visite a su pediatra:

- A los 3 meses no sonríe, no fija la mirada o no sostiene la cabeza.
- A los 6 meses no muestra interés por coger algún objeto o no usa una mano.
- A los 9 meses no se sostiene sentado, no mira con interés o no parlotea.
- A los 12 meses no se sostiene de pie, no busca comunicación o no muestra interés por explorar sus juguetes.
- A los 18 meses no camina, no puede ir hacia el objeto indicado porque no conoce los nombres de los familiares o de sus objetos más cercanos.

# Aprender a conocer

*El conocimiento es el conjunto de procesos mentales de orden superior a través de los cuales los seres humanos intentan comprender, adaptarse y resolver los problemas de su entorno. Las últimas investigaciones demuestran que las capacidades cognitivas están ya desarrolladas a muy temprana edad, así que hay que trabajarlas desde los primeros meses de vida.*

## El entorno favorable

- Disponer de ***suficientes estímulos*** en el entorno del niño para que pueda ***actuar y desarrollar su cognición***: el método educativo no debe ser demasiado verbal ni pasivo, sino fomentar una actividad y una experiencia. Facilite su acceso a prácticas y experiencias en las que descubra o aplique nuevos conocimientos: es la mejor manera de fijarlos.
- Hablarle de ***manera constructiva y argumentativa***: así trabajará la memoria, podrá formarse esquemas mentales y guiones argumentales. Potencie siempre que pueda el conocimiento "relacional": el ejemplo que más le gusta es conocer la relación entre los animales, cómo unos se alimentan de otros, cómo se relacionan con las plantas, con los ríos, con la lluvia, etc.
- El objetivo final no es exactamente inculcar un conocimiento: el gran éxito es ***despertar la curiosidad***. Si lo consigue, pronto será él mismo quien busque nuevos conocimientos.

**Recuerde**

*El contenido educativo debe intentar estar a la altura del desarrollo intelectual del niño: si es demasiado sencillo no despertará su interés, y si es muy complicado no podrá entenderlo.*

## Ejercitar la memoria

- La memoria constituye una de las grandes herramientas de entendimiento, puesto que permite la acumulación de conocimientos, la relación entre ellos y su utilización para asimilar otros nuevos.
- Ayude al niño a hablar con expresiones temporales y a situar las cosas en el tiempo. No debe olvidar que tanto el espacio como el tiempo son las grandes coordenadas del pensamiento humano.
- Motive a su hijo a expresar lo que hicieron, lo que han hecho, lo que hacen ahora y lo que harán mañana: le ayudará a tener un esquema temporal que da sentido a su vida.

tado por preguntar, hágale ver la inconsistencia de la pregunta. Así guiará bien su infinita curiosidad.

## Por una buena comunicación

- Al leer cuentos o explicar aventuras, recurra al máximo de tonos y expresiones para transmitir sentimientos, reforzar argumentaciones o amenizar narraciones: le ayudará a equilibrar los contenidos que quiere transmitir con su expresión adecuada.
- No le hable siempre como normalmente se le habla a un niño, balbuceando y haciendo todo tipo de gracias: una parte muy importante de la maduración de un niño también pasa por sentirse mayor, por saber escuchar, por aprender a dialogar y, en definitiva, por sentirse parte de una conversación, incluso desde pequeño.
- En ocasiones no sabemos cómo expresarnos, o nos expresamos mal, o el oyente entiende lo que quiere. Intente que la elección de la palabra adecuada sea casi como un juego: con este ejercicio irá ampliando su vocabulario, hará un uso adecuado de él y podrá expresar con exactitud lo que realmente quiere expresar.
- Escuche a su hijo: es la mejor forma de que él aprenda a escuchar.

## Formular bien las preguntas

- Uno de los momentos más bellos de la vida es cuando un hijo empieza a preguntarnos cosas. Es cierto que a veces llega a ser agotador, sobre todo cuando descubren el "¿por qué?" y a cada respuesta vuelven a preguntarlo.
- Ayúdele a reformular sus preguntas si no las ha expresado bien, o si ha preguntado por preguntar. Si de verdad hay curiosidad, enséñele cómo se construye la pregunta correcta. Si ha pregun-

## Responderlas mejor

- Responder una pregunta interesante en un momento dado a su hijo es uno de los hitos más importantes en la educación. Por fin ha llegado esa ocasión, pero ahora se nos plantea otro problema: responder de manera adecuada. Y es que, de una buena respuesta depende que él siga preguntándonos en el futuro, que su curiosidad siga alimentándose y que aprenda a razonar sus propias respuestas.
- Busque y dele respuestas sinceras, cortas y sencillas: con los niños no valen los discursos. Si no lo sabe, acéptelo con normalidad e incluso dígaselo, pero vaya con él a buscarla a una enciclopedia, a una biblioteca o consulten a alguien que pueda saberlo.
- Jamás deje una respuesta por responder. Si la pregunta es complicada, la mejor respuesta es explicarle las dificultades de responderla.

### ¡Cuidado!

*No confunda lo que es la memoria con la capacidad de acumular conocimientos. En muchas ocasiones, la mejor memoria resulta ser la que sabe dónde buscar los conocimientos que ha olvidado.*

# La educación sentimental del niño

*La educación de la dimensión afectiva del niño es de vital importancia para su vida como adulto. La familia sigue siendo el principal agente educativo, sobre todo durante los primeros años de vida, así que habrá que prestar especial atención no únicamente a lo que se le dice al niño, sino sobre todo al ejemplo que pueda ver en casa.*

## Los 5 objetivos de la educación sentimental del niño

1. Cubrir la necesidad que el niño tiene de encontrar un ***adulto*** (padre, madre, tutor, etcétera) que esté ***atento y receptivo a las emociones*** que transmite.

2. Cubrir la ***necesidad de afecto*** del niño: que sepa y sienta que lo quieren y que no está solo.

3. Cubrir las necesidades, tanto de ***recibir afecto*** como de ***darlo***, con naturalidad en la vida cotidiana en familia.

4. Aprender a descifrar los ***mensajes afectivos*** que se intercambian en su entorno.

5. Aprender a ***canalizar sus sentimientos y emociones***, relacionándolas con su capacidad de razonamiento y con su formación integral como persona.

## ¿Qué hacer cuando llora por todo?

- Para evitar que el lloriqueo y los "pucheros" se conviertan en un hábito, hay que actuar de inmediato.
- Lo más importante es detectar la causa, que puede ir desde la necesidad de más atención a los celos, la inseguridad o incluso la necesidad de más afecto por parte de los padres.
- Empiece respondiendo con prontitud cuando su hijo reclame su atención: que vea que con una llamada usted está ahí y no hay necesidad de lloriqueos.
- La mayoría de las veces la causa de los lloriqueos es el aburrimiento: todavía no tiene la capacidad de ocupar todo su tiempo. La solución es tan sencilla como tenerlo ocupado: nosotros sí que estamos capacitados para ofrecerle juegos, distracciones y entretenimientos.

- De todas formas, no deje que los pucheros sean la táctica habitual de su hijo para que esté todo el tiempo con él.

## ¿Qué hacer cuando no quiere separarse de sus padres?

- Es una **reacción normal** ante las personas extrañas, ya que el mundo del niño se desarrolla durante los primeros años en el pequeño círculo de su familia cercana.
- Deje que desde pequeño se vaya acostumbrando a **explorar y a descubrir su entorno**. Deje que gatee por el pasillo y llegue solo hasta el recibidor: será como una aventura y se acostumbrará a afrontar las novedades por sí mismo.
- Transmítale siempre la **seguridad** de que, aunque lo dejen solo o con otra persona, volverán por él. Es increíble la fuerza y la valentía que les da tener la total seguridad de que volverán.

Cuanto más seguro esté el niño, más tiempo podrá aguantar sin sus padres y más fácil será dejarlo con otras personas.

- Fomente el **contacto** con otros niños y con otras personas adultas: aprenderá mucho más y no quedará sujeto a la dependencia de sus padres.

- Haga de las despedidas un acto de **naturalidad**, sin darles demasiada importancia.

- Transmítale que **confía plenamente** en la persona con quien lo deja, con un abrazo o dos besos simplemente.

- Vuelva a la hora acordada: la seguridad y la confianza que el niño tiene quedará reforzada.

## ¿Qué hacer ante las rabietas y las pataletas?

- Ante todo conviene saber que las rabietas son normales entre el año y medio y los 3 años: simplemente el niño aún no domina totalmente sus emociones.

- Por lo tanto, no piense que el niño es malo, tiene mal genio o quiere fastidiarle: lo que el niño necesita es que le ayude a controlar su agitación.

- No deje que el niño llegue a estados de mucho cansancio o de sobreexcitación, ya que en esos momentos aun controla menos sus emociones.

- Como con el lloriqueo, el niño tiene que aprender que, con esa actitud, no obtendrá grandes resultados: ayúdele a reorientar sus intenciones para conseguir lo que quiera con buenos modales.

- No intente hacerle razonar en plena rabieta: en primer lugar intente calmarlo hablándole, como si fuera a conseguir lo que quería. Una vez calmado, no se lo conceda: convénzalo para que al día siguiente lo pida bien y entonces se lo concederá.

- Después de las pataletas, no las dé más importancia y no las mencione. Intente eliminarlas de raíz y para siempre. El niño ni siquiera debe recordar que ha tenido una rabieta: así, esa actitud desaparecerá de su entorno.

## ¿Qué hacer cuando tiene miedo?

- Es normal que los niños sientan miedo en algún momento de la infancia: la mayoría lo ha sentido alguna vez, especialmente ante la oscuridad. Estos miedos suelen aparecer entre los 2 y los 3 años de edad.

- Lo primero que hay que hacer es enfrentarse a ese miedo para irlo superando y ganando valor. Piense que un niño con miedos arraigados pueden ser un adulto exigente, exasperante o sin confianza en sí mismo.

- Jamás lo critique, lo ridiculice o le llame cobarde o miedoso.

- Nunca le empuje hacia ese miedo de forma violenta, ya que puede potenciarlo más.

- Debe identificar el miedo y enfrentarse a él poco a poco. Cójalo de la mano y acérquense juntos (al perro del vecino o a la zona oscura del pasillo), despacio y hablando. Si tiene miedo a un perro, explíquele las muestras de simpatía del perro, cómo mueve la cola o baja la cabeza.

- No deje que le dé un ataque de miedo: si nota que frena mucho, no le fuerce.

# Colaboración de los niños en las tareas domésticas

*Enseñar a un hijo o a una hija a colaborar en las tareas domésticas es uno de los ejercicios educativos más importantes que puede aportar la familia. De hecho, más allá del sentido práctico que supone su ayuda, estamos transmitiendo un sentido igualitario de las funciones de cada miembro de la familia, y también preparando a personas dispuestas a ser independientes de mayores.*

## ¿Por dónde empezar?

- Es conveniente empezar antes de que los *prejuicios sexistas* hagan pensar a su hijo que las tareas domésticas son propias de mujeres, y antes de que su hija las rechace porque sólo las hacen las mujeres de la casa.
- La aparición de esos modelos estereotipados no es una consecuencia de lo que ven en la televisión ni de lo que les explican en el colegio sus amigos: sin duda viene de lo que ven en casa, en sus padres, así que hay que empezar a *distribuir las tareas de manera equilibrada.*
- Empiece por tareas sencillas, como ayudar a emparejar los calcetines, a doblarlos y llevarlos a los cajones correspondientes.
- Intente que le ayuden en la cocina, siempre lejos del fuego. Empiece con tareas sencillas, como lavar las patatas peladas, luego enséñele a pelarlas, después a cortarlas, más tarde enséñele cómo se baten los huevos y finalmente cómo se hace una tortilla.

## La mejor estrategia para que colaboren

- A los niños les encanta aprender cosas nuevas, sobre todo si los resultados son visibles de inmediato. Enséñele a coser un botón, por ejemplo, y observe su reacción.
- Explíquele por qué está aprendiendo: "Para ayudar en casa, de la misma forma que papá y mamá ayudan trabajando y traen dinero a casa", llevándole al colegio, etc.
- También es importante explicarle que, de esta manera, de mayor él será autosuficiente, sabrá hacerlo todo y no tendrá que depender de nadie. Este argumento es muy útil para el niño, ya que cualquier cosa que confirme su personalidad y su autonomía le encanta. Ya verá como pronto exhibe con orgullo la cosa más insignificante que haya hecho.

## La colaboración de los hijos adolescentes

- La adolescencia, como etapa de transición, es un período en el que sus hijos pueden empezar a negarse a colaborar, a pesar de haber aprendido cómo se hacen las tareas básicas. En este momento aparecen los prejuicios sexistas, sobre todo en los chicos, ya que en su grupo de amigos siempre hay alguno que no ha recibido la misma educación. Si la base es sólida, no habrá muchos problemas, pero debe seguir firme en su convicción igualitaria y el padre debe dar más ejemplo que nunca.
- También es el momento de pasar de la colaboración a la responsabilidad en una tarea específica: pacte con su hijo la tarea que quiere asumir como

## Recuerde

*Cuidar a su hijo/a no es hacérselo todo. Si se pasa 25 años sin hacer nada, conseguirá que cuando se vaya de casa no sepa hacerlo o dependa de otra persona para que se lo haga. Si encuentra una pareja con ideas igualitarias, le tocará a ella educar a su hijo/a a marchas forzadas.*

aportación a la familia (quizá decida ocuparse del bricolaje, del jardín o del coche). No se preocupe si en el tipo de tareas parece que se eligen las más propias "de hombres": lo importante es que colabore como el resto de la familia.

## Colaborar todos a la vez

- Uno de los mejores trucos es realizar ***una tarea todos a la vez***. Un sábado de limpieza se moviliza toda la casa: primero se les enseña, luego cada uno hace su habitación y después cada uno hace a fondo su tarea asignada (baños, cocina, suelos, reparaciones...).

- ***Unos en casa y otros fuera*** es otro de los métodos para evitar amontonarse en casa: mientras unos hacen la limpieza, otros van a hacer la compra.

## De la colaboración a la afición

- Lo cierto es que muy pocas personas disfrutan haciendo el baño o desengrasando el extractor de la cocina. Sin embargo, hay otras tareas domésticas que, con el tiempo pueden convertirse en una bonita afición: enseñe a su hijo técnicas de bricolaje, a conocer los diferentes tipos de pescado en la pescadería y los distintos tipos de verduras en el mercado, enséñele el placer de la cocina creativa, el de la repostería elaborada en casa, etc. Lo que empieza siendo una ayuda puede acabar siendo una afición y una forma de deleitar a toda la familia.

## Premios a la colaboración

- Mientras los niños son pequeños, se puede premiar el sábado de limpieza con una buena comida y una tarde en el cine.

- Cuando son mayores, si cada uno de la familia ha descubierto una pequeña afición en casa todos saldrán ganando: su hija puede haberse especializado en cocina vegetariana, su hijo en tapas y aperitivos, el padre en paellas y la madre en repostería.

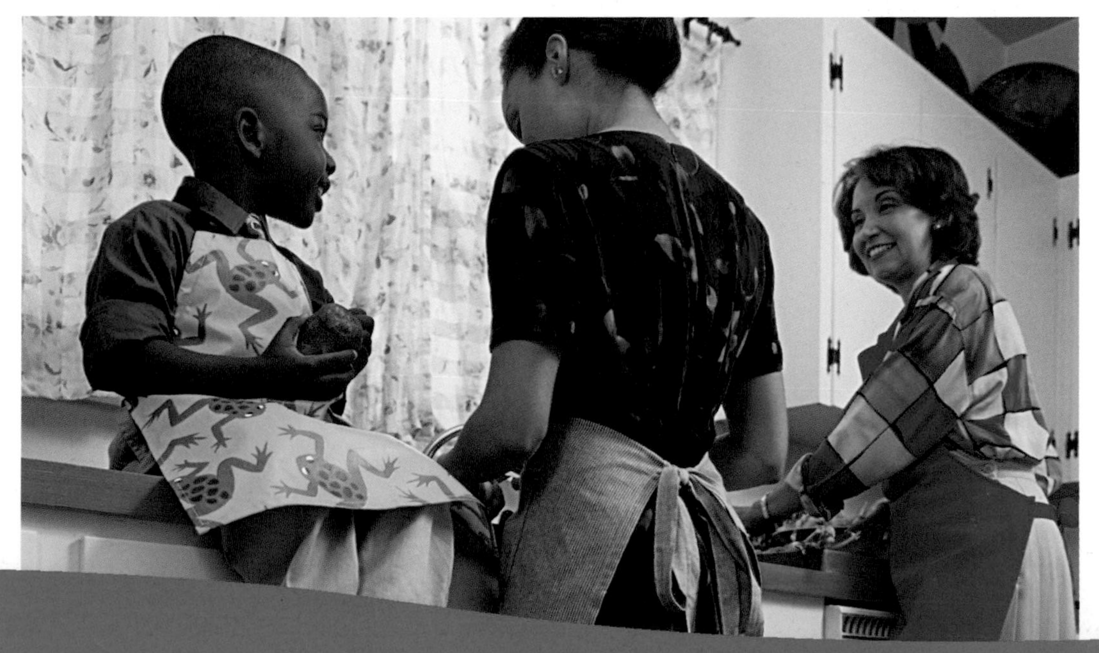

# Colaboración de la pareja en las tareas domésticas

*Las cuestiones de la pareja son tan especiales que oscilan entre la intimidad más personal y el más profundo de los enigmas. De todas formas, ya que esta parte trata de la organización de la vida familiar, es necesario un apartado dedicado a las cuestiones organizativas de la pareja, muy especialmente en torno a la colaboración en las tareas domésticas. Y ello porque todavía es la mujer la que sigue llevando el peso de las tareas domésticas, aunque muchos de estos consejos sirven para cualquier otra fórmula de convivencia (amigos que comparten un apartamento, estudiantes que comparten piso, etc.).*

## La división del trabajo

La cuestión de la división del trabajo constituye un principio fundamental para la optimización de los resultados económicos. Que esta división sea equilibrada también es fundamental para el buen desarrollo de la pareja o de la convivencia, porque ésta es la clave: ***la convivencia entre iguales***.

- Prepare un **listado** exhaustivo de las tareas domésticas que hay que hacer en su hogar y establezca un calendario: qué es necesario hacer cada día, qué es lo que hay que hacer un par de veces a la semana, qué es suficiente hacer una vez por semana, etc.

- Repartan las tareas tal y como les convenga, pero de forma **equitativa** con el compromiso de cumplirlas.
- Puede resultar una buena idea establecer por escrito un sistema de **penalizaciones** por incumplimiento, siempre con buenas dosis de humor pero con firmeza.
- **Intercambien** algunas tareas de vez en cuando para romper la monotonía.
- Repartan las tareas atendiendo a sus **capacidades**, pero no caigan en la tentación de dividirse las tareas según los estereotipos sexistas: la mujer siempre acaba haciendo toda la casa, y el hombre colgando los cuadros. Ya se pueden imaginar la diferencia entre colgar dos cuadros al año y llevar el día a día de la casa...
- Un sistema muy bueno es que hagan algunas cosas **juntos**, como por ejemplo la cena, recoger la mesa, etc.

## La ley del horario

- Al final del día, es normal que los dos miembros de la pareja estén cansados. Lo justo, por tanto, es que se repartan las tareas domésticas. Un buen sistema es organizarse según la disponibilidad horaria. Por ejemplo: puede hacer la compra quien tenga un horario más compatible con los horarios comerciales; en este caso, el otro miembro de la familia podría encargarse, el día anterior, de revisar la despensa y la nevera para averiguar qué falta y dejar preparada una lista de la compra.

## No se trata de ayudar

- No se trata de ayudar, sino de **colaborar**, que quiere decir trabajar juntos, responsabilizarse conjuntamente de las tareas de la casa, considerarlas un deber y una satisfacción compartida por igual.
- El error más común es **dejar la responsabilidad a la mujer** y que el hombre se limite a ayudar sólo de manera excepcional.

## Rumbo a la colaboración

- Es muy posible que, al principio, el hombre no haga las tareas del hogar correctamente por no haber tenido una educación adecuada de pequeño o de joven: no le reproche continuamente o dejará de hacerlas. Hay un único camino: tiene que enseñarle y él debe aprender a hacerlas bien.
- Si no lo hacen así, la mujer acabará cargando una vez más con todas las tareas domésticas: unas veces porque ella misma le dirá a la pareja que lo deje (que no lo hace bien), y otras veces porque la pareja se cansará de reproches y tendrá la excusa perfecta para no hacerlo.
- Otra de las circunstancias frecuentes, que ya se ha convertido en tópico, se da cuando el remedio es peor que el problema inicial. El ejemplo más habitual es el padre que decide cocinar y deja la cocina como un verdadero "campo de batalla". El truco es fácil: quien cocine, recoge la cocina... Es 100% efectivo.
- Hacer las cosas con desinterés o alegar que no se saben hacer no está permitido: todo se aprende.

## Cada uno se plancha lo suyo

- Una de las premisas fundamentales para la colaboración en las tareas domésticas es que el hombre tenga conciencia de lo que hay que hacer. Puede parecer una evidencia, pero no es así. Durante muchos años, los hombres se han encontrado la ropa lavada, planchada y colgada en el armario, y eso hace que se tenga poca conciencia del trabajo que hay detrás.
- Un primer paso consiste en que el hombre adquiera conciencia de que la ropa hay que lavarla, tenderla, plancharla, doblarla y guardarla, y que este proceso hay que hacerlo con cierta periodicidad. Una forma de empezar puede ser que, durante 2 ó 3 semanas, el hombre se planche sus camisas y pantalones, y compruebe así la inversión de tiempo y dedicación que requiere una sola fase del proceso. Luego se puede pasar a las lavadoras, al tendido, etc. Cuando haya completado todo el proceso por fases, pueden dividirse las tareas o buscar los sistemas de colaboración que más se adapten a sus necesidades.

### Ahorre tiempo

*Una solución fácil ante la dificultad de compartir las tareas domésticas es, sencillamente, eludirlas: contratando a una chica para la limpieza, comiendo fuera de casa o acostumbrándose a los alimentos precocinados. Son soluciones legítimas, pero vale la pena plantearse el incremento del gasto familiar que suponen y cómo puede afectar a la calidad de nuestra alimentación.*

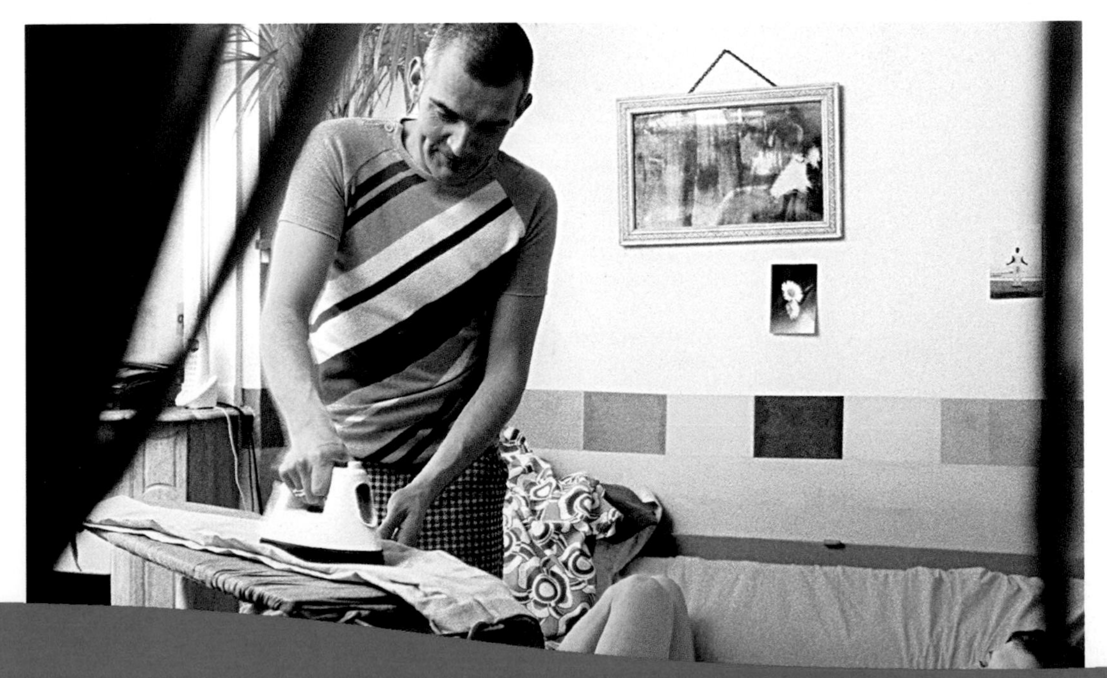

# Trabajar y estudiar en casa

*Tanto si tiene hijos en casa como si usted mismo está acabando de estudiar, es de vital importancia disponer de las condiciones mínimas para el estudio. Asimismo, cada vez son más las personas que trabajan en casa gracias al ordenador y al correo electrónico, así como las que después de su jornada laboral tienen una segunda ocupación que realizan en casa. En todos estos casos pueden ser de utilidad unos cuantos consejos prácticos.*

## El lugar de trabajo

- El primer requisito es disponer de un ***lugar de trabajo específico***, que le permita tener a mano todo lo que necesite para su actividad y le permita trabajar con comodidad.
- Tenga un escritorio en la habitación de sus hijos para que puedan estudiar. Haga que sea de uso exclusivo, que no lo utilicen como mesa de juego. Procure que lo mantengan limpio y ordenado.
- Si su actividad requiere un despacho, siempre que pueda dedíquele una habitación en exclusiva. Si no dispone de ella, puede ponerla en el salón, aunque sólo si no son muchos en la familia y hay poco movimiento.

No se recomienda situarlo en la habitación: mezclará las zonas de descanso y de placer con las de trabajo.

- Si realiza alguna actividad manual (como costura, diseño de joyas o alguna actividad artística), intente tener también una habitación específica, o de lo contrario tendrá que guardar todo el material cada vez.

Trabaje en una zona ventilada si utiliza pinturas, disolventes y otros productos químicos.

## El horario de trabajo

- Acostumbre a su hijo a que tenga un **horario establecido** para el estudio, por ejemplo de 7 a 8 de la tarde: si ha salido del colegio a las 5.30 habrá tenido un rato para jugar y, en cuanto acabe de estudiar, podrá cenar. Puede estudiar un rato el sábado por la mañana o por la tarde, pero en general es bueno concentrar la actividad entre semana y dejarle el fin de semana libre.
- Si usted trabaja exclusivamente en casa, debe organizar su tiempo para que no acabe trabajando pocas horas o, por el contrario, demasiadas. Una tentación es relajarse en los horarios, levantarse tarde o entretenerse frente al televisor, y la otra tentación es dedicarse desde las 7 de la mañana hasta las 12 de la noche, de manera que no sólo no ve a su familia, sino que la condiciona su ritmo de vida normal, ya que no pueden hacer ruido. Establezca un horario razonable, lo más cercano a un horario normal de oficina y cúmplalo. Haga horas extraordinarias sólo si existe una causa muy importante.

## Las interrupciones

Existen 3 tipos de interrupciones:

- Las interrupciones que hacemos ***nosotros mismos*** para descansar un rato, por ejemplo saliendo al balcón a relajar la vista.
- Las que ***nos hacen*** al entrar en nuestro despacho (por ejemplo, para ver cómo llevamos el trabajo).
- ***Las que hacemos nosotros*** al entrar en la habitación de nuestro hijo que estudia o en la habitación de nuestra pareja que trabaja.

Y éstas hay que afrontarlas de distinta manera:

- Las primeras son necesarias, las segundas requieren mesura por ambas partes, y las terceras deben evitarse.
- Descanse la vista por lo menos cada 90 minutos o 2 horas de trabajo. Cambie de postura si siempre se mantiene en la misma posición. Recuerde que el trabajo intelectual también consume energía: coma alguna cosa entre horas.
- Procure no entrar en la habitación de estudio o en la habitación de trabajo cuando su hijo o su pareja estén estudiando o trabajando. Si lo piensa, casi todo puede esperar. Si finalmente decidiese interrumpir, hágalo en el tono y al ritmo que intuye puede haber en el interior de esa habitación.
- Entre sólo en casos necesarios: el ritmo de trabajo es un factor muchas veces delicado, y puede ser difícil retomarlo de nuevo.
- La concentración también se pierde y luego cuesta centrarse con la misma intensidad.
- Por otra parte, si recibe estas interrupciones, no debe dejarse llevar por la tensión que puede estar pasando en su trabajo: un niño, por ejemplo, puede no entender todavía cuál es su trabajo e interrumpirle con cualquier excusa infantil.
- Coja a su hijo, enséñele qué trabajo está haciendo y la concentración que necesita. Nunca lo hacemos pensando que no lo entenderán: lo entienden.

## Trabajar y estudiar juntos

- Es una situación "límite", pero más frecuente de lo que pueda parecer. Por ejemplo: dos jóvenes que comparten piso y estudian la misma carrera, un matrimonio que lleva un negocio familiar y al llegar a casa repasan la contabilidad, los pedidos y otros detalles.
- Tanto en el primer caso como en el segundo, se recomienda buscar espacios de desconexión, actividades compartidas que no tengan que ver con el estudio o el trabajo, para que así la relación no quede reducida a un solo ámbito.
- También es necesario crear un área de trabajo; si no, se corre el riesgo de que la cocina, el salón e incluso el dormitorio queden "impregnados" de esa actividad compartida.

Recuerde que el trabajo ya absorbe, llevarlo a casa aún más, pero asimilarlo con la pareja es prácticamente abarcar toda nuestra vida. Busque alternativas

### Ahorre tiempo

*Una de las normas más útiles para organizarse el trabajo: no haga lo que es urgente (al final todo es urgente); haga sólo lo que es importante.*

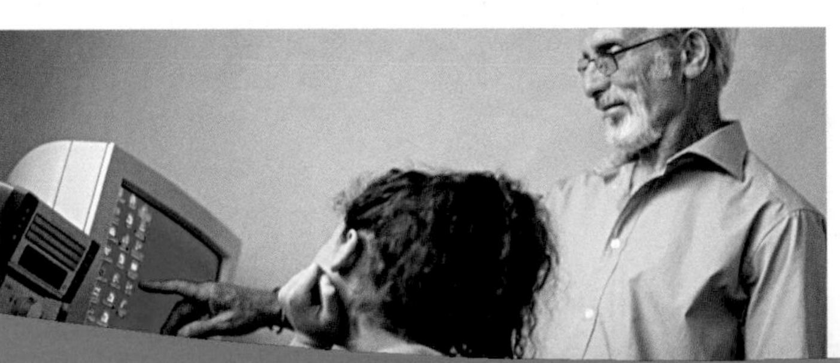

# El horario compartido

*Uno de los factores que mejor determina los lazos de unión de una familia es su capacidad de definir un tiempo compartido. Lógicamente, los horarios de trabajo, el escolar y los distintos horarios de ocio son circunstancias naturales y determinan el compartido, pero aun así la familia debe buscar como esencia básica de su existencia un horario compartido por todos sus miembros.*

## Empezar el día juntos

- Aunque, como siempre, existen excepciones, la inmensa mayoría de Los **horarios** laborales y escolares implican salir de casa entre las 7.30 y las 9 de la mañana, así que puede ser un buen momento para compartir el inicio del día.

- No apure hasta el último minuto para estar en la cama: organice el horario de la casa para **desayunar juntos**. Si no pueden hacerlo todos, por lo menos hágalo con el máximo de miembros de su familia.

## Compartir las comidas

- La **mesa** siempre ha sido el lugar de reunión por excelencia en la cultura mediterránea. Es posible que entre semana sus hijos coman en el colegio, y ustedes lo hagan junto a su lugar de trabajo. Considere la cena como su momento de reunión familiar, el momento en que se comenta cómo ha ido el día y las cosas en general.

- Haga lo posible para no llegar a casa tarde y así podrá cenar con sus hijos.

- Cenen pronto para tener un rato y ver la televisión juntos, jugar un rato o disfrutar de un momento con su pareja.

- Cenar pronto también le permite acostarse con la digestión ya hecha.

- Si los horarios de trabajo les permiten verse poco entre semana, tengan por norma que el sábado hay comida familiar. Implique a todos los miembros en los preparativos con el ánimo de repartir el peso de las tareas, pero también para que sea una reunión participativa y totalmente compartida. Una vez al mes, inviten a algún familiar más, a los abuelos o a unos tíos, a unos vecinos o a algún amigo de sus hijos. Si sus hijos ya tienen cierta edad, déjeles claro que el sábado por la noche y el domingo quedan totalmente libres de cumplir con cualquier compromiso familiar: de esta manera, aceptarán mejor la reunión del sábado.

### Recuerde

*No considere la comida del sábado como una obligación más, sino más bien al contrario, como un momento que todos esperan y desean. Haga las comidas que más les gusten a sus hijos, dejen que traigan a sus primeras novias o a sus amigos, y déjeles marchar a la hora del café sin ningún reproche ni pregunta... Incluso si quieren saltársela durante una temporada, déjelos: si las reuniones mantienen un clima favorable, pronto volverán.*

## Los fines de semana

- Una vez más, las dificultades para compartir el fin de semana surgen cuando los hijos ya son adolescentes o jóvenes y quieren (o, mejor, necesitan) ir por su cuenta. Intente salir a sitios donde tengan amigos, o llévense con ustedes a algún amigo/a para que tenga con quién compartir sus momentos.
- Realicen actividades que sean del agrado de sus hijos y los tendrán más tiempo con ustedes. Vayan a ver unas carreras de motos o un partido de fútbol, o realicen actividades: excursiones a pie, salidas en bicicleta de montaña, etc.
- Fomenten las actividades deportivas de sus hijos por las mañanas: durante un tiempo, quizá evitará que sus hijos salgan de noche y pasen todo el fin de semana con el horario invertido.
- A pesar de todo, déjeles su espacio de libertad: el mejor tiempo es el que se comparte voluntariamente.

## Las vacaciones

- Las vacaciones en pareja son una maravilla que sólo se descubre en toda su intensidad cuando se tienen hijos.
- Las vacaciones con los hijos también son maravillosas, pero diferentes. Dependerán de usted sólo mientras sean pequeños y le necesiten, después empezarán a hacer sus planes antes de lo que se imagina: aproveche para redescubrir las vacaciones con su pareja. Cuantas más actividades hagan juntos, más posibilidades hay de que sus hijos se apunten a alguna. A ningún joven le gusta quedarse en casa jugando a las cartas toda la tarde, y tampoco es el mejor plan para una pareja.
- Ir cada verano durante unos días al mismo sitio es una práctica muy común en nuestro país y con muy buenos resultados: su hijo tendrá amigos, conocerá el lugar y tendrá una serie de actividades al alcance de la mano que le gustan desde hace años.
- Combine este modelo de vacaciones con un viaje o unos días en otro sitio: es bueno para todos conocer nuevos lugares y otras formas de vida.

## Aceptar la separación

- No es ningún secreto que todas las personas, en general, necesitamos espacios y momentos para nuestra propia intimidad y para el desarrollo individual de nuestra personalidad. Ocurre en la pareja, y ocurre sobre todo en la adolescencia y en la primera juventud. Acepte con naturalidad y sin complejos ni tabúes cualquiera de estas situaciones, y deje espacio libre para su pareja, para sus hijos y para usted mismo. La mejor actitud que puede adoptar con sus hijos es permitir que se desarrollen ellos mismos como personas autónomas dejándoles siempre "la puerta abierta".

### Frase célebre

*Dedica tiempo a tu hijo, y de mayor sabrá qué es dedicarle tiempo a un padre.*

# La familia frente al televisor

*La televisión es uno de los inventos más adorados y más vilipendiados de nuestra época. Casi todo el mundo la critica, pero casi todo el mundo la ve. Una de las críticas más feroces viene precisamente de la familia, ya que la televisión introduce en nuestras casas lo que no quisiéramos que vieran nuestros hijos: sexo, violencia, palabras malsonantes, etc. Estos son algunos trucos para hacer de la televisión una "aliada".*

## ¿Vemos todos la televisión?

- Los estudios especializados sobre audiencias demuestran que no son tantas las personas que ven la televisión. Cuando su hijo quiera ver una serie que a usted no le gusta, no se deje impresionar si le dice que todos los niños de su clase la ven.
- Tampoco se crea que todos los adultos ven tanto la televisión: los estudios de audiencia están pagados por las mismas cadenas para valorarse ante las agencias publicitarias, así que las cifras suelen establecerse al alza. Además, los sistemas de control de audiencia son de un rigor científico más que dudoso.
- Tampoco se deje intimidar si las encuestas dicen que vemos la televisión una media de 3 o 4 horas diarias: casi siempre se contabilizan las horas que la televisión está encendida y, por tanto, no se considera si el telespectador se ha ido al baño o a la cocina, si está leyendo el periódico o una revista, o si se ha quedado dormido en el sofá.
- Menos aún se deje impresionar por las grandes estadísticas: se calcula que al final de la vida, una persona pasa casi 10 años frente al televisor. Si le sirve de consuelo, unos 25 los pasamos durmiendo...

## ¿Tan malo es ver la televisión?

- Las encuestas se diseñan para obtener datos escandalosos, sobre todo para saber cuánto tiempo desperdiciamos delante del televisor, cuántos impactos publicitarios y cuánta mala influencia recibimos.
- La televisión puede ser buena, pero, al igual que otras actividades, como comer, beber o hacer ejercicio, requiere capacidad de selección, sentido crítico y mesura.
- Asociar el ver la televisión con perder el tiempo y dejarse influir por todo lo que se ve es olvidar que, muchas veces, se está ante la televisión sin prestarle demasiada atención, así que difícilmente podrá influirnos tanto, y también significa olvidar también que todos tenemos capacidad crítica.

## Reflexiones antes de ver la televisión

Algunas familias se han planteado seriamente el tema del uso de la televisión: el ejemplo más conocido es el de las familias que no encienden el televisor a la hora de la cena. De esta forma, evitan que el televisor absorba toda su atención y les impida disfrutar de un buen momento de reunión. Éstas son algunas invitaciones para reflexionar sobre el uso del televisor en casa:

➤ El primer paso es plantearse si les gusta el uso que hacen del televisor en casa, o si consideran que hay algunos aspectos que podrían mejorarse: las horas que le dedican, en qué momentos, qué tipos de programas, etc.

➤ Plantéese si no están atrapados en la rutina de encenderla. Éste es uno de los motivos más habituales: la pura costumbre.

➤ Piense en lo que podrían hacer en lugar de ver la televisión y valore qué es mejor. Haga ***una lista*** de cosas que podrían hacer y ordénenlas por prioridades:

1 Intente explicar por qué las prioridades no coinciden con la dedicación real que presta a cada una.

2 Plantéese si la televisión le ayuda a llenar espacios en los que no hay conversación, o si la atención al televisor es la que evita mantener una conversación.

3 Haga un listado de los programas que más ven y coméntenlo abiertamente.

4 Haga lo mismo con los programas que no ven y comenten por qué no los ven.

5 Hágase otro planteamiento con los programas que ven sus hijos.

6 Plantéese si es necesario reducir el tiempo que dedican al televisor, o variar el tipo de programas que ven. Intenten comer o cenar sin el televisor, o incluso pasar una semana sin él. Apunten los cambios que notan, si recuperan espacios para la lectura, el juego o la conversación, e incluso si duermen mejor.

## Cómo actuar ante las escenas comprometidas

➤ La situación más frecuente es aquella en la que estamos viendo la tele con nuestro hijo y aparece la típica escena que, según nuestra escala de valores, no es adecuada por su contenido sexual, violento o cualquier otro. Si el niño está distraído, basta con apresurarse a cambiar el canal sin llamar su atención, pero si ha empezado a ver la escena es mejor cambiarla con algún comentario explicativo que justifique el cambio. Dependiendo de la intensidad de la escena, intente explicarle al niño por qué no hay que verlo. Lo mejor es tratarlo como a un adulto: no es tanto que él sea pequeño como que la escena resulta desagradable para cualquier persona.

➤ Vea la tele con sus hijos a los horarios adecuados y evitará escenas inapropiadas.

➤ No crea que los dibujos animados son siempre educativos: últimamente algunos de ellos están siendo muy criticados porque son muy violentos.

➤ Cuando crea que su hijo ya tiene una escala de valores y una sensibilidad formada, deje que sea él quien tome la iniciativa de cambiar de canal, apagar la tele o encenderla.

➤ Las opiniones también tienen su escala de valores: si aparece una opinión totalmente parcial, explíquele cuál puede ser el otro punto de vista. Si lo hace unas cuantas veces, él mismo se acostumbrará a mantener una actitud crítica ante cualquier opinión.

### Recuerde

*La poca calidad de la programación, la violencia, las horas delante de la televisión..., todas esas amenazas no son sólo un problema para nuestros hijos, sino también para los adultos. Los medios de comunicación mueven grandes intereses y, por tanto, intervienen con estrategias mucho más sutiles de las que imaginamos. El adulto, precisamente, es el público objetivo de la mayoría de los mensajes publicitarios, y también de las opiniones presentadas en forma de noticia.*

# Hoy es domingo

*Los dos apartados anteriores, el horario compartido y la familia frente al televisor, encuentran su punto de unión cuando llega el domingo. Para unos es el día familiar por excelencia, para otros es el único día festivo y, por tanto, hay que salir de casa como sea, aunque se pase la mitad del domingo en un atasco en plena carretera, y para un último grupo es el día de no hacer absolutamente nada, de dormir hasta las tantas, echarse en el sofá y agarrarse al mando a distancia del televisor. Éstos son algunos consejos para plantear otro tipo de domingo.*

## ¿Dormir o madrugar?

- Madrugar cada día y trabajar toda la semana puede hacer que el domingo sea nuestro "día de sueño". Aproveche para dormir un par de horas más, pero no caiga en la tentación de dormir hasta el mediodía: cuando se dé cuenta, ya será otra vez lunes.
- Por norma general, plantéese el domingo como su día de libertad: haga lo que más le gusta.
- Madrugue: verá empezar el día y podrá disfrutar de todos los proyectos que tenga por delante sin ninguna prisa.
- Aproveche para darse una ducha tranquila, disfrutando del agua, o un buen baño relajante, con sales minerales o espuma.
- Prepare un buen desayuno que sea diferente al de todos los días y disfrútelo: levántese antes que su familia, vaya a comprar bollería o pan recién hecho, y despiértelos cuando ya lo tenga todo a punto.

## Preparar el domingo

- No espere que llegue el domingo para plantearse qué pueden hacer o acabarán todos en el cine viendo cualquier película.
- Comparta el proyecto con la familia: preparen las cosas que necesiten la tarde y la noche del sábado. Váyanse a dormir pronto para poder levantarse temprano.
- Póngase en marcha a primera hora: evitarán el sol de la mañana y los atascos de tráfico. También llegarán pronto a su destino para aprovechar allí la mañana. Es un poco absurdo pasar un buen rato en el coche para llegar al sitio a la hora de comer, y volver a media tarde porque ya oscurece. Vaya a sitios cercanos si sólo disponen de un día: no pasen el domingo en carretera.
- Si se queda en casa, no se acostumbre a pasar el día tumbado sin hacer nada: la pereza es uno de los vicios más fáciles de adquirir.
- Pinte, cuide sus plantas, bañe a su perro, haga deporte..., lo que sea, pero haga algo. Acostumbre a su hijos con su ejemplo.

## Encadenar domingos

- El truco es muy sencillo: se trata de **programar una actividad que ocupe varios domingos consecutivos**, de manera que al final se consigue la meta deseada.
- Lo mejor es programarse 3 domingos al mes y dejar 1 libre por si se tiene un compromiso, surge un imprevisto o, sencillamente, se quiere descansar.

- Un ejemplo es preparar 3 excursiones encadenadas, realizadas en tres tramos correspondientes a tres domingos, de manera que al final del mes habremos conseguido recorrer todo un parque nacional, una ruta histórica u otro itinerario completo. La idea puede ampliarse a toda una estación que permita salidas continuas por el buen tiempo, o a todo el año si la actividad lo permite: la base es conseguir

una gran meta paso a paso. Al final del año resulta muy gratificante ver los resultados.

- Haga un álbum de fotos y recuerdos a medida que lo vayan realizando: será un buen recuerdo y una prueba entrañable de un proyecto hecho realidad.
- Elija un proyecto que entusiasme a toda la familia.

## Trabajar no es pecado

- Aunque parezca increíble, el domingo es un día excelente para estudiar y trabajar. No se trata de estudiar o trabajar con la obligación del resto de los días. El enfoque es diferente: dedíquese a ese tema que realmente le interesa, sin obligaciones, solamente por interés personal.
- Tenga una actividad sólo para los domingos, pero que al final del año pueda sumarse y ser un trabajo. Recopile algún coleccionable, o dedíquese a alguna manualidad que le llame la atención. Emplee los domingos a montar maquetas de su avión preferido, de sus locomotoras favoritas, enmarque sus mejores obras de punto de cruz, decore una mesa, etc.

**Recuerde**

*Los domingos suele haber mercadillos especiales en muchas poblaciones. Estacionalmente, también hay exposiciones sobre deportes de aventura, alimentación ecológica, turismo rural, etc. Infórmese.*

## Otras opciones

- Si, definitivamente, los domingos se aburre, no lo dude, póngase en contacto con alguna de las muchas organizaciones de voluntariado y ayude a personas que lo necesitan: hay personas mayores que agradecen que alguien les vaya a leer, organizaciones que necesitan personal para ayuda humanitaria, etc.

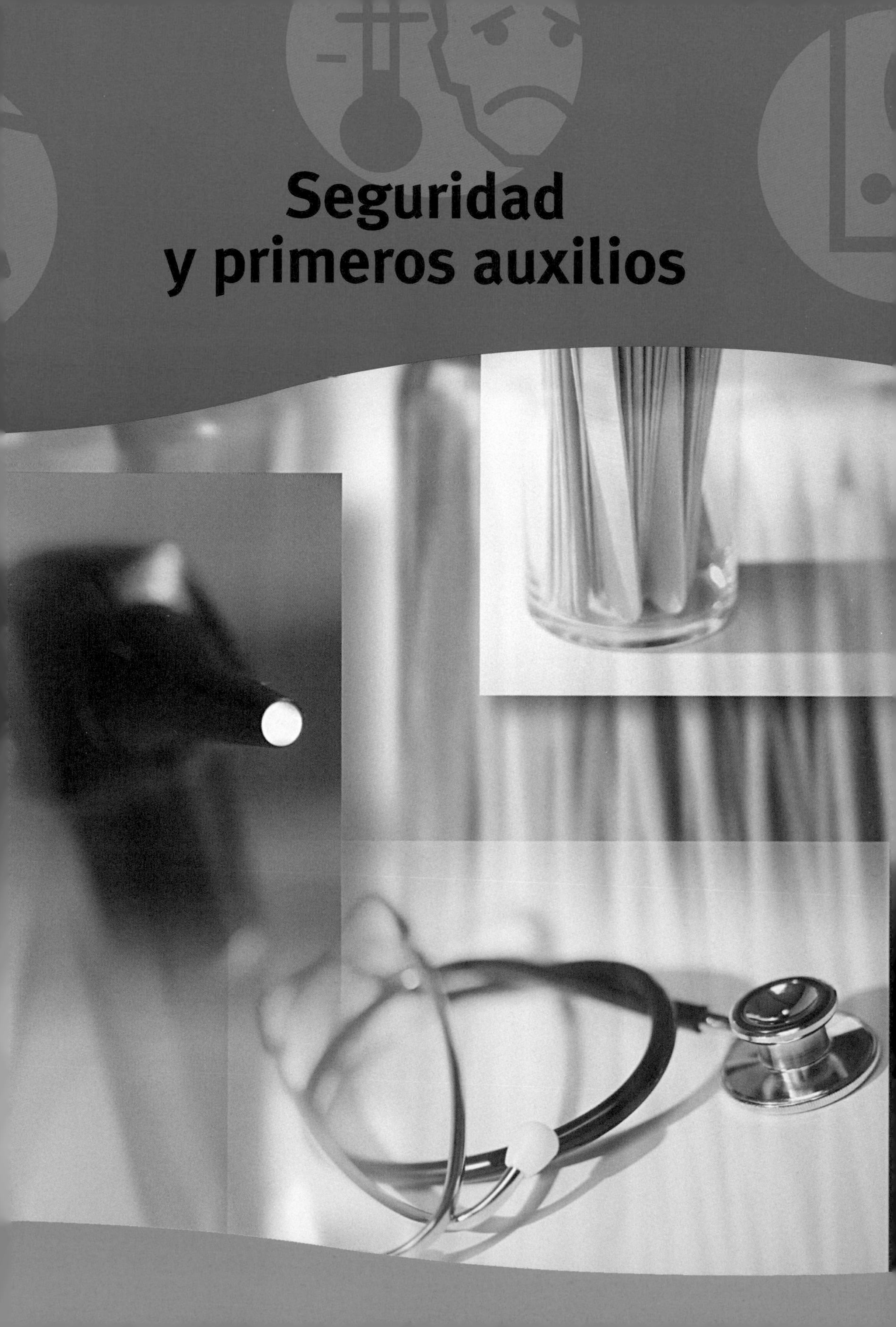

# Seguridad y primeros auxilios

# Visitas en casa

*Las normas de la buena educación determinan que siempre hay que evitar presentarse en casa de los demás sin avisar. Parece que la buena educación no quiere sorpresas, y es lógico, primero porque el momento de la visita nunca debe resultar inoportuno y, segundo, porque para atender bien a una visita siempre son necesarios los preparativos correspondientes, aunque sea una visita de confianza.*
*De todas formas, las visitas con aviso pueden resultar igualmente inesperadas si ese aviso llega con poco margen. En este caso, serán muy útiles algunos trucos y recursos sencillos para tenerlo todo a punto en poco tiempo. Finalmente, están las visitas programadas con tiempo: los familiares que anuncian que el domingo vendrán a ver cómo ha quedado el piso, esos conocidos que hemos invitado a tomar el café, la vecina que nos comunicó que pasaría a hablarnos de la comunidad de propietarios, etc.*

## Visitas con poco margen de tiempo

- Tenga siempre algún ***aperitivo*** en la despensa o en la nevera. Las **conservas en lata** suelen tener una fecha de caducidad lejana, así que son extremadamente útiles: aceitunas rellenas, almejas, berberechos, etc. Tenga también algunas galletas saladas y otros **aperitivos envasados al vacío**: cerrados se conservan mucho tiempo y le pueden sacar de un apuro.
- Tenga siempre algunas ***bebidas frescas***, y sobre todo ***té y café*** para preparar al momento.
- Tenga siempre llenas las ***cubiteras de hielo*** del congelador y, en caso de visita, podrá disponer de cubitos inmediatamente. A medida que los utilice, rellene la cubitera por si necesitase más.
- Si dispone de espacio, puede tener preparada una ***bandeja básica para visitas***, con unos posavasos, un portaservilletas para las servilletas de papel, un palillero, un juego de café, algunos vasos y las bandejitas para los aperitivos. Así lo tendrá todo a mano cuando lo necesite. No la deje mucho tiempo sin guardar o cogerá polvo.
- Tenga algunos ***bombones u otro detalle similar***: a pesar del poco tiempo de que ha dispuesto, parecerá que ha preparado la visita hasta el último detalle.

## Visitas anunciadas con tiempo

Si la visita le ha sido confirmada con tiempo, tiene la posibilidad de ocuparse de los preparativos tranquilamente:

- ***Adapte la sala de estar al número de invitados***, trayendo una butaca del recibidor o de la habitación, girando los sillones encarados a la televisión para que queden orientados hacia el sofá, junto con otras medidas necesarias para hacer la reunión más acogedora.
- Tenga un jarrón con algunas ***flores frescas***: dan vida y alegran la sala, además de dejarla suavemente perfumada.
- Si conoce los gustos de sus invitados, prepare algún detalle que les pueda ***agradar especialmente***: el cóctel que ellos suelen tomar, la repostería que les gusta, su marca preferida de vino, etcétera. Otra posibilidad consiste en sorprenderles con alguna especialidad propia, alguna novedad que hayan conocido en su último viaje, etc.

## Ideas originales para una reunión especial

### Degustación de cafés

Prepare una degustación de cafés para conocer las diferentes variedades, o para que cada invitado pueda elegir el tipo de café que más le guste. Hoy en día ya existen numerosas tiendas especializadas donde le asesorarán sobre sus cualidades y su forma de preparación. Adquiera cafés de diferentes orígenes: Colombia, Brasil, Costa de Marfil, Kenia, etc. Con 3 ó 4 variedades será suficiente. Pida en la misma tienda algún catálogo informativo sobre las variedades para que sus invitados puedan consultarlo si tienen curiosidad. Si le interesa mucho el tema, en las mejores librerías se encuentran libros especializados a precios asequibles.

### Degustación de chocolates

Es perfectamente compatible con la degustación de cafés. Para empezar, recomendamos 4 tipos de chocolate básicos: el chocolate amargo, el chocolate con leche, el chocolate blanco y el chocolate relleno. Vaya a cualquier pastelería y déjese aconsejar. Intente variar también el origen de los chocolates: españoles, franceses, belgas, ingleses, etc. En este caso, también es fácil encontrar libros especializados.

### Degustación de vinos

Es otra posible idea que hoy en día puede llevarse a cabo con un presupuesto moderado y unos niveles de calidad muy altos. El secreto es sencillo: en nuestro país tenemos vinos de excelente calidad, ganadores de prestigiosos premios internacionales en catas, y que se mantienen a unos precios muy asequibles, a menudo cinco o seis veces menos que el de los vinos franceses, por ejemplo. Vaya a una tienda especializada y déjese asesorar con toda confianza. Descubra los matices que diferencian un blanco de Rueda, del Penedés o un buen vino turbio, o cómo son diferentes los tintos de Rioja, de Ribera del Duero y del Priorato. Hay cientos de libros y manuales prácticos al respecto.

### Degustación de quesos

Se compenetra con la degustación de vinos y es igualmente amplia y variada. Cabrales, picón, manchego y otros tantos permiten un buen recorrido por la geografía española. Combínelos con algún queso francés, suizo, italiano o portugués. También existen tiendas y publicaciones especializadas.

### Ahorre tiempo

*Si no tiene las bebidas frías, especialmente el vino o el cava, existe un truco que enfría las bebidas más rápido que el congelador: ponga la botella en una cubitera llena de agua fría y cubitos de hielo y vierta 2 ó 3 cucharadas soperas de sal. Si tiene varias botellas, déjelas de la misma forma en un barreño de plástico.*

# Cenas y comidas en casa

*Uno de los momentos más agradables de la vida es una comida o una cena en casa con buenos amigos o en una reunión familiar. De todas formas, para poder disfrutar de esa ocasión hay que organizarse bien. De nada sirve estar todo el rato en la cocina y sirviendo platos: debemos coordinarnos para disfrutar de la reunión en la mesa casi igual que todos los demás.*

## Consejos prácticos para tener todo a punto

- Prepare por la mañana el **plato principal**: los estofados, los guisos y otros platos mejoran al reposar unas cuantas horas y únicamente hay que calentarlos. Si se trata de una paella, tenga el caldo de pescado, el sofrito, los mariscos y el resto de los ingredientes a punto: cuando lleguen los invitados sólo hay que poner el arroz y dejarlo quince minutos.
- Tenga preparado un **aperitivo fácil**, con galletas saladas, latas de conservas y embutidos, que no se estropean y entretienen a los comensales.
- Prepare un **primer plato** sencillo y ligero, que ya esté prácticamente hecho (tabla de ahumados, tabla de quesos, ensalada variada...) o aproveche el rato del aperitivo para calentar o acabar de hacer la pasta, la sopa, etc.
- Puede tener el **postre** preparado de antemano: macedonia, helado, tarta, y compleméntelo con un frutero bien surtido de frutas.
- Tenga el **vino tinto** abierto 10 ó 15 minutos antes de que lleguen sus invitados: el vino habrá tenido tiempo de "respirar" y estará en su punto óptimo de consumo.
- Tenga los **blancos**, los **rosados** y los **cavas** enfriándose desde el día anterior en la nevera. Evite el congelador de última hora. Si no se han enfriado lo suficiente, métalos en la cubitera con agua fría, abundante hielo y bastante sal.
- Tenga la **mesa puesta**, pero sin servir el pan ni los aperitivos: debe tenerlos preparados en una mesa paralela en la cocina. Utilice un carrito auxiliar, si fuera necesario, para llevarlo de una o dos veces a la mesa.
- Tenga un **aperitivo ligero** en una mesita del salón, por si antes de sentarse en la mesa hubiera algún invitado con hambre. En esa misma mesa puede dejar una bandeja con una cubitera, un juego de vasos, algunos refrescos, un abridor y otra cubitera con una botella de cava junto a unas copas. Deje que se sirvan ellos mismos informalmente: tómese la primera copa de cava para empezar la reunión con buen pie.

### Recuerde

*Haga memoria de lo que comieron la última vez que se reunieron, no vaya a ser que, por casualidad, les cocine lo mismo que ellos les prepararon cuando ustedes fueron a su casa. Intente evitar también repetir platos que ya hizo.*

## ¿Cómo dar algo de ambiente?

Imprima su propia personalidad a la comida o a la cena:

- Tenga **flores** frescas o flores secas en el recibidor o en el salón.
- Prepare una cena a la luz de las **velas**.
- Ponga **música** de fondo adecuada a la reunión.
- Prepare una **cena temática**: céntrese en la gastronomía que conoció en su último viaje o consulte algún recetario de cocina regional.
- Prepare platos no muy extravagantes, pero que puedan **sorprender** a sus invitados.
- Ponga algún **detalle agradable**, por ejemplo unas flores sobre la mesa: es una forma de decirles a sus invitados que la reunión es importante.

## ¿Cómo sentar a los invitados?

- Según las normas de etiqueta, el anfitrión se sienta en un extremo de la mesa y la anfitriona en el otro. Opcionalmente, la anfitriona puede sentarse al lado de su pareja en reuniones más informales.
- El invitado de honor se sienta a la derecha de la anfitriona y la invitada de honor a la derecha del anfitrión.
- En principio, las parejas no deben estar juntas, aunque normalmente es la posición que prefieren los invitados.
- Si se da el caso de que no hay parejas establecidas entre sus invitados, siéntelos pensando en sus afinidades y en la posibilidad de entablar conversación.
- Si cree que dos personas pueden tener mucho en común, no piense siempre en sentarlas una al lado de la otra: la conversación puede ser más fluida con la persona que tiene enfrente, y la mirada es más cómoda.
- Otra norma básica es la movilidad: los anfitriones deben sentarse cerca de la cocina para poder ir y venir con comodidad y sin molestar a sus comensales.

# Fiestas en casa

*Es una de las grandes tentaciones a las que nos lleva el entusiasmo, pero suelen ser complicadas de preparar y algo desastrosas para la integridad de nuestra casa. Normalmente, un hogar está previsto para pocas personas y para unos usos muy concretos, pero las fiestas desbordan cualquier mesura. El número de invitados, la alegría de la reunión y alguna que otra copa pueden acabar en un pequeño desmadre, lo cual es perfecto para la fiesta pero peligroso para la casa: debe preocuparse en la misma medida por garantizar la diversión que de cuidar su hogar.*

## 10 trucos para preparar una fiesta

Una fiesta es una reunión muy diferente de una comida o una cena, así que debe plantearse de forma muy distinta:

- 1 Arrincone la **mesa del comedor** para ganar espacio y tenga preparado un sencillo aperitivo. Asegúrese de que todo lo que hay para comer se puede coger con una mano: es curioso, pero en la otra siempre se tiene una copa.
- 2 Ponga **ceniceros** por todos los rincones de la casa: en una fiesta es muy difícil "mantener a raya" a los fumadores.
- 3 Quite todas las **alfombras** del salón y cubra con una funda las tapicerías más delicadas.
- 4 Ponga **mesitas auxiliares** con algún aperitivo y bebidas en diferentes puntos de la sala para que no se junten los invitados en un solo punto.
- 5 Tenga preparadas con antelación **cintas grabadas** con estilos de música similares; a medida que la noche vaya avanzando, se pasarán a la música más discotequera y como las horas pasan rápidamente, lo mejor es que tenga un par de cintas enteras.
- 6 Intente avisar a sus **vecinos** para que no les coja la fiesta por sorpresa.
- 7 Piense qué beben sus invitados y compre **bebida** en abundancia: suele tener éxito un gran recipiente con alguna bebida de bienvenida, cava con naranjada, sangría o algo más sofisticado.
- 8 Compre abundantes bolsas de **hielo**: la bebida y el hielo son los dos elementos que nunca se pueden acabar.
- 9 Equilibre las **invitaciones** para que nadie se quede desplazado y, cuando lleguen, asegúrese de que todos son presentados entre sí.
- 10 Pida a sus **mejores amigos** que sean los primeros en llegar. Le pueden ayudar con los últimos preparativos y retoques, pero, sobre todo, darán la sensación de que la fiesta está animada cuando llegue el resto.

## El truco de los 4 ambientes

Una buena fórmula para optimizar el espacio de la casa donde va a celebrar la fiesta es definir 4 ambientes diferentes en la misma sala. Imagine que la fiesta ya ha empezado y hágase un esquema, de manera que la casa quede dividida en estos cuatro ambientes:

- Un grupo de invitados, los de mayor apetito, se disponen de pie junto a la **mesa** donde ha puesto el aperitivo.
- Los más tranquilos se instalan en los **sofás**, donde hemos dispuesto varios sillones y cojines en un amplio círculo, con una suave iluminación.
- Un tercer ambiente, junto al **equipo de música**, con 2 ó 3 sillas o taburetes para comentar qué música se va poniendo.
- Deje un amplio espacio sin ocupar entre estos tres ambientes que servirá de **pista de baile** por si alguien se anima.

Asegúrese de que cada uno de estos ambientes tiene cerca una cubitera, ceniceros, algo de picar y unas servilletas.

## El truco de las 3 salas

- Concentre la fiesta en el **salón**, formando los cuatro ambientes que se han comentado, pero tenga alguna **sala opcional** donde se pueda estar más tranquilo.
- Tenga el salón abierto a la **terraza** o al **balcón** para ganar espacio, facilitar la ventilación de la fiesta y crear un espacio más tranquilo para conversar o tomar el aire. Ponga unas sillas y unas mesitas en la terraza para los más fumadores y para los más calurosos. Ver la fiesta desde fuera durante un rato también sirve para recargar fuerzas e incorporarse de nuevo. Además, si hay luna llena, incluso aportará un toque de romanticismo a la fiesta.
- Haga de la **cocina** una sala incluida en la fiesta: sin duda, en el salón es donde se concentrará el grueso de la fiesta, con la música y el mejor ambiente, pero en la cocina, con la música lejana, se crean las mejores conversaciones.

En numerosas ocasiones, es justamente en esta parte de la casa donde se acaban improvisando pequeñas reuniones al ir a buscar hielo o a rellenar las copas, así que es mejor tenerla preparada como un ambiente más de la fiesta. Tenga una mesita con aperitivos y unas sillas o taburetes a punto para que quede claro que es parte de la fiesta.

- No olvide cerrar bien todas las habitaciones, y procure que nadie entre en la suya, en la de sus hijos o en la de invitados.

# Trucos para entretener a los niños

*Los niños no siempre tienen la capacidad de entretenerse todo el tiempo. Esta situación puede provocar aburrimiento, y también molestias y nervios si tenemos visita en casa o tenemos algo que hacer, como atender una llamada telefónica, redactar una carta o seguir un documental de televisión. Éstos son algunos pequeños trucos para entretener a los niños en casa.*

## Construir una ciudad

Mover un coche por el suelo es una actividad con ciertas limitaciones. Al cabo de un rato, el niño se aburre o acaba tirándolo para ver cómo choca y para darle un poco más de emoción al asunto. De una u otra forma nos va a molestar, así que un buen truco consiste en recurrir a la construcción. La idea es sencilla: que tarde un buen rato en montar el escenario de juego. Guarde cajas de cartón para que las decore y forme los edificios, utilizando cinta adhesiva para trazar las calles y para ir diferenciando las zonas industriales de las urbanas. Resulta muy constructivo, pero lo mejor es el tiempo que invierte: un niño puede llegar a pasar 2 ó 3 horas montándolo y en realidad juega con los coches muy poco tiempo. Enséñele también a recogerlo y a mantenerlo todo bien ordenado.

## El juego de las máscaras

De todos es sabido que a los niños les encanta disfrazarse; por tanto, puede ser una estupenda idea el poner un espejo en su habitación y dejarles unos platos de plástico, unos rotuladores y algunas telas para hacerse pelucas y bigotes. Muéstreles cómo se hacen los agujeros en los platos de plástico para que parezcan los ojos y la boca, y enséñeles a poner una goma elástica para sujetar la careta. Vaya mejorando la calidad de las máscaras conforme avance su edad. También puede dejarles ropa vieja que ya no utilice.

## El campamento en casa

Cubra una mesa con una sábana grande y haga una especie de tienda de campaña para sus hijos. Ponga alguna colchoneta y un perro de peluche. Ellos mismos se inventarán una historia y pasarán un rato divertido. Intente simular al máximo la estancia en un campamento: tendrán que aguantar hasta el día siguiente con el agua de sus cantimploras, deberán aprender canciones para dormirse, dibujar un mapa de la habitación, etcétera.

## El vídeo personal

Nada entretiene más a un niño que verse a él mismo. Grábele bailando, jugando a la pelota o en cualquier otra actividad. Vaya a una tienda especializada y pida que le monten en una sola cinta todos los momentos en los que ha grabado a su hijo, en las vacaciones, el día de su cumpleaños, etc. El niño

estará totalmente pendiente de verse en la cinta.

## Cartas a los abuelos

Anime a sus hijos a escribir cartas a familiares y amigos. Sus abuelos estarán encantados de recibir cartas de sus nietos. Incluya en el círculo a las personas que se encuentren más próximas a ellos: primos, tíos, amigos del colegio o del verano... Acostumbre a sus hijos a mirar el buzón y a contestar a todas las cartas. Empiece con felicitaciones navideñas para iniciar el proceso. Si no escriben mucho, enséñeles a decorar las cartas con dibujos, pegatinas, recortes de revistas, fotos, etc.

## La fiesta de los artistas

Es frecuente que a los niños les guste pintar y colorear cuadernos de dibujo. Unas veces lo hacen con sumo cuidado, pero otras acaban pintando la mesa, la pared y su propia camiseta. Si la afición es así de intensa, lo mejor será montarles una fiesta de artistas en la bañera. Deje que su hijo pinte en la bañera libremente con pintura soluble en agua. Luego verá cómo se limpia todo rápidamente. Como medida de precaución, ponga una alfombra antideslizante para evitar resbalones.

## Ayudar en las tareas domésticas

Muchas veces necesitamos que estén ocupados mientras cosemos, cocinamos o hacemos la limpieza de la casa. Casi nunca se nos ocurre pensar que ayudarnos será como un juego para ellos. Con el tiempo, además, se acostumbrarán a colaborar en las tareas domésticas, de modo que es una actividad muy instructiva. Empecemos dándoles el plumero para aquellas zonas de la casa donde no haya objetos delicados. Otra posibilidad es que aprovechen que nosotros hacemos una tarea de la casa para que ellos limpien alguna de sus cosas. Una idea puede ser que, mientras nosotros cocinamos, ellos laven alguno de sus juguetes, por ejemplo una muñeca en el fregadero de la cocina. Otra tarea en la que colaboran fácilmente es en doblar la ropa, especialmente los calcetines, y llevarlos a sus cajones correspondientes.

## Preparar una fiesta

Lo mejor es hacerles partícipes de los preparativos: puede preparar unas tarjetas de bienvenida o algo similar. Cuando lleguen los invitados, deje que los reciban y los obsequien con las tarjetas. También deje que le ayuden en tareas fáciles, como amasar la pasta de las galletas o llevar algunas bandejas a la mesa.

## Durante la fiesta

- Coloque una mesa para todos los niños de la fiesta y haga que el mayor de ellos se responsabilice del grupo: es más efectivo que estar todo el rato encima de ellos.
- Si se diese el caso de que sólo hubiera un niño, el suyo, téngalo en la mesa con los adultos y trátelo como a uno más: es una buena oportunidad para avanzar en su proceso de socialización.
- Si no participa de la conversación, debe dirigirse a él de vez en cuando para que se sienta integrado.
- Si se aburre en la sobremesa de una comida, puede dejar que juegue o ponerle una película de vídeo.
- Recuerde que siempre es mejor opción que esté en la misma sala que ustedes y sus invitados, que mandarlo solo a su habitación.
- Si ya fuera mayor y quisiera irse a su habitación, deje que se vaya con total confianza, pero avísele si con los invitados se iniciase alguna actividad que sí pudiera interesarle.

# Las visitas y la educación de los niños

*En la primera parte hemos dedicado un buen número de páginas a la educación de los niños: desde la alimentación del bebé y los primeros pasos hasta el aprendizaje cognitivo, la educación sentimental y la colaboración en las tareas domésticas, todos ellos como aspectos centrales para el desarrollo de nuestros hijos y de nuestra familia. En esta segunda parte, estamos introduciendo nuevos elementos dentro de esta armonía familiar, entre ellos las visitas de amigos, vecinos y familiares, completándose con unos cuantos trucos para mantener a los niños entretenidos. Lo que intentaremos hacer ahora será todo lo contrario: vamos a considerar las visitas de estos mismos amigos, vecinos y familiares como una buena oportunidad para profundizar en el desarrollo de las habilidades sociales de nuestros hijos.*

## Bases de la conducta social

Las bases de la conducta social son tres:

- La base cognitiva: la capacidad de percibir, discernir y desarrollar las estrategias lógicas para un adecuado desarrollo de la situación social: saber en qué situación social se está y qué pautas de conducta se corresponden.
- La base afectiva: la capacidad de afrontar la situación con los sentimientos y las actitudes propias de ella, respondiendo de manera equilibrada en el plano afectivo y emocional.
- La base conductual: la capacidad de expresarse y comportarse de manera adecuada, que es lo que finalmente permite una buena relación social, mutuamente efectiva y satisfactoria.

**Habilidades básicas:** asegúrese de que el niño aprende a temprana edad las capacidades básicas de sonreír, saludar, presentarse, dar las gracias, escuchar, preguntar, responder correctamente, etc.

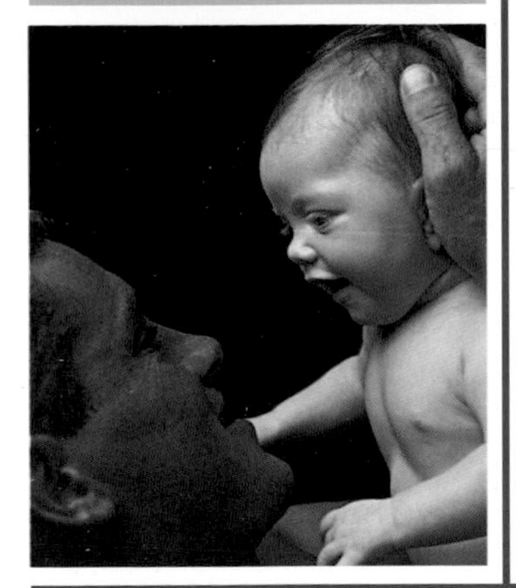

**Enseñar a dialogar:** lo primero es que aprenda a escuchar, y que cuando él hable se le escuche. Enséñele a prestar atención a lo que se le dice, a saber guardar el turno de palabra, a seguir el hilo de la conversación con coherencia, a plantearse las preguntas correspondientes, a razonar las respuestas, etc.

**Educación afectiva:** eduque el equilibrio emocional del niño para que pueda afrontar las relaciones sociales. El primer paso es saber expresar los sentimientos propios; el segundo, comprender los sentimientos de los demás. Debe saber expresar sus emociones y, al mismo tiempo, respetar las de los demás, pero también saber cuándo deben controlarse los sentimientos propios y los ajenos.

**Refuerzo social:** enseñe al niño a dar y recibir cumplidos, que acepte equilibradamente sus reconocimientos sociales, y también que sepa dedicar elogios a quien considere que lo merece, aunque sea con detalles tan sencillos como decirle a un amigo que le gusta jugar con él.

**Educar la autonomía social:** transmitir las pautas básicas de aseo personal, de conducta en la mesa y las normas sociales en el vestir facilitarán la autoafirmación y las primeras fases de integración social.

**El juego como ensayo:** aproveche las horas de juego para ir educando la capacidad de relación social. Enséñele a participar en un juego colectivo, a que sepa pedir y dejar un juguete, y también a que sepa aceptar un juego nuevo o proponga otro al que quiere jugar.

| OBJETIVOS EDUCATIVOS | ¿QUÉ HACER EN LAS REUNIONES DE ADULTOS? |
|---|---|
| ✓ Desarrollar una fuerte vinculación respecto al grupo familiar | Dejar que el niño participe activamente en la reunión, de acuerdo con su edad, o al menos dejar que esté presente y pueda escuchar y observar, lo justo para que pueda desarrollar un buen sentimiento de pertenencia a la familia. |
| ✓ Aprender las pautas básicas de comportamiento y ponerlas en práctica | El niño debe conocer a priori cuáles son las pautas básicas de comportamiento social y aprovechar estas visitas para ponerlas en práctica. |
| ✓ Consolidar un sistema coherente de normas convencionales y una escala de valores personales y familiares | El niño debe ver que las pautas de conducta y educación social que se le han explicado se llevan efectivamente a la práctica en las reuniones de adultos, pudiendo ver y aprender los gestos de cortesía y las demostraciones de respeto, afecto, amistad, confianza, etc. |
| ✓ Consolidar modelos de referencia en el círculo de relaciones próximo | Dejar que el niño tenga diferentes modelos de referencia entre los adultos, sus hermanos mayores, sus familiares, amigos de los padres, etc., para que así pueda contrastar e ir abriendo sus modelos de referencia y sus capacidades de aprendizaje, admiración, etc. |

# Los abuelos vienen a vivir a casa

*En todas las familias se dan a veces circunstancias por las que es preciso hacerse cargo de algún familiar, aunque sea temporalmente. El fallecimiento de una persona mayor, por ejemplo, afecta muy intensamente a la afectividad de su pareja, que se encuentra sola después de cuarenta o cincuenta años de convivencia. Al factor edad, en estos casos, se suele sumar un desánimo psicológico que hace que la persona no pueda vivir sola: entonces contrata a alguien, se va a una residencia de ancianos, o bien decide irse a casa de algún hijo u otro familiar.*

## Tomar la decisión

- Muchas veces el cariño que sentimos por nuestros padres y el sentido de la responsabilidad son los principales motivos que nos llevan a acogerlos en nuestra casa.
- En otras ocasiones la decisión es obligada: no hay posibilidades económicas de contratar a una persona o de llevarla a una residencia, así que la única posibilidad es que se venga a casa.
- También puede suceder que, aun disponiendo de los medios, las circunstancias dificulten otra solución, sobre todo si se trata de enfermos terminales, personas a las que la gran mayoría de residencias no aceptan.

## Una decisión consensuada

- La decisión de incorporar una persona mayor a nuestro núcleo familiar es delicada: si es posible, coméntenlo durante el tiempo que sea necesario para ir sopesando las diferentes posibilidades y los recursos disponibles.
- Piense que recibir al abuelo o a la abuela es una novedad, pero recibirlos a los dos es un gran cambio para una familia.
- Tenga también en cuenta la opinión de sus hijos, no sólo para saber lo que piensan, sino para que se sientan consultados y partícipes.

## Los abuelos en casa

- Si le resulta posible, asigne una habitación única para la persona mayor: habilite en ella un espacio no sólo para dormir, sino también para que pueda desarrollar su afición preferida. Evite que comparta habitación con los niños.
- Acondicione la casa desde el principio para que todos se sientan a gusto. Infórmenle de los horarios laborales y escolares para organizarse bien los turnos del baño o las horas de las comidas.
- Habilite también un espacio en el salón para él, puesto que

normalmente los espacios ya están distribuidos entre los miembros de la familia.

- Procure que, desde el principio, sus padres/suegros se adapten lo máximo posible al ritmo y a la normativa habitual de la familia: muchas veces siguen acostumbrados a sus ritmos y rutinas, y todos deben adaptarse a la nueva situación.

- Convengan una serie de funciones en las que la persona mayor pueda colaborar sin problemas: ir a comprar el pan, llevar los niños al colegio, traer el periódico, cocinar, limpiar o lo que ellos puedan hacer o más les guste.

## Fomentar su vida social

- Procure que la persona mayor no se quede en casa, por su propio bien y por el del resto de la familia. Infórmele sobre las posibilidades que tiene cerca: algún club de jubilados, bibliotecas y salas de lectura, alguna asociación de barrio o algo similar.

### Recuerde

*Tener a los abuelos cerca puede ser una experiencia educativa muy gratificante para sus hijos: la edad y la experiencia, en muchas ocasiones, dan la serenidad para hablar al niño de forma calmada y certera. Además, el cariño que suele despertar un nieto es especialmente entrañable.*

- Anímele a que aproveche las ventajas de los viajes para jubilados: conocerá gente de su edad, hará amigos, podrá, quizá, rehacer su vida de pareja y se mantendrá vivo.

- Recuerde que las personas mayores sufren igual o más que usted si sienten que son un peso o están molestando.

## La posibilidad de encontrar una pareja

- Los sistemas de pensiones, la prolongación de la esperanza de vida y la tendencia a la prejubilación, han provocado que tengamos una tercera edad que, con todas las posibles excepciones, disfruta de una calidad de vida más o menos aceptable: los viajes, los bailes, los grupos de amistad y otras reuniones posibilitan, además, el que puedan conocer a otras personas de su edad y rehacer su vida con una nueva pareja. Por ello, alégrese y ayúdeles a formar un nuevo hogar si así lo desean. También es una buena ocasión para explicárselo a sus hijos.

# Cómo garantizar la intimidad

*El diccionario dice que la intimidad es la zona espiritual íntima de una persona o un grupo, y afirma que es especialmente destacada en el ámbito de la familia. Añadiremos que lo es en un doble sentido: primero tenemos la intimidad familiar, la que la familia ha construido y siente como suya al margen de los demás; y segundo, la intimidad personal que cada uno tiene dentro del ámbito de la familia que convive. La primera ya la hemos tratado: se ha hecho referencia a las visitas, cenas o fiestas que hacíamos en casa, o a los familiares que acudían a vernos, y la segunda se ha esbozado cuando los abuelos venían a vivir a casa. Ahora consideramos algunos consejos prácticos para mantener la intimidad de la pareja y de los hijos en el día a día.*

## La intimidad en la habitación de matrimonio

- Es el espacio de mayor intimidad en una casa: debe preservarse con respeto y comprensión.
- Es el **ámbito de la pareja**: deje que sus hijos entren mientras son muy pequeños, pero acostúmbrelos pronto a que sea otro el lugar de encuentro y reunión.
- No cierre la puerta durante el día, pero tampoco la deje totalmente abierta. No debe parecer que hay secretos, pero tampoco una invitación a la entrada.

## La intimidad en el resto de las habitaciones

- No utilice puertas de cristal en ninguna de las habitaciones de la casa.
- Deje la puerta de la habitación de sus hijos entornada cuando son pequeños, por si llorasen o les llamasen, pero en cuanto ellos mismos quieran tenerla cerrada no les ponga ningún inconveniente. De hecho, es la prueba de que se hacen mayores y necesitan su propia privacidad.
- No permita tener pestillos ni cierres con llave en ninguna habitación de la casa.
- Acostumbre a los miembros de la familia a llamar a la puerta antes de entrar en una habitación con la puerta cerrada. Por norma, debe esperar a que le den permiso para entrar.
- Mantenga esta norma como un signo de respeto hacia los

mayores, pero también como un signo de respeto hacia sus hijos.

- Recuerde a sus hijos que cerrar la habitación no es sinónimo de aislamiento total: la música y otros ruidos no pueden molestar ni al resto de la casa ni a los vecinos. Tenga claro el ciclo horario de una familia normal para no molestar: la música puede estar más fuerte a media tarde que a las 11 de la noche.

## La intimidad y las ventanas

- La intimidad no es únicamente una cuestión de puertas: acondicione las ventanas con las **cortinas**, **visillos y persianas** adecuadas para garantizar así su intimidad.
- Recuerde que de noche, cuando fuera está a oscuras y usted tiene la luz encendida, la visibilidad es buena desde el exterior y hay que correr las cortinas.
- No se fíe demasiado de las distancias que pueda haber al edificio de enfrente.
- Recuerde que si tiene las ventanas abiertas se pueden oír sus conversaciones.

## La intimidad y el teléfono

- En muchas ocasiones necesitamos tener conversaciones íntimas, y el teléfono de la casa se encuentra en el salón, donde toda la familia escucha lo que decimos.
- La mejor solución es un segundo teléfono en la cocina: un espacio compartido que puede servir para aislarse por un momento.
- Puede tener un tercer teléfono en la habitación de matrimonio. No lo tenga como segundo teléfono de la casa: es mejor guardar la intimidad de su habitación de matrimonio. Baje el volumen para que no le sobresalte al sonar, o téngalo desconectado y conéctelo sólo para llamar.
- No ponga teléfonos en las habitaciones de sus hijos: no podrá controlar el tiempo que hablan por teléfono y la factura puede subir más de lo previsto.
- Una buena solución es un **teléfono inalámbrico**: se puede controlar mejor el tiempo de uso y permite desplazarse en un momento dado para mantener una conversación personal.
- Controle el uso de los **móviles**, sobre todo si hay varios en la familia, no sólo por el gasto que ocasionan, sino también para que no suenen teléfonos continuamente.

## La intimidad y los vecinos

- Hay tres tipos de vecinos: a los que nunca se les oye, a los que se les oye todo el día y los que lo oyen todo. Siempre será mucho más conveniente y positivo ser de los primeros, y huir de los segundos y de los terceros.
- Por norma general, **modere el volumen** de la televisión, de la música y de sus conversaciones, sobre todo a partir de las 10 de la noche y a primera hora de la mañana.
- Al poco tiempo de estar en una casa ya se perciben sus características de aislamiento acústico, así que uno ya puede medir qué se oye y qué no se oye.
- Recuerde que el sonido viaja en todas las direcciones: es muy probable que lo que pueda oír de sus vecinos sea lo mismo que ellos puedan oír de usted.

# Cómo suprimir las preocupaciones

*El fallecimiento de los abuelos, las dificultades económicas, el estrés del trabajo, los roces de la convivencia y otros factores han hecho que vivamos en una época muy marcada por la ansiedad y las preocupaciones. Uno de los valores más importantes que podemos encontrar en el seno de la familia es, precisamente, la entereza para afrontarlas, el equilibrio para luchar contra las dificultades y el saber aceptar los momentos duros de la vida. Éstos son algunos trucos para que pueda sobrellevar mejor sus preocupaciones.*

## ¿Hay motivos para preocuparse?

- La mayoría de las veces nos preocupamos por cosas que no debieran ser motivo de preocupación, por cosas que no es seguro que vayan a ocurrir: luego comprobamos que no ocurren, pero ya hemos estado sufriendo unos cuantos días.

- Preocúpese en la medida de la gravedad de lo que pueda ocurrir: que la preocupación sea proporcionada a lo que tememos (muchas veces la preocupación es excesiva).

- **No se preocupe: ocúpese.** En lugar de sufrir y sufrir, póngase manos a la obra para encontrar una solución y evitar el peligro que le acecha. Muchas veces la preocupación paraliza, y lo que requiere un problema es la acción adecuada para solucionarlo.

## Pensar lo peor...

- ✔ Piense en lo que le preocupa.
- ✔ Piense en sus consecuencias.
- ✔ Piense qué ha hecho hasta el momento.
- ✔ Piense qué puede hacer ahora.

- ✔ Piense cuándo va a empezar a actuar.
- ✔ Empiece ya.
- ✔ Acepte lo inevitable lo antes posible: no podrá hacer nada.

## Vivir el presente

- Hay tres tipos de personas, y pocas saben tener un poco de cada una: las que viven en el pasado, las que viven en el presente y las que viven en el futuro: las primeras son nostálgicas, las segundas vividoras y las terceras son las que más se preocupan.

- No sufra tanto por el futuro: viva más al día y mejorará su calidad de vida.

## Frase célebre

*Un problema no es problema si tiene solución.*

➤ Recuerde que ayudar a los demás nos facilita no pensar tanto en nosotros mismos.

## La lectura como apoyo

A muchas personas les van muy bien los libros de autoayuda. Desde tiempos remotos se han escrito tratados sobre la felicidad, manuales para disfrutar de la vida y consejos para valorar las cosas más pequeñas de la vida cotidiana.

## La sonrisa de despedida

➤ Si sigue todos estos consejos, verá cómo las preocupaciones van desapareciendo.

➤ Apunte los casos que ha ido superando: pasados unos meses dará un repaso a sus notas y se le escapará una sonrisa.

➤ Verá que la mayoría de las preocupaciones, una vez pasadas, muestran su verdadera insignificancia.

## Mire por su salud

➤ La preocupación provoca trastornos digestivos, enfermedades coronarias, estrés, una expresión tensa y muchas más consecuencias negativas para su salud.

➤ Respirar hondo durante unos minutos antes de acostarse ayuda a relajarse y a dormir mejor. Compruébelo.

## Compare preocupaciones

➤ Escuche las preocupaciones de los demás: le ayudarán a relativizar las suyas.

➤ Explíquele de la manera más clara posible sus preocupaciones a su pareja, a algún amigo o familiar que goce de toda su confianza: verbalizarlas obliga a concretarlas y a definirlas bien, y muy a menudo ese ejercicio nos hace ver que no son preocupaciones tan claras o tan relevantes.

➤ No piense en pequeño, en su mundo limitado del día a día: hable con otras personas y compruebe cómo pasaron situaciones similares y las superaron.

# Prevención de accidentes domésticos

*Los accidentes domésticos son mucho más frecuentes de lo que pudiéramos pensar. Los niños y las personas mayores son muy propensos a tenerlos, los unos por su inagotable curiosidad y las otras porque ya no ven demasiado bien o han perdido agilidad. Sin embargo, los accidentes domésticos en personas adultas y en plenas facultades resultan también muy comunes, unas veces por realizar tareas de bricolaje sin tomar las medidas oportunas, otras veces por despistes en la cocina, y otras por verdaderas imprudencias.*

## Cómo evitar incendios

- Procure no tener cerca llamas ni calefacciones si está utilizando materiales inflamables, como gasolina para limpiar alguna pieza.
- Si tiene que hacer una soldadura, separe bien cualquier cuerpo que arda fácilmente: cortinas, alfombras, etc.
- Apague bien la chimenea cuando se va a dormir: bajo las cenizas quedan todavía brasas que pueden saltar si hubiera un fuerte viento que entrase por el tiro de la chimenea.
- No deje sartenes al fuego si suena el teléfono o llaman a la puerta.

- No deje la plancha encendida si va a hacer otra cosa.
- No fume en la cama: es fácil quedarse dormido.
- Tenga localizada la llave para cortar la luz en caso de cortocircuito.
- Tenga un extintor en casa.
- Tenga una manta antiincendios en la cocina.
- Instale un detector de humos.

### ¡Cuidado!

*Lo primero que se nos ocurre para apagar un fuego es utilizar agua: recuerde que el agua aviva las llamas cuando lo que arde es aceite, y recuerde también que, si el incendio está causado por la electricidad, con agua puede darle una descarga eléctrica.*

## Cómo evitar accidentes eléctricos

- Desenchufe cualquier aparato eléctrico antes de tocarlo.
- No lo desenchufe nunca con las manos mojadas o húmedas.
- Corte la luz general antes de manipular algún enchufe.
- Cambie de inmediato enchufes y cables ante la más mínima señal de deterioro, o bien contacte con su electricista.
- No sobrecargue las líneas enchufando varios aparatos o aparatos muy potentes en el mismo sitio.
- Si va a estar varios días fuera, lo mejor es cortar la luz.

## Cómo evitar accidentes en el baño

- Tenga alfombras antideslizantes en la ducha y en la bañera.
- No ponga aparatos eléctricos en el borde de la bañera mientras se baña: un aparato de música, por ejemplo, podría resbalar, caer al agua y electrocutarle.
- No enchufe aparatos eléctricos estando mojado, con las manos húmedas o con el ambiente muy cargado de vapor.
- Tenga el botiquín en algún altillo para que los niños no puedan acceder a él. No lo ponga sobre el inodoro porque podrían subirse fácilmente y alcanzarlo. Téngalo cerrado con llave si fuera necesario.

## Cómo evitar accidentes en la cocina

- Ponga un suelo que no sea resbaladizo: la grasa normal de cocinar diariamente lo hará aún más resbaladizo. Tampoco lo abrillante.
- Elija un modelo de horno con puerta aislante: los convencionales se calientan muchísimo.
- No deje sartenes con aceite al fuego si se va de la cocina: el aceite es la causa principal de accidentes en la cocina, ya que con una cierta temperatura arde espontáneamente. El primer aviso es que sale bastante humo.
- Si tiene un juego de cuchillos de cocina especiales, por ejemplo para cortar carne o embutidos, manténgalo bien guardado en fundas o posacuchillos especiales.
- Instale 4 ó 5 enchufes en la cocina para no sobrecargar la instalación eléctrica. Piense que la nevera, el lavavajillas o el microondas no se suelen enchufar y desenchufar, de manera que ya tiene tres enchufes ocupados.
- No deje recipientes con líquidos hirviendo en el borde de la encimera, ya que se pueden caer con un golpe y quemarle.
- Utilice los fogones más cercanos a la pared para hervir agua, hacer caldo o freír alguna cosa con mucho aceite, y así, si les diera un golpe, es más difícil que le caigan encima.

## Cómo evitar los resbalones

- No deje cables atravesando una habitación y evitará peligrosos tropezones.
- No deje que las alfombras viejas tengan las puntas dobladas hacia arriba o acabará tropezando.
- Asegure las alfombras más pequeñas colocando parches antideslizantes en la parte inferior.
- No coloque alfombras al final de una escalera: la fuerza con la que se baja y el ángulo de pisada las hacen más resbaladizas.
- No deje juguetes sueltos por cualquier sitio de la casa, especialmente juguetes con ruedas o pequeñas canicas.

# Otras medidas de seguridad

*Si es importante prevenir los accidentes domésticos, también conviene tomar medidas de seguridad tanto ante los posibles robos como ante la entrada de delincuentes en nuestro domicilio. Para evitar estas visitas desagradables, presentamos algunos trucos y normas básicas para garantizar la seguridad de su hogar y de su familia.*

## Nos roban el bolso

- Mucha atención si le roban el bolso: en un primer momento, únicamente se piensa en el dinero, en las tarjetas de crédito y en los trámites que supone perder su documentación, pero hay algo que podría conllevar consecuencias peores: probablemente ahora hayan conseguido la dirección de su domicilio y las llaves de su casa.
- Llame a casa por si hubiera alguien de su familia: que cierre las puertas con todos los cierres y pestillos.
- Dígale que ponga la copia de su llave en la cerradura por dentro: en muchas ocasiones se podrá impedir que entre la llave desde fuera.
- Llame inmediatamente a la policía local, informe sobre lo sucedido y pida que vigilen su casa hasta que usted pueda volver a ella.
- Si no aparecen las llaves inmediatamente, por lo general en las inmediaciones del robo, no lo dude: llame a un cerrajero de urgencias y que acuda a cambiarle la cerradura. Dormirá más tranquilo.
- No se alarme en exceso ni pierda los estribos: suele ocurrir pocas veces, ya que la mayoría de estos delincuentes buscan siempre dinero en efectivo. Es, sobre todo, prevención.

## Nos vamos de vacaciones

- Las vacaciones son la temporada que aprovechan con más intensidad los ladrones para desvalijar pisos donde casi no quedan vecinos.
- Ponga un sistema de alarma en su casa: no es muy caro y sí muy disuasorio.
- Asegúrese de no dejarse abierta ninguna puerta, en el garaje o en el sótano, ni ninguna ventana, por pequeña que sea, en el baño o en la parte trasera de la casa.
- Cierre la puerta de la casa con dos vueltas.
- Ponga los cierres de seguridad de las persianas, si los hay. En caso contrario, instálelos.
- Tome las máximas precauciones si hay un andamio en el edificio. En verano se suelen reparar las fachadas y, de noche, los andamios son una escalera perfecta para acceder a los pisos superiores. Además, los toldos que ponen para que no se vea la fachada durante las obras impiden que los ladrones sean observados.

- Si en alguna ventana no tiene persiana, aunque haya una reja de hierro, no deje objetos de valor a la vista: podría incitar a entrar y los ladrones buscarían otra entrada.
- Avise a los vecinos con los que tenga más confianza de los días que se va para que estén atentos a cualquier ruido o movimiento sospechoso.

## Alguien llama a la puerta

- Como norma general, no abra la puerta a desconocidos. Enseñe a sus hijos a no abrir la puerta a nadie.
- No se fíe de quienes se presentan en casa con uniformes de la compañía del gas o la compañía telefónica: es un viejo truco, pero aún funciona. Llame a la compañía inmediatamente para avisarles.
- Entre todos los vecinos, mantengan la puerta del portal cerrada y no abran a nadie que no conozcan: ante la frase "publicidad, ábrame por favor" se está facilitando la entrada a cualquiera. También evitará que le inunden los buzones.

## Las llamadas telefónicas

- No facilite datos personales, ni responda a preguntas sobre sus ingresos o hábitos diarios a nadie que llame por teléfono.
- No se fíe de las identificaciones que le den: por teléfono es facilísimo decir que se llama de Hacienda, de Correos, de una empresa de encuestas o de estudios de mercado.

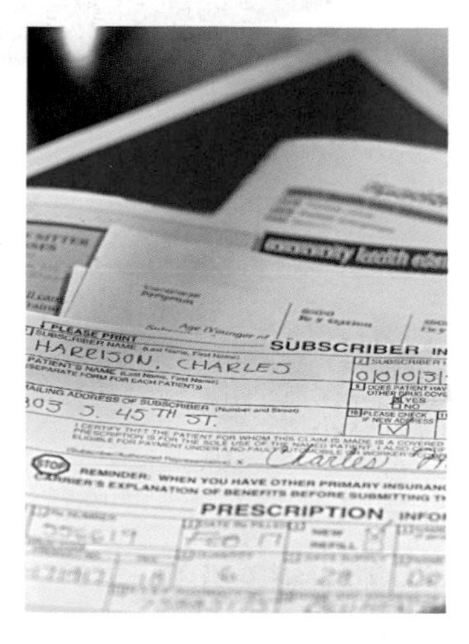


- Enseñe a sus hijos a no contestar a ninguna de estas preguntas.

## El gancho de los grandes regalos

- Tampoco se deje impresionar a la primera si le llaman por sorteos o regalos: ya se han dado casos en los que se utiliza este truco para obtener información.
- Solicite la confirmación por correo certificado: si le piden la dirección es que no saben ni a dónde llaman. No se la facilite bajo ningún concepto.

## Los seguros del hogar

Existen en el mercado diferentes tipos de seguros para el hogar, algunos de ellos muy económicos, que pueden suavizar las consecuencias de un robo o de algún accidente casero. Vale la pena estar bien asesorado por un experto en el tema sobre las diferentes modalidades, y contratar un seguro a su medida. Lea bien la letra pequeña y asegúrese de qué le cubre antes de contratarlo.

# El botiquín en casa

*El botiquín es un pequeño maletín o un pequeño armario donde se guardan algunos medicamentos básicos y el equipo necesario para los primeros auxilios. Si utiliza un maletín, puede guardarlo en el estante superior de un armario, a mano (pero lejos del alcance de los niños), y si lo tiene en un pequeño armarito lo normal es que esté en el baño, a cierta altura e incluso cerrado con llave, dejando ésta siempre a mano pero no a la vista: el mejor sitio es encima del propio botiquín.*

## Cómo debe ser el botiquín

- Lo mejor es un botiquín de los que pueden adquirirse en tiendas especializadas y grandes almacenes: son limpios, se cierran herméticamente y aíslan lo suficiente de la humedad.
- Si utiliza una caja de zapatos o algo parecido, no lo guarde en el baño, ya que la humedad estropeará el contenido.

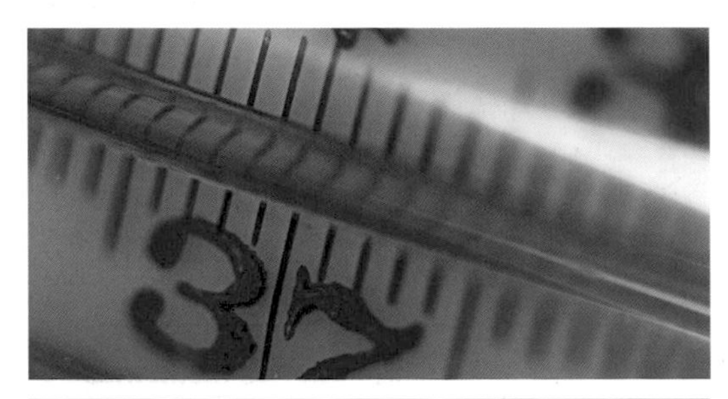

### Botiquín de primeros auxilios

- Tiritas de diferentes tamaños y formas
- Vendas
- Gasas
- Puntos para las heridas
- Pinzas
- Tijeras pequeñas
- Pomada antiséptica
- Agua oxigenada y alcohol
- Algodón
- Imperdibles

### Botiquín de medicamentos

- Termómetro de mercurio
- Antipiréticos para controlar la fiebre
- Loción o pomada para las picaduras de insectos
- Loción o pomadas para las contusiones
- Aspirinas
- Jarabes y medicamentos con receta médica

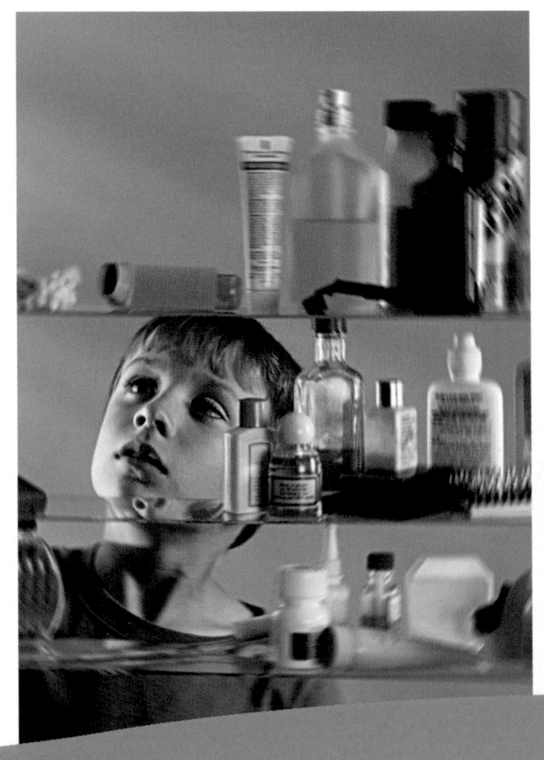

## El botiquín de remedios naturales

Los medicamentos y su botiquín de primeros auxilios son de gran utilidad para las dolencias o los accidentes domésticos que pudieran ocurrir en su hogar, pero recuerde que también es posible recurrir a los ***remedios naturales tradicionales***, de manera que su despensa también sea en un momento dado un excelente botiquín:

1. Para aliviar los **síntomas de resfriados** nada mejor que tomar anís, eucalipto, hinojo, pino, menta y tomillo.
2. Otro estupendo remedio para mejorar los **resfriados** es mezclar miel con leche caliente, o bien con zumo de limón.
3. Para la **gripe** se toman infusiones de saúco y tila.
4. Para la **fiebre** se toman zumos con vitamina C: espino amarillo, naranja, pomelo, acerola o frambuesa.
5. El **dolor de cabeza** se alivia masajeando la frente con cubitos de hielo durante 10 minutos.
6. El clavo de especia alivia el **dolor de muelas** cuando se mastica, pero no olvide visitar al dentista.
7. Utilice yantén menor para las **picaduras de insectos.**
8. Las **picaduras de avispas o abejas** se tratan quitando el aguijón y frotando luego con trozo de cebolla recién cortado.
9. El **mareo previo a un viaje** se combate tomando infusiones de manzanilla y menta piperita para tonificar el estómago.
10. Los **golpes** requieren inmediatamente un poco de hielo: utilice una bolsa de plástico o bien un paño lleno de hielo. Si en ese momento no tiene cubitos en casa, resulta muy útil una bolsa de guisantes congelados, ya que se adapta bien a la forma del cuerpo donde esté la contusión.

### Advertencia

- *Controle periódicamente las* ***medicinas caducadas*** *y vaya retirándolas de su botiquín. No las tire por el lavabo ni por el inodoro, ya que algunas pueden ser peligrosas.*
- *Tenga un listado de* ***teléfonos de urgencias****: bomberos, ambulancias, médico de urgencias, etcétera.*
- *También puede guardar en el botiquín su* ***cartilla de la seguridad social*** *o su tarjeta de asistencia sanitaria privada.*
- *Puede apuntar el* ***teléfono de algún familiar*** *o vecino de confianza.*
- *No está de más guardar, junto al botiquín,* ***algo de dinero*** *por si hubiera que pagar algún medicamento o el servicio del médico de urgencias en plena noche o en un día festivo.*

# Cómo actuar ante los accidentes domésticos más comunes

*Cuando se produce un accidente en casa es importante actuar inmediatamente y de la forma más adecuada posible. Conviene que tenga unas nociones básicas sobre qué debe hacer en caso de emergencia, y cuáles son los primeros auxilios para los accidentes más corrientes y usuales.*

## Golpes y contusiones

- Poner la parte afectada debajo del grifo y aplicar abundante agua fría para reducir el flujo sanguíneo.
- Aplicar hielo durante un rato.
- Esperar al día siguiente y, si persiste el dolor, ir al traumatólogo por si fueran necesarias radiografías para detectar posibles lesiones óseas o musculares.

## La nariz que sangra

- Lo más importante es favorecer el proceso de coagulación.
- Ponga la cabeza hacia delante y tápese la nariz manteniendo la presión con los dedos. Ponga un recipiente debajo, por si le llegase sangre a la boca y que así la pueda escupir cómodamente.
- Límpiese alrededor de la boca y la nariz con un trapo humedecido en agua tibia. No utilice agua caliente ni se lave bajo el grifo: podría deshacerse el coágulo y volver a sangrar.

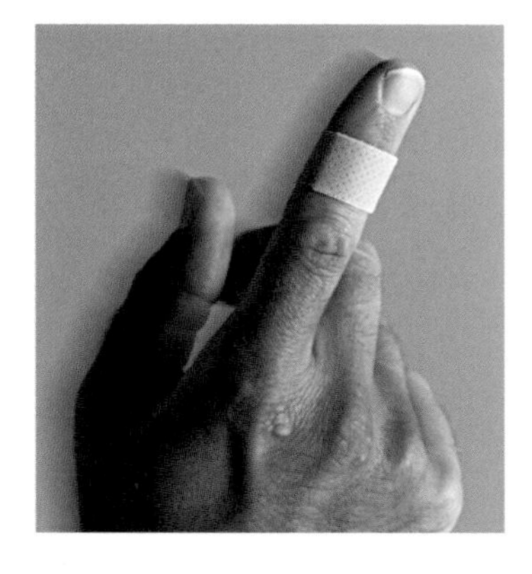

## Pequeños cortes

- Lo más importante es cortar las hemorragias lo más rápidamente posible.
- Presione la herida con una gasa o tela (que no suelte pelusa) para evitar hemorragias.
- Si la hemorragia persiste, presiónela con una venda doblada para así favorecer la coagulación.
- Una vez controlada la hemorragia, lleve el herido al hospital.
- No utilice algodón, ya que se deshace y deja la herida con pelusas.
- Limpie alrededor de la herida con una venda húmeda y sin tocar aquélla para no deshacer los coágulos que la han cerrado.

## Se le ha caído un diente

- No lo lave, límpielo con saliva y póngalo en su sitio para ver si se mantiene, o manténgalo en la boca.
- Vaya al dentista o al hospital tan rápido como le sea posible: es fácil que se pueda volver a colocar en su sitio.

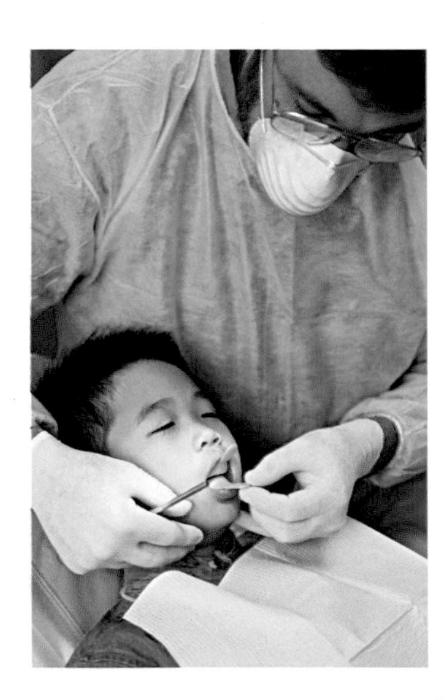

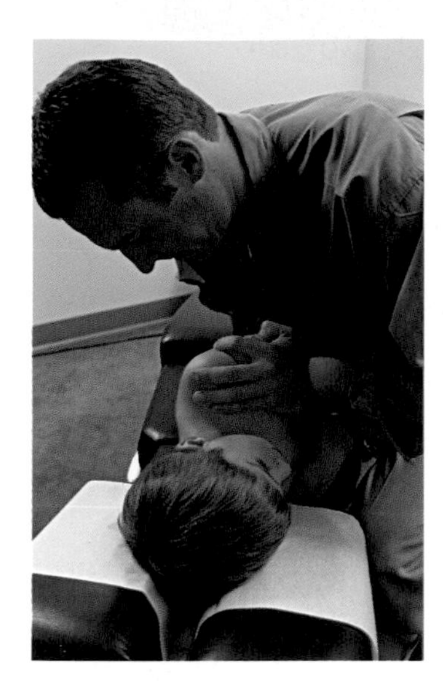

➤ No olvide que, si lo lava con agua, se reducen considerablemente las posibilidades de poder colocarlo de nuevo, ya que se destruyen las bacterias.

## Ingestión de productos químicos o de limpieza

➤ Limpie con una toalla húmeda en agua fría los restos de producto que pueda haber en la boca y en su alrededor.

➤ Tome tragos cortos y frecuentes de agua fría o leche para reducir el ardor de la boca y la lengua.

➤ No trate de vomitar: le causaría más quemaduras.

➤ Traslade al accidentado al hospital llevando consigo la botella del producto que ha ingerido.

## Atragantamientos

➤ Insista en que siga tosiendo para ver si así supera el atragantamiento.

➤ Dóblese hasta agachar la cabeza para que quede por debajo de los pulmones. Dé un golpe seco con las palmas de las manos entre los dos omóplatos. Repita el golpe 4 ó 5 veces si fuera necesario.

➤ Si es un niño, póngalo boca abajo sobre sus rodillas y deje que su cabeza quede hacia abajo dando los mismos golpes. Si es un bebé, sujételo con una mano con la cabeza baja y golpee suavemente su espalda.

➤ Si no funcionase, incorpórelo y mire rápidamente en su garganta: muchas veces el objeto es visible y no dude un momento en meter el dedo índice y sacarlo. Cualquier herida que pueda producir cicatrizará en pocos días y evitará problemas mayores.

➤ Si no lo ve, no intente meter el dedo, produciría lesiones innecesarias. Vuelva a ponerlo en posición para que la boca quede por debajo de los pulmones y dé unos golpes más fuertes en la espalda.

## Quemaduras

➤ Enfríe las quemaduras con agua fría, con cerveza o con leche fría.

➤ Cubra la quemadura con ropa limpia, preferiblemente de algodón, para evitar infecciones.

➤ No utilice grasas ni ungüentos sobre la quemadura: el calor residual puede empeorarla.

➤ No explote las ampollas y, sobre todo, no intente quitar la piel quemada.

➤ No retire las telas que han quedado pegadas a la piel.

➤ Acuda al médico de urgencias si ve que la quemadura reviste cierta importancia.

## Descargas eléctricas

➤ No se acerque al herido hasta estar seguro de que usted no corre ningún peligro.

➤ Corte la luz de la casa o separe al herido de la fuente eléctrica que le ha herido utilizando un palo de madera y situándose usted sobre una silla de madera, un taco de madera, una pila de periódicos o un listín de teléfonos que le aislarán del suelo.

➤ No se acerque si hay agua alrededor: el agua es conductora de la electricidad.

➤ Llame a urgencias inmediatamente.

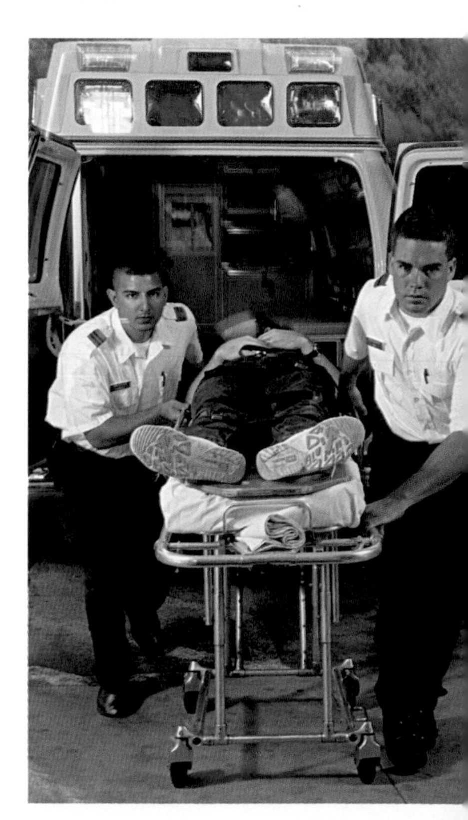

# El cuidado de los niños y de las personas mayores

*Como decíamos al principio del capítulo de prevención de accidentes domésticos, muchos de estos accidentes caseros los sufren los niños y las personas mayores. Ya hemos visto cómo actuar para atender las primeras consecuencias de estos accidentes, pero quizá sería interesante cerrar el tema con la prevención especial de accidentes de niños y personas mayores para así evitar tener que recurrir a estas atenciones de urgencia.*

## Los niños y la curiosidad

- Primera regla de oro: intente mantener fuera del alcance de la vista de los niños cualquier objeto llamativo o irán por él en cuanto puedan o en cuanto se descuide: de hecho, está comprobado que las intoxicaciones por medicamentos suelen ser por pastillas de colores o envases atractivos para ellos.
- Mantenga los **medicamentos** y los **productos de limpieza** bien guardados.
- No ponga nada, sobre todo si es más bien **frágil**, sobre muebles ligeros: el niño, al intentar alcanzarlo, puede volcar el mueble y caerle encima todo lo que se encuentre sobre éste.

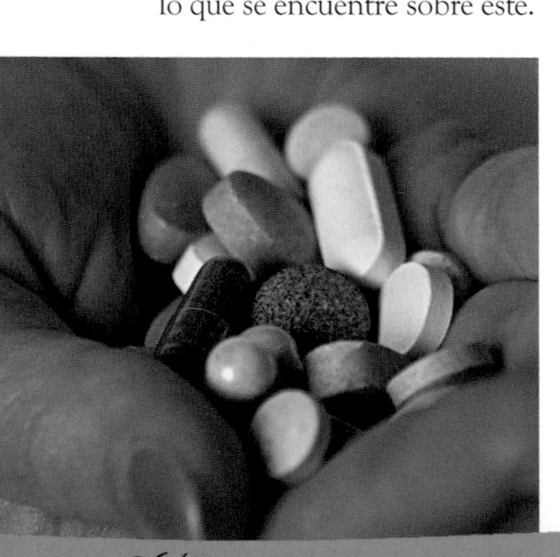

## Los juguetes de los niños

- Evite en lo posible los juguetes desmontables con **piezas muy pequeñas** hasta que el niño no sea mayor: de pequeños se lo llevan todo a la boca y podrían atragantarse.
- Haga que recojan todos sus juguetes antes de acostarse: pueden levantarse por la noche a oscuras para ir al lavabo y resbalar.
- Asegúrese de que los productos no contienen piezas de las que pueda desprenderse **pintura o barniz tóxico**, y esté atento a los juguetes metálicos que puedan tener **óxido**.
- Tenga cuidado con las **pilas** de los juguetes eléctricos: pueden estropearse y soltar sustancias tóxicas.

## Los niños y la bañera

- Si va a dejar al niño solo en la bañera, ponga muy **poca agua**

para que el nivel no sea peligroso.

- Más que alfombras antideslizantes, use **adhesivos antideslizantes**: así evitará que jugando quiten la alfombrilla y queden expuestos a un patinazo.

## Las personas mayores en el baño

- Coloque **pasamanos o asideros** en el inodoro y en la bañera para que tengan un buen punto de sujeción.
- Coloque una **bandeja** para el gel de baño y su esponja a una altura media para que no tengan que agacharse para cogerlos.

## La movilidad y las personas mayores

- Elimine todos los **obstáculos** que pueda en las zonas de paso: elimine las alfombras innecesarias, téngalas con parches antideslizantes, no deje objetos decorativos salientes en mesas o muebles, y deje el pasillo lo más despejado posible.
- Instale a las personas mayores lo más cerca posible del baño.
- No encere el suelo de la casa.

## Las personas mayores y la cocina

- La pérdida de vista, de oído y de olfato pueden provocar la no detección de señales que avisan de un posible acciden-

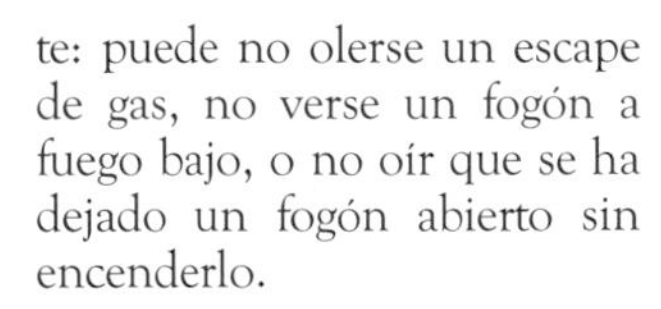

te: puede no olerse un escape de gas, no verse un fogón a fuego bajo, o no oír que se ha dejado un fogón abierto sin encenderlo.

- Evite los problemas con el gas utilizando cocinas con medidas de seguridad o bien eléctricas.
- Elija modelos que, además de girar, necesitan que se ejerza presión para que empiece a salir gas: de lo contrario, incluso pasando un paño a la hora de la limpieza se puede activar la salida de gas del fogón.
- Elija modelos que tengan los mandos del fogón con signos bien visibles para que pueda verlos en su posición correcta.

# Nos vamos de casa

*Una mudanza o el momento de salir de casa para unas vacaciones largas pueden ser ocasiones de muchos nervios si no se ordenan un poco las tareas de última hora. Tenga planificada la situación antes de que llegue y evitará la tensión del último día. Estos son algunos consejos básicos para el momento de abandonar su casa.*

## Las cuatro normas básicas para una mudanza

1. La mudanza **empieza 2 semanas antes**: comience a empaquetar los libros y la ropa de invierno y se ahorrará trabajo de última hora.
2. La mudanza **no incluye todo**: aproveche el cambio de casa para desprenderse de esos objetos que ha ido acumulando durante los últimos años y llévese lo mínimo posible.
3. La mudanza **está asegurada**: recuerde que existen seguros muy económicos que cubren los desperfectos que pudieran sufrir sus objetos personales durante el traslado. Infórmese bien de las condiciones de traslado para que la cobertura sea efectiva, y asegúrese de si le cubren las incidencias, tanto si el traslado lo hace la empresa de mudanzas como si lo hace usted mismo.
4. Las mejores mudanzas **se hacen a solas**: siempre que pueda, deje a los niños con algún familiar durante la mudanza. Si no es estrictamente necesario, no pida ayuda para embalarlo todo: si no lo hace así, cuando llegue a la casa nueva no encontrará nada, las cajas serán una mezcla de objetos personales y sus nervios estarán algo "crispados".

## Contratar una empresa de mudanzas

- Es imprescindible si quiere trasladar **muebles grandes**: hay que desmontarlos, bajarlos a la calle y cargarlos, y es necesario también un gran camión; cuando se llega a la casa nueva hay que volver a repetir el proceso a la inversa: estas empresas tienen experiencia, camiones a medida y suelen venir con un buen equipo personal y con material de embalaje.
- Consulte en **diferentes empresas**: hay grandes diferencias de precios y de servicio.
- Asegúrese de que en el **precio** que le han **presupuestado** se incluyen cajas de cartón, mantas, cintas y demás materiales para el empaquetado y embalaje.
- Por muy cuidadosos que sean los transportistas, es mejor que empaquete usted mismo sus **pertenencias más personales y delicadas**. Señálelas visiblemente con un rotulador rojo. Han de cargarlas en último lugar y, al llegar a la casa nueva, dejarlas desde el principio en un lugar tranquilo de la casa.

- Dé un **repaso general** a todos los muebles una vez montados en la casa nueva para controlar que no haya desperfectos.

## Consejos prácticos para la protección de sus pertenencias

- Aunque haya contratado una empresa de mudanzas profesional y de absoluta confianza, es preferible que lleve en su propio coche los cuadros, las joyas y otros **objetos de valor**.
- Ponga **precintos** en los cristales de cuadros y espejos, y **papel de periódico arrugado** entre la cristalería para evitar roturas.
- Use **cajas verticales con barra y colgadores** para trasladar los trajes de vestir y la ropa del armario. Las encontrará en tiendas especializadas.
- Señale con un rotulador todas las cajas con **objetos frágiles**.
- Coloque estas cajas en la parte alta de la carga y sujételas bien con cuerdas, o póngalas en el suelo del camión pero sin nada encima.
- Contrate **seguros de traslado**.

## Notificación del cambio de dirección

Es uno de los pasos más importantes y en los que menos se piensa: luego ocurre, por ejemplo, que no nos llega el correo.

**Recuerde**

*Coja una fotocopia del plano de la casa nueva y marque al encargado de la mudanza en qué habitación quiere que le dejen cada caja. Numere las habitaciones y ponga los números correspondientes en las cajas.*

- Haga 3 **listas de personas**: familiares, amigos y contactos de trabajo, y envíeles una carta notificándoles la nueva dirección y la fecha de la mudanza.
- Haga una lista de las **compañías de servicios** que le envían correo: empiece la lista dos meses antes y vaya añadiendo según encuentre en el buzón correo de compañías que no recordaba: club del libro, suscripciones a revistas, asistencia sanitaria, bancos, compañías de seguros, etcétera.
- Pida a un **vecino** que, por favor, le envíe el correo que pudiera llegar a la dirección antigua, o pídaselo al **nuevo inquilino** de su antigua casa.
- Recuerde que en ocasiones puede convenir con su **compañía telefónica** que le sea trasladado su mismo número de teléfono si se queda en la misma población.
- En los días de traslado, mantenga un sistema fácil para que sus familiares cercanos y otras personas puedan localizarle; pudiera ser que ya haya dado de baja el teléfono antiguo y aún no hayan venido a instalar el de la casa nueva. Lo mejor es utilizar el **teléfono móvil** y el **correo electrónico**.

# La llegada al piso nuevo

*Instalarse en un piso nuevo no es cosa de un momento. Normalmente se tarda incluso meses en acabar de colgar el último cuadro, aunque vale la pena seguir una serie de normas básicas para que el desorden no se apodere desde el principio de nuestro nuevo hogar.*

## Un primer repaso

- Dé un repaso a la casa antes de desempaquetar para asegurarse así de que los antiguos propietarios no se han dejado nada.
- Cualquier cosa que encuentre puede tirarla, a no ser que sea algún objeto personal, algún objeto de valor o algún objeto escondido que pudiera ser un olvido realmente.
- Llame a la inmobiliaria para conseguir el teléfono de los antiguos propietarios. Si no desea ponerse en contacto con ellos, entregue los objetos directamente en la agencia inmobiliaria.
- Si encuentra trastos en algún armario, en el trastero o en el garaje, avise a la inmobiliaria. Recuerde que no puede tirar los trastos a los contenedores de basura.
- Si el piso es de alquiler, repase también que no haya desperfectos importantes. Si los hubiera, haga un listado a la agencia inmobiliaria para que arreglen los más importantes, y tengan conocimiento de que existen otros desperfectos que ya estaban en el momento de su llegada. Si el piso es comprado, el día de la entrega de las llaves es el momento de reclamar cualquier desperfecto.
- Cambie el nombre del buzón o de la puerta en caso de haberlo.

## Primeras medidas de seguridad

- Aproveche que el piso está vacío para hacer una **limpieza** y **desinfección** a fondo.
- Deje durante unas horas alguna ventana abierta para que se **ventile bien** y así evitar posibles olores a cerrado.
- Si todavía no ha puesto las cortinas, **baje las persianas** lo justo para que no se vean desde la calle el televisor, la cadena musical y otros objetos de valor.
- **Cambie la cerradura** para asegurarse de que nadie conserva la llave de su nuevo hogar y el sistema de alarma para que nadie pueda conocer la clave secreta o el sistema para desconectarla.
- Compruebe que funcionan correctamente los **servicios de luz, agua, gas y teléfono**.
- Asegúrese de que cierran bien todas las **ventanas, persianas y puertas** de la casa, y también de que no hay ningún cristal roto, hormigas, cucarachas u otras plagas que pudieran haberse instalado en el piso mientras estaba vacío.

Asegúrese también de que no hay manchas de humedad.

## Recuerde

*Es muy recomendable preparar una maleta con lo imprescindible para el primer día: la ropa de cama, un neceser completo, un par de toallas y la ropa para el día siguiente.*

## La primera noche

- Lo correcto sería que hubiera preparado una maleta con lo imprescindible para la primera noche si se trasladan y van a vivir el mismo día.
- Si el traslado es con tiempo no hay problema, puesto que cuando vaya a dormir la primera noche ya llevará días arreglando el piso nuevo.
- En uno u otro caso, deje una luz encendida, la del pasillo por ejemplo, por si se despierta por la noche y se encuentra desorientado por la oscuridad y la somnolencia. Hágalo sobre todo si tiene niños.
- No deje cajas, bolsas, maletas y otros obstáculos en el paso de las habitaciones al baño: evitará tropezones y sustos si se levantara por la noche.
- Asegúrese de tener correctamente conectado el calentador del agua para ducharse por la mañana.
- No confíe en despertarse con la luz de la mañana aunque tenga esa costumbre: el cambio de habitación puede despistar a su despertador biológico.

## Deshaciendo paquetes

- Empiece por la ropa de cama y los objetos de la cocina para tener lo básico para el primer día.
- Después, coloque la ropa en los armarios para evitar que esté mucho tiempo en cajas, bolsas o maletas y se arrugue excesivamente.
- Deje los libros para el final: no son imprescindibles los primeros días, suelen ir en cajas bastantes ordenadas, así que se pueden apilar en un rincón, y de ese modo podrá colocarlos tranquilamente más adelante.
- Guarde las cajas y las bolsas por si, al deshacer los paquetes, todavía ve alguna cosa que pueda tirar.
- Limpie bien cualquier objeto antes de ponerlo en su sitio.

# El cuidado de tus plantas y la salud de tus mascotas

Desde tiempos remotos, las plantas y los animales han estado presentes en los agrupamientos humanos. El perro ha pasado a la historia como el mejor amigo del hombre, pero a él se han unido los gatos, los pájaros, los hámsters y otros animales de compañía que se han incorporado incluso dentro de las viviendas. A ellos se suma la pasión por las plantas, primero en forma de majestuosos jardines, y luego también como un elemento más del interior de nuestras casas.

Este capítulo es una recopilación de trucos y consejos prácticos para la elección y el cuidado de sus plantas y animales en el interior de casa. Casi todas las referencias, por tanto, aluden a plantas de interior y a animales de compañía que puede tener en su hogar.

La primera parte está dedicada a las plantas, con una introducción sobre la elección de las plantas de casa, sus necesidades básicas y consejos prácticos para su cuidado. Esta parte se completa con un apartado especial dedicado a los bonsáis, y dos más dedicados a las plantas en terrazas, patios, balcones y jardines. Por último, hemos considerado oportuno emplear unas páginas para hablar sobre las flores secas, las flores prensadas y las plantas medicinales, las dos primeras por su singular belleza y por su aspecto creativo, y las plantas medicinales por ser una gran alternativa a los excesos consumistas de medicamentos farmacéuticos.

La segunda parte del capítulo trata de los animales de compañía. Lógicamente, se han dedicado los primeros textos a los perros y a los gatos, los dos animales de compañía por excelencia. Luego, presentamos varias páginas referentes a los peces de acuario y a los pájaros que se pueden tener en casa, dos aficiones cada día más difundidas y apreciadas. Les siguen los hámsters, los roedores más populares, y los reptiles de terrario, ya que últimamente son especies muy solicitadas en las tiendas especializadas. Finalmente, les ofrecemos un apartado algo diferente, en este caso sobre los animales no deseados, como pueden ser los ratones, las hormigas o las pulgas en casa, intentando mantener una actitud respetuosa con ellos, y proporcionando algunos trucos disuasorios para evitar que se instalen en casa sin necesidad de eliminarlos.

Esperamos que la lectura pueda acercarles un poco más a la Naturaleza, que les permita disfrutar un poco más de las plantas y de los animales y, sobre todo, que les ayude a sentirse más cómodos en su propio hogar.

# El cuidado de tus plantas

# Elección de una planta

*La elección de la planta adecuada para su casa no sólo es una cuestión de gustos: hay que tener en cuenta muchos otros factores, como la cantidad de luz que tiene en casa, la atención que puede dedicarle o las perspectivas de crecimiento de la planta que compre. Estos factores, entre otros, harán adecuada la elección de una planta que necesite más o menos luz, que precise pocos o muchos cuidados, o que tenga espacio o carezca de él en casa para crecer libremente.*

## 10 consejos para elegir la especie adecuada

Antes de comprar una planta debe plantearse qué tipo puede tener de acuerdo con el espacio del que dispone y con las condiciones ambientales de su casa.

1 Lo primero que hay que decidir es si quiere una planta de interior o de exterior.

2 Piense que, si la coloca en el interior pero junto a una ventana que está siempre abierta, tendrá unas condiciones ambientales que no son exactamente las de una planta de interior, así que es mejor que elija una planta mixta.

3 Si una ventana o una habitación está sombreada todo el día debido a su orientación hacia el Norte o por la presencia de un edificio, difícilmente permitirá tener una planta que precise mucha luz.

4 Además, estas zonas pueden ser más húmedas, así que será preferible que no ponga en ellas plantas muy sensibles al exceso de agua.

5 También puede ocurrir lo contrario: que la habitación o la ventana estén orientadas hacia el Sur y les dé el sol de pleno durante gran parte del día. Recuerde que no todas las plantas aguantan varias horas de sol directo.

### Recuerde

*La mayoría de plantas requieren cuidados periódicamente. Si viaja a menudo o suele pasar varios días fuera de casa, lo mejor es que elija plantas que no precisen muchos cuidados, puesto que no va a poder atenderlas con la regularidad que necesitan.*

6 El viento es otro factor importante, sobre todo el viento frío del Norte. Puede que su balcón o su ventana estén orientados al Este o al Oeste, y que por lo tanto parezca una orientación favorable, pero aun así sus plantas pueden ser golpeadas lateralmente por los vientos del Norte. Elija plantas resistentes o póngalas de forma que queden protegidas.

7 Si suelen poner un poco alta la calefacción de casa, elija plantas propias de temperaturas más cálidas.

8 Recuerde que las plantas exóticas, como las tropicales, al encontrarse fuera de su medio natural exigen cuidados muy especiales: si no dispone de mucho tiempo para dedicarse a cuidarlas de forma adecuada morirán irremediablemente, así que elíjalas sólo si dispone de tiempo y paciencia.

9 Infórmese sobre las expectativas de crecimiento de su planta para no llevarse sorpresas después.

10 Elija las plantas pensando en su memoria: si es usted despistado no adquiera especies que precisen pocas dosis de agua pero diarias, ya que es muy probable que se olvide muchos días.

## Consejos para elegir el mejor ejemplar

Una vez elegido el tipo de planta que quiere, tendrá que seleccionar uno de los ejemplares que tienen en la tienda, así que deberá escoger el ejemplar más sano.

- Elija siempre una planta con buen aspecto: fíjese en la que tenga más firmeza en los tallos, el follaje más frondoso, las puntas de las hojas en mejor estado y el color más intenso.
- Rechace plantas que presenten flores marchitas: es un síntoma de falta de nutrición.
- Rechace también de pleno las que tengan las hojas o los tallos con manchitas marrones o amarillas: esas marcas pardas son signos evidentes de alguna plaga o enfermedad.
- En invierno, no acepte nunca una planta de interior que haya estado expuesta fuera de la tienda: es muy probable que se resienta de las bajas temperaturas.
- No compre jamás una planta que presente moho verde en la tierra: el moho es un indicador de que ha recibido un riego excesivo que la planta no ha sido capaz de absorber, y no se sabe hasta qué punto puede haberle afectado.
- Igualmente, no acepte plantas que presentan la tierra excesivamente seca y agrietada: en general, ya no aguantan aunque se trasplanten y se rieguen en abundancia.
- Observe con atención el fondo de la maceta antes de comprar cualquier planta: si la planta presenta raíces creciendo por los agujeros de drenaje significa que está rebasando el tiesto y tendrá que trasplantarla lo más rápidamente posible.

## ¿Flores abiertas o capullos sin abrir?

Es uno de los dilemas al elegir una planta: sin duda, es más bonita con las flores abiertas, pero con los capullos sin abrir ofrece más ventajas.

- No se deje tentar por la planta llena de flores abiertas: disfrutará de su belleza muy poco tiempo y sufrirá más el período de adaptación a su casa.
- Compre una planta con capullos de aspecto sano y a punto de abrirse: la espera hasta que surgen las flores tiene su encanto.
- Si va a hacer un regalo, elija una planta con la mayoría de los capullos a punto de abrirse y algunas flores ya abiertas.
- Recuerde que los capullos verdes muy cerrados a menudo no acaban de abrirse en las plantas de interior.

### Recuerde

*No olvide examinar el envés de las hojas: a menudo las manchitas pardas o amarillas tan características de plagas o enfermedades no están visibles y hay que mirar en la cara inferior de la hoja.*

## Dónde comprar la planta

- Cómprela siempre en floristerías y tiendas especializadas que le inspiren confianza.
- Trate de evitar tiendas de objetos de regalo o grandes centros comerciales que no acostumbran a tener las condiciones ambientales adecuadas.
- Asegúrese bien si compra la planta por catálogo: las fotografías siempre muestran ejemplares adultos de aspecto impecable, que sería el de su planta si recibe un tratamiento ideal. No debe olvidar que el ejemplar que le envíen será joven y nunca se sabe qué posibilidades de crecimiento puede tener. También ocurre que suelen enviarse por empresas de mensajería, de manera que la persona que nos la entrega no sabe nada sobre el pedido.
- La única excepción podrían ser las jardinerías especializadas en el envío de plantas, que permiten elegir entre un ejemplar joven o uno adulto. Acostumbran a ser ellos mismos quienes la entregan a domicilio, y ante cualquier duda le darán un mejor servicio de atención al cliente.

# Necesidades y cuidados generales

*Como el resto de seres vivos, las plantas tienen una serie de necesidades básicas. En su medio natural, se desarrollan precisamente en los lugares donde pueden cubrir esas necesidades de manera óptima. Al llevarlas a casa, deben adaptarse a unas condiciones ambientales diferentes, así que es muy importante conocer cuáles son esas necesidades básicas y poder cubrirlas lo mejor posible. De ello dependerá, en primer término, que la planta se desarrolle correctamente y ofrezca una imagen sana y bonita, pero en último extremo también serán esas condiciones las que hagan posible que la planta pueda sobrevivir.*

## Factores ambientales y cuidados básicos

Las condiciones ambientales y los cuidados condicionan de manera decisiva el desarrollo de las plantas, especialmente en casa. Debe atender sobre todo a estos factores:

- La disponibilidad de luz
- La humedad ambiental
- La temperatura ambiental
- El traslado a casa
- El tipo de tierra
- El tipo de maceta
- El riego adecuado
- El abono
- La poda
- La técnica de plantado y trasplante
- La prevención y el tratamiento de enfermedades

## El traslado de la planta a casa

- Envuelva la planta en fundas de plástico especiales para que no sufra tanto durante el traslado.
- Si puede, póngala además dentro de una caja de cartón para protegerla más.
- Llévela bien sujeta en el coche, si es necesario atando la maceta, para evitar que se caiga o sufra golpes y roturas.

## La maceta más adecuada

- Los tiestos de barro son los más clásicos, aunque resultan frágiles y pesados, y su precio es elevado.
- Las macetas de plástico son las más utilizadas: tienen la ventaja de ser más baratas y más ligeras.
- Utilice los tiestos de barro para las plantas más altas o más pesadas; de esta manera evitará que se vuelquen.
- Las macetas de plástico mantienen la humedad durante más tiempo y por tanto necesitan menos riego.
- Las macetas de barro precisan algo más de riego debido a la porosidad del material.
- En ambos caso, asegúrese de que la maceta tiene un agujero en la base para el drenaje del agua sobrante.
- No olvide poner siempre un plato debajo del tiesto para

## Recuerde

*Cada planta requiere unas condiciones ambientales y unos cuidados muy diferentes, así que es muy importante que conozca bien las necesidades específicas de la planta que ha elegido.*

evitar que el agua sobrante se escape y estropee algo de su casa. No deje que el plato permanezca encharcado, y de esta manera la planta no absorberá más agua de la estrictamente necesaria.

## Cuidados básicos que a menudo se olvidan

- Al igual que sus muebles, con el tiempo sus plantas se cubren de polvo. Esto puede dificultar su respiración y entorpecer gravemente su crecimiento. Limpie las hojas con agua tibia y un cepillo suave. Evite la leche o la cera líquida: al principio dan sensación de limpieza, pero después atraen el polvo y la suciedad.
- Esté atento a los síntomas de falta de espacio: cambie la maceta por una más grande si observa que las raíces se escapan por debajo del agujero de drenaje.
- Que la tierra se seque rápidamente tras el riego también es síntoma de que la planta necesita más espacio para desarrollarse.
- Asimismo, denota falta de espacio para el desarrollo que la planta crezca a un ritmo más lento del esperado.
- Procure hacer los trasplantes en primavera: de esta manera, las raíces tendrán tiempo suficiente para reafirmarse antes de otoño.
- Escoja un tiesto lo suficientemente grande para que no tenga que volver a realizar la operación en bastante tiempo.
- Rellene el agujero de drenaje con trozos de ladrillo o piedras y cubra la superficie con una capa de turba: pasa el agua pero no irá perdiendo tierra.
- Trasplántela tras limpiar bien la raíz de tierra adherida y cúbrala hasta la superficie con la misma mezcla de tierra que ya tenía, comprimiendo bien.
- Riéguela y sitúe la planta en una zona de sombra durante 5 días.
- Pulverice las hojas con agua durante este período para evitar que se marchiten. Después, póngala en su sitio definitivo.
- La poda, el desramado y el pinzamiento ayudan a que sus plantas tengan un buen estado de salud. Estos cuidados fortalecen las ramas y motivan el crecimiento de nuevas ramas a partir de las yemas, además de poder adaptar la estética a su gusto.

# La tierra

*La tierra que utilizamos tiene un papel esencial en el cuidado y desarrollo de las plantas. Por este motivo, es necesario conocer cuál es el tipo de tierra más adecuado para cada planta. Unos cuantos consejos prácticos le ayudarán a mantener la planta sana y favorecer su crecimiento.*

## ¿Qué es el compost?

- Se llama compost a la mezcla de tierra que se utiliza para las plantas.
- La mezcla consiste en una base de turba y mantillo, que ha sido reforzada con fertilizantes y componentes que mejoran el drenaje.
- Puede comprar el compost en floristerías o en tiendas especializadas, pero también puede hacer la mezcla en su casa.
- El uso adecuado del compost permitirá que la planta mantenga el nivel óptimo de humedad, que se pueda nutrir adecuadamente y que sea más resistente a todo tipo de enfermedades.

## Tipos de mezclas para hacer compost

- **Tierra de tipo neutro:**

50% de tierra de jardín

25% de mantillo

25% de arena fina

- **Tierra más bien ácida:**

25% de tierra de brezo o castaño

25% de turba

25% de mantillo

25% de arena fina

- **Tierra más bien caliza:**

50% de tierra de jardín

25% de arena fina

20% de mantillo

5% de cal

## El compost ideal para las plantas de interior

- Utilice la segunda mezcla, más bien ácida, para sus plantas de interior.
- Utilice siempre turba y mantillo como base para la tierra de sus macetas.
- Complemente con tierra de brezo o de castaño para enriquecer la mezcla, o con otros componentes según las necesidades específicas de su planta.

## Cómo mantener el compost aireado

El riego continuado de una misma tierra puede hacer que se apelmace. Esto hará que la planta no absorba la cantidad de agua que necesita. Le recomendamos que añada los siguientes elementos para facilitar el drenaje:

- La **perlita**, a pesar de ser un material sintético, permite que la tierra sea más esponjosa, mejora el drenaje y hace más ligero el compost.
- Los **guijarros** abren espacios entre la tierra y permiten aumentar la humedad.
- La **fibra de coco** para bulbos, compuesta básicamente de esa sustancia, permite también un buen drenaje.

## Compuestos para cactos

El cactus es una planta de interior que necesita un compost especial. Puede adquirirlo en una tienda o hacer la mezcla en casa usted mismo. En ese caso utilice:

- Dos partes de mantillo o turba.
- Una parte de arena.

Esta mezcla se debe mantener bien aireada en todo momento, de lo contrario la combinación de estos 2 elementos puede compactar la tierra en exceso.

## Componentes que puede tener el compost

### Tierra de brezo

De color negro, suele contener tierra de hojas y arena fina. Es una de las mejores mezclas para las plantas de interior.

### Guijarros y gravillas

Acostumbran a utilizarse en la tierra para mejorar el drenaje, y en una bandeja para retener la humedad.

### Tierra caliente

Retiene poco la humedad. Utilícela cuando no le interese tener mucha humedad, o si va a regar más a menudo.

### Turba

Es el humus que se extrae del fondo de los pantanos. Puede encontrar 2 tipos: una negra y muy ligera y otra rubia. La turba rubia es mas apropiada para trasplantar plantas.

### Tierra de castaño

Utilícela para conseguir que la tierra no se compacte y permanezca aireada. Es muy fácil encontrarla en el mercado, y por otro lado muy eficaz.

### Tierra de jardín

Es la tierra que ya se ha utilizado en el jardín o en otras macetas. Puede utilizarla directamente para otras macetas, aunque es mejor que le aporte componentes que se pueden haber agotado en las plantas anteriores.

### Arena fina

Utilice siempre arena de río y nunca arena de mar, ya que la sal puede ser perjudicial para sus plantas.

### Cal

Puede obtenerla de los restos de un derribo, de un muro o de una pared. Hace el compuesto más calizo.

### Sustrato para cactos

Es un compuesto de ingredientes naturales que desprenden los nutrientes lentamente.

### Musgo de esfagno

También tiene una gran capacidad para retener la humedad. Utilícelo para la tierra de plantas colgantes y evitará que goteen.

### Tierra de hojas

Se recoge directamente en el bosque, debajo de los árboles. Es muy rica gracias a la descomposición de las hojas, especialmente las de haya, roble y castaño.

### Perlita

Estos granos mejoran el drenaje y aligeran la mezcla.

### Mantillo

Formado por hojas descompuestas, es un compuesto ligero y poroso. El mantillo sirve para proteger las plantas del frío.

### Carbón vegetal

Se usa principalmente para quitarle humedad al compuesto.

### Arcilla

De color rojo, se vende en forma de bolitas. Gracias a su capacidad para retener el agua, su función en el compost es ayudar a mantener la humedad de la tierra.

# Luz, temperatura y humedad

*Además de la tierra adecuada, la planta necesita también unas condiciones especiales de luz, temperatura y humedad. Del acierto en la proporción de estos factores depende en gran medida que pueda desarrollarse plenamente.*

## ¿Para qué necesitan luz las plantas?

La luz natural es imprescindible para el crecimiento de la mayoría de plantas. De hecho, sin luz no podrían hacer la fotosíntesis. Y es precisamente en este proceso cuando la planta obtiene todo el oxígeno necesario que le ayudará a crecer. Es por ello por lo que resulta fundamental que la planta reciba luz.

Sin embargo, hay que tener en cuenta que un exceso de luz podría resultar perjudicial para su planta.

## La luz más adecuada

- Sitúe la planta en habitaciones con paredes de colores claros: los tonos oscuros absorben la luz que las plantas necesitan.
- Gire la maceta de vez en cuando para evitar que la planta se deforme al crecer, ya que las plantas buscan la luz.
- No exponga las plantas a la luz solar directa: una mancha parda le indicará que su planta ha sufrido quemaduras.
- Como norma general, sitúe sus plantas de interior por lo menos a 2 m de la fuente de luz natural.
- Recuerde que las plantas de interior prefieren la luz de sol filtrada: procure que la luz se filtre a través de una cortina.
- No sitúe la planta detrás del cristal de una ventana; el cristal tiene un efecto de lupa sobre la planta, que aumentará la intensidad de los rayos solares, pudiendo provocar quemaduras irreparables.

**Recuerde**

*Es preferible que la planta sufra de escasez que de exceso de luz: si precisa más luz siempre está a tiempo de cambiarla de sitio, pero si se quema será más difícil que vuelva a tener un aspecto sano.*

- Tenga en cuenta que las plantas con flores necesitan más luz que las que sólo tienen hojas: la luz es vital para el florecimiento.
- Evite en lo posible los cambios demasiado bruscos de luz: si se dispone a cambiar una maceta de lugar, hágalo de manera muy cuidadosa. Además, es aconsejable que acerque la planta a la luz de una forma gradual.
- Cuando llegue el verano sitúe sus macetas al aire libre; no obstante, tenga cuidado y no deje que les dé el sol directamente. Colóquelas a la sombra.
- Tenga en cuenta que las plantas tropicales y los cactos requieren un trato especial: en general, necesitan más sol que el resto de plantas. Vigile, de todos modos, que no reciban luz directa del sol durante muchas horas al día.

## La temperatura más adecuada

- La temperatura ideal para las plantas de interior oscila entre los 15 °C y los 21 °C.
- Recuerde que un exceso de temperatura podría causar daños irreversibles en la planta.
- Evite los cambios bruscos de temperatura: también perjudican gravemente la salud de las plantas. Tenga mucho cuidado cuando ventile las habitaciones, sobre todo en invierno.
- Es importante que la temperatura de la raíz no sea inferior a la de las hojas.
- Coloque las plantas en zonas exteriores a partir del mes de mayo: el lugar ideal para colocarlas es la parte cubierta del balcón o la terraza.

## La humedad más adecuada

- Por norma general las plantas de interior no se desarrollan bien en ambientes secos: sólo los cactos son capaces de soportarlos.
- Recuerde que la calefacción de la casa reduce mucho el nivel de humedad del ambiente.
- Esté atento a los 3 síntomas más evidentes de que una planta necesita más humedad:

1. Hojas con puntas pardas.
2. Hojas secas y quebradizas.
3. Hojas y flores que se caen.

## Condiciones especiales para cactos y plantas tropicales

- Los cactos almacenan bastante más agua que el resto de las plantas (razón por la cual pueden soportar ambientes extremadamente secos), así que no se preocupe en exceso aunque vea que la tierra está algo seca.

- Por el contrario, no debe olvidar que las plantas tropicales necesitan más humedad que el resto de las plantas.
- Procure mantener el nivel adecuado de humedad en ambos casos.

## Qué debe hacer cuando su planta está seca

Lógicamente, debe humedecerla. Opte entre las siguientes soluciones:

- El recurso más común es humedecer la tierra mediante un riego más frecuente, pero no siempre es la mejor solución: a veces, ocurre que el drenaje es muy rápido y el agua se escurre al momento.
- Una buena solución es colocar la planta sobre una capa de guijarros humedecidos: el agua se desprenderá gradualmente y aportará la humedad necesaria. Puede comprar los guijarros en una floristería o cogerlos usted mismo de un río.
- Otra posibilidad, que ya se ha comentado, es incorporar a la mezcla de tierra algunos componentes que retengan la humedad, como arcillas o musgo de esfagno.
- Un truco muy práctico es agrupar las plantas: de esta manera comparten el vapor que emanan y se mantienen en un nivel óptimo de humedad.
- También es muy eficaz vaporizar las hojas con agua frecuentemente: a la vez que mejora el nivel de humedad, protege la planta de posibles plagas y enfermedades.

# El riego

*Además de un cierto grado de humedad ambiental, el agua directa en la tierra es necesaria para la vida de la planta. Aporta minerales y nutrientes sin los que la planta no podría crecer. No obstante, es necesario saber qué cantidad aproximada de agua requiere cada tipo de planta, así como con qué frecuencia se debe regar.*

## El agua de riego

- Es aconsejable usar agua más bien templada para regar las plantas.
- El agua del grifo resulta adecuada para el riego de las plantas; sin embargo, contiene cloro y cal, que pueden resultar perjudiciales para las plantas.
- Deje reposar el agua antes de utilizarla: de esta manera conseguirá que se evapore el cloro. Bastará con echar un trago y notar el sabor del agua del grifo para detectar si tiene mucho cloro.
- Para mejorar la calidad del agua, introduzca un saquito de turba en el agua mientras reposa: el agua se enriquecerá con los minerales de la turba.
- Para reducir el contenido de cal en el agua basta con hervir la que vaya a utilizar para el riego. Para saber si el agua tiene mucha cal mire en las juntas de los grifos y verá si se forman cúmulos de cal.
- No es aconsejable utilizar agua tratada con un descalcificador: los productos químicos que contiene pueden dañar la planta.
- Si vive en la ciudad, no utilice el agua de lluvia que pueda recoger en un depósito: normalmente suele estar contaminada.
- En caso de vivir en el campo, puede utilizar agua de lluvia sin ningún problema.

## Calendario de riego

- Las necesidades de agua de la planta varían según las estaciones del año.
- En invierno, las plantas necesitan menos agua, ya que al descender las temperaturas se mantiene mejor la humedad. Además, ya hemos comentado que el invierno es el periodo adecuado para dar a las plantas su descanso anual, así que éste será un segundo motivo para disminuir la cantidad y la frecuencia del riego.
- En verano ocurre al contrario: debe aumentar la cantidad de agua en el riego y también la frecuencia, primero porque el calor eleva el nivel de evaporación, y segundo porque la planta inicia un período más activo.
- En las estaciones intermedias, lo más aconsejable es ir graduando la cantidad de agua.

## Control del riego

Hasta que uno no conoce bien sus plantas es difícil detectar cuáles son sus necesidades específicas. Si éste es su caso, recuerde que en el mercado existen unos aparatos que le ayudarán a controlar las necesidades de agua de sus plantas.

- Medidores de humedad: son muy útiles, ya que le indican el nivel de humedad y le permiten ajustar el riego hasta conseguir los niveles óptimos de humedad. Los encontrará en tiendas especializadas, aunque lo más probable es que supongan una inversión considerable.
- Palos indicadores: son igualmente prácticos y resultan bastante más económicos. Clave estos palitos en la tie-

### Recuerde

*Es mejor la carencia de agua que el exceso: el primer problema puede solucionarse con aportes de humedad, pero el exceso puede pudrir las raíces y crear lesiones irreversibles.*

rra y si cambian de color quiere decir que sus plantas necesitan agua.

## Cómo deben regarse las plantas

- Tenga en cuenta que cada planta requiere un sistema diferente de riego.
- Las de interior deben regarse desde arriba.
- Para regar un tubérculo vierta el agua en el plato que ha situado debajo de la maceta.
- Utilice también el riego a través del plato si riega una planta de hojas delicadas.
- No deje el plato con agua debajo de la maceta más de media hora: en ese tiempo la planta ya ha absorbido toda el agua que necesita; si la deja más tiempo, podría pudrir las raíces.
- Si tiene una maceta con las hojas muy tupidas y teme que no llegue agua a la tierra, proceda de la siguiente manera. Introduzca la planta en un recipiente con agua, hasta que quede cubierta casi toda la maceta, y retírela cuando dejen de subir burbujas a la superficie: es la señal de que el sustrato ha absorbido toda el agua que necesitaba.
- Recuerde que existen otras plantas, como por ejemplo la violeta, que deben ser regadas en el sustrato directamente.
- Infórmese bien de la técnica adecuada y de la frecuencia de riego cuando compre la planta.

## Cómo detectar si el riego es insuficiente

- Observe el sustrato de su maceta: si la tierra está separada de las paredes del tiesto deberá regar más a menudo.
- También debe regar más si las puntas de las hojas están amarillentas, pardas o resecas.
- Otro síntoma de falta de agua es que las flores se caen.
- Si la planta no se recupera a pesar de incrementar el riego, proceda a cortar las partes nuevas de la planta para que mejore.

## Cómo detectar si el riego es excesivo

- Las hojas están reblandecidas y posiblemente con manchas.
- Las flores pueden llegar a presentar moho.

- Aparece rápidamente un musgo verdoso en la tierra de la maceta.

## Cómo regar las plantas en vacaciones

- Una primera opción es combinar las vacaciones con un vecino de confianza para que le riegue las plantas.
- También existen varios trucos para que las plantas obtengan la cantidad de agua que necesitan sin tener que regarlas.
- La solución consiste en crear un sistema de riego progresivo: puede adquirir aparatos especiales en floristerías, o bien puede fabricarlos usted mismo en casa.
- Envuelva bien la planta en una bolsa de plástico si quiere mantener la humedad. No utilice nunca este sistema si piensa estar más de 2 días fuera de casa.
- Puede fabricar una mecha de autorriego: coloque el extremo de una cuerda en un recipiente con agua y sitúe el otro extremo en el sustrato de la maceta. Procure que el recipiente que contenga el agua esté más elevado que la maceta: la planta irá absorbiendo el agua que necesite a través de la cuerda.
- También puede colocar un material absorbente empapado debajo de la maceta: de esta forma la maceta obtendrá agua conforme la vaya necesitando. No use durante muchos días este sistema: el agua podría evaporarse y quedarse sin sistema de autorriego.

# El abono

*Con el tiempo, la tierra pierde los nutrientes y los minerales que la planta necesita para desarrollarse. Abonando la tierra se enriquece el sustrato y se reponen las condiciones idóneas para el crecimiento sano y fuerte de la planta. De todas formas, es muy importante utilizar el fertilizante adecuado, en el momento conveniente y en las proporciones necesarias.*

## Composición de los abonos

Los abonos y fertilizantes contienen los elementos básicos para el crecimiento de la planta:

- **Nitrógeno** para que las hojas crezcan sanas.
- **Fósforo** para sanear las raíces y los capullos.
- **Potasio y oligoelementos**, como por ejemplo el cobre, para el desarrollo de las flores, los frutos y los bulbos.

## Tipos de abonos

Escoja y adquiera el tipo de abono específico en función de las necesidades de cada parte de la planta:

- **Abonos líquidos:** puede encontrarlos en el mercado directamente en forma líquida o también en polvos o granulados para ser disueltos en el agua del riego. Por sus características, el abono líquido es con toda seguridad el más adecuado para fertilizar las hojas, ya que su aplicación resulta más cómoda. Debe rociar agua por encima de las hojas sin llegar a empaparlas, por ejemplo con un pulverizador: en pocos días las hojas estarán más fuertes y vigorosas.

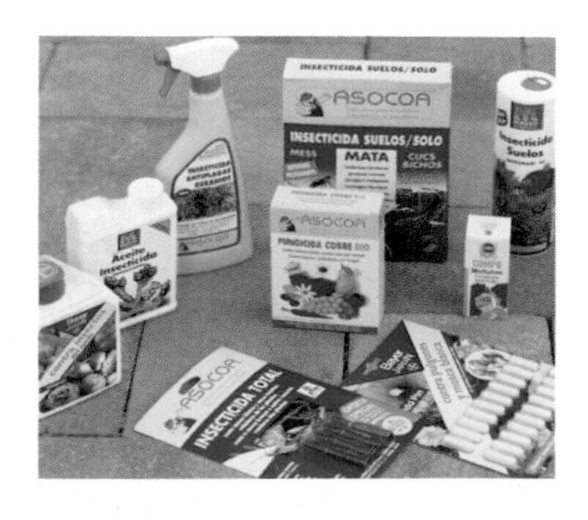


- **Clavos y tabletas:** el abono en forma de clavos y tabletas se encuentra sin la menor dificultad tanto en floristerías como en centros especializados. Su uso es muy sencillo: se clavan tanto los unos como las otras en la tierra, y se riega normalmente para que el fertilizante se vaya disolviendo en riegos sucesivos.

### ¡Cuidado!

*La mayoría de estos abonos son muy tóxicos, así que evite el contacto prolongado con la piel, y sobre todo el contacto con la boca y con los ojos.*

Recuerde que, bajo ningún concepto, debe situar el abono en las proximidades del tallo ni sobre las raíces: el contacto directo podría quemar las raíces.

## Cómo saber si sus plantas necesitan abono

Debe observar sus plantas atentamente. Cualquiera de estos síntomas son indicadores de la necesidad urgente de fertilizantes:

- La hojas descoloridas, ya que las plantas con falta de abono pierden la pigmentación.
- Las flores que crecen pequeñas y con colores poco vivos.
- Las hojas caídas, ya que la falta de nutrientes puede hacer enfermar la planta (recuerde que, en invierno, la caída de las hojas es un fenómeno natural y necesario para la planta).
- Las manchas en las hojas, como signo evidente de debilidad y posible enfermedad.
- Los tallos finos y quebradizos, como signo de falta de fortaleza.

## Truco casero

*Además de los abonos comerciales, también serán efectivos algunos abonos caseros:*

- *Las infusiones frías de té van estupendamente bien para recuperar plantas un poco mustias.*
- *Un buen abono líquido es el agua de hervir huevos duros (hay que dejarla enfriar).*
- *Otro buen abono es una mezcla de posos de café fríos y un poco de azúcar.*
- *El agua de hervir verduras también contiene muchas vitaminas y minerales que se pueden utilizar como abono (una vez más, debe dejar que se enfríe bien).*

## Normas básicas para un correcto abono

- Abone la planta en cuanto la compre. Es muy habitual que en el momento de adquirir la planta las reservas de nutrientes se hayan reducido.
- No abone sus plantas jóvenes. Déjelas crecer hasta que estén fuertes: una vez arraigadas, aprovecharán correctamente los nutrientes que aportan los fertilizantes.
- No utilice tantos fertilizantes como recomienda la etiqueta del producto: en ocasiones, los fabricantes aumentan un poco las dosis para potenciar el consumo, y también hay que considerar cuál es el tamaño de la maceta. Extreme la prudencia si la planta es delicada o si no sabe cuánto abono administrarle.
- Reduzca la cantidad de abono en invierno. Cuando la planta recibe poca luz es aconsejable no someterla a esfuerzos: aportando demasiados nutrientes obligaría a la planta a procesarlos.
- No abone las plantas si nota que se le caen las hojas: es un fenómeno natural en los meses más fríos del año.
- En general, no debe abonar plantas enfermas.
- Finalmente, recuerde que hay fertilizantes específicos para las necesidades de cada planta.

## Ahorre dinero

*Antes de administrar el abono a su planta debe humedecer el sustrato de la maceta: así facilitará la penetración del fertilizante.*

## ¿Qué dosis de abono necesitan las plantas?

- No aporte abonos a las plantas que sean todavía muy jóvenes: es mucho mejor que espere a que se conviertan en ejemplares adultos. Recuerde que administrar abonos a una planta joven no solamente es innecesario, sino además perjudicial.
- Una vez formada la planta, no debe olvidar aportarle buenas dosis de abono para fortalecer su período de crecimiento más intenso. En ese momento es cuando sintetiza mejor los alimentos y los asimila para facilitar su desarrollo.

## Exceso de abono

Elimine los aportes de abonos y fertilizantes de su planta si observa alguno estos síntomas:

- Puntas de las hojas quemadas.
- Capa blanca en el sustrato.
- Manchas pardas en las hojas.

# Podas y guías de crecimiento

*La poda es la acción de cortar algunas ramas y hojas de las plantas para mejorar su crecimiento y posibilitar un desarrollo más sano. Por ejemplo, si corta las partes enfermas nacerán nuevos brotes y hojas sanas. La poda también sirve para ir dando forma a la planta a medida que crece y compensar las irregularidades normales del crecimiento. La guía, por su parte, consiste en ir dirigiendo el crecimiento para conseguir un desarrollo más estético.*

## Equipo básico de herramientas

- La poda requiere muy pocas herramientas, y puede obtener los utensilios básicos en tiendas especializadas o en floristerías.
- Los utensilios para las guías de crecimiento también pueden comprarse, pero muchas veces es muy sencillo hacerlos en su propia casa: puede utilizar listones de madera, alambre o cordeles para que su planta crezca recta.

## Cómo podar las plantas

- Observe detenidamente y escoja los brotes de la planta que despunten demasiado hacia fuera y córtelos: hará que el crecimiento de la planta se dirija hacia arriba y obtendrá una forma más estilizada.
- Cuando pode ramas procure que el corte sea oblicuo, no recto.
- Recuerde que si corta las puntas de las ramas estimula su desarrollo, consiguiendo una mayor ramificación.
- Corte los tallos más blandos con tijeras, pero use tijeras especiales de jardinería (las podaderas) para los tallos más gruesos.
- Durante la poda, vaya con cuidado de no cortar los brotes nuevos: de ellos nacerán nuevas ramas y nuevas hojas.
- Para podar flores con peciolos largos es importante que utilice un instrumento cortante bien afilado, como unas tijeras: recuerde que el corte debe ser limpio.

### Herramientas básicas

- Tijeras
- Podadera
- Tutores (simples listones que puede tener por casa)
- Ataduras para plantas
- Soportes decorativos para las guías
- Arcos de plástico para guías
- Espalderas (de bambú, de plástico o de cualquier otro material resistente)
- Aros de alambre

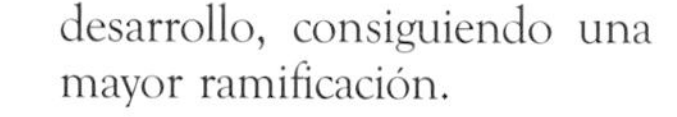

- Para podar flores con peciolos cortos quite la flor con los dedos, sujetando el tallo y estirando suavemente.

## Cuándo podar sus plantas

- La mejor época para la poda es, sin duda, la primavera: en esta época del año la planta se encuentra en un momento activo de crecimiento, así que en pocas semanas la tendrá cubierta de nuevos brotes.
- De cualquier forma, si los tallos estuvieran demasiado largos puede podarlos aunque no sea primavera.
- Recurra a la poda siempre que el crecimiento de sus plantas lo considere excesivamente desordenado: será una poda simplemente estética.
- Haga lo mismo si crece demasiado: en este caso, será una poda por cuestiones de espacio.
- Pode las flores marchitas o las que estén muertas: le quitará a la planta ese halo de tristeza y las flores volverán a crecer fuertes y sanas.

## Tipos de guías de crecimiento

- Existen formas predeterminadas que se utilizan para ordenar el crecimiento de la planta: son las espalderas, los arcos de plástico y los soportes decorativos de metal.
- Los tutores son listones verticales, de plástico o de madera, que mantiene la planta vertical. Puede utilizar 3 tutores en forma de tienda de campaña para reforzar la estructura y ganar equilibrio.
- Puede utilizar un tutor más grueso y decorativo, formando un cilindro con una malla metálica o una red de plástico y rellenándola de musgo.
- En las trepadoras, puede ir guiando el crecimiento con líneas de alambre o con sujeciones sucesivas en la pared.

## Crecimiento tupido

- Para conseguir que la planta tenga un follaje más tupido debe estimular la producción de más brotes.
- Debe despuntar los brotes con los dedos para que se desdoblen y aparezcan más brotes laterales.
- Así, no sólo conseguirá doblar el número de tallos, sino que también logrará estimular la floración.

## Modelar la planta para conseguir un arbolillo

- Infórmese bien sobre las plantas en las que es más fácil hacerlo.
- Inténtelo sólo con plantas jóvenes y fuertes.
- Empiece cortando los tallos más débiles y conserve el más robusto.
- Corte los brotes laterales de este tallo central, pero no el follaje.
- Conserve las hojas necesarias para que la copa tenga la forma del follaje de un árbol.

## Guía de plantas trepadoras

- Recuerde que debe utilizar la guía de crecimiento adecuada para cada tipo de planta.
- Utilice palos de musgo para las enredaderas de raíces aéreas, es decir, con raíces visibles y no enterradas. Con este tipo de guía además de crecer correctamente se beneficiarán de la humedad del musgo.
- Para trepadoras con un solo tallo utilice los tutores.
- Los aros de alambre son los más adecuados para trepadoras de más de un tallo.
- Si tiene trepadoras de muchos tallos y ya son grandes, intente aprovechar estructuras mayores, como las columnas del porche, el cobertizo de la terraza o una tubería de la fachada.

# El calendario de las plantas de interior

*Las plantas de interior necesitan unos cuidados específicos en cada época del año. Seguir las pautas correspondientes a cada mes facilita el ciclo biológico de las plantas, así que es importante conocerlas para cada especie.*

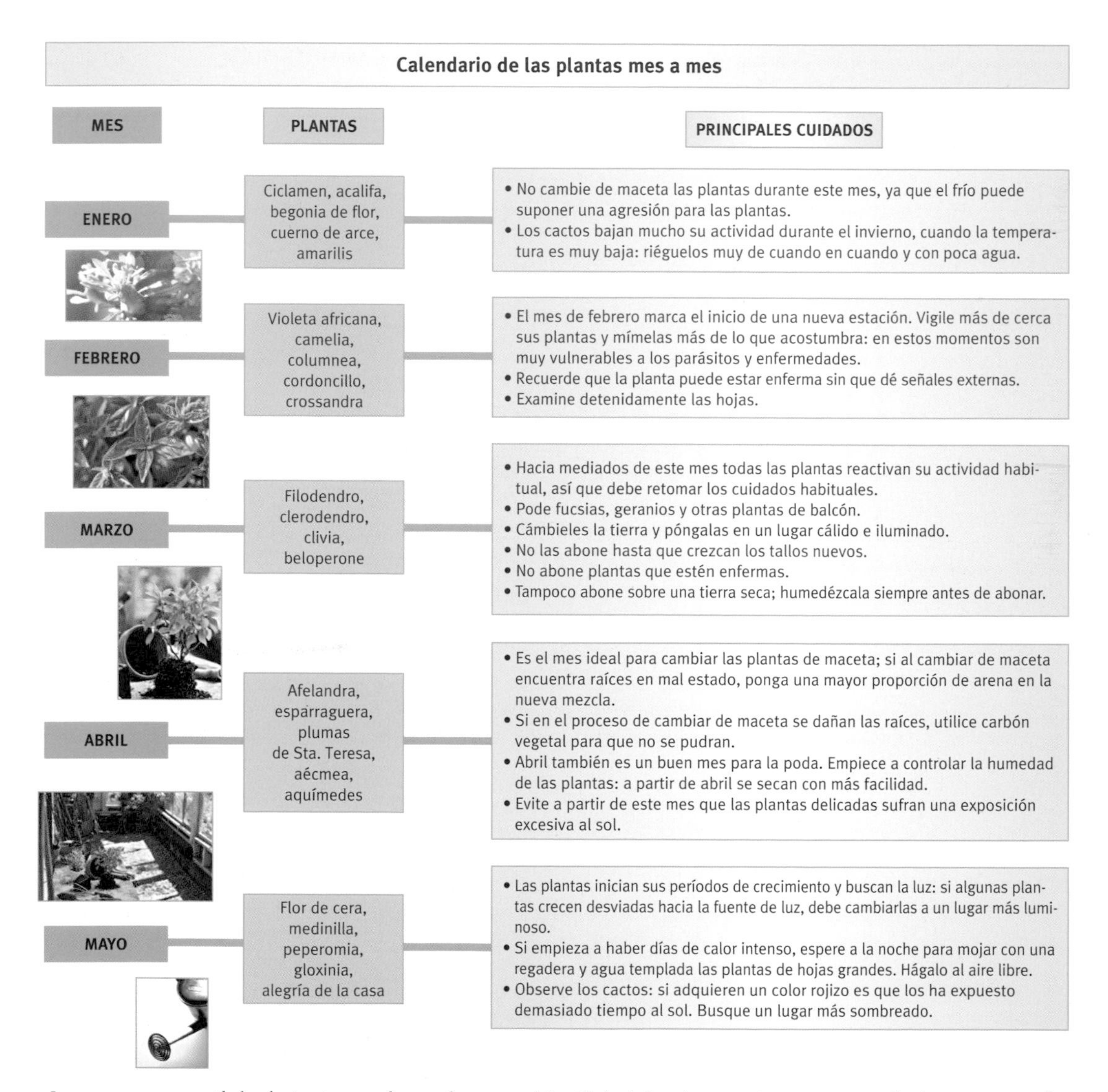

**Calendario de las plantas mes a mes**

| MES | PLANTAS | PRINCIPALES CUIDADOS |
|---|---|---|
| ENERO | Ciclamen, acalifa, begonia de flor, cuerno de arce, amarilis | • No cambie de maceta las plantas durante este mes, ya que el frío puede suponer una agresión para las plantas.<br>• Los cactos bajan mucho su actividad durante el invierno, cuando la temperatura es muy baja: riéguelos muy de cuando en cuando y con poca agua. |
| FEBRERO | Violeta africana, camelia, columnea, cordoncillo, crossandra | • El mes de febrero marca el inicio de una nueva estación. Vigile más de cerca sus plantas y mímelas más de lo que acostumbra: en estos momentos son muy vulnerables a los parásitos y enfermedades.<br>• Recuerde que la planta puede estar enferma sin que dé señales externas.<br>• Examine detenidamente las hojas. |
| MARZO | Filodendro, clerodendro, clivia, beloperone | • Hacia mediados de este mes todas las plantas reactivan su actividad habitual, así que debe retomar los cuidados habituales.<br>• Pode fucsias, geranios y otras plantas de balcón.<br>• Cámbieles la tierra y póngalas en un lugar cálido e iluminado.<br>• No las abone hasta que crezcan los tallos nuevos.<br>• No abone plantas que estén enfermas.<br>• Tampoco abone sobre una tierra seca; humedézcala siempre antes de abonar. |
| ABRIL | Afelandra, esparraguera, plumas de Sta. Teresa, aécmea, aquímedes | • Es el mes ideal para cambiar las plantas de maceta; si al cambiar de maceta encuentra raíces en mal estado, ponga una mayor proporción de arena en la nueva mezcla.<br>• Si en el proceso de cambiar de maceta se dañan las raíces, utilice carbón vegetal para que no se pudran.<br>• Abril también es un buen mes para la poda. Empiece a controlar la humedad de las plantas: a partir de abril se secan con más facilidad.<br>• Evite a partir de este mes que las plantas delicadas sufran una exposición excesiva al sol. |
| MAYO | Flor de cera, medinilla, peperomia, gloxinia, alegría de la casa | • Las plantas inician sus períodos de crecimiento y buscan la luz: si algunas plantas crecen desviadas hacia la fuente de luz, debe cambiarlas a un lugar más luminoso.<br>• Si empieza a haber días de calor intenso, espere a la noche para mojar con una regadera y agua templada las plantas de hojas grandes. Hágalo al aire libre.<br>• Observe los cactos: si adquieren un color rojizo es que los ha expuesto demasiado tiempo al sol. Busque un lugar más sombreado. |

*Los meses no son unidades de tiempo cerrado cuando se trata del cuidado de las plantas, así que tome este calendario con cierta flexibilidad. Por ejemplo, los cambios de maceta se indican en el mes de marzo, pero pueden iniciarse a finales de febrero si ya han pasado las heladas, y abril y mayo también son buenos meses.*

**JUNIO**

Flor de la pasión, brunfelsia, costilla de Adán, hortensia de maceta

- Con el inicio del verano debe tomar precauciones con el sol. Las plantas que están colocadas en una ventana que mira al Sur deben estar protegidas del sol, sobre todo al mediodía; cámbielas de sitio o ponga un toldo.
- Si llueve suavemente, saque las plantas al exterior para que se rieguen con agua de lluvia, especialmente las plantas de hojas grandes. Después de llover, vacíe la lluvia que queda en las macetas que no tienen desagüe.
- Es recomendable regar con más frecuencia, ya que el sustrato puede compactarse.

**JULIO**

Buganvilla, rosa de China, aeonium, jazmín de Madagascar, caladio

- Las plantas de maceta necesitan mucha más agua, pero no corra el riego de regarlas en exceso. Riegue sólo cuando la capa superior del sustrato esté seca. Compruébelo con el dedo.
- Si los bordes de las hojas se ponen de color pardo es porque les toca demasiado sol. Póngalas en un rincón de sombra o protéjalas con un toldo.
- Si marcha de vacaciones, sus plantas pueden secarse. Meta la maceta en un recipiente lleno hasta la mitad con arena húmeda. Entierre la maceta en la arena y cubra el sustrato con musgo húmedo. Si lo hace el día antes de irse, aguantaran unas 2 semanas.

**AGOSTO**

Cordiline, billbergia, flor de mariposa, helecho rizado

- Es un mes de mucho calor: riegue abundantemente, no exponga las plantas al sol y humedezca por las noches las hojas de las plantas que están al aire libre.
- A finales de mes, ya hay algunas plantas que no necesitan estar tanto a la sombra.
- Si descubre raíces dañadas administre abono a las hojas.
- Controle la presencia de caracoles en el interior de las plantas.
- Limpie las hojas de las plantas de interior con un trapo suave humedecido.

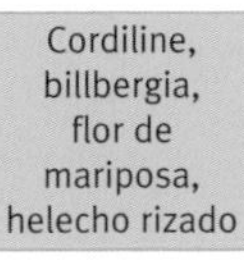

**SEPTIEMBRE**

Abutilón, reina de la noche, campanilla, rosa del desierto, guindilla ornamental

- Mes ideal para podar las plantas que florecen en verano.
- Puede volver a colocar las plantas en las ventanas orientadas al Sur, ya que los días empiezan a ser más cortos.
- Traslade las plantas al interior de la casa: por las noches ya empieza a refrescar.
- Antes de cambiar las plantas de sitio compruebe que no tienen parásitos.
- Si quiere tener jacintos y tulipanes para el invierno plántelos ahora.

**OCTUBRE**

Cola de cerdo, ficus, aralia, oreja de asno

- Octubre es un mes difícil para las plantas, sobre todo si empieza a encender la calefacción de la casa. Si es así, intente elevar la humedad atmosférica.
- Reduzca el riego de las plantas que están en lugares frescos, excepto en las plantas que florezcan en invierno.
- Es importante para las orquídeas que reduzca la calefacción por la noche.

**NOVIEMBRE**

Espina de Cristo, cocotero, crisantemo de maceta, hojas de salón, zapatilla de Venus

- Vigile las plantas que estén en las habitaciones más caldeadas: pueden tener parásitos.
- El aire fresco es beneficioso, pero controle las corrientes de aire.
- Si no tiene lugares soleados adecuados para esta época del año, debería comprar lámparas especiales para plantas.
- Las plantas tropicales que necesitan mucha humedad deben pulverizarse con mucha frecuencia si la calefacción se pone a diario.

**DICIEMBRE**

Azalea, cactos de Navidad, hiedra, flor de Pascua

- Si hiela por las noches, retire de las ventanas las plantas tropicales: pueden dañarse igualmente porque el frío acaba helando el cristal.
- Las plantas de maceta que estén en el sótano durante el invierno no deben quedarse totalmente secas.
- El agua del grifo sale mucho más fría: riegue con agua templada, incluso en las habitaciones frescas, y evitará dañar las raíces.

# Plagas y enfermedades

*Además de cuidar de las buenas condiciones de desarrollo de la planta, desde la tierra y el riego adecuado hasta el abono y las podas, debe estar muy atento a las posibles plagas y enfermedades, ya que son muy frecuentes y pueden convertir en inútiles todos los cuidados anteriores. Para evitarlo, he aquí unos cuantos consejos prácticos para que detecte a tiempo las plagas y enfermedades más comunes, y pueda prevenirlas y combatirlas.*

## Prevenir antes que curar

- Corte cerca de la base las hojas que estén en mal estado. Las hojas en descomposición, si no son retiradas, facilitan la aparición de enfermedades o plagas. Retire también cualquier flor marchita.
- Si alguna de sus plantas muestra señales de estar enferma, sepárela cuanto antes de las demás: las plagas saltan rápidamente de una planta a otra.
- Limpie con regularidad el polvo que se acumula en las hojas de las plantas. Esa capa de polvo impide a la planta absorber correctamente el agua, la luz del sol y el dióxido de carbono. Si es posible, aproveche un día de lluvia fina y sáquelas fuera para que queden limpias. No lo haga nunca cuando llueva de forma muy violenta.
- Si no le es posible sacarlas al exterior, le recomendamos la siguiente limpieza en función del tipo de planta:
  - **Plantas de hojas pequeñas:** rocíelas en la ducha con agua templada.
  - **Plantas de hojas con vello:** utilice un pincel pequeño y suave.
  - **Plantas de hojas grandes:** limpie las hojas suavemente con un paño húmedo.

## Enfermedades más comunes y su tratamiento

Las plantas de interior no suelen enfermar con tanta facilidad como las plantas de exterior. En la mayoría de casos, los problemas vienen por un exceso de riego o por descuidos a la hora de retirar las hojas y los tallos marchitos, de manera que se crean innecesariamente las condiciones para la aparición de bacterias.

### ¡Cuidado!

*Vigile sobre todo el envés de las hojas: es donde suelen desarrollarse los hongos y las plagas. Las manchas amarillas o blancas y la formación de pequeñas telarañas son algunos de los indicadores que deben ponerle sobre aviso.*

### Recuerde

*Existen unos insecticidas llamados sistémicos: en este caso, la planta absorbe los productos químicos a través de las hojas o de las raíces, destruyendo los insectos que se alimentan de las hojas o de la savia. También existen insecticidas de contacto, que se rocían directamente sobre las plagas. En todo caso, le animamos a que, siempre que le sea posible, utilice los métodos naturales que recomendamos: recuerde que los insecticidas son agresivos con el medio ambiente.*

## Plagas más comunes y su tratamiento

Las plantas de interior tampoco son tan propensas a ser atacadas por una plaga como las de jardín, pero si este ataque se produce, el efecto puede ser igualmente devastador. Repase bien las plantas en la tienda antes de comprarlas. Una vez en casa, vigílelas con frecuencia por si aparece algún indicio en los primeros días.

| Enfermedad | Síntomas | Tratamiento |
| --- | --- | --- |
| **Moho negro** (moho del hollín). Se desarrolla a partir de los excrementos de pulgones y otros insectos que se alimentan de la savia de las plantas. | Podrá identificar esta enfermedad por la espesa capa de moho que aparece sobre las hojas. | Limpie el moho con agua y jabón y fumigue la planta con el producto adecuado. |
| **Moho gris** (botritis). Enfermedad causada por la acción del aire frío y húmedo. Suele atacar a plantas con tallos y hojas blandas. | Aparece una capa de moho gris inconfundible. Si mueve la planta, también observará cómo despide un fino polvo gris. | Reduzca la humedad de la habitación y mejore la ventilación de la estancia. Si la planta está muy afectada, fumíguela con el producto adecuado. |
| **Moho harinoso** (mildiu). Suele estar provocado por un exceso de riego y por tener demasiadas plantas juntas en un espacio reducido. | Lo reconocerá por las manchas blancas y harinosas que cubren la planta. Las hojas suelen deformarse y acaban cayéndose. | Como solución, airee la planta y corte las hojas más afectadas. Si la enfermedad ya está muy cogida, proceda a fumigarla convenientemente. |
| **Podredumbre.** Puede afectar al tallo, a la raíz y a la copa de la planta. Suele ser provocada por el frío intenso y por un sustrato sobresaturado. | Los tallos, las raíces o las copas de la planta se ablandan, toman un tono pardusco y se vuelven pegajosas. | Pode meticulosamente las partes podridas y utilice un plaguicida.<br>Recuerde que, si deja que la infección llegue a la raíz, la planta morirá. |
| **Podredumbre del pie.** Es una enfermedad muy seria, que afecta especialmente a los geranios. La provoca un exceso de humedad en el sustrato. | El tallo se ablanda ostensiblemente y se muestra débil y deteriorado. | La podredumbre del pie no tiene cura. Lo único que puede hacer es evitarla controlando bien el riego o usando un sustrato de drenaje libre. |
| **Araña roja.** Son arácnidos rojos, apenas visibles, que se alimentan de la savia de hojas y flores. La araña roja actúa en ambientes secos y calurosos. | Aparecen unas manchas amarillas muy visibles y en el envés de la hoja se forman finas telarañas. Se altera su crecimiento y acaban por caerse. | Rocíe la planta con un insecticida contra insectos y ácaros. |
| **Cochinilla.** Es un insecto del tamaño de una chinche y con el cuerpo cubierto de un vello blancuzco. Se suelen instalar en la base de las hojas. | Se forman unos diminutos discos de color castaño o pardo. | Limpie con un paño humedecido en alcohol de quemar las zonas afectadas. Si la plaga es muy grande, es mejor que utilice un insecticida. |
| **Pulgones.** Se trata de la plaga más corriente. Los pulgones pueden ser de color gris, negro, verde o pardo. | Los pulgones chupan la savia de las plantas hasta dejarlas amarillentas. | Clave unos ajos en la maceta, o riéguela con un agua en la que ha dejado ortigas macerándose una semana. Si fallan los dos remedios, utilice plaguicidas. |
| **Babosas.** Son moluscos sobradamente conocidos y de un tamaño considerable, que devoran las hojas y las flores. | Las babosas se suelen ver a simple vista, así como las secuelas que dejan en las hojas. | Coloque una patata cruda cortada en trozos sobre la tierra: verá cómo las ahuyentará. |
| **Mosquitos del hongo.** Se encuentran en los sustratos en los que utilice turba. Ponen los huevos en el sustrato y las crías se nutren de materia muerta. | La planta se muestra débil porque estos insectos pueden llegar a atacar las raíces. | Para remediarlo, deje secar bien el sustrato y rocíe con el producto adecuado. |
| **Lombrices.** Se introducen en las plantas cuando las dejamos en el exterior durante el verano. En su estado natural, son beneficiosas pues oxigenan la tierra, pero en una maceta pueden acabar con las raíces. | La planta se muestra débil y puede ver alguna lombriz. Si sospecha su presencia, escarbe un poco la tierra para asegurarse. | Riegue la maceta con una vaso de vino: las lombrices saldrán a la superficie. Recójalas con cuidado y deposítelas en otro lugar donde sean más beneficiosas. |

# Los bonsáis

*El desarrollo y cuidado de un bonsái es una tradición milenaria propia de la cultura japonesa. Sin duda, existen pocas especies tan bellas como estos árboles enanos, pero esa misma belleza los hace muy frágiles y delicados. Si se inicia en el cuidado de bonsáis, recuerde que debe adquirir unos conocimientos básicos y dedicarles toda su paciencia.*

## 5 consejos básicos

- El bonsái es considerada como una planta de exterior; por lo tanto, no debe estar en habitaciones interiores.
- Procure que su bonsái disfrute de la luz del sol, pero nunca de forma directa durante varias horas al día. Tampoco es bueno que esté completamente a la sombra.
- Hay que protegerlo de las altas temperaturas del verano.
- Tiene que recibir humedad continuamente, pero de forma moderada.
- Aguanta bien las temperaturas bajas, pero hay que evitar las heladas.

## Equipo básico para su cuidado

- Recipiente. Puede utilizar macetas caseras, pero es más conveniente que compre el recipiente en tiendas especializadas. Un buen recipiente barnizado evitará que se seque la tierra de los bordes tan fácilmente. Un recipiente adecuado, además, es un buen aislante que evita que la tierra sufra los cambios de temperatura del ambiente.
- Tijeras. Necesitará unas tijeras más pequeñas que las que habitualmente se utilizan en jardinería. Utilice unas tijeras pequeñas de coser o unas tijeras para las uñas.
- Pinza fina. Van muy bien las pinzas finas que usan los electricistas.
- Pincel de pelo duro. Le servirá el típico pincel para cola. Con él podrá limpiar las hojas y los bordes del recipiente.
- Regadera de cuello alto. Es la más adecuada, de pequeño tamaño, para así poder dosificar bien el agua de riego.
- Materiales complementarios. Para los diferentes procesos de cuidado y mantenimiento, irá necesitando distintos complementos, como alicates, alambre de aluminio, cedazos o alambre grueso de cobre.

## Composición de la tierra

- **Arena gruesa o arena silícea.** Este tipo de arena se utiliza como base. Al ser gruesa, mejora el drenaje y evita que el bonsái se ahogue en caso de un exceso de riego.
- **Mantillo y turba.** Estos dos componentes son los responsables de que las raíces del bonsái puedan obtener toda el agua que necesitan para su supervivencia.
- **Arena fina o tierra de jardín.** Aportan una mayor consistencia al sustrato.

## Cómo plantar un bonsái

**1. Preparación del nuevo recipiente:**

- Ponga en el fondo del nuevo recipiente una tela de cedazo de plástico: así, en el futuro podrá trabajar más fácilmente la tierra.
- Sobre el cedazo, coloque una capa de 1 cm de espesor de granos de poliestireno.
- Ponga la mezcla de tierras: el espesor ideal es de 2-3 cm.
- Cubra la superficie con mantillo fino o turba: deje que la tierra tenga la forma de un pequeño montículo.

**2. Remoje durante 2 o 3 minutos la planta recién comprada:** esta operación facilitará mucho el trasplante.

**3. El momento del trasplante:**

- Saque la planta del recipiente original, con cuidado, y corte las puntas de las raíces que sobresalgan de la tierra.
- Coloque la planta en el nuevo recipiente: si las raíces están bien cortadas, el bonsái debe sostenerse sin caerse.
- Refuerce la estabilidad del tronco con esparadrapo o bien con alambre: no debe olvidar que hasta que las raíces no se desarrollen totalmente, no podrán sujetar por sí mismas el peso del tronco.

**4. Riéguelo con agua muy fina y póngalo en un lugar soleado** (pero no a pleno sol).

**5. Realice una primera poda,** especialmente en las ramas más bajas.

## Cuidados posteriores

- **Poda.** Recuerde que la poda es absolutamente fundamental para darle la forma deseada al bonsái. Debe cortar los tallos ya desarrollados y evitar que las ramas más bajas pierdan las hojas. Es conveniente que pode 2 veces al año: una en invierno y otra en verano.
- **Pinzamientos.** En este caso, se cortan las ramas jóvenes. De esta forma, se garantiza un mejor desarrollo de las ramas y se reduce el consumo de nutrientes del bonsái. No realice pinzamientos al poco de trasplantar el árbol: espere al menos 1 mes o 1 mes y medio.
- **Atadura.** Son los revestimientos metálicos que se ponen, primero al tronco y después a las ramas. La atadura dará la forma que usted haya escogido para su bonsái. A la vez, protegerá las ramas más frágiles. Recuerde que la operación de atadura debe llevarse a cabo con extrema precaución, ya que fácilmente puede dañar al bonsái.

### Frase célebre

*El bonsái es el arte de expresar la belleza de la naturaleza en el espacio más reducido posible.*

## Calendario ideal para plantar un bonsái

Las estaciones idóneas para plantar un bonsái son la primavera y el otoño, aunque el calendario puede variar según el tipo de bonsái que quiera plantar. Esta tabla puede servirle de orientación, aunque lo mejor es que consulte a un especialista en su tienda habitual.

| Tipo de bonsái | Bonsáis característicos | Fechas idóneas |
|---|---|---|
| BONSÁIS DE HOJA CADUCA | Membrillero, albaricoquero, cornejo, arce del Japón, glicinia | Octubre-noviembre o febrero-marzo |
| BONSÁIS PERSISTENTES DE HOJA GRANDE | Azaleas, camelias | Octubre-noviembre o febrero-marzo |
| CONÍFERAS | Pino negro, enebro, enebro de la China, alerce | Variable |

# Terrazas, patios y balcones

*Las zonas al aire libre de su casa son las indicadas para el cultivo y crecimiento de sus plantas de exterior, pero también para airear y que les dé un poco de sol a sus plantas de interior, especialmente en verano. Lo más importante es la elección correcta del sitio donde se sitúa cada planta, no sólo por motivos decorativos, sino más bien por las necesidades específicas de cada especie.*

## Plantas en la entrada de la casa

- No es nada recomendable que abarrote la entrada de su casa con innumerables plantas. Decorativamente, cuanto más simple y sencilla, mucho mejor. En un sentido práctico, cuantas menos plantas tenga, menos hojas y menos restos de tierra tendrá en la entrada y más limpia podrá mantener su casa.
- Si decide colocar plantas a los lados del camino de entrada, procure que sean más bien bajas: así no cerrarán la vista.

- Elija las especies más adecuadas a la orientación de la casa: recuerde que si la puerta de entrada mira al Sur, tendrá sol gran parte del día; si mira al Norte, sin embargo, deberá elegir plantas acostumbradas a la sombra y a una mayor humedad.

## Plantas en el porche

- El porche es una zona exterior, a la vista de todo el mundo, que puede proporcionar un bonito toque decorativo a toda la casa si elige cuidadosamente las plantas con las que lo va a ambientar.
- Lo más aconsejable para su porche es que combine grandes macetones en los rincones, cestas colgantes en las paredes y en las columnas y algunos maceteros en las ventanas.
- Tenga siempre algunas plantas resistentes, como bulbos o arbustos de follaje, que puedan mantener durante todo el año el buen aspecto del porche.
- Si su porche es cerrado, puede utilizar fucsias o plantas jóvenes para el verano.

## Plantas en las ventanas

- Utilice plantas de colores vivos y alegres y le dará un aspecto especial a la fachada de su casa.
- Como macetero, puede utilizar cajas de madera: la madera es un elemento muy estético para colocar en un alféizar mirando al exterior.
- Procure que las plantas que ponga en la caja de madera no queden todas al mismo nivel: una disposición desigual es mucho más estética.
- Acompañe las cajas de madera con cestas colgantes.
- Tenga cuidado al regarlas para que no vayan quedando rastros de agua y tierra que caigan por la pared, sobre todo si ésta es blanca.

- Riegue con mucho cuidado y esmero, siempre con poca agua y con más frecuencia, para que no gotee agua a la calle.

## Plantas en el patio

- Los patios son sitios ideales para el cultivo de plantas, incluso si no tienen mucha luz.
- Aproveche la humedad que suelen tener los patios con sombra para elegir especies más húmedas. Agrupe varias plantas y conseguirá una ligera sensación selvática. Manténgalo limpio para que no se "apodere" la maleza.
- Elija plantas de hojas grandes: son más fáciles de limpiar y conseguirá darle un toque tropical.
- Las macetas en las esquinas le darán un toque informal y le permitirán moverse por el centro.
- Utilice plantas que florezcan: conseguirá poner unos toques de color dispersos por todo el patio.
- Cubra las paredes, que en los patios no suelen ser muy bonitas, con plantas trepadoras: sólo con este truco puede dar un cambio radical al aspecto de un patio interior.

## Un jardín en la terraza

- Tiene 2 peligros que debe controlar: el primero es el peso, así que sitúe las plantas de mayor tamaño en las esquinas y en el perímetro en la terraza, y el segundo es el viento, así que elija plantas resistentes, con un buen macetero de base, y si fuera necesario, fije o ate bien el tronco o el propio macetero.
- Para proteger las plantas del viento, use enrejados de madera; además, posteriormente pueden ser unos soportes perfectos para sus plantas trepadoras.
- Si quiere conseguir un jardín bonito, no olvide que la distribución debe ser lo más sencilla posible.
- No utilice colores muy distintos: a diferencia de las plantas de las ventanas, en la terraza es más equilibrado tener una mayor uniformidad de colores.
- Vigile muy atentamente la cantidad de riego necesaria: las terrazas son zonas muy expuestas al sol y la evaporación es muy alta.
- También tendrá que buscar alguna forma de crear sombras para las plantas que no aguantan mucho sol directo: un buen sistema es tener algunas especies de gran tamaño y situar las plantas más delicadas a sus pies, en la misma sombra que proyectan.
- Puede complementar el juego de plantas con rocas de formas atractivas, alguna escultura o alguna fuente, dependiendo del tamaño de la terraza y de su presupuesto.

- Puede tener también una pequeña pajarera para sus pájaros o un pequeño estanque para sus peces: hay fórmulas muy reducidas y atractivas.

## Plantas en los balcones

- Sitúe en lo alto de la barandilla las plantas que requieran mucho sol, y al pie, en el interior, las que necesiten la luz solar más bien indirecta. Si la barandilla es de muro, puede colocar las macetas encima directamente, pero asegúrese de que el viento no las tira: si cayesen a la calle podrían originar un accidente grave.
- Puede colocar en la parte superior del muro plantas rústicas que caigan por delante y a los lados del balcón.
- Además del suelo interior y de la barandilla, aproveche de la misma manera tanto el techo como la pared del balcón.

En el techo quizá podría colocar unas bonitas cestas colgantes y en la pared macetas fijas: le darán un toque decorativo muy especial, que puede completar si lo desea con platos de pared y otros objetos.

# El jardín

*Por pequeño que sea, un jardín perfectamente cuidado y mimado siempre se considerará como un elemento que refresca y enriquece sobremanera nuestra casa. En el jardín puede haber diferentes elementos, como unos muebles de exterior bien elegidos o una pequeña fuente central, pero no cabe ninguna duda de que las plantas cumplen el papel protagonista, muy especialmente el césped, que forma ese manto de verdor tan agradable.*

## Tres criterios fundamentales para organizar su jardín

1

El **tiempo del que dispone** para el cuidado y mantenimiento de su jardín es un criterio fundamental en el momento de elegir qué tipo de jardín puede tener. No debe olvidar que las plantas, y muy especialmente el césped, requieren un buen grado tanto de paciencia como de dedicación. Si no quiere invertir tiempo, o si no dispone de él, no dude en contratar un profesional que organice su jardín con plantas más resistentes y que no necesiten muchos cuidados.

2

El **presupuesto** es otro de los factores decisivos. Puede concebir un jardín usted mismo, con paciencia y poco a poco, que puede salirle bastante económico, o puede invertir en un jardinero profesional y en una selección de especies de singular belleza, que además de la inversión inicial van a necesitar del mantenimiento periódico de un profesional.

3

Los **aspectos decorativos** son importantes, pero es mejor empezar a pensarlos cuando tenga decididos los dos anteriores, porque las posibilidades son muy diferentes en uno u otro caso.

## La preparación del jardín

- Una buena preparación del terreno es fundamental para que las plantas encuentren un buen sustrato y no aparezcan problemas estructurales.
- Elimine todo tipo de malas hierbas antes de plantar.
- Lo mejor es hacer esta limpieza antes de añadir la mezcla de tierra abonada.
- Para quitar estas malas hierbas, utilice principalmente el escardillo, procurando arrancarlas con sus raíces.
- Aunque es más pesado, haga un buen trabajo manual y limite al máximo los herbicidas para que la tierra no quede afectada.

- Cuando ya tenga las semillas y se disponga a sembrar, recuerde que existen 2 métodos:
- Una opción es utilizar un pequeño **semillero** donde la planta inicia su crecimiento. Esto le permite llevar el semillero a un lugar con condiciones más controlables de luz, temperatura o humedad, evitando así tormentas o heladas inesperadas. También le permite seleccionar los mejores ejemplares que han brotado. El inconveniente es el trabajo que da trasplantarlos al lugar de asiento definitivo. La otra opción es **sembrar directamente** en el lugar de asiento.

## El césped: cuidado y mantenimiento

El césped es sin ninguna duda el elemento estrella de cualquier jardín, el eje a partir del cual se organiza la estética del verde. El césped ayuda a relajar el ambiente de su hogar, refresca la vista y el olfato, y permite tumbarse y caminar descalzo sobre él. Como se ve, su aportación es enorme, pero recuerde que conseguir un manto regular precisa de una inversión inicial considerable, y luego son necesarios muchos cuidados y mucha dedicación.

- Elija un lugar más bien soleado y protegido de las corrientes de aire.
- Si observa que el suelo es muy húmedo, abra zanjas para dejar que el agua pueda evacuarse.
- Empiece a tratar el terreno en otoño. Cave o remueva la tierra entre 25 y 40 cm de profundidad. Asegúrese de que todo el terreno está al mismo nivel y límpielo de raíces y piedras que dificulten el crecimiento del césped.
- Utilice 20-25 g/m$^2$ y aumente la cantidad en los límites del jardín y en las zonas accidentadas. Distribuya las semillas a mano, y posteriormente pase el rastrillo para enterrarlas. Riegue con el difusor suave para no desenterrarlas.
- Elija las semillas en función del tipo de césped y del clima.
- Siembre el césped entre primavera y principios de otoño.
- En 10 días tendrá un césped en buenas condiciones para la primera siega, que tendrá que ser a mano, con una guadaña o con una cortadora especial, ya que una máquina cortacésped de las comunes podría arrancarlo.
- Recuerde que a partir de ahora, la siega, el riego, el abonado y la limpieza periódica de malas hierbas forman parte del mantenimiento del césped.
- Siegue el césped cada 10 días antes del invierno: estará fuerte y evitará tenerlo demasiado alto cuando lleguen las heladas.
- Riegue después de cada siega, y sobre todo recuerde que en verano necesitará agua más regularmente.
- Airee regularmente el césped con un rastrillo para prevenir la formación de musgo.
- Al inicio del invierno, incorpore aportes de compost y cal.

## Plantas y árboles del jardín

- Estudie bien el microclima de su jardín antes de escoger las plantas y los árboles. Considere el clima de la zona, la orientación de su jardín, las horas de sol, las posibles zonas de sombra, la facilidad del riego, los vientos, etc.

### ¡Cuidado!

*Asegúrese de que en el compost del jardín no hay ni semillas ni raíces de malas hierbas. De la misma manera, compruebe que dispone de un abono sin defectos.*

- Luego, entre las especies más adaptables a este microclima, seleccione las que más se ajusten a su gusto.
- En climas fríos y húmedos, los árboles más aconsejables para su jardín son el abedul, el castaño, el chopo y el sauce llorón.
- En climas templados y de poca agua plante acacias o cipreses. Un madroño le proporcionará frutos comestibles en noviembre, aunque en este caso tendrá que regarlo regularmente.
- Los arbustos más indicados para los climas secos o templados son el romero, famoso por su aroma, y la escalonia, ambos con poca necesidad de agua. Utilice celinda, lilas o verónicas si puede regarlas regularmente: le darán colorido a su jardín.

# Flores secas

*Una de las posibilidades más interesantes para disfrutar de las flores en casa es secarlas adecuadamente para poder conservarlas más tiempo una vez que han perdido su frescor natural. Las flores secas permiten composiciones muy variadas y resultan muy decorativas, pero quizá lo más apasionante sea que, a medida que se conocen más trucos y técnicas para su secado, se va descubriendo una nueva afición.*

## Técnicas de secado

En cualquier floristería o tienda especializada encontrará una sección dedicada a la venta de flores secas. De todas formas, en un libro de trucos y consejos prácticos vamos a recomendarle que compre las flores frescas, disfrute de su esplendor unos cuantos días y luego se atreva con algunas técnicas sencillas de secado: ahorrará dinero y abrirá un nuevo camino a su creatividad.

- Cuelgue el ramo de flores boca abajo y colóquelo en una habitación en la que no haya demasiada humedad y donde circule el aire libremente. El garaje suele ser un buen sitio.
- No intente secar flores en invierno: tanto el frío como el aire húmedo impiden que se sequen correctamente.
- Evite el exceso de follaje del ramo de flores, ya que las hojas retienen mucho la humedad.
- Otra posibilidad consiste en colocar hojas de papel absorbente sobre una mesa y poner las flores encima, procurando espaciarlas para permitir que circule el aire. Este método es recomendable para las gramíneas o el espliego.
- Otra técnica es llenar un jarrón con tres dedos de agua y dejar que las flores absorban el agua y se sequen en

### Equipo para trabajar

Los materiales y las herramientas básicas para la realización de elementos decorativos son:

- Una esponja de floristería
- Alambres para soportes
- Tela metálica para fijar estructuras
- Cintas para atar y fijar composiciones
- Una pequeña sierra
- Un martillo pequeño
- Un par de tijeras de diferentes tamaños
- Una pistola de cola para las composiciones
- Pinturas especiales para mejorar la composición

## Truco casero

*Si en una composición con flores secas tiene problemas para doblar un tallo, mójelo durante un rato en agua caliente y verá cómo lo dobla con facilidad. Déjelo secar manteniéndolo en esa posición y conservará la forma.*

un par de semanas. La hortensia o el eucalipto son ideales para esta técnica.

- Otras técnicas requieren el uso de productos especiales, como la sal de sílice o la mezcla de arena silícea y bórax. En ambos casos, es conveniente utilizar un recipiente hermético.

## Trabajos creativos con flores secas

- Compruebe el material disponible y asegúrese de la cantidad de flores que tiene antes de empezar: así evitará que le falten flores o herramientas a medio trabajo.
- Componga ramilletes de 10 tallos; es la agrupación floral estándar, la más utilizada.
- Cuando haga ramos, afiance los tallos con alambre para que queden bien agrupados y la composición se mantenga.
- Si el ramo va en un jarrón, procure cortar los tallos a la medida justa para que el ramo no se hunda.
- Procure dejar los extremos largos si tiene que fijarlos a una base: siempre habrá tiempo de cortarlos a medida.
- Complemente las composiciones de flores con musgo, tela de saco, palitos de canela o cortezas de árbol: son muy útiles para disimular los alambres que puedan quedar a la vista o la superficie de la base.
- Recuerde que el musgo tiene que estar perfectamente seco si se pretende trabajar con él, ya que la humedad podría pudrir irremediablemente el ramo. Si fuera necesario, puede secar el musgo en el horno a temperatura muy suave.

- Si quiere componer un cesto, cubra el interior de éste con tela metálica o alambres que sirvan de soporte para fijar una esponja que hará de base. Si por cualquier circunstancia no puede conseguir tela metálica o alambre, también puede pegar la esponja con cola blanca. Corte los tallos del ramo a la medida justa para que entren en la esponja y la composición quede a la altura deseada. Después, coloque el musgo fijándolo con horquillas hechas con alambre que se sujeten a la base de tela metálica. Recuerde que si pretende hacer una composición voluminosa, es mejor que añada un peso dentro del cesto para que gane estabilidad.
- Otra posibilidad es la utilización de ramas finas para la confección de coronas de ramas. Recuerde que, con ramas gruesas, le costará más formar las curvas.

# Flores prensadas

*Los trabajos con flores prensadas pueden considerarse un arte, sobre todo cuando se conoce la variedad y la belleza de productos decorativos que se consiguen. Para empezar, hay que tener presentes dos factores fundamentales: primero, el cultivo o la recolección de las flores más apropiadas, y segundo, las técnicas básicas para el proceso de prensado.*

## Cultivo y recolección

### • Flores Silvestres

Puede recolectar una gran cantidad de flores que se desarrollan en plena naturaleza. Las mejores estaciones para la recolección son la primavera y el verano, ya que es la época de mayor floración. De todas formas, sea respetuoso con la Naturaleza y no recolecte flores indiscriminadamente ni en grandes cantidades. Cuando elija una flor, asegúrese de que a su alrededor hay varios ejemplares similares: así tendrá la certeza de que la especie podrá reproducirse de nuevo. Recuerde que las flores idóneas son las de tamaño pequeño, y cuanto más secas mejor: así será más sencilla la desecación. Consulte libros especializados para conocer las especies silvestres más adecuadas.

### • Flores de Jardín

Otra posibilidad para obtener flores es recurrir al jardín de casa. Allí encontrará flores silvestres que han crecido espontáneamente, además de las que usted pueda haber cultivado. Esto aumenta su capacidad de elección a la hora de recolectar flores para el prensado. Si no tiene jardín, utilice 2 ó 3 macetas destinadas al cultivo de flores para prensado.

### • Hierbas y Hojas

Por otro lado, no debe olvidar que puede utilizar otros elementos además de flores para estas manualidades: piense también en prensar hojas de árbol, hierbas aromáticas e incluso algunas verduras y hortalizas del huerto.

Por si fuera poco, los líquenes, las cortezas y los musgos completan esta larga relación de ejemplares que pueden ser prensados perfectamente.

Las plantas aromáticas puede comprarlas o bien cultivarlas en su propia casa: al ser plantas muy secas, resultan muy adecuadas para el prensado. Ejemplos de este tipo de plantas son la menta, la albahaca, el perejil, el romero, las hojas de higuera y las hojas de olivo.

## Sabía que...

*En el mundo vegetal, al igual que en el animal, existen especies protegidas. Si piensa coger flores silvestres es mejor que se informe: en ningún caso debe coger especies protegidas. Si todos colaboramos, conseguiremos salvaguardar estas especies y proteger la diversidad botánica y el medio ambiente.*

## Técnicas de prensado

- La regla de oro es que debe prensar las flores y las plantas recolectadas lo antes posible.
- Puede utilizar dos tipos de prensa: la prensa de madera y el clásico libro.
- La prensa de madera funciona con varias capas de cartón y papel absorbente dispuestas entre 2 tapas de madera. La fuerza de prensado la ejercen 3 ó 4 mordazas.

## Cómo hacer un ramo de flores prensadas

Una de las posibilidades que nos ofrecen las flores y las plantas prensadas es la de hacer un ramo muy especial, pues los componentes han sido prensados hasta quedar planos. Se trata de utilizar una cartulina y componer un ramo que, enmarcado, quedará como un cuadro.

### Material

- Material prensado, formado por ramas, flores y hojas
- Cartulina gruesa que hará de soporte
- Tela de raso o de algodón para los adornos
- Cola blanca para el encolado
- Pincel, pinzas, palillos, cúter y tijeras como herramientas

### Pasos a seguir

1. Coloque sobre la cartulina un abanico de ramas de hiedra verde o helechos. Esta base marcará los límites del ramo, hará de fondo y centrará la composición sobre el folio.
2. Vaya completando el ramo con algunas flores de tallo largo y rellene las partes que queden vacías con flores de un color más claro.
3. Procure que todos los tallos partan del mismo punto de origen. Iguálelos con el cúter si fuese necesario.
4. Cierre el ramo por la parte delantera con las hojas de helecho más cortas.
5. Los tallos que ha cortado colóquelos en la base del ramo. Parecerá que son las flores del ramo que llegan hasta la base.
6. Cuando ya tenga una composición que le guste, empiece a encolar las diferentes partes para irlas fijando.
7. Llévelo a enmarcar con un marco de madera fino y un cristal protector.

- Coloque papel absorbente entre las flores y la prensa. Ponga el mayor número de flores posible en la prensa, pero sin apilarlas y dejando un espacio entre ellas.
- Si utiliza un libro, debe aislar igualmente las flores con papel absorbente. Para aumentar la presión, acumule varios libros uno encima de otro.

- En ambos casos, recuerde que las flores prensadas aumentan de tamaño.
- Alise la flor antes de prensarla y ponga los pétalos hacia arriba para que no se estropeen.
- En general, las hojas (excepto si son muy gruesas) necesitan un tiempo de prensado menos prolongado que las flores.
- Si las flores que quiere prensar están demasiado frescas es conveniente que cambie el papel absorbente cada día, al menos durante los 3 ó 4 primeros días.
- No olvide limpiar concienzudamente de insectos los pétalos antes de introducir la flor en la prensa.

## Otros posibles trabajos

- Decoración de objetos de madera, sobre todo las tapas de una cajita.
- Decoración de utensilios de cocina, especialmente los tarros de la despensa.
- Creación de tarjetas de felicitación, de fiestas o de tarjetas navideñas.
- Elaboración de puntos de lectura para los libros.

# Plantas medicinales

*Las plantas medicinales fueron los primeros remedios a los que recurrieron los seres humanos para combatir las enfermedades. Hoy, la medicina moderna ha experimentado una magnífica evolución, hasta el punto de que la industria farmacéutica es una de las más potentes del país. Pero esto no quiere decir que las plantas medicinales hayan pasado a la historia, sino más bien al contrario: el abuso de algunos preparados químicos ha hecho que los remedios naturales estén cada día más en alza.*

## Formas de preparación

Existen 4 formas de preparar las plantas medicinales para ser utilizadas como remedio natural:

- **Infusiones.** Las infusiones son el sistema de preparación más sencillo y conocido. Puede prepararlas de la misma forma

que haría una manzanilla o un té, utilizando flores, tallos verdes y hojas, junto con agua al punto de ebullición. Sólo debe tener un cuidado especial en la preparación de infusiones de hierbas aromáticas: el recipiente donde las prepare debe estar perfectamente tapado, porque si se evapora en exceso perderá todos sus efectos medicinales. Recuerde que también puede hacer infusiones frías sustituyendo el agua por leche.

- **Pastillas.** Las pastillas son el preparado más adecuado para las hierbas que actúan sobre las dolencias de la garganta, la boca y las vías respiratorias. Se trata de elegir las plantas adecuadas para su dolencia:
  - La salvia es buena para la amigdalitis y para las llagas bucales.
  - El regaliz se utiliza para suavizar los dolores de garganta.
  - El anís y el tomillo son recomendables para las mucosidades.

Para preparar las pastillas, mezcle el polvo de la planta elegida con azúcar y mucígalo. El mucígalo es una sustancia que se encuentra en algunos vegetales, una especie de gelatina espesa que dará consistencia a la pastilla. Pregunte en su herboristería.

- **Pomadas.** Algunos ejemplos de plantas medicinales muy apropiadas para preparar pomadas son la árnica, el pepino y el pie de león.

Para la base de la pomada acostumbra a utilizarse vaselina: es un producto muy agradecido y fácil de trabajar que le ayudará a preparar la pomada sin mucho esfuerzo. Sólo tiene que hervir a fuego lento 2 cucharadas soperas de la planta elegida en 200 g de vaselina. La mezcla permitirá que los componentes de la planta penetren bien en su piel.

- **Baños.** Los baños corporales constituyen otra forma tan interesante como placentera de aprovechar las propiedades medicinales de las plantas:
  - Para los baños que mejoran la capacidad de conciliar el sueño, añada al agua una infusión grande de valeriana, lúpulo, manzanilla o tila.

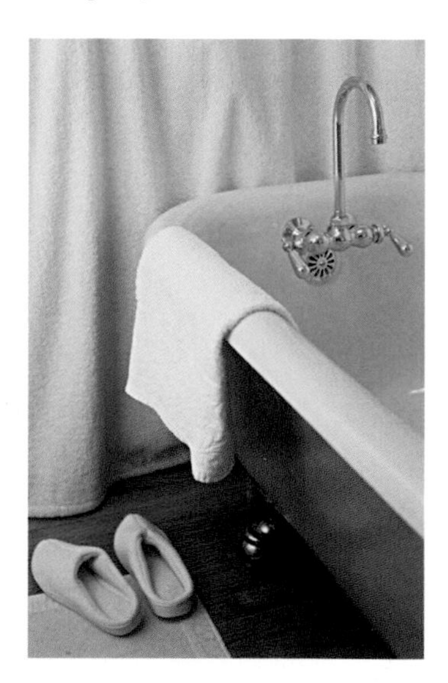

  - Para mejorar la circulación o para moderar la fiebre, utilice hierbas estimulantes como el jengibre o la cayena.

| Especie | Recomendable para... | Precaución |
|---|---|---|
| Apio | Evita la retención de líquidos y tiene efectos tranquilizantes. | Con problemas de riñón. |
| Azafrán | Es digestivo, de gran ayuda en las digestiones pesadas. Se utiliza también como enjuague para llagas en la boca. Las tisanas de azafrán son un buen remedio contra la fiebre de los niños. | No se conocen efectos secundarios. |
| Berenjena | Evita la retención de líquidos. | Sin efectos secundarios. |
| Cebolla | La cebolla es muy digestiva, especialmente porque elimina las bacterias intestinales. También ayuda al buen funcionamiento del corazón. Machacada con vinagre, acaba con las verrugas y las durezas. | No es recomendable para personas que sufran de gastritis. |
| Estragón | Es un magnífico estimulante del apetito. | Sin efectos secundarios. |
| Hinojo | Suaviza las molestias provocadas por una mala digestión. Se utiliza especialmente cuando se sufre de gases. También tiene efectos diuréticos y actúa contra la tos crónica. | No se conocen efectos secundarios. |
| Laurel | Es un buen remedio contra el reuma y las molestias estomacales. | Sin efectos secundarios. |
| Manzanilla | Las infusiones y los baños de manzanilla son tranquilizantes y calmantes. Se utiliza también como regulador menstrual. Es muy apropiada para la limpieza de las zonas vaginales. | No se conocen efectos secundarios. |
| Nuez moscada | Para los problemas estomacales provocados por crisis nerviosas y estrés, para tratar los ataques de histeria, pérdidas de concentración y dolores menstruales. Con manteca, es un excelente remedio contra las hemorroides. También se considera un buen afrodisíaco. | No se conocen efectos secundarios. |
| Orégano | Es muy utilizado para la tos, para suavizar menstruaciones dolorosas y como digestivo. | No se conocen efectos secundarios. |
| Ortiga | Para los problemas de gota, reuma, diabetes y erupciones en la piel. Como cataplasma sobre las heridas, ya que corta la hemorragia. También para tratar las diarreas y aliviar las inflamaciones intestinales. | Es conocido por todos que las ortigas pueden provocar urticaria al contacto con la piel. |
| Perejil | Es muy apropiado para aquellos que sufren de retención de orina. También como tratamiento contra el reuma y contra la obesidad. Machacando hojas frescas se obtiene un remedio muy eficaz contra las picaduras de insectos. | En forma de aceite debe utilizarse con moderación porque puede ser tóxico. |
| Pimienta negra | Se utiliza normalmente como digestivo. | Convulsiones. |
| Poleo menta | Recomendado para digestiones pesadas y problemas de gases. | Sin efectos secundarios. |
| Rosal | Se utiliza para combatir la fiebre, la anemia y la falta de apetito en niños pequeños. También es un buen antidiarreico. Muy utilizado asimismo como perfume de baño. | No se conocen efectos secundarios. |
| Salvia | Se utiliza sobre todo como remedio para los dolores de estómago. También es eficaz contra la diarrea y los calambres. | No se conocen efectos secundarios. |
| Té | Es un gran estimulante y un buen antidiarreico. Tiene estupendas propiedades para aliviar el dolor de cabeza, disminuir el colesterol y para prevenir la arteriosclerosis. | En exceso, puede producir náuseas, vómitos y vértigos. |
| Trébol | Es un magnífico remedio contra la gota. También se utiliza contra la bronquitis y la laringitis. | No se conocen efectos secundarios. |
| Valeriana | Es el calmante por excelencia. Se recomienda especialmente para el insomnio, la ansiedad, el estrés y la migraña. | Puede provocar dolores de cabeza. |

# La salud de tus mascotas

# Consejos para adquirir un perro

*La adquisición de un perro no es algo que pueda decidirse a la ligera. Los que hemos tenido uno alguna vez sabemos que es un animal de una sensibilidad impresionante, y también sabemos que tenerlo exige dedicación y responsabilidad. Recuerde que adquiere un animal inteligente y sensible, con unas necesidades diarias que debe ayudarle a cubrir durante los 10, 12 ó 15 años que suelen vivir. Si acepta esa responsabilidad, prepárese a tener una de las experiencias más gratificantes de la vida.*

## Piense en su estilo de vida

- Si trabaja todo el día fuera de casa o viaja constantemente, no podrá atender todas las necesidades de su perro.
- Piense en el espacio del que dispone: es complicado tener un perro de gran tamaño en un estudio o en un apartamento pequeño.
- En general, piense qué quiere del perro y qué puede darle, y busque asesoramiento en una tienda especializada para elegir la raza que más se ajusta a sus deseos. No olvide que algunos Caniches o Terriers necesitan cuidados y un cepillado continuo de su pelo, que la mayoría de las razas necesitan relacionarse y tener cierta vida social, que las razas mayores precisan ejercicio físico diario, etc.
- Piense en el resto de personas que viven con usted: quizá su hijo sea temeroso y por tanto será mejor elegir un perro pequeño, quizá haya personas alérgicas y será mejor escoger razas de pelo corto, o quizá tenga niños pequeños y será preferible escoger una raza más tranquila y paciente.

## ¿De raza o cruzado?

- Un perro mestizo puede salirle igualmente cariñoso o listo, pero es más difícil prever la forma, el tamaño y el carácter que tendrá de mayor.
- Un perro de raza le asegura la figura característica que le es propia, y seguramente también un carácter con los rasgos típicos de su raza. Intente ver antes al padre y a la madre.

## ¿Macho o hembra?

- Es difícil generalizar, pero el macho suele tener un carácter más firme y resulta más difícil de educar, tiende a marcar su territorio con orina y si hay una hembra en celo en su entorno irá hacia ella.
- Las perras suelen ser más tranquilas, se dejan dominar más fácilmente y no marcan el territorio con orina, como los perros, aunque las hembras están en celo 2 veces al año, lo que provoca un fuerte olor que atrae inevitablemente a los machos.
- Al final, es una cuestión de gustos, una decisión más intuitiva que racional.

## Ya está decidido...

- Antes de adquirirlo, haga lo posible por consultar el tema con personas que tengan un perro de la raza por la que se ha decidido para que les expliquen su experiencia, sus ventajas, sus inconvenientes, sus dificultades y sus satisfacciones.
- Escoja preferentemente un cachorro, y si tiene posibilidad, vaya a ver toda la cama-

da y elija el que vea más sano, o bien el que reaccione como a usted más le gusta: el más tranquilo, el más gracioso, el más cariñoso...

- Piense que debe educar al cachorro en el transcurso de los primeros meses: si cree que no va a tener paciencia suficiente, que no dispondrá de tiempo o, incluso, que quizá no sepa hacerlo, lo mejor es que opte por un perro que ya haya alcanzado el primer año de vida. En este caso, asegúrese perfectamente del historial del animal, de su educación, de su certificado de vacunación, etc. Lo idóneo sería quedarse un perro de algún familiar o conocido, y a ser posible, que usted ya conozca al animal y lo haya visto en alguna que otra ocasión.

## Nos lo llevamos...

- Infórmese del tipo y de la cantidad de comida que ha estado consumiendo los últimos días: no es bueno cambiarle la alimentación de golpe.
- Consulte en un libro especializado o en un criador cuáles son las características básicas de un perro de raza cuando es cachorro y compruebe que las cumple: dentición, pelo, orejas, rabo...
- Infórmese sobre las edades de vacunación y pida su libreta de certificaciones.
- Hable con su veterinario antes de ir a buscarlo para que le asesore sobre la raza en concreto que ha elegido. Pídale hora enseguida para que pueda garantizarle el buen estado de salud del animal.
- Tenga preparado en casa un lugar para su perro: una alfombrilla para dormir, a ser posible en algún lugar recogido y algo protegido, bajo una mesa accesoria, por ejemplo. Tenga también un recipiente con agua fresca para que pueda beber cuando quiera. Déjele algún muñeco especial para perros para que se vaya sintiendo en casa.
- Grabe en la chapa de su collar su número de teléfono por si alguna vez se perdiera.
- Sea especialmente dulce y cariñoso los primeros días: el cachorro precisa de un período de transición para adaptarse a su nuevo hogar.

### Recuerde

*A la hora de escoger su perro, tenga presente que tanto la perrera municipal que pertenece a su localidad como los refugios de las sociedades protectoras de animales están repletas de perros (y gatos) ansiosos por tener un hogar. Vaya a verlos un par de días seguidos: por su reacción se ve si son animales cariñosos, y suelen serlo mucho, en algunos momentos con unas muestras de agradecimiento muy sinceras, y que manifestarán durante toda su vida.*

# La salud de su perro

*Hay dos normas fundamentales para mantener a su perro en buen estado de salud: la primera, proporcionarle una alimentación equilibrada y saludable, el ejercicio diario necesario y unas pautas de convivencia básicas; la segunda, cumplir con su correcto calendario de vacunas y el seguimiento periódico de su veterinario de confianza.*

## Una alimentación sana y equilibrada

- 5 comidas al día mientras esté entre los 2 y los 3 meses de vida, que pasarán a ser 4 cuando tenga entre 3 y 5 meses, 3 diarias entre los 5 y 9 meses, y 2 comidas diarias a partir del año, aunque ya de adulto puede acostumbrarlo a una sola comida diaria. Consulte siempre con su veterinario según la raza y la actividad de su perro.
- El perro es un mamífero perteneciente al orden de los carnívoros, pero es necesario complementar su alimentación con pescado, verduras, arroz, lácteos y otros aportes. Consulte con su veterinario según la raza y la actividad de su perro.
- Una excelente alimentación diaria puede ser aquélla que tenga una base de arroz hervido, con espinacas o zanahorias, y un poco de carne troceada, cruda o muy poco hecha. Ocasionalmente, puede añadir un chorro de leche, un huevo pasado por agua, una manzana troceada, pechugas de pollo hervidas o sustituir la carne por pescado. El paladar de su perro se irá acostumbrando a todo y también le irá marcando sus preferencias.
- Si opta por piensos especiales, comida enlatada u otras fórmulas comercializadas para perros, asegúrese de elegir el adecuado para su perro. Para ello, consulte con su veterinario según la raza y la actividad.

## Cómo evitar la anemia

La anemia se produce cuando los glóbulos rojos no transportan el oxígeno suficiente como para mantener el dinamismo normal de su perro. Si nota a su perro abatido y apático, llévelo inmediatamente al veterinario, pero puede también utilizar algunos trucos sencillos para ayudarle:

- Lo primero que debe hacer es eliminar todos los parásitos que pudiera tener su perro: esos "bichitos" pueden llegar a absorber hasta la cuarta parte de la sangre de su perro y, por supuesto, ser la causa de su anemia.
- Deje de suministrarle cualquier medicamento que esté tomando: algunos de ellos producen hemorragias en el aparato digestivo y otros provocan que el sistema inmunológico ataque las propias células sanguíneas.
- Prepare su dieta con más alimentos ricos en hierro y en vitaminas del grupo B, como

### Ahorre dinero

*Compre piensos de máxima calidad, pero dé a su perro únicamente 3/4 partes de la cantidad que indica la etiqueta del envase. Un perro esbelto es la mayor garantía de salud. Complemente su ración de pienso esporádicamente con alguna verdura u otro producto fresco para evitar la monotonía.*

## Calendario de vacunación

Casi todos los veterinarios siguen este sistema de vacunación, aunque puede haber variaciones.

| Enfermedad | Edad de la 1.ª vacuna | Edad de la 2.ª vacuna | Edad de la 3.ª vacuna | Intervalo |
|---|---|---|---|---|
| Moquillo | 6-10 semanas | 10-12 semanas | 14-16 semanas | 12 meses |
| Hepatitis canina | 6-8 semanas | 10-12 semanas | 14-16 semanas | 12 meses |
| Parvovirus | 6-8 semanas | 10-12 semanas | 14-16 semanas | 12 meses |
| Parainfluenza | 6-8 semanas | 10-12 semanas | 14-16 semanas | 12 meses |
| Leptospirosis | 10-12 semanas | 14-16 semanas | _ | 12 meses |
| Rabia | 12 semanas | 64 semanas | _ | Depende |
| Coronavirus | 6-8 semanas | 10-12 semanas | 12-14 semanas | 12 meses |

por ejemplo el hígado cocido. Puede de igual manera suministrarle complejos vitamínicos con estos componentes. Desmenuce las pastillas entre su comida, y si son cápsulas, ábralas y haga lo mismo.

- Déjelo descansar para que no necesite tantos aportes de oxígeno y pueda recuperarse.

## La salud mental de su perro

Darle una buena educación a su perro garantiza una buena convivencia, y por lo tanto que ambas partes se sientan a gusto. Además, pronto descubrirá que lo que más quiere su perro es satisfacerle: la mayoría de los perros que no obedecen es que no entienden.

- Antes de los dos meses no debe educar al perro: su único trabajo consiste en estar en casa, comer, jugar y dormir.
- A partir de los dos meses, empieza la fase de aprendizaje: recuerde que cuanto aprenda en este periodo lo tendrá para toda la vida.
- Más que el significado de las palabras, los perros entienden los tonos. Utilice un tono suave y cariñoso para el día a día, y un tono ligeramente enérgico y muy breve, siempre con palabras cortas, para las órdenes. Acostúmbrese a hablarle con palabras sencillas como "no", "quieto" o similares, e intente que sean pocas y se utilicen frecuentemente.
- Acompañe las palabras con gestos sencillos y le entenderá mejor.
- Felicítelo con palabras y caricias siempre que le obedezca.
- Si hace algo mal, no piense que pegarle es la única solución: bastará un tono de reproche o un golpe ruidoso con un periódico enrollado. Es imprescindible que le riña justo en el momento en que comete la travesura o desobedece: pasado un rato, ya no lo asociará con lo que ha hecho.

### ¡Cuidado!

*Los huesos tiernos, tanto si están crudos como cocidos, y los cartílagos, son muy recomendables para su perro, ya que contienen fósforo, calcio y azufre, aunque no conviene dárselos en exceso, ya que pueden provocar estreñimiento. Tenga mucho cuidado con los huesos que se astillan, ya que pueden provocar lesiones importantes en la garganta y en el tubo digestivo. Evite los huesos de ave, los de conejo y las costillas de cordero.*

# Educar a su perro

*Las cualidades y el carácter natural del perro han sido las condiciones previas para la domesticación de esta especie y para su estrecha convivencia con el hombre. Se trata de un animal que en estado salvaje suele vivir en manada y se somete al liderazgo del individuo de rango superior que encabeza el grupo. En su relación con la especie humana, el perro asume que esa misma función la ejerce su dueño, de manera que se muestra fiel hasta el punto de ser considerado el mejor amigo del hombre.*

## "No me mojes la alfombra..."

Las primeras semanas, un cachorro puede hacerse pis hasta 20 veces al día, y en los lugares más inoportunos.

- Esté atento a los gestos de su perro las primeras semanas: verá que antes de hacer sus necesidades adopta una postura determinada y podrá sacarlo al balcón o a la terraza. Cuando haga su pis en el lugar adecuado, felicítele para que sepa que lo ha hecho bien.
- Si su cachorro se hiciese sus necesidades en casa, enséñele lo que ha hecho inmediatamente y háblele en un tono recriminatorio, simplemente hablándole y diciéndole "no" varias veces: lo comprenderá perfectamente.
- Después de esta reprimenda, no lo saque al balcón o lo interpretará como parte del castigo: el cachorro debe entender que debe salir al balcón a hacer el pis, pero no que el balcón es un lugar de castigo.

### Recuerde

*Los perros tienden a orinar en el mismo sitio donde ya lo hicieron anteriormente. Limpie a conciencia cualquier pis con agua, un chorro de vinagre blanco y una gota de lavavajillas, y evitará que reincida.*

- En una semana, su cachorro ya debería irse hacia la puerta del balcón cuando quiera hacer pis: esté atento para que su petición tenga una respuesta inmediata. Con su tono de voz, muéstrele que ha hecho algo bien: para su cachorro es el mejor halago.
- A la semana siguiente intente que vaya acostumbrándose a esperar a determinadas horas para salir al balcón, y así empezará a aprender a retener la orina. Calcule que debe salir unas 5 veces al día.
- Cuando haya aprendido a retenerse y a esperar, vaya sustituyendo el balcón por la calle. Sea de nuevo paciente con la

transición. Tenga un horario fijo para sus paseos.

- Pida en su ayuntamiento un plano de los *pipi-can* de su zona y recuerde que debe recoger todos los excrementos sólidos de su perro. Procure también que los haga en árboles o zonas donde no moleste a sus vecinos.

## "No me seas gruñón..."

Que nuestro perro sea considerado o no como "gruñón" depende en gran medida de la educación que le hayamos sabido dar:

- De cachorro, reaccione con un "no" enérgico cuando su perro gruña o le dé por enseñarle los dientes. Lo hacen por instinto cuando algo no les gusta o tienen miedo. No se muestre violento ni lo asuste.
- Castíguelo separándolo de lo que más quiere, que es usted: déjelo 5 minutos solo en una habitación para que sepa y sea consciente de que ha hecho algo malo.

### Recuerde

*Sus manos deben servir únicamente para dar afecto. Pegar a un animal sólo consigue atemorizarlo, y el miedo es una de las causas más habituales para que un perro muerda. Su mano debe ser la mejor amiga de su perro.*

## "Encantado de conocerte..."

- Ponga especial atención cuando llegue alguien a casa o se encuentre con él por la calle: no olvide que lleva al lado un perro que querrá defenderle a la mínima señal de amenaza. En un primer momento, descarte los abrazos demasiado efusivos o las bromas que el perro pudiera malinterpretar.
- Utilice un tono de voz suave desde lejos para que su perro comprenda que va a encontrarse con alguien apreciado.
- Puede decirle a su mascota que se siente: es un gesto que indica relajación y que no hay que estar alerta.
- Dígale a su invitado que si va a tocar al perro le acerque la mano por debajo de la cabeza, empezando por el cuello: la mano por encima de la cabeza puede ser interpretada por el perro como un gesto amenazante.

## "Por favor, para de ladrar..."

- Un perro debe aprender a ladrar solamente cuando hay un motivo para ello: no le deje ladrar por cualquier cosa o acabará haciéndolo durante todo el día y con tan poca convicción que no intimidará ni a un pájaro, además de las molestias que sus ladridos puedan ocasionar en casa o a los vecinos.
- Permítale hacer más ejercicio y se tranquilizará.
- Tenga su boca ocupada con un hueso o un muñeco.
- Otra buena idea consiste en darle algo nuevo con su olor, una zapatilla vieja, por ejemplo, y la mezcla entre cariño y juego le hará tranquilizarse.
- Felicítelo. Muchas veces un perro ladra para que usted vea que él está atento y vigilante. En cuanto le diga que es un guardián excelente se quedará enormemente satisfecho.

# Consejos para adquirir un gato

*El carácter del gato está en las antípodas del carácter del perro. Por lo general, el gato es considerado un animal bastante más independiente, en absoluto tan sumiso y muchas veces autosuficiente. Quienes han decidido disfrutar de su compañía, sin embargo, establecen una relación igualmente intensa con su mascota, aprenden a comprenderla, a respetarla y tienden a valorar que a cambio no piden tanta atención como la que demanda un perro. Sus gustos y preferencias personales le harán inclinarse por uno u otro, pero si finalmente se decide por el felino, no olvide que debe comprender, respetar y aceptar su peculiar personalidad.*

## Mentalícese para comprender a su gato

- Un buen consejo: asegúrese, antes de adquirirlo, de que conoce lo suficiente el carácter natural del gato y de que está dispuesto a respetar y comprender el estilo de vida independiente que caracteriza a su nuevo compañero.
- Acepte el sentido de la intimidad de su gato, los momentos que quiere pasar solo, e incluso que se esconda cuando vienen invitados.
- Debe respetar a rajatabla los ciclos de sueño de su gato: las costumbres de estos animales son muy variables, algunos duermen durante amplios períodos y, sin embargo, otros dan cortas cabezadas varias veces al día.
- Si su gato insiste, acepte que se vaya de casa de cuando en cuando: necesitan esa sensación de libertad y aún conservan su instinto cazador.
- Recuerde, sin embargo, que su libertad y la de su gato acaban donde empieza la del vecino: procure que no moleste.

## ¿Qué raza?

- En general, los gatos europeos son más sociables y parece que se adaptan con más facilidad a diferentes condiciones de vida.
- El Siamés es un animal de gran belleza y de gran actividad.
- Los Persas, además de muy bonitos, son gatos más tranquilos, de menor movilidad y no tan temperamentales.

## ¿De raza o un gato común?

- Existe una gran variedad y algunos de una gran belleza. La presencia, la estampa y el pelaje pueden ser perfectamente sus criterios de selección: escoja el que más le guste, pero si prima el aspecto, decántese por los animales de raza.
- Si quisiera presentarse a alguna competición algún día, es imprescindible que su gato sea de raza.
- Los gatos comunes tienen la ventaja de su fácil adquisición, así que si tiene poco presupuesto, puede dirigirse a la protectora de animales y conseguir un gato común.

- Deje que elija el gato: muchas veces son ellos los que llegan a su terraza o a su jardín y parece que eligen vivir con nosotros.

## ¿Macho o hembra?

- La elección depende sobre todo de sus preferencias personales, aunque si usted quiere criar es mucho mejor que tenga una gata y así podrá asegurarse cachorros. La cría de gatos no suele presentar problemas: controle la salud de su gato periódicamente, siga los controles que le marque su veterinario y mantenga buenas condiciones higiénicas.
- No tenga una pareja de gato y gata; suele ser complicado.
- Puede optar por 2 hembras, preferentemente con relación de parentesco.

## ¿Cuántos gatos?

La cuestión no se plantea en vano, ya que es muy frecuente que las personas que tienen un gato acaben teniendo más de uno. Unas veces porque algún gato llega a casa acompañando al nuestro, y otras porque la poca atención que necesitan permite tener 2, 3 o más gatos en casa. La verdad es que sus costumbres higiénicas lo permiten.

- Si puede, tenga 2 gatos: se harán compañía cuando usted no esté en casa.
- Piense que, sobre todo de pequeños, podrán jugar juntos, lo cual les gusta mucho.
- Si le gusta tener varios gatos, deje que a su terraza o a su jardín se vayan acercando algunos de los alrededores, dependiendo de dónde viva, y no se plantee cuántos tiene o cuántos son sólo visitantes.

## Preparativos en el hogar

Asegúrese de que la casa está limpia de peligros:

- Pase el aspirador para que no haya en el suelo ninguna aguja, un alfiler o un botón que el gato pueda tragarse.
- Ponga protectores en los enchufes y fije bien los cables eléctricos a la pared.
- Cierre bien las puertecillas de estufas y cocinas.
- Tape los huecos de la parte trasera de la lavadora y la nevera.
- No deje figuritas ni otros motivos decorativos delicados en zonas donde el gato pueda tirarlas.

### Recuerde

*Algunas investigaciones médicas llevadas a cabo han constatado que sentarse tranquilamente a acariciar a un gato ronroneando facilita la disminución de la tensión nerviosa, de la presión sanguínea y del número de pulsaciones. Es posible que sea el primer buen motivo para pensar en adquirir un gato.*

# La salud de su gato

*El gato es un animal carnívoro con tendencia a comer de todo. Conserva su instinto cazador y necesita hacer ejercicio para conservarse en buena forma, ágil y delgado. Proporciónele una alimentación equilibrada, respete sus pautas naturales de conducta y permanezca atento a los cambios en sus hábitos y en su estado de ánimo.*

## La dieta alimenticia

- El gato recién destetado come 5 veces al día.
- Disminuya el número de comidas y vaya aumentando la cantidad en cada una de ellas hasta los 9 meses.
- Un gato adulto debe comer 2 veces al día, unos 120-140 g de carne o pescado, fresco o enlatado, siempre dependiendo del peso, el tamaño y la actividad que tenga.
- Calcule unas 50 calorías diarias por cada 500 g de peso, también dependiendo del peso, el tamaño y la actividad que desarrolle.
- Los gatos castrados necesitan menos comida.
- Las gatas en período de lactancia pueden necesitar hasta el triple de aportes.

## Estimular el instinto cazador

- Compre un pequeño ratón relleno en alguna tienda especializada para que de cachorro su gato juegue y desarrolle correctamente su esqueleto, sus garras, su musculatura y su instinto cazador.

### Recuerde

*Estimular el instinto cazador de su gato no significa fomentar su carácter violento. Nada más lejos de la realidad: se trata de garantizar que no aparezcan problemas de sedentarismo y obesidad, y también de que pueda subsistir con garantías si en alguna de sus escapadas no regresa a casa.*

- Deje que salga de casa y se vaya por los tejados a la caza de algún pajarillo: es ley de vida.
- Si lo tiene encerrado, consulte con su veterinario los juegos que puede prepararle para que al decaer su instinto cazador no disminuya su actividad física.

## Respete su sueño

- Deje que duerma a su ritmo, unas veces mucho y otras veces poco.
- No se preocupe demasiado por su gato: duermen a pierna suelta incluso en circunstancias de temperatura difíciles, y tanto si es de día como si es de noche.

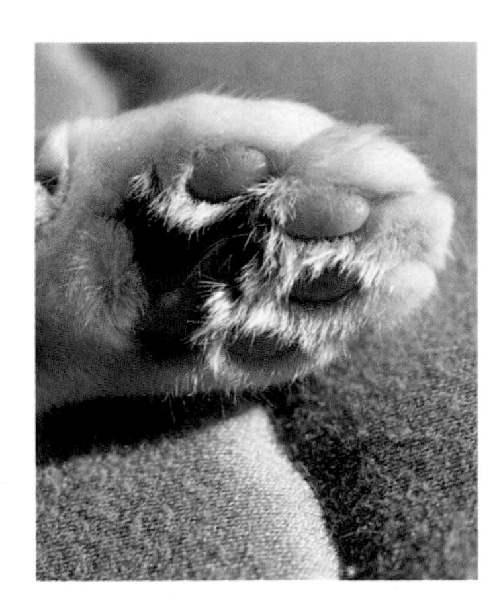

## La higiene del gato

- El gato es un animal muy limpio: él mismo se encarga de su aseo personal con sus garras y su lengua.
- Deje que se limpie con otros gatos: el aseo recíproco es una costumbre frecuente y también una forma de relación social.
- Ayúdele en su aseo personal si tiene un pelaje frondoso: utilice un cepillo especial y consulte a su veterinario sobre la forma correcta de cepillarlo.
- Pida a su veterinario que también le enseñe a cortar las uñas de su gato.

## Combatir la gripe felina

- La gripe felina es una enfermedad altamente contagiosa. Se detecta por los ojos llorosos, el goteo nasal y algunos estornudos. Utilice un pañuelo y ayúdele a librarse de estas incomodidades. Le será más fácil si humedece el pañuelo en agua tibia.
- Otro de los síntomas es la pérdida de apetito. Sin embargo, resulta esencial que su gato siga comiendo normalmente. Un buen truco es añadir un poco de agua templada a su pienso o a su comida normal: la temperatura le ayudará a comer mejor.

### ¡Cuidado!

*Si notara que su gato deja de lavarse, lo más probable es que esté enfermo. Lávelo usted cuidadosamente, ya que su carácter pulcro hace que al sentirse sucio pierda las ganas de vivir.*

- La gripe felina provoca que se les tape la nariz: añada una lata de atún a su comida y notará un aroma que le ayudará a abrir el apetito.
- Utilice también huevos revueltos o requesón.
- Si no comiera nada, pase su comida por la batidora y añada un poco de agua caliente para servirle un caldo espeso: no se resistirá.
- Recuerde que en su programa de vacunas puede incluir la específica contra la fiebre felina. Consulte a su veterinario.

# La felicidad de su gato

*Las diferencias de carácter entre perros y gatos nos han llevado a hablar de la educación en el caso del perro y, sin embargo, cuando hacemos referencia al gato hablamos de su felicidad. La explicación es sencilla: gran parte de la felicidad de un perro reside en su buena educación, ya que una de sus grandes satisfacciones es servir a su amo, mientras que el gato, como ya hemos ido comentando, para ser feliz necesita respeto e independencia.*

## Cómo acomodarlo en casa

- Los más económico y práctico es una caja de cartón que le protege de las corrientes de aire y le aísla del frío del suelo. En invierno, añada unos papeles de periódico en el suelo para protegerlo más.
- Puede colocar un jersey de lana para que se sienta más arropado.
- Pregunte en su tienda de animales por las mantas de dormir para gatos: son muy confortables y fáciles de lavar.
- Evite los cestos de mimbre: son muy difíciles de limpiar y en ellos se les enganchan las uñas.
- Tenga un cajón poco profundo y con arena para sus necesidades. Ponga un periódico debajo por si hubiera filtraciones. Sitúelo cerca de su cama y manténgalo limpio cambiando la tierra periódicamente.
- Tenga siempre un cuenco con agua para que pueda beber a cualquier hora del día. Elija un cuenco poco profundo para que beba con comodidad. Cambie el agua cada mañana.
- Tenga una cesta de viaje para poder llevárselo con usted.
- Tenga un buen repertorio de juguetes para que su gato desarrolle sus reflejos y su capacidad de coordinación. Improvise juguetes con rulos del pelo, cuerdas y pelotas de ping-pon.

## La gata en celo

Un gato puede detectar a una gata en celo a 1 km de distancia gracias a su olfato. Si tiene una gata, cierre las puertas y las ventanas durante esos días y evitará la presencia de un buen número de machos.

## Mantener el gato entretenido

Los gatos son animales muy activos, así que si se sienten constantemente encerrados en casa tienden a aburrirse y a caer en estados depresivos:

- Déjele mirar a través de la ventana: aunque no pueda salir, se distraerá con el movimiento de las hojas de los árboles, con una mosca que recorre el cristal o incluso con el movimiento de la gente y los coches en la calle.

- Si quiere hacerlo feliz, coloque un comedero para pájaros frente a su ventana y se pasará horas y horas disfrutando de la vista que se le ofrecerá.
- Juegue con él a menudo, o mejor, búsquele un compañero.

## Marcar el territorio

Deje que su gato marque bien su territorio: lo hacen impregnando su zona de influencia con las glándulas que tienen en la cabeza y en la cola, con el sudor de las almohadillas de las patas o a veces con la orina (en este último caso deberá ser menos permisivo).

## El instinto maternal

Desde la pubertad, las pautas de comportamiento de una gata están orientadas al embarazo y a la maternidad, así que su deseo de aparearse es continuo.

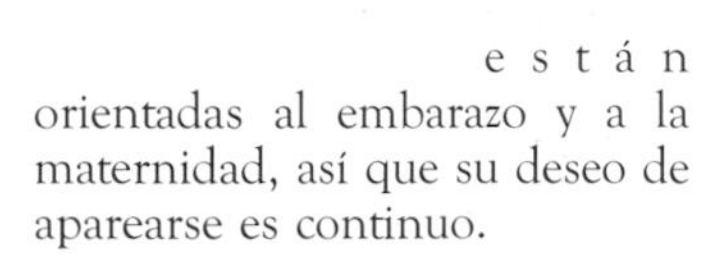

- Deje que su gata desarrolle este instinto y pueda satisfacerlo a lo largo de su vida.
- Consulte con su veterinario habitual las veces que puede tener crías, pues según su estado de salud y su edad el número puede variar.
- Deje que su gata críe a sus gatitos: es una experiencia inolvidable.
- Vaya a su tienda especializada o a su veterinario a ofrecer los gatitos si usted no pudiera quedárselos.
- Tome las medidas oportunas para que su gata no quede embarazada si ve que no puede quedarse las crías y le cuesta que alguien se las acepte.

## La pasión por las alturas

Toda persona que deja que su gato se mueva en libertad acaba enfrentándose un día a la situación de ver a su gato subido a un lugar del cual no puede bajar:

- Déjelo un rato: a veces no es que no pueda bajar, sino que está de maravilla y quiere estar solo.
- Si desea que baje, tiéntelo con su comida favorita.
- Si está herido o aterrorizado, intente subir al árbol con la ayuda de una escalera, pero procure ir con cuidado porque su gato puede moverse o saltar al ir a cogerlo.

### ¡Cuidado!

*Ya sabe que una de las cosas que puede hacer más feliz a su gato es que le deje ir a dar paseos por los tejados: póngale un collar ligero con una chapa de identificación donde figure su teléfono. Si se pierde, siempre habrá alguien que al verlo con collar se dé cuenta de que es un gato doméstico y le llamarán por teléfono. No aproveche nunca ese collar para intentar pasearlo atado como a un perro. Póngale el collar holgado para que una caída desde un árbol no pueda producirle lesiones graves.*

- Acierte al primer intento: si falla, dará un salto un par de ramas más arriba.
- Póngase alguna protección, unos guantes por ejemplo: cualquier animal herido puede reaccionar violentamente sólo por instinto o por miedo.

# Consejos para adquirir un acuario

*Existen dos tipos de acuarios: los de adorno y los de cría. Si desea dedicarse a la cría de peces, es mejor que pase por una tienda especializada y se asesore bien, porque los cuidados necesarios son algo complicados. En estas páginas vamos a centrarnos en algunos consejos prácticos para los acuarios de adorno, que son los que normalmente se tienen en casa.*

## La elección del acuario

La primera elección es decidirse por un tipo de acuario: de agua dulce o de agua de mar, o de agua fría o tropical.

| ACUARIOS DE AGUA DULCE | ACUARIOS DE AGUA DE MAR | ACUARIOS SIN PECES |
|---|---|---|
| **I.** La mayoría de acuarios que se encuentran en los hogares son de agua dulce y aceptan cualquier tipo de tanque o de recipiente que haga las funciones de acuario. | **I.** El agua salada se obtiene con una mezcla artificial de sales y agua del grifo. También pueden ser de agua fría o tropical, pero precisan siempre un acuario de cristal. | **I.** No son tan habituales, pero existe la posibilidad de tener acuarios marinos que en lugar de peces contienen diferentes invertebrados, anémonas, gambas, corales, etc. |
| **II.** Aceptan vegetación. | **II.** No aceptan vegetación, pero pueden incorporarse corales. | **II.** Puede utilizar especies locales o comprar especies tropicales. |
| **III.** Los de agua fría no necesitan regulador de la temperatura del agua, aceptan pocos ejemplares en un mismo espacio y los peces son baratos, aunque el número de especies disponibles es reducido. | **III.** Los de agua fría no necesitan regulador de temperatura, aceptan pocos peces en un mismo espacio y los peces pueden capturarse en la costa más cercana, aunque debe cuidar que sean especies no protegidas. | **III.** Si tiene un acuario de este tipo, no se le ocurra incorporar ningún tipo de peces, ya que se comerían los invertebrados. |
| **IV.** Los tropicales necesitan un dispositivo que mantenga la temperatura en torno a los 25 °C y los peces son bastante más caros, pero aceptan muchos ejemplares en un mismo espacio y existen centenares de especies donde elegir. | **IV.** Los tropicales precisan un regulador que mantenga la temperatura del agua en torno a los 25 °C y los peces a veces alcanzan precios bastante altos, pero existen numerosas especies disponibles, resistentes y de gran colorido. | **IV.** Acuérdese de apagar el filtro del agua al poner el alimento, ya que los invertebrados se alimentan del plancton del agua. Vuelva a ponerlo en marcha cuando el alimento haya sido consumido. |

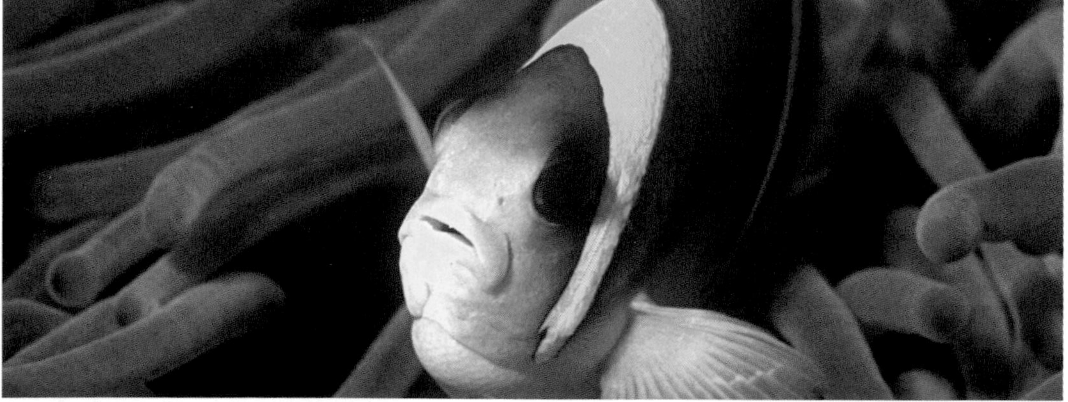

## 10 consejos prácticos para elegir peces sanos

1. Está comprobado que los peces son muy sensibles al estrés y que por este motivo precisan de un periodo de 2 ó 3 semanas para adaptarse al nuevo medio: pregunte en su tienda cuándo llegaron los peces y compre solamente ejemplares que ya hayan pasado su proceso de adaptación.

2. Si viera algún ejemplar concreto que le gustara especialmente, no dude en pedirlo aunque esté entre otros muchos.

3. Elija ejemplares con la silueta perfectamente definida, sin aletas deshiladas ni zonas desescamadas.

4. Elija ejemplares activos, que pueden permanecer quietos en un momento dado, pero que reaccionan bien ante la comida o la cercanía de otros peces.

5. Elija ejemplares que nadan sin esfuerzo aparente, con las aletas erguidas y sin movimientos extraños.

6. Descarte ejemplares que presentan excrementos colgando, ya que es muy probable que padezcan trastornos digestivos.

7. Descarte cualquier ejemplar con golpes, bultos, llagas, heridas o aletas desfiguradas.

8. Evite ejemplares que parezcan enfermos: un signo inequívoco de problemas es que tengan las escamas erizadas.

9. Descarte también los ejemplares que presentan las aletas muy pegadas al cuerpo.

10. Evite ejemplares con comportamientos sospechosos, los que permanecen quietos en el fondo de la pecera o los que flotan y golpean la superficie del agua.

## 10 consejos más para elegir los peces

- Calcule si el tamaño del ejemplar que ha elegido es el adecuado para el tamaño de su acuario.
- Tenga en cuenta que ese ejemplar no estará sólo en el acuario, sino que tendrá que compartirlo con sus otros peces.
- Piense que compra un ejemplar joven, y que su tamaño puede multiplicarse al ir creciendo.
- Infórmese sobre las especies compatibles para que unos no se coman a otros, o para que no tengan problemas de territorialidad.
- Infórmese sobre las especies gregarias, ya que precisan compañía para desarrollarse.
- Infórmese de las especies compatibles con las plantas que tenga en el acuario.
- Escoja especies que habiten diferentes niveles del acuario y aprovechará más el espacio disponible: hay especies que toman el alimento en la superficie, otras que se mueven en aguas intermedias y otras propias de los fondos del acuario.
- Por lo general, tienda a escoger especies de tamaño mayor si prefiere tenerlos más tiempo, ya que suelen tener una mayor longevidad.
- Si quiere reproducirlos, consulte en su tienda especializada, pero recuerde que muchas especies son asexuadas de jóvenes, así que es necesario adquirir 5 ó 6 ejemplares para asegurarse que se obtienen peces de los dos sexos.
- Acuda a tiendas especializadas para comprar sus peces: las que venden todo tipo de animales suelen tener menos surtido y no necesariamente conocen a fondo el amplio mundo de los acuarios.

# El cuidado de sus peces

*El correcto cuidado de sus peces depende especialmente de las buenas condiciones de mantenimiento de su acuario, de la correcta alimentación y de la capacidad de detectar a tiempo cualquier tipo de enfermedades. Asesórese bien en su tienda especializada y siga concienzudamente las instrucciones para el cuidado de sus peces.*

## El acuario en buen estado

- Tres normas básicas: mantener unas condiciones ambientales estables, conservar el acuario limpio y elegir especies de peces que sean compatibles.
- Mantenga estable la temperatura adecuada. Instale el regulador automático, pero controle la temperatura con un termómetro fijo por si hubiera un fallo mecánico o se detuviera por un corte en el suministro eléctrico.
- Lávese las manos y aclárelas bien antes de introducirlas en el acuario para no introducir suciedad.
- Recuerde que la bomba de aire de su acuario toma el aire de la habitación en la que se encuentra, así que debe procurar que no esté muy cargada, como puede ocurrir en la cocina o en zonas de fumadores.

- Limpie el filtro regularmente.
- Rastrille la grava del fondo regularmente para evitar que se vaya compactando.
- Recuerde que la sobrealimentación puede provocar el crecimiento excesivo de algas y la contaminación del acuario.
- Evite el contacto de objetos metálicos con el agua de su acuario, especialmente en acuarios de agua de mar.
- Cubra las piezas metálicas insustituibles, como por ejemplo las pinzas del termostato, con un tubo de goma o una funda similar a fin de evitar el contacto con el agua.
- Tenga un cristal protector de la iluminación para que no se afecte por la condensación.

## Tareas diarias

- Dar un vistazo y comprobar que todos los peces están en buen estado.
- Mirar el termómetro para asegurarnos de que la temperatura es la correcta.

## Tareas semanales

- Recoger los detritos del fondo por sifonamiento.
- Retirar hojas y restos de plantas muertas.
- Podar las plantas de crecimiento excesivo.

## Tareas cada 3 ó 4 meses

- Renovar una tercera parte del agua.
- Limpiar o cambiar los filtros.
- Rastrillar el fondo.

## El cuidado de las plantas

- Recuerde que las plantas requieren sus propios cuidados, pero que unas plantas en buen estado son una garantía

de que el ecosistema en el que se desarrollan sus peces también está en buen estado.

- Lave las plantas antes de introducirlas en su acuario para evitar que aparezcan cuerpos extraños. Utilice el desinfectante del acuario.
- Retire con regularidad los restos de plantas muertas y replante los ejemplares deteriorados.
- Pode las plantas que crecen excesivamente.
- Cuide que las plantas flotantes no lleguen a cubrir toda la superficie del agua y dejen a sus peces apenas sin luz.
- Elimine el desarrollo excesivo de algas con un rascador, pero deje algunas para que sirvan de alimento a sus peces herbívoros.
- Debe dar a sus peces sólo la cantidad de comida que son capaces de comer en superficie: la comida que se hunde y llega al fondo se descompone y estropea la calidad del agua.
- Es preferible que los peces estén un poco hambrientos: la sobrealimentación es uno de los errores más comunes.
- Como norma general, ponga la cantidad de comida que puede coger pellizcando con 2 dedos.
- Lo recomendable es muy poca comida 2 ó 3 veces al día.
- Siempre que pueda, incorpore algún alimento vivo a la dieta.
- Si se va de vacaciones, utilice un suministrador automático de comida. De todas formas, no se preocupe mucho: si sus peces han comido un poco más de lo normal durante los días anteriores, aguantarán hasta 2 semanas sin problema.
- Procure que la comida llegue al fondo del acuario si tiene especies de fondo. Compre los complementos especiales en su tienda especializada.

## ¡Cuidado!

*El acuario debe tener unas cuantas horas de luz y otras tantas de oscuridad a lo largo del día, pero el tránsito de una iluminación a otra debe ser suave para no alterar a los peces. Apague y encienda la luz de su acuario procurando que el cambio no sea demasiado brusco. Encienda la luz de la habitación donde tiene el acuario para que al apagar la luz interior no quede totalmente a oscuras. Al cabo de unos minutos ya puede apagar la luz del todo. Utilice el mismo método para encender la luz.*

## El correcto cuidado de los peces

- Incorpore los peces a su acuario tras pasar 2 ó 3 semanas en un acuario de adaptación.
- Procure que los traspasos sean delicados para evitar el estrés: los cambios los hacen más vulnerables a las enfermedades.
- Desinfecte bien la red si la ha utilizado para retirar ejemplares enfermos.
- Infórmese sobre la necesidad de aportar vitaminas a sus peces.
- Utilice una alimentación variada para que el paladar de sus peces no se aburra, o para no crear deficiencias alimenticias por una dieta monótona.
- Puede aportar agua un poco más fresca cuando vaya a restaurar algunos litros, ya que ayuda a dinamizar la vida de los peces, pero la diferencia de temperatura debe ser ligera.
- Evite las vibraciones, tanto en los cristales del acuario como los causados por portazos o altavoces cercanos y a un volumen alto.

# Enfermedades más comunes de los peces

*La salud de sus peces depende principalmente de dos factores: por un lado, la perfecta aclimatación a su nuevo espacio, respetando las cuarentenas y las pautas básicas de adaptación, y en segundo lugar, una vez ya se encuentran adaptados, que se mantengan estables las condiciones apropiadas del entorno.*

## Tres reglas de oro

1

La mejor medida es siempre la **PREVENCIÓN**. Las enfermedades de los peces no son fáciles de curar, así que lo más importante es evitar que enfermen. Prevención quiere decir *conocer bien las necesidades de sus peces y sus pautas de comportamiento*, y sobre todo, *mantener siempre en buenas condiciones su acuario*.

2

La **OBSERVACIÓN DIARIA** es imprescindible. Compruebe que todos sus peces están presentes y que su comportamiento es normal. El mejor momento de comprobarlo es cuando comen. Si notase la ausencia de algún pez, mire por todas partes a ver si ha quedado atrapado en el fondo o pudiera haber muerto. *Retire inmediatamente cualquier pez que muera*: si el cadáver permanece en el agua puede provocar infecciones.

3

Es básico diagnosticar lo más rápidamente posible el **TIPO DE ENFERMEDAD** que puede tener un pez. Deberá someter a tratamiento a todo el acuario cuando se trate de *enfermedades contagiosas o causadas por parásitos en estado larvario*, y deberá separar al pez afectado del resto de peces cuando la causa son *parásitos adultos*. En este caso, los tratamientos contra las enfermedades se realizan en una pecera aparte.

| TRASTORNOS | SÍNTOMAS |
|---|---|
| TRASTORNOS DE LA PIEL | Los colores se apagan y adquieren un tono grisáceo<br>Los ojos también aparecen más apagados y turbios<br>Las aletas se empiezan a deshilachar<br>Aparecen áreas enrojecidas o inflamadas<br>Los peces suelen frotarse en las rocas o en la grava del fondo<br>Si la infección es por bacterias, aparecen manchas blanquecinas<br>Las aletas también se deshacen o se vuelven rojizas<br>Los ojos se hinchan y aparecen hemorragias a su alrededor<br>Las escamas se erizan y quedan muy salientes |
| TRASTORNOS BRANQUIALES | Los peces respiran de una forma más visible y agitada<br>Se sitúan en zonas donde hay mayor concentración de oxígeno<br>Las branquias aparecen hinchadas, grisáceas o manchadas<br>Se acumula mucus en las branquias<br>Aparecen señales en la piel |
| TRASTORNOS OCULARES | A menudo, son el resultado de enfermedades de la piel<br>Los ojos se enturbian<br>Los ojos quedan muy saltones |
| TRASTORNOS DE LA VEJIGA NATATORIA | Los peces nadan de una forma extraña<br>Parece que tienen dificultades para mantenerse quietos |

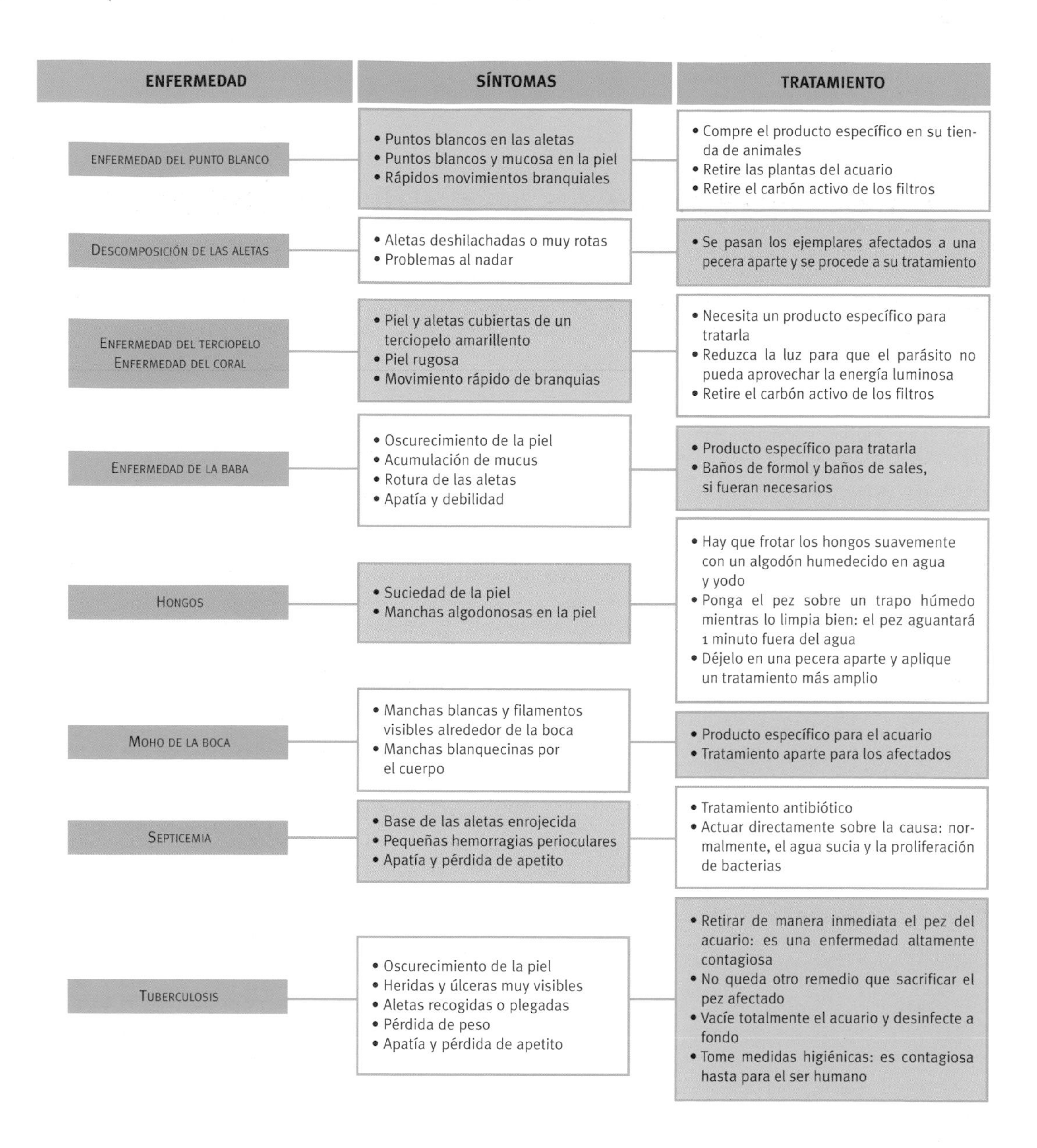

| ENFERMEDAD | SÍNTOMAS | TRATAMIENTO |
| --- | --- | --- |
| ENFERMEDAD DEL PUNTO BLANCO | • Puntos blancos en las aletas<br>• Puntos blancos y mucosa en la piel<br>• Rápidos movimientos branquiales | • Compre el producto específico en su tienda de animales<br>• Retire las plantas del acuario<br>• Retire el carbón activo de los filtros |
| DESCOMPOSICIÓN DE LAS ALETAS | • Aletas deshilachadas o muy rotas<br>• Problemas al nadar | • Se pasan los ejemplares afectados a una pecera aparte y se procede a su tratamiento |
| ENFERMEDAD DEL TERCIOPELO<br>ENFERMEDAD DEL CORAL | • Piel y aletas cubiertas de un terciopelo amarillento<br>• Piel rugosa<br>• Movimiento rápido de branquias | • Necesita un producto específico para tratarla<br>• Reduzca la luz para que el parásito no pueda aprovechar la energía luminosa<br>• Retire el carbón activo de los filtros |
| ENFERMEDAD DE LA BABA | • Oscurecimiento de la piel<br>• Acumulación de mucus<br>• Rotura de las aletas<br>• Apatía y debilidad | • Producto específico para tratarla<br>• Baños de formol y baños de sales, si fueran necesarios |
| HONGOS | • Suciedad de la piel<br>• Manchas algodonosas en la piel | • Hay que frotar los hongos suavemente con un algodón humedecido en agua y yodo<br>• Ponga el pez sobre un trapo húmedo mientras lo limpia bien: el pez aguantará 1 minuto fuera del agua<br>• Déjelo en una pecera aparte y aplique un tratamiento más amplio |
| MOHO DE LA BOCA | • Manchas blancas y filamentos visibles alrededor de la boca<br>• Manchas blanquecinas por el cuerpo | • Producto específico para el acuario<br>• Tratamiento aparte para los afectados |
| SEPTICEMIA | • Base de las aletas enrojecida<br>• Pequeñas hemorragias perioculares<br>• Apatía y pérdida de apetito | • Tratamiento antibiótico<br>• Actuar directamente sobre la causa: normalmente, el agua sucia y la proliferación de bacterias |
| TUBERCULOSIS | • Oscurecimiento de la piel<br>• Heridas y úlceras muy visibles<br>• Aletas recogidas o plegadas<br>• Pérdida de peso<br>• Apatía y pérdida de apetito | • Retirar de manera inmediata el pez del acuario: es una enfermedad altamente contagiosa<br>• No queda otro remedio que sacrificar el pez afectado<br>• Vacíe totalmente el acuario y desinfecte a fondo<br>• Tome medidas higiénicas: es contagiosa hasta para el ser humano |

## Diagnóstico de los trastornos más comunes

La mayoría de enfermedades de los peces son fácilmente identificables. Casi todas están provocadas por parásitos o bacterias, y en su mayor parte comportan síntomas muy visibles en el aspecto o en el comportamiento de los peces.

## Tratamiento de las enfermedades más comunes

Las enfermedades internas son más difíciles de diagnosticar, así que hay mayor dificultad en identificarlas a tiempo y empezar el tratamiento adecuado. Las enfermedades externas, sin embargo, son de fácil diagnóstico y los tratamientos suelen ser muy efectivos.

# Consejos para adquirir pájaros

*Hay dos criterios fundamentales para la elección de sus pájaros domésticos: en primer lugar, elegir la especie que mejor se adapta al espacio y a las condiciones de su casa, y en segundo lugar, elegir un ejemplar en perfectas condiciones de salud. A partir de aquí, una buena alimentación y los cuidados necesarios serán suficientes.*

## La elección de un canario

Es uno de los pájaros domésticos más deseados, sobre todo porque combina una bella estampa con un bonito canto.

- Los canarios precisan un **ambiente tranquilo**, sin otros animales que les perturben, ni siquiera un gato o un perro, para no asustarse y desarrollarse con normalidad. Asegúrese de que en su casa predomina este ambiente antes de decidirse por un canario.
- Plantéese este dilema: un canario **canta más** si está encerrado **en una jaula pequeña**, pero para ser **feliz** necesita una **jaula grande** y volar de cuando en cuando por la habitación.
- Para tener un canario debe tener asumido que es una especie que de vez en cuando debe **volar libremente**, así que tendrá que abrirle la jaula y dejar que vuele por la habitación. Considérelo bien y mire cuántos pequeños objetos de decoración tiene en su casa.
- Algunos canarios **nunca llegan a cantar** como se espera de ellos, así que no tenga este criterio como el único para su elección.
- El **humo del tabaco perjudica** especialmente a los canarios, así que si va a fumar en la habitación es mejor que descarte la opción de tenerlos.
- Recuerde que la mejor época del año para comprar un canario es en **otoño**: los criadores venden sus ejemplares jóvenes y en invierno sólo se quedan con los ejemplares que necesitan para la cría de primavera, así que encontrará un amplio surtido en su tienda especializada.
- Observe la jaula donde están los canarios desde lejos y durante unos minutos, para que así los pájaros no se asusten y pueda observar su **comportamiento normal**.
- **Descarte** los **ejemplares** que se muestran **estáticos** o con la cabeza entre el plumaje. Un caso frecuente es el ejemplar que está siempre en el comedero: si lo mira atentamente, no está comiendo o apenas traga lo que tiene en la boca.
- Elija **ejemplares esbeltos, vivaces**, de comportamiento dinámico y curioso, aunque sea asustadizo, y con el **plumaje impecable** y los ojos brillantes.

### ¡Cuidado!

*Cuando se lo vaya a llevar, pídale al vendedor que le enseñe la tripa del canario y sople ligeramente: el vientre nunca debe estar rojo, sería síntoma de coccidiosis, unos parásitos microscópicos que viven en los intestinos de los canarios. No se preocupe si durante el rato que lo tienen cogido el canario presenta un poquito de diarrea líquida: el susto es importante para él, pero se recupera pronto.*

## Elección de loros y periquitos

- Los **loros grandes** son más caros y más exigentes en sus cuidados que los periquitos. También viven más años.

## Ahorre esfuerzo

*Dependiendo de la especie, tendrá que dejar que vuele libremente con más o menos frecuencia. El día que le deje volar, hágalo en el garaje: no tendrá que ir recogiendo los objetos delicados que tiene en casa, ni tendrá que preocuparse por los posibles excrementos que pudieran caer sobre tapicerías o cortinas. Además, dispondrá de más espacio.*

- Tenga en cuenta que estos animales tienen unos picos muy poderosos: considérelo seriamente si tiene niños, si va a cogerlos habitualmente o si quiere dejarlos volar por casa, porque en algunos casos pueden causar heridas considerables y graves desperfectos en sus muebles.
- Recuerde que tienen una voz potente y no siempre controlable: pueden llegar a cansarle y molestar a sus vecinos.
- Son animales de fuerte identificación con sus dueños, así que tendrá que llevar una vida afectiva intensa: ya verá cómo colocan la cabeza para que se la acaricie, y pronto comprenderá que necesitan casi la misma atención que precisaría un perro.
- Considere como normal que al llegar a la edad madura el animal adquiera un temperamento más fuerte.

## Elección de cotorras

- Son una buena elección si tiene niños, ya que no presentan los inconvenientes de los loros.
- Además, últimamente se han multiplicado las especies disponibles y ya existe en el mercado una amplia gama de colores.
- Es una buena solución si le gustan las costumbres imitadoras y un cierto canto.

## Si se decide por un pájaro...

- Con independencia de la especie que elija, un pájaro doméstico en casa siempre producirá algo de suciedad, pequeñas plumas, cascarillas de las semillas, etc.
- El polvo de las plumas o las propias plumas puede sensibilizar a las personas alérgicas. Reduzca este efecto pulverizando algo de agua sobre su pájaro y limpiando la jaula con un trapo húmedo.
- Un ionizador ayuda a reducir la cantidad de polvo en el aire.
- La necesidad de vuelos libres por la habitación ocasiona desperfectos en sus muebles y la caída puntual de algunos excrementos.

# El cuidado de sus pájaros

*La verdad, es que una vez alojados y garantizadas sus condiciones ambientales adecuadas, los pájaros domésticos requieren pocas atenciones. En este sentido, son de gran utilidad los numerosos accesorios que incorpora la jaula, con comederos con dosificador, rejillas para el filtrado de restos, etc. Quizá lo más importante sea que dedique a su pájaro un rato cada día: agradece mucho esos momentos en los que usted se acerca, le habla, le contesta con un silbido y le dice lo bien que canta.*

## Cómo transportarlo a casa

- Es mejor que lo transporte en una caja que en una jaula. Se asustan menos, van más protegidos y su plumaje llega en mejor estado.
- Con especies pequeñas, como los canarios, puede utilizar una simple caja de cartón.
- Asegúrese de que la caja tiene una buena ventilación para garantizar la seguridad de sus pájaros. Bastarán algunos pequeños agujeros en los laterales hechos con la punta de una tijera. Hágalos antes de introducir el pájaro para que no se asuste.
- Con los periquitos vaya con cuidado porque podrían aprovechar un pequeño orificio de ventilación para abrir el cartón con su pico. Por este mismo motivo, nunca utilice una caja de cartón con un loro: lo más probable es que la destroce.
- Vaya directamente hacia casa para no prolongar el tiempo del viaje. Intente no hacer movimientos bruscos con la caja donde lo transporta.
- Viaje cuando no haga un sol excesivo. Si lo transporta por la noche, su pájaro sufrirá todavía menos.
- Nunca lo ponga en el maletero del coche: pueden llegar restos de gases del tubo de escape y, aunque fueran en poca cantidad, podrían afectar la salud de su pájaro.
- No lo deje en el coche aparcado: aunque esté a la sombra, en días calurosos el interior del coche se calienta mucho y puede ser muy perjudicial para sus pájaros.

## ¡Cuidado!

*Los loros son bastante más listos de lo que parecen y tienen una gran capacidad de imitación, así que muy pronto aprenden a escaparse de la jaula. Antes de que esto le pueda pasar, trate de poner un candado pequeño en la puerta: evitará sorpresas y algunos disgustos, porque su loro podría crear desperfectos en los muebles o encontrar una ventana abierta y escaparse.*

## Elegir la jaula adecuada

- Adquiera una jaula lo suficientemente grande como para que su pájaro pueda practicar pequeños vuelos cortos.

- No adquiera jaulas fijándose en su diseño, sino en que sean las más apropiadas para sus pájaros: por ejemplo, las jaulas redondas, a pesar de resultar atractivas, no dejan siempre un buen espacio de vuelo.
- Repase bien la jaula para asegurarse de que no tiene aristas afiladas o imperfecciones que puedan resultar cortantes.
- Asegúrese de que los comederos son los adecuados: normalmente se fabrican de plástico, lo cual es muy adecuado para ejemplares pequeños, como canarios o periquitos, pero los loros acaban destrozándolos con su potente pico.
- Procure también que las perchas, las barras sobre las cuales se posan los pájaros, no sean de plástico, ya que algunas especies no se sienten cómodas al posarse. Las más adecuadas son las de madera, no sólo porque les resultan más cómodas, sino también porque al picotearlas pueden afilarse el pico e ir desgastándolo, que es su proceso natural. De esta forma, no sólo se mantienen entretenidos, sino que además impide que se dediquen a picotearse el plumaje.

## Dónde situar la jaula

- Sitúe la jaula en un lugar tranquilo, sobre todo lejos de cualquier corriente de aire.
- Evite las habitaciones donde se pueden producir cambios bruscos de temperatura.
- Coloque la jaula colgada en la pared o sobre un mueble alto, preferiblemente a la altura de sus ojos.
- Elija un punto de la casa donde note un poco el sol a primera hora de la mañana o a partir de media tarde: el sol les suele resultar muy agradable.

## Cuidados generales

- Procure que tenga comida con regularidad: ya tendrá grano en su comedero, pero es importante que le dé siempre a la misma hora, preferiblemente por la mañana, sus alimentos complementarios, algo de fruta, huevos o un poco de lechuga. Tire los restos cada tarde.
- Cambie el agua del bebedero y la del baño cada día, especialmente en verano.
- Limpie la jaula semanalmente.
- Desinfecte la jaula mensualmente y aproveche para renovar la arena del fondo.
- Repase las uñas de su pájaro mensualmente, si fuera necesario.
- Esté muy atento a cualquier indicio de óxido en la jaula y repárelo de manera inmediata, especialmente si tiene una pajarera o un jaulón exterior.

## La alimentación

- Casi todas las especies son fáciles de alimentar, ya que todas aceptan bien las semillas que comercializa su tienda especializada como base de su alimentación.

- Complemente la dieta con una hoja de lechuga o de espinaca, o también con un trozo de manzana. Consulte en su tienda especializada dependiendo de la especie.
- Lave bien cualquier fruta o verdura para evitar que los posibles pesticidas utilizados lleguen a su pájaro.

# Enfermedades más comunes de los pájaros

*Aunque la mayoría de las enfermedades de los pájaros son de fácil tratamiento, aún no hay muchos veterinarios que tengan buenos conocimientos sobre ellos. Además, estas enfermedades se transmiten por vías muy diferentes: moscas, mosquitos, la comida, los pájaros de la ventana o usted mismo, así que habrá que ir con mucho cuidado.*

## Diagnóstico y tratamiento de las enfermedades más frecuentes

A pesar de ver un largo listado, no se preocupe: la mayoría de estas enfermedades no aparecen si tiene su pájaro en buenas condiciones alimenticias y en un buen entorno.

| ENFERMEDAD | SÍNTOMAS | TRATAMIENTO |
| --- | --- | --- |
| Resfriados | • Tos, estornudos y goteo nasal<br>• Apatía y debilidad<br>• Puede llegar a tener fiebre<br>• Presenta temblores | • Coloque la jaula tan lejos como pueda de corrientes de aire y cambios de temperatura<br>• Aplique radiación infrarroja<br>• Dele una infusión de manzanilla<br>• Trate con sulfamidas y antibióticos |
| Acariasis respiratoria | • Tos y estornudos provocados por la acumulación de ácaros en las vías respiratorias<br>• Pérdida del canto y de la voz<br>• Respiración entrecortada<br>• Secreción de mucosidades<br>• Ahuecamiento de las plumas | • Pulverizador contra los ácaros<br>• Colocación de tiras insecticidas<br>• Gotas de un producto específico |
| Aspergiliosis | • Pico abierto y respiración muy dificultosa provocada por los hongos instalados en el aparato respiratorio | • Hay que eliminar cualquier tipo de comida antigua y limpiar bien los excrementos, pues son susceptibles de crear hongos<br>• Aislar temporalmente los pájaros que puedan estar con las defensas bajas, por la cría, por la muda o por ser demasiado jóvenes<br>• No deje de consultar a su veterinario, puesto que el tratamiento es bastante complicado<br>• Recuerde que la prevención es la mejor cura: evite cualquier formación de hongos en la jaula |
| Coccidiosis | • Adelgazamiento progresivo<br>• Vientre inflamado<br>• Intestinos inflamados y enrojecimiento de la zona por acumulación de sangre visible a través del vientre<br>• Apatía y debilidad | • Llévelo al veterinario para que le confirme el diagnóstico con la prueba de los excrementos<br>• Sulfamidas y antibióticos<br>• Tratamiento vitamínico al finalizar el anterior |

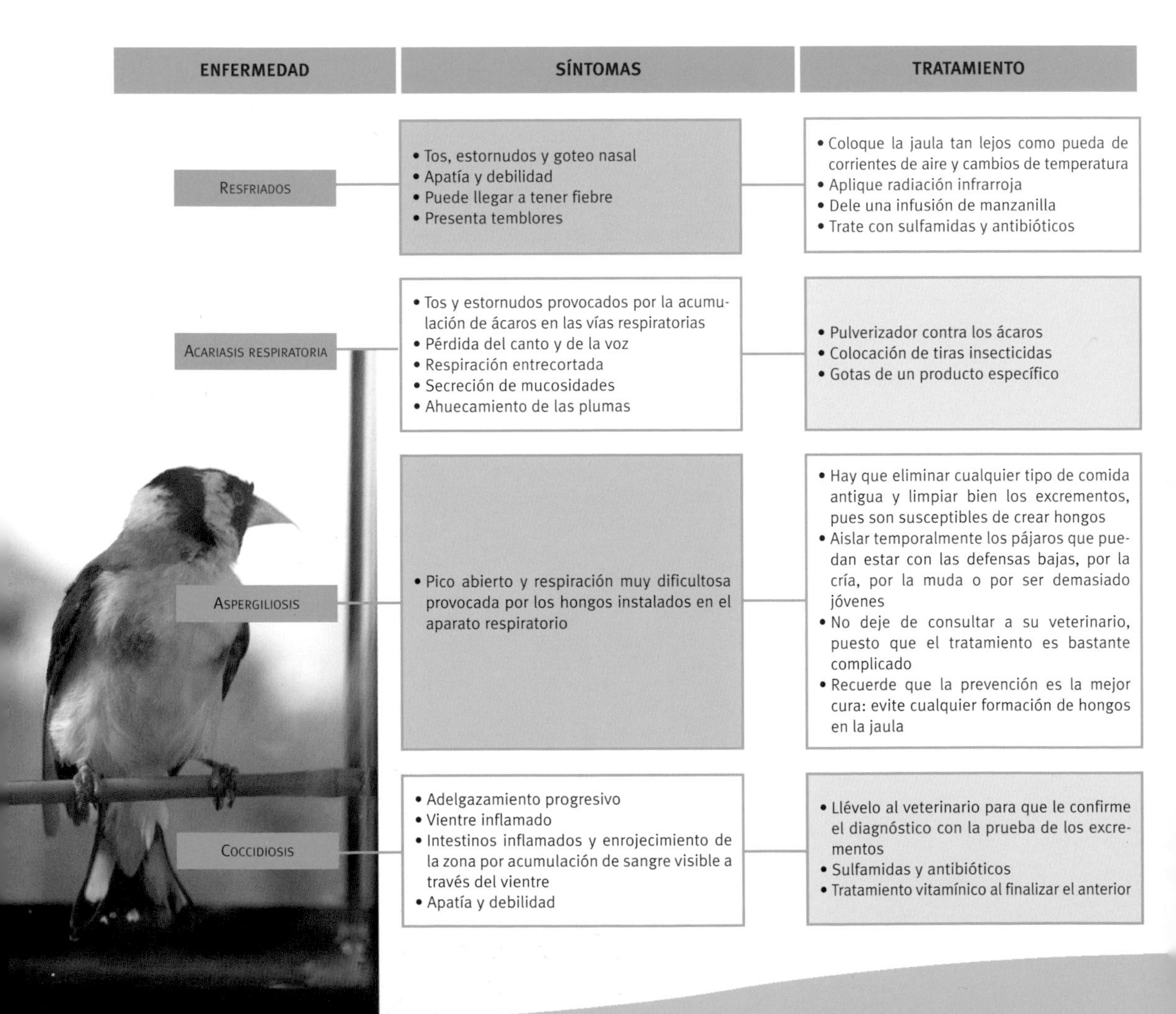

| ENFERMEDAD | SÍNTOMAS | TRATAMIENTO |
| --- | --- | --- |
| Estreñimiento | • Dificultades al defecar<br>• Suciedad en el plumaje de la cloaca<br>• Trasteo continuo de la cloaca | • Tratar la cloaca con aceite tibio<br>• Una gota de aceite de ricino en el pico<br>• Suministro de vitamina D<br>• Aportar a la dieta hierbas, frutas y verduras |
| Dificultades en la puesta | • Los síntomas son muy parecidos a los del estreñimiento, pero se ve o se nota la redondez del huevo<br>• Suspiros y coleteo continuado | • Pase el dedo suavemente por el bajo vientre y la cloaca y notará si se trata de un huevo<br>• Actúe rápido o puede morir en un par de horas<br>• El mejor remedio es el calor: debe proporcionarle 30-34 °C<br>• Envuelva la hembra en un paño humedecido en agua caliente, dejando que sobresalga la cabeza<br>• Lubrique el orificio cloacal con aceite tibio |
| Fracturas óseas | • El ala o la pata se mantienen en su sitio gracias a la musculatura, pero la fractura puede estar debajo<br>• El pájaro no suele caminar ni saltar y suele estar estirado | • Traslade a su pájaro a un lugar lo más tranquilo posible y deje que se cure por sí mismo<br>• Haga una tablilla en los tramos fijos de los huesos, pero nunca en las articulaciones; utilice para ello un trozo de pajita para bebidas |
| Heridas | • Golpes<br>• Hemorragias | • Detenga la hemorragia con algodón impregnado en cloruro de hierro<br>• Si no tiene, presione suavemente con el algodón durante unos segundos para que coagule |
| Inflamación en los ojos | • Ojos irritados y algo de pus<br>• Frotamiento continuo<br>• Las secreciones deshacen las plumas de alrededor | • Lave sus ojos con un trapo limpio y suave empapado en manzanilla<br>• En casos graves, utilice pomadas antibióticas |
| Quistes | • Bultos visibles | • Si son pequeños, déjelos; si son grandes o hay varios, vaya al veterinario |

# Los hámsters

*Los hámsters son los roedores que han tenido más aceptación como animales de compañía. Su éxito reside en que presentan un aspecto más agradable que otros roedores, pero sobre todo en que son animales muy simpáticos y juguetones. Sin embargo, son bastante frágiles, es preciso conocer bien sus hábitos y necesitan unos cuidados muy especiales.*

## 10 cosas que debe saber de su hámster

1. Son animales nocturnos, que suelen dormir de día y están activos por la noche, así que puede que sus horarios no se adapten a los suyos. Es importante que no los moleste mientras duermen.

2. Son terriblemente juguetones, así que deben tener un buen número de juguetes en la jaula.

3. También les encanta cavar, esconderse y pasar ratos a solas, así que no se asuste por su comportamiento.

4. Tampoco se asuste si están una temporada muy parados, apáticos y sin apenas probar bocado: los hámsters pasan los periodos más fríos hibernando. Traslade la jaula a una habitación más tranquila y respete su ciclo vital. No le procure una fuente de calor: si no hibernan viven menos tiempo.

5. Aun así, no los deje en sitios fríos o húmedos: siempre deben estar por encima de los 14 °C y sin excesos de humedad.

6. Recuerde que su alimentación y su mantenimiento son algo delicados.

7. No los bañe: lo más probable es que enfermen.

8. Evite ruidos fuertes y movimientos bruscos: son muy asustadizos.

9. Son animales de poca longevidad, entre 2 y 3 años.

10. Recuerde que su época más fértil, si desea que se reproduzcan, es entre los 3 meses y los 9 meses de edad.

## Acondicionamiento de la jaula

- Elija una jaula grande, de plástico o mejor metálica. No la compre de madera: el animal podría roerla.
- Sitúe la jaula lejos de las corrientes de aire.
- Cubra el suelo con virutas de madera o serrín.
- No ponga varios ejemplares en la misma jaula: tienden a pelearse, sobre todo las hembras.
- Coloque en la jaula una noria, algún cascabel, un túnel y 2 ó 3 escondrijos: una de las peores enfermedades que padecen los hámsters es el aburrimiento.

## Soluciones a las principales enfermedades

- La caída de pelo es de lo más habitual: se evita con complejos vitamínicos o con tratamientos contra los parásitos.

- Son propensos a las afecciones pulmonares: manténgalos lejos de las corrientes de aire.
- Son propensos a las diarreas: sólo debe darle alimentos frescos, como lechuga o fruta, una vez a la semana y muy bien lavados, además de darles complejos vitamínicos.

## Mantenimiento

- Cambie el suelo de virutas o papel regularmente, cada 1 ó 2 días, ya que los hámsters tienen por costumbre almacenar comida en el suelo, además de que sus excrementos despiden un olor bastante fuerte.

- Lave la jaula con agua y jabón por lo menos 1 vez a la semana.
- Deje sueltos sus hámsters por una habitación donde no haya agujeros ni rendijas: les va muy bien salir y ejercitar un poco las patas. Si además les deja una pelota pequeña, pueden disfrutar muchísimo. Compre la pelota especial en una tienda de animales: si les da una de ping-pong podrían romperla y atragantarse, y lo mismo podría ocurrirles con la pelusilla de una de tenis.

### Sabía que...

*Para distinguir un hámster macho de una hembra basta con comparar la distancia entre el ano y los genitales: en el macho la distancia es el doble que en la hembra.*

- Tenga siempre un trozo de madera a su disposición: los dientes les crecen continuamente y necesitan morder con regularidad para desgastarlos. Si se descuida, tendrá que cortarle los dientes con mucho cuidado con un cortaúñas.

| CUADRO DE REPRODUCCIÓN | |
|---|---|
| Madurez sexual | A los 2 meses de vida |
| Edad más fértil | A los 2 meses de vida |
| Período de reproducción | Todo el año |
| Síntomas de embarazo | Lo notará a los 10 días |
| Preparativos | Hay que hacer un nido con tela y lana: de lo contrario, la hembra se arranca su propio pelo para hacerlo. Separe el macho de la hembra |
| Duración de la gestación | Entre 16 y 20 días |
| Número de crías por camada | De 6 a 9 crías |
| Número de camadas | 6, normalmente |
| Cuidados especiales | No tocar las crías bajo ningún concepto: olerían diferente y la madre no podría reconocerlas y las devoraría. |
| Período de lactancia | 3 semanas |

## Alimentación básica

- Puede optar por una **alimentación seca** a base de semillas, granos, galletas y frutos secos, que deberá complementar con un suplemento vitamínico.
- La otra posibilidad es decidirse por una **dieta de verduras**: da bastante más trabajo y deberá mantener muy limpia la jaula para que no proliferen los hongos y las bacterias.

# Los reptiles

*Tener reptiles en casa no es muy frecuente, pero últimamente parece que han empezado a despertar el interés de algunas personas que quieren tenerlos como animales de compañía. En unos casos se trata de verdadera pasión por la zoología, y por lo tanto suele haber un buen conocimiento de estas especies, pero en muchos otros casos se trata de una elección caprichosa que puede comportar problemas, ya que los reptiles son animales que exigen una gran responsabilidad, primero por las condiciones y cuidados que necesitan, y segundo porque si cambiamos de opinión no va a ser fácil desprendernos de ellos.*

## Clasificación de los reptiles

- Las serpientes (víboras, culebras, boas ...) y los saurios (lagartos, iguanas, camaleones ...) pertenecen al orden de los lepidosaurios.
- Los cocodrilos y los caimanes pertenecen a los cocodriláceos.
- Por último, las tortugas pertenecen al orden de los quelonios.

## Olvídese de las tortugas

- La mayoría de las especies de tortuga están protegidas por la legislación vigente, de manera que es importantísimo que se asesore bien en su tienda especializada antes de adquirir una.

- Además, las tortugas son muy delicadas y muy sensibles a los cambios, así que en condiciones poco favorables desarrollan muchas patologías.

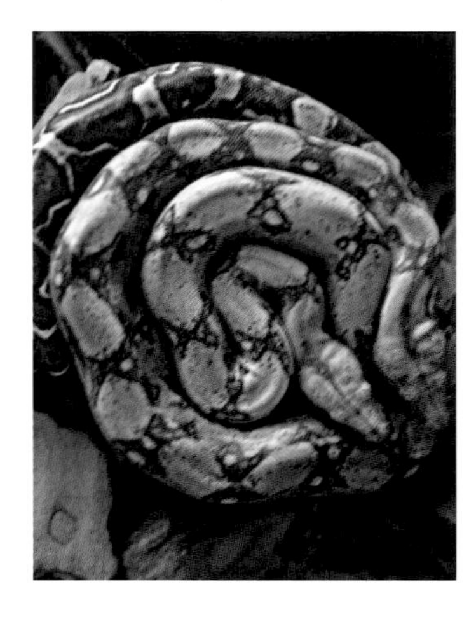

## La importancia del terrario

Los reptiles son animales exigentes y muy delicados, así que es necesario proporcionarles un espacio que reproduzca al máximo sus condiciones naturales de vida.

- Asesórese bien en su tienda especializada y compre un libro que profundice en la especie que ha elegido para conocer bien sus costumbres y sus ciclos vitales.
- Las especies arborícolas, como la pitón, precisan terrarios altos y elementos bien dispuestos para sus movimientos.
- Las especies cavadoras precisan suelos de arena fina.
- Los reptiles tropicales, como la iguana, necesitan terrarios húmedos.
- Los lagartos y las culebras, por ejemplo, necesitan terrarios secos e incluso calefacción.
- En la mayoría de los casos, se verá obligado a instalar un dispositivo para estabilizar los niveles de humedad del terrario.
- Lo mismo ocurre con la temperatura, ya que muchos reptiles necesitan notar el cambio de temperatura entre el día y la noche.
- La luz debe ser la adecuada, ya que los reptiles utilizan los rayos ultravioletas para sintetizar la vitamina D, in-

### ¡Cuidado!

*Existen muchas especies protegidas por la ley: infórmese bien antes de adquirir uno de estos animales.*

dispensable para el crecimiento: las dificultades en este proceso crean trastornos en la calcificación y en el desarrollo del caparazón de las tortugas.

- Los reptiles que mudan la piel necesitan una piedra grande o un tronco consistente donde frotarse.
- Dependiendo de la especie, tendrá que dar más o menos importancia a los escondites de su terrario.

## La alimentación de los reptiles

- Hay reptiles carnívoros, como las serpientes; reptiles herbívoros, como gran parte de las tortugas; y reptiles omnívoros, como los lagartos o las iguanas.
- También puede ocurrir que un reptil sea carnívoro en su etapa de crecimiento y herbívoro de adulto.
- Los lagartos suelen comer de día, pero las serpientes suelen hacerlo de noche.
- Los lagartos comen cada día, pero las serpientes pueden comer 1 vez a la semana e incluso 1 vez al mes.
- Recuerde que una gran parte de los reptiles necesitan comer presas vivas, lo cual obliga a proveerse continuamente o a organizar un criadero paralelo al terrario.
- Los reptiles, según las preferencias de cada especie, pueden comer mosquitos, grillos, saltamontes y lombrices, pero también peces, ratones, ranas y aves. Si no tiene su propio criadero, asesórese en su tienda especializada sobre cómo obtener la alimentación.
- En muchos casos, puede sustituir esta alimentación de presas vivas por alimentos comercializados especiales para reptiles.
- Recuerde que los reptiles precisan aportes vitamínicos con regularidad.

| PRINCIPALES ENFERMEDADES Y SU SOLUCIÓN | |
|---|---|
| PROBLEMAS EN LA PIEL | • Ambientes muy secos pueden provocar dificultades en la muda<br>• El reptil necesita piedras o troncos donde restregarse para favorecer la muda<br>• Evite tener piedras con aristas muy afiladas para evitar heridas<br>• Asegúrese de que el suelo es el adecuado: a veces los suelos les resultan irritantes<br>• No tenga muchos reptiles en el mismo terrario y evitará peleas<br>• Asegúrese de que la calefacción del terrario tiene la resistencia protegida<br>• Procure mantener al animal libre de parásitos, especialmente de garrapatas<br>• Si presenta vesículas bajo las escamas, es señal de exceso de humedad<br>• La caída de escamas es síntoma de falta de vitaminas |
| ENFERMEDADES OCULARES | • Las más frecuentes son los edemas: es un síntoma de falta de vitamina A<br>• Incorpore vitaminas a la dieta de su reptil y siga un tratamiento con colirio<br>• Recuerde que es normal que, durante la muda, los ojos de algunos reptiles puedan ponerse más opacos |
| PROBLEMAS RESPIRATORIOS | • Los síntomas son la boca abierta y la secreción nasal<br>• Las serpientes son especialmente propensas<br>• La enfermedad más corriente es la neumonía<br>• Suba un poco la temperatura del terrario e inicie un tratamiento con antibióticos |
| TRASTORNOS DIGESTIVOS | • Los trastornos digestivos son muy comunes en todas las especies de reptiles<br>• Las serpientes son propensas a padecer estomatitis, identificable por los depósitos blanquinosos en la lengua y alrededor de la boca. Se trata con pomadas especiales<br>• El estreñimiento también es muy común. Los lagartos, por ejemplo, suelen comer piedras y sus propias mudas, así que padecen estreñimiento con frecuencia. Puede aumentar un poco la humedad del terrario o darles más líquidos<br>• La falta de apetito es normal durante la muda. En otros períodos puede ocurrir por una temperatura inadecuada, o simplemente porque el alimento que le da a su reptil no le gusta<br>• Los vómitos suelen ser debidos a una temperatura inadecuada, pero también a la mala costumbre de cogerlos después de las comidas |

# Animales no deseados

*Además del animal de compañía que usted haya elegido, la mayoría de casas sufren la visita de otros animales, la mayoría de ellos minúsculos, que no son tan agradables y que no han sido invitados. Nos referimos a las moscas, las hormigas, las pulgas, que en muchas ocasiones se ven atraídas por la presencia de nuestro perro o nuestro gato, y también nos referimos a los ratones, que muchas veces aprovechan los restos de comida de nuestras mascotas. Hemos preferido no tratar el asunto con productos tóxicos para exterminarlos, sino que le presentamos algunos trucos respetuosos que, simplemente, evitan que estos animales no deseados se instalen en casa. Ya verá que uno de los trucos más fáciles es incorporar olores especiales que los mantienen alejados.*

## Combatir los ratones

- Tenga como norma guardar todos los alimentos en tarros de cristal o de metal, y muy especialmente la comida de su mascota, que muchas veces presenta un fuerte olor. Recuerde que los ratones perforan con facilidad los envases de papel en los que muchos fabricantes sirven los piensos para animales, y que también pueden perforar los envases de plástico.
- No deje el recipiente de la comida de su mascota con restos de comida.
- También debe barrer concienzudamente alrededor del lugar donde come su mascota para evitar que haya restos de comida por el suelo.
- Cuelgue unas cuantas ramitas de menta y de tanaceto (hierba lombriguera) en la despensa, en los armarios de la cocina y también en la zona donde guarda la comida de su mascota. Frote las ramitas cada día para que desprendan más olor.
- Acostúmbrese a tener en las ventanas algunas macetas con menta fresca plantada.
- Corte algunas ramitas y ponga un par de platos con hojas de menta fresca en casa.
- También puede poner un par de platos con pimienta de Cayena en grano.
- Lógicamente, un gato en casa también es una buena solución: no sólo cazará cualquier ratón que pueda haber en casa, sino que los ratones suelen marcharse en cuanto perciben su olor.

## Combatir las pulgas

- Las pulgas de los animales de compañía no parasitan en las personas, pero pueden propinar una buena cantidad de picaduras y originar alergias.
- Trate a sus mascotas con productos especiales, como pueden ser los collares repe-

lentes, los jabones fortalecedores de la piel, pastillas para reforzar el sistema inmunológico, etc. Recuerde que cada animal requiere tratamientos específicos.

- Pase la aspiradora a fondo por la moqueta, las alfombras, las tapicerías, los cojines y cualquier superficie suave y cálida. Recuerde que los huevos de pulga se desarrollan rápidamente en buenas condiciones de calor, pero que también pueden permanecer aletargados durante meses, así que es muy importante que tire inmediatamente la bolsa de la aspiradora.

### Remedio natural

*Para evitar las pulgas de su perro puede poner en remojo hojas de castaño durante toda la noche. Dé un masaje a su mascota con ese agua hasta que se empape bien la piel y luego se seque. Cepille y peine durante un buen rato. Es muy práctico y a su perro le encantará.*

- Tire directamente la alfombra o la cama de su mascota si a simple vista la ve llena de pulgas: es más fácil ponerle otra que quedarse con la duda de si está totalmente limpia.

## Combatir los ácaros

Los ácaros son insectos minúsculos, parecidos a las arañas, que viven en el polvo y en los escombros, y que se pueden desarrollar con facilidad en los suelos de las jaulas de los pájaros o de los hámsters.

- Cambie los suelos de las jaulas con frecuencia y lávelos a conciencia.
- Si utilizase insecticidas, infórmese bien en su tienda de animales para que no afecten a sus pájaros o a sus hámsters.

## Combatir las hormigas

- Plante menta junto a la ventana o junto a la puerta de casa y evitará que entren las hormigas.
- Si ya tiene hormigas, cuelgue ramitas de poleo seco o de ruda en las zonas donde las vea, normalmente alrededor del comedero de su mascota, y evitará que se acerquen.

### Recuerde

*Si por desgracia llegase a tener en casa una cantidad preocupante de ratones, hormigas o pulgas, o cualquier otra plaga de importancia, debe llamar al ayuntamiento de su localidad o a una empresa especializada para acabar cuanto antes con ella.*

- Espolvoree menta seca en el camino que recorren las hormigas.
- También puede utilizar pimentón.
- Otro truco es poner varios trozos de limón alrededor del comedero o en las zonas donde vea hormigas.
- También puede utilizar pedazos de algodón empapados en posos de café.

## Combatir los mosquitos

- A veces, algunos animales nocturnos necesitan un punto de luz y la ventana abierta para poder respirar mejor, y esto puede atraer a los mosquitos: no lo dude, debe poner un mosquitero en la ventana.
- No descarte consultar en su tienda especializada algún dispositivo que atraiga insectos para que sus reptiles o sus pájaros puedan alimentarse.
- Si quiere evitar la presencia de mosquitos, tenga en las ventanas varias macetas con geranios.
- Otra solución es poner una naranja en la que se incrustan varios clavos de especia.

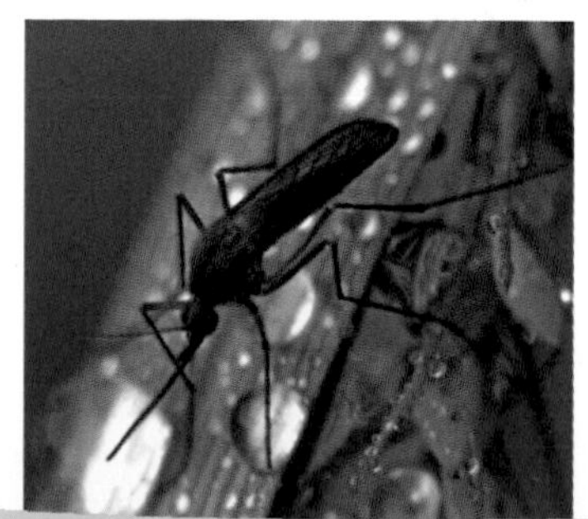

# Alimentos, bebidas y buenas maneras en la mesa

Corren buenos tiempos para la cocina creativa. Nunca hasta ahora había habido tantos restaurantes de diseño, tantos aficionados a la alta gastronomía y tantos profesionales dedicados a la cocina de autor. La gastronomía de nuestro país siempre fue de buen comer y de buen beber, pero hoy ha elevado sus cotas de sofisticación, se ha impregnado de diseño y ha creado una enorme aureola literaria. Se publican crónicas gastronómicas, libros de gastronomía, revistas especializadas e infinidad de recetarios de cocina de autor. Las propuestas resultan fascinantes, pero la mayoría de éstas son complicadas de hacer en casa.

La alternativa que planteamos es hacer de la comida un placer, pero prescindiendo de las ostentaciones innecesarias. Vamos a hablar de cocina sincera, de cocina real, de la cocina que se puede realizar en casa, y le daremos los trucos necesarios para elegirla adecuadamente, prepararla de manera sencilla y servirla con cierto encanto.

La primera parte del capítulo la dedicaremos a los productos básicos, es decir, los alimentos y las bebidas, y ante todo nos centraremos en la elaboración de primeros platos. Después daremos algunos consejos prácticos para la compra y conservación de pescados y carnes, con varios apartados dedicados a los alimentos complementarios, como las frutas, los frutos secos, los aceites y los vinagres, el pan y las hierbas aromáticas. Esta primera parte, cómo no podía ser de otra forma, se completará con unas páginas dedicadas a los vinos (con un apartado específico sobre el maridaje de vinos y platos) y a la sobremesa.

La segunda parte imprime más acción, pues trata la preparación de los alimentos, la presentación de la mesa y las pautas de comportamiento y protocolo.

Empezaremos con dos seccciones sobre la compra y la conservación de los alimentos, e inmediatamente pasaremos a los fogones. Estrenaremos el delantal con la preparación de algunos platos básicos, e iremos ascendiendo hacia la elaboración de platos más elaborados y recetas más interesantes para entrantes y segundos. Posteriormente, este trajín de cazuelas se completará con un breve repaso a la cocina regional española y con algunas sugerencias para preparar tapas y aperitivos.

Finalmente, el carácter “social” de la gastronomía será tratado en la presentación de los platos, en las páginas dedicadas al comportamiento en la mesa y en el espacio dedicado a la cultura de la sobremesa. También daremos algunos consejos prácticos para preparar meriendas, reuniones a la hora del café y otras visitas en casa. El recorrido abre el apetito, así que es obligado inaugurar la lectura deseándole muy buen provecho.

# Alimentos y bebidas

# Las verduras

*En general, llamamos verduras a casi todas las hortalizas, aunque muy especialmente a las de hoja, como las espinacas. De todas formas, también denominamos verduras a la hortalizas que hervimos o hacemos al vapor, entre ellas algunas hortalizas de tallo, como las acelgas y los espárragos trigueros; a la familia de las coles (como la coliflor, el brécol o las coles de Bruselas) y a algunas vainas y granos, como las judías verdes o los guisantes.*

## Hortalizas de hoja

Todas las hortalizas de hoja deben comprarse en abundancia, ya que se reducen mucho al cocinarlas, y sobre todo deben consumirse muy frescas.

### Espinacas

Son muy populares por su alto contenido en hierro, su buen sabor y su intenso color verde. Es muy importante que las espinacas sean muy frescas, y no olvide que debe lavarlas concienzudamente, al menos 2 ó 3 veces, ya que suelen tener mucha tierra. Cocínelas simplemente con el agua que han retenido al lavarlas, dejando que se ablanden las hojas de la parte inferior de la olla, y removiendo para que luego se haga el resto. Recuerde asimismo que deberá escurrirlas una vez hervidas, ya que sueltan mucha agua. También puede hacerlas al vapor.

## Hortalizas de tallo

### Acelgas

La acelga es una verdura de hojas grandes y anchas, de fuerte verdor, gran sabor y tacto muy suave, que forman parte de un tallo fuerte que puede servirse o no junto con las hojas, dependiendo del gusto del consumidor. Es muy importante que sean frescas, y quedan mucho más suaves y sabrosas al vapor que hervidas. Resulta muy habitual hervirlas con patatas o con zanahorias. Se pueden aliñar con aceite y sal o con un chorro de limón.

### Espárragos trigueros

Tienen que ser muy frescos, con las puntas cerradas y compactas. Puede prepararlos a la plancha, aunque quedan más tiernos escaldados en agua o hervidos al vapor. Debe cocinarlos lo justo para que estén tiernos.

### Truco casero

*Para evitar el olor intenso (y a veces desagradable) que se produce al cocinar coles, prepárelas preferentemente al vapor y tapadas, y recuerde que el olor tan fuerte se produce cuando se están cocinando demasiado tiempo.*

## La familia de las coles

### Col

La col verde, la col blanca o la lombarda resultan especialmente sabrosas, pero debe asegurarse de que son frescas, fijándose en que muestren un aspecto muy compacto. La col verde y la col blanca se suelen hervir o hacer al vapor, y se sirven con aceite y sal. La lombarda se cocina diferente, muchas veces con vinagre de vino, vino tinto, manzanas, pasas, cebollas y otros ingredientes, y se sirve muy a menudo como un acompañamiento de las carnes.

Todas las especies de esta familia descienden de la col silvestre que todavía hoy crece en algunas zonas costeras de Italia y Francia. Son muy ricas en vitamina C y minerales, pero gran parte se pierde durante la cocción, así que debe cocinarlas al punto.

### Coliflor

: sabe que está fresca ·uando presenta los raetes en forma de arbolitos toente juntos, formando un grunuy compacto. Se cocina en 8 utos, así que vaya ando si ya está a y no la va o exga al vamás de ecesario. receta ca es gra- la al horno besamel.

### Coles de Bruselas

Son especialmente sabrosas, tanto como plato de verdura como en las funciones de guarnición para un plato de carne o pescado. Debe elegir coles de Bruselas de pequeño tamaño, cerradas y compactas.

### Brécol

Como la coliflor, los brécoles son originarios del Mediterráneo, donde el clima cálido y seco permite que, en lugar de hojas, se formen ramilletes compactos. El brécol más conocido presenta pequeños arbolitos de color verde, muy sabrosos si sólo se pasan vuelta y vuelta por la plancha.

## Granos y vainas

Tanto las judías verdes como los guisantes empiezan a transformar sus azúcares en féculas desde el momento en que se recolectan, así que deben ser consumidos inmediatamente.

### Guisantes

En su día eran considerados una exquisitez, pero en la actualidad se han popularizado y se encuentran a buen precio tanto en paquetes congelados como en tarros de conserva, hasta el punto de que pocas personas los conocen dentro de sus vainas, como ocurre con las habas.

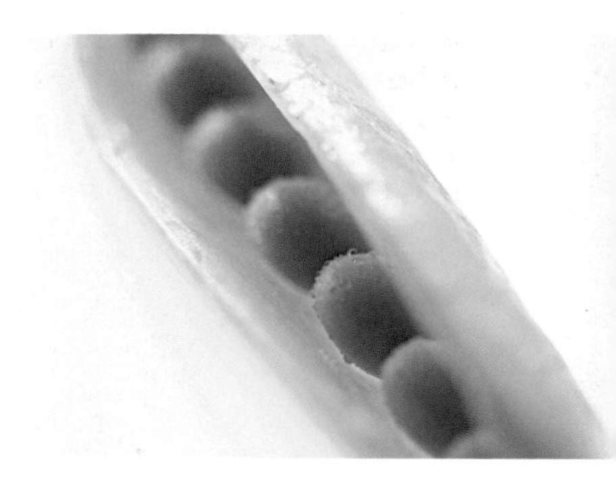

### Judías verdes

También es muy importante que las judías verdes sean muy frescas, así que compre aquéllas que le parezca que tengan el color más vivo, un aspecto más terso y una textura más crujiente. Corte los extremos y en algún caso, sobre todo si las ve especialmente grandes, quite también la hebra que recorre la judía, y de esta manera evitará encontrar hilos al comerlas. La mejor manera de prepararlas es quizá hervidas ligeramente con patatas o al vapor. Si quiere potenciar su sabor, puede freírlas ligeramente con unos ajos y unos tacos de jamón serrano.

# Pastas y arroces

*Las pastas y los arroces constituyen alimentos muy importantes para nuestra dieta por su valor energético y por su alto contenido en fibra. El arroz es un alimento básico, consumido por media humanidad, y la pasta, uno de los platos más flexibles de la cocina, ya que con ir variando las salsas se pueden crear mil y una recetas. Además, las pastas y los arroces son la mejor opción si se quiere preparar un primer plato consistente.*

## Tipos de Arroz

### Arroz integral

Es el arroz descascarillado pero sin perder su salvado, así que contiene más nutrientes, en especial vitamina B. Si se decide por el arroz integral, prepare menos cantidad, ya que llena mucho más que el arroz blanco, y recuerde que necesitará más tiempo de cocción.

### Arroz patna

Es muy adecuado cuando se quiere servir el arroz seco, ya que este tipo de arroz ofrece unos granos muy separados. Sus granos son alargados y deben cocinarse con una cantidad importante de agua. Añada sal al agua y hiérvalos durante 15 minutos. Recuerde que el centro del grano debe quedar un poquito duro.

### Arroz vaporizado

Es arroz blanco común al que se le ha quitado el almidón. Normalmente se trata de arroces de grano alargado. Es bastante nutritivo, ya que se procesa antes de retirársele la cáscara.

### Arroz de grano corto

Es un arroz que se hincha bastante después de hervido, pero sin el peligro de que se desintegre. Esta cualidad lo hace especialmente adecuado para preparar rellenos.

### Arroz glutinoso

Es un arroz muy utilizado en la cocina oriental. Es redondeado y corto. Debe mojarse la noche antes de prepararlo. Una vez hecho, queda como una pasta. Molido en forma de harina se puede utilizar para hacer pasteles y pastas.

Los chinos hacen vinagre de arroz a partir de éste.

### Arroz silvestre

Es un arroz típicamente americano, con un curioso sabor a nueces. Necesita unos 45 minutos o más para que los granos se abran. Se utiliza mezclado con los rellenos para aves, en ensalada y también al natural.

### Arroz italiano

Puede ser de color blanco o crema y el grano es redondeado. Tiene la ventaja de que absorbe una gran cantidad de agua sin apelmazarse. Este tipo de arroz resulta muy indicado para acompañar platos de sabor muy fuerte, como las setas silvestres o los calamares rellenos o en su tinta.

## Macarrones

Puede comprarlos de tamaños muy diferentes. El secreto está en hervirlos en su punto, para que la pasta quede perfectamente entera. Asegúrese de los tiempos de cocción según la etiqueta. No los deje reposando en el agua caliente: el proceso de cocción sigue y se acaban pasando.

## Espaguetis

Es la pasta más conocida en todo el mundo y la más larga que puede encontrar en el mercado. Elija los espaguetis más delgados para salsas sencillas. Los más gruesos son más apropiados para salsas densas. La salsa napolitana es la más utilizada para dar sabor a los espaguetis, pasados por aceite y con salsa de tomate. Complemente la salsa con queso parmesano rallado.

## Nidos

Son espaguetis enrollados formando madejas que parecen un nido. Normalmente, la pasta está enriquecida con huevo, así que es más sabrosa y ligera.

## Lasaña

Son láminas de pasta, normalmente rectangulares, en forma de tiras planas y alargadas. Los bordes son ondulados para que no se peguen unas láminas con otras. Forme varias capas y rellénelas con carne picada o con verduras. Se cocina al horno, con besamel, y gratinada con queso.

## Pastas coloreadas

Las clásicas son los tallarines verdes que tienen un ligero sabor a espinaca (esto se consigue amasando los tallarines con puré de espinacas). También existen otros sabores, aunque no son tan comunes.

## Pastas integrales

Tienen un sabor parecido a las nueces y son más ricas en vitaminas que la pasta normal, aunque necesitan más tiempo de cocción. Suelen ser pastas más ligeras.

## Pastas rellenas

En este caso, la pasta ya viene con su relleno, que puede ser muy variado. Las pastas rellenas más populares son los tortellinis, rellenos de una pasta de mortadela con cerdo, queso parmesano y pechuga picada, aunque también puede comprar tortellinis con relleno vegetal.

## Pasta para sopa

La pasta para sopa es menos consistente pero igualmente variada.

Las variedades más conocidas por los niños son las estrellitas o las letras, aunque las hay de muchos tipos y tamaños.

# El pescado

*El pescado es tan nutritivo como la carne y tiene la ventaja de no contener prácticamente grasas. Además, la gama de texturas y sabores es de una gran amplitud, así como las formas de prepararlo. Por si todo eso no fuera suficiente, hay muchos tipos de pescado a muy buen precio, y en las pescaderías se lo limpiarán y cortarán como quiera.*

## Cómo elegir el pescado fresco

Puede ocurrir que, al comprar pescado fresco, nos vendan pescado congelado que ha salido y entrado varias veces de las neveras. Éstas son algunas pistas para reconocer el pescado fresco:

- Da la impresión de estar vivo, le brilla la piel, es resbaladizo y tiene la carne firme, pero elástica al tacto.
- Fíjese en los ojos, es una buena forma de reconocerlo: tienen que estar vivos, brillantes y nítidos, con las pupilas negras.
- Huela el pescado. El olor debe ser fresco y agradable.
- Fíjese en que las agallas estén limpias y mantengan su color rojo vivo.

## Cómo conservar el pescado fresco

La norma general es tan fácil como sencilla: no acostumbre a conservar el pescado. Prepárelo recién comprado o como máximo téngalo en la nevera para el día siguiente.

## Congelar el pescado

- No congele el pescado si no tiene un buen congelador: la mayoría de los congeladores domésticos no alcanzan temperaturas bajas con la suficiente rapidez, de manera que se forman cristales de hielo que destruyen los tejidos delicados del pescado y alteran su textura, su sabor y su jugosidad.
- Por lo general, no congele el pescado azul.
- Puede congelar pescados como el salmón y otras especies que presentan la carne en láminas, pero perderán calidad, ya que en el proceso de congelación y descongelación la carne se ablanda.
- Los pescados que mejor soportan el congelado y el descongelado son los de textura fina, como el lenguado y otros pescados planos.
- Norma básica: no tenga mucho tiempo el pescado congelado en el congelador.
- Descongele perfectamente el pescado antes de cocinarlo; de lo contrario, podría ocurrir que se dorase por fuera antes de haberse descongelado por dentro.

## Otras formas de conservación

- Pescado escabechado: muy indicado para pescados grasos como los arenques.
- Pescado ahumado: los más conocidos son el salmón ahumado y la trucha ahumada. Se encuentran normalmente en bandejas envasadas al vacío, así que debe mirar la fecha de caducidad.
- Pescado seco y pescado salado: son pescados a los que se les extrae la humedad, ya sea colgándolos al sol o cubriéndolos de sal. El bacalao es el más conocido.
- Pescado enlatado: los más populares, por ser muy prácticos, son el atún y las sardinas, que vienen enlatados en aceite.

## Pescados de mar

La variedad de pescados de mar es enorme, aunque con estas especies y las diferentes formas de prepararlas tiene más que suficiente para hacer del pescado una de las bases de su alimentación:

### Familia del bacalao

El **bacalao** y la **merluza** son los más conocidos de esta familia. Se trata de pescados de carne blanca, muy delicados y suaves si son frescos. El bacalao, si se trata con cuidado, es extremadamente suave y jugoso, con una carne realmente suculenta que se separa en láminas lubricadas por una suave sustancia gelatinosa. La merluza, por su parte, es la especie alargada de la familia del bacalao. Se recomienda comprarla entera (ya que sale mucho mejor de precio) y cortarla en rodajas que se pueden cocinar de muchas maneras: a la romana, rebozadas con huevo y harina, o en guisos con patatas y almejas, por ejemplo.

### Pescados grasos

Entre ellos está la **sardina**, la **caballa**, el **arenque** y el **boquerón**. Son pescados muy sabrosos, y es imprescindible que estén totalmente frescos. En general, son pescados pequeños, ideales para freír. Acompáñelos con productos que aligeren la carne grasa, como un poco de perejil.

### Pescados grandes

Los grandes pescados marinos y atlánticos suelen tener la carne muy firme que podría quedar un poco seca, así que muchas veces es conveniente marinarlos con zumo de limón, aceite y algunas hierbas antes de cocinarlos. Entre ellos se encuentra el **atún**, el **bonito** y el **pez espada**.

### Otros pescados

El **rape** es un de los grandes pescados de mar. Su carne es muy firme, pero muy jugosa. Hágalo al punto y disfrutará de él. Aproveche su enorme cabeza para hacer un delicioso caldo de pescado.

La **dorada** del Mediterráneo es uno de los mejores ejemplares de la familia del besugo. Cocínela entera, al horno, sobre una base de cebolla y patatas en láminas y con un buen chorro de vino blanco.

El **mero** es otro pescado mediterráneo exquisito. Presenta una carne blanca, muy firme y de suave sabor que acepta diferentes formas de prepararlo.

### Pescados planos

Además de su característica forma aplanada, se distinguen por su carne blanca, delicada y fina. El **lenguado** y el **rodaballo** están considerados entre los ejemplares más exquisitos. De todas formas, el **gallo** y el **fletán** son especies también muy buenas y mucho más económicas.

## Pescados de agua dulce

Son mucho más delicados. Sus órganos ocupan gran parte de su cuerpo, y su piel, una vez descamada, se rompe con facilidad. Su carne, además, suele ser más seca, y muchas veces presenta una estructura de espinas muy compleja que hace difícil limpiarlos y comerlos, así que tendrá que asegurarse de que estén bien frescos y de conocer qué tipo de pescado compra.

- Elija pescados de tono verdoso plateado y descarte los que presenten tonos parduscos: estos últimos han vivido en aguas con mucho lodo y su gusto puede ser desagradable.
- Una vez en casa, recuerde que la norma para los peces de agua dulce es que no deben tocar el agua después de haber sido pescados: una vez vaciados y descamados, déjelos secar y cocínelos fritos, a la plancha, a la brasa o al horno, pero evite hervirlos o hacerlos al vapor.

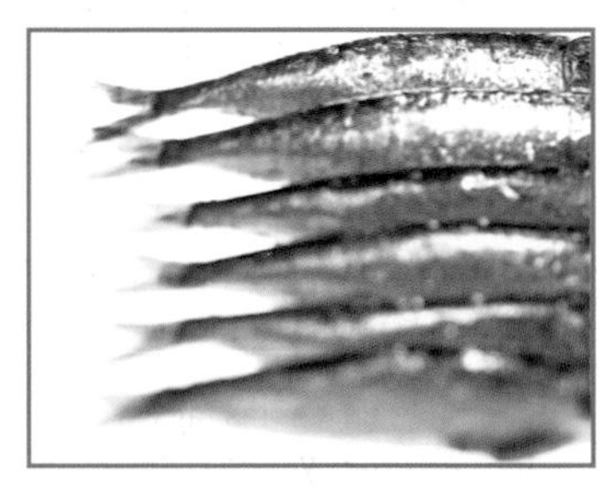

- Prepare los peces de agua dulce con abundante sal y condimentos. Si sala su carne y los deja reposar, conseguirá realzar su sabor y endurecer su carne.
- Los pescados de agua dulce más pequeños suelen tener muchas espinas: prepárelos en escabeche para que el vinagre ablande las espinas.
- Las especies más conocidas son la **trucha**, el **salmón**, la **carpa**, el **lucio** y el **esturión**.

# La carne

*La carne es un componente muy importante en nuestra dieta, que nos aporta fundamentalmente hidratos de carbono. Es vital que sepamos elegir las mejores piezas y el tipo de carne más adecuado para cada plato. Aquí le ofrecemos un pequeño muestrario de las diferentes clases de carne.*

## Cómo elegir la carne

➤ En general, **la mejor parte** del animal procede del lomo y del cuarto trasero.

➤ Las **partes más tiernas** son las que han hecho menos ejercicio, ya que éste desarrolla la musculatura y el tejido conjuntivo que sostiene los músculos, y es precisamente este tejido conjuntivo el que hace que la carne esté dura.

➤ Compre en **carnicerías especializadas**, donde tendrá una foto del animal con los cortes de cada parte del cuerpo, y donde la persona que le atienda podrá asesorarle bien.

➤ Elija carnes de **apariencia sedosa**, no húmeda, a las que se haya retirado el exceso de grasa. Si lleva hueso, el corte debe ser limpio.

## Conservación en la nevera

➤ Lleve la carne a casa lo antes posible y póngala inmediatamente en la nevera, siempre envuelta, por ejemplo en papel de aluminio para evitar el contacto directo con el aire.

➤ Si la carne que ha comprado es un poco dura, póngala a macerar con zumo de limón, vino, vinagre o yogur. Así conseguirá ablandar los tejidos más duros.

➤ Puede guardar en la nevera los bistecs o las chuletas, ya sean de ternera, cordero o buey, hasta un máximo de 3 ó 4 días, pero recuerde que la carne picada o las salchichas no deben guardarse en la nevera mucho más de 1 día.

➤ Si congela la carne, por norma general, no la tenga congelada más de 6 meses, y si es carne picada, no la tenga en el congelador más de 3 meses.

## Descongelar la carne

➤ Asegúrese de que la carne que va a cocinar está perfectamente descongelada.

➤ Lo mejor es un proceso de descongelado lento, así que siempre que pueda descongele pasando la carne del congelador a la nevera. La carne tardará entre 6 y 8 horas en descongelarse, así que puede iniciar la operación antes de acostarse y la tendrá a punto para el día siguiente.

➤ También tiene la posibilidad de utilizar la función de descongelado de su microondas.

### TERNERA

Hay dos clases de ternera: la **ternera lechal**, alimentada con leche y sacrificada entre las 8 y las 12 semanas de vida, y las terneras **alimentadas con pastos**, de 4 a 5 meses de edad. La primera es una carne de color rosa pálido, muy jugosa. La segunda es más oscura, pero nunca roja, y si lo fuera significaría que el animal ha sido sacrificado con más edad. La grasa debe escasear, con algunas vetas de color parecido al de la carne.

### BUEY

La carne de buey varía del rosa al rojo oscuro. Estas variaciones dan muestra del sexo, de la edad y de la raza del animal, pero no afectan demasiado a sus cualidades, aunque la mejor carne es la de los machos castrados. En general, lo normal es que la carne de buey sea roja y brillante, y que se ponga un poco parda al contacto con el aire.

### CORDERO

La carne del cordero de mejor calidad es de color rosado, con la grasa blanca y elástica, y con los huesos finos. Lo más exquisito es el **lechal**, el cordero alimentado con leche, cuyas carne se blanquea al cocinarla. Una vez que supera el año de edad, el cordero pasa a ser cordero **maduro** y su carne es más fuerte y oscura. Al comprar cordero, elija la pieza que sea más magra y rechace aquéllas cuya grasa parezca menos firme y descolorida. A la plancha, frito, al horno o de cualquier otra forma, aproveche su propia grasa para que quede jugoso.

### CERDO

Elija carne de cerdo de color rosa, limpia, de textura fina y con grasa densa y bien visible. Rechace cualquier carne que parezca seca, y también la carne que parece húmeda y pegajosa o tiene manchas amarillas y pardas, ya que es de baja calidad. Fíjese en el olfato de la carne: la carne de cerdo pasada enseguida huele de forma desagradable. Recuerde que todas las partes del cerdo debe cocinarlas muy bien pasadas, ya que el cerdo crudo puede tener parásitos. Además, preparada de esta manera es más gustosa.

## Aves de corral

### POLLO

Los pollos actuales son alimentados y sacrificados a tal velocidad que no tienen tiempo para desarrollar su sabor. En cambio, la carne de pollo es especialmente apta para absorber otros sabores, así que la variedad de éstos es tan amplia como quiera: prepárelo con limón, con setas, con ajo y perejil, con vino blanco, a la plancha, etc.

### PAVO

Es muy típico de las fechas navideñas, sobre todo en la cultura anglosajona, aunque en realidad puede prepararse a lo largo de todo el año. Elija un ejemplar grande, preferiblemente una hembra, y cuélguelo durante 3 días para que tenga todo su sabor. Rellénelo a su gusto con carne picada, cebolla, pasas, almendras, etc.

## Las carnes nuevas

### AVESTRUZ Y CANGURO

El **avestruz** está empezando a introducirse en nuestros mercados. Su carne recuerda ligeramente a la del buey, sobre todo por su color oscuro. Al ser un poco magra, puede prepararla con una salsa, como si fuera un solomillo. Para ésta, puede usar vino tinto con tomates, que le dará un toque fuerte.

La carne de **canguro** también está llegando a nuestro país, especialmente en la carta de algunos restaurantes, sobre todo con algunos *carpaccios*.

# Las frutas

*La fruta es un alimento fundamental en cualquier dieta equilibrada, especialmente por su bajo contenido en grasas y su alto aporte vitamínico. Además, el consumo habitual de fruta le ayudará a hacer mejor la digestión y a prevenir la aparición de problemas digestivos. Recuerde que la fruta a temperatura ambiente mantiene mejor su olor y su sabor.*

| LAS FRUTAS | |
|---|---|
| **Uvas**  | Son la base de la producción vinícola, así que muy a menudo se consume en forma de mosto, cava o vino sin apenas recordarlo. Incluso se obtienen muy buenos vinagres con el zumo de las uvas más verdes y ácidas. En todo caso, es muy saludable su consumo como una fruta más. Actualmente puede comprar uvas todo el año, pero las mejores las encontrará a partir de otoño. Metidas en una bolsa de plástico y en la nevera pueden aguantar hasta 3 semanas. |
| **Melocotones**  | Los melocotones de viña son los más sabrosos, mientras que los de tonalidad amarilla suelen ser un poco más duros. Son una de las frutas más delicadas, de maduración rápida y muy sensibles a los golpes. Guarde los melocotones que estén maduros en la nevera y los más enteros a temperatura ambiente. Son idóneos para la preparación de mermeladas y para conservarlos en almíbar. Utilícelos también para sangrías, o como postre, dejándolos en vino blanco un par de horas. |
| **Manzanas**  | Las manzanas son un comodín perfecto en cualquier cocina. Pueden comerse crudas, cocidas o al horno, pero también son muy utilizadas en repostería (para la popular tarta de manzana) especialmente las manzanas verdes y las más ácidas, mientras que para hornear puede utilizar las que se han pasado un poco de maduras. Recuerde que la manzana también es un excelente acompañamiento en algunas guarniciones, especialmente con carnes. |
| **Fresas**  | La fresa es la fruta que anuncia la llegada del verano. En este caso, el tamaño va reñido con la calidad: cuanto más grande sea la fresa, menos sabrosa puede resultar. Lo más importante a la hora de elegirla es que su piel sea brillante. No compre fresas sin sus características hojas verdes, y déjese llevar por su olfato al elegirlas. Sírvalas solas, con zumo de limón y azúcar, con zumo de naranja, con un poco de vino blanco o con nata, dependiendo siempres de sus gustos.<br>Recuerde que también puede hacer un exquisito yogur de fresa si las remueve bien y deja que el yogur se impregne de todo su sabor y color. |

**PERAS**

Tienden a estropearse antes que las manzanas por su gran contenido en agua. Además, con el paso del tiempo, es fácil que maduren demasiado o se vuelvan harinosas. Cómprelas en su punto si va a consumirlas el mismo día, o un poco duras si va a tenerlas en casa un par de días. Una manera muy apropiada de preparar las peras es bañadas en vino tinto o en almíbar.

**CEREZAS**

Elija siempre aquellas cerezas que conserven la piel bien tersa y el color brillante. Vigile también que los tallos sigan verdes. No compre las cerezas que tengan indicios de moho, y fíjese en que no haya algún deterioro en la zona de unión con el tallo. Las cerezas, si las ha comprado bien frescas, le aguantarán varios días en la nevera.

**LIMÓN**

No es normal consumir los limones directamente, como el resto de las frutas, pero es quizás una de las frutas más utilizadas en la cocina. Puede utilizar el limón como aliño para verduras y ensaladas, en lugar del vinagre. Es un buen digestivo, así que es muy adecuado preparado en forma de sorbete y servido después de comidas pesadas. Puede utilizarlo también en su licuadora, para mezclarlo con otros zumos, con manzana, con fresas o con zumo de naranja. También es muy adecuado para cocinar, especialmente con pescados a la romana o fritos, y muy especialmente con el pollo. Recuerde: elija siempre limones con la piel fina, lisa y muy brillante, y especialmente los que más pesen.

**MELÓN**

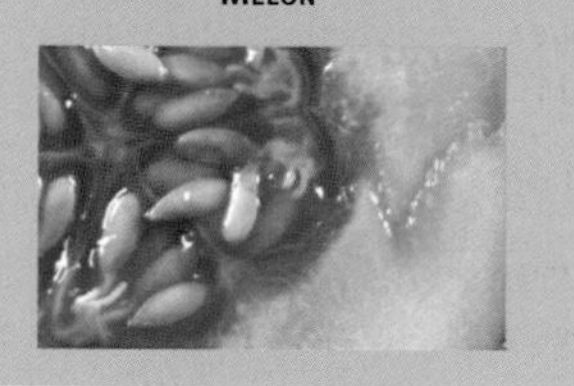

Es la fruta perfecta para combatir el calor en verano. Al contrario que otras frutas, el melón debe servirse siempre bien fresco. Elija los melones más duros y más pesados. No compre aquéllos que tengan manchas o cortes, ni tampoco los que suenen al moverlos, ya que están demasiado maduros. Recuerde que el melón también puede utilizarse en primeros platos, como el clásico melón con jamón serrano, o también para hacer sopa de melón, muy fresca, a la que puede añadir unas virutas de jamón serrano y albahaca o menta troceada.

**CÍTRICOS**

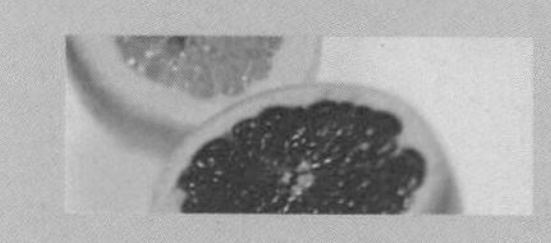

Todos los cítricos maduran mientras están en el árbol, pero su proceso de maduración queda interrumpido en el momento en que son recolectados. A partir de ese momento su sabor ya no cambia, así que mantienen bien sus propiedades y se conservan muy bien en casa. Elija aquellas piezas que pesen más, ya que serán las que más cantidad de zumo contengan.

**NARANJAS**

Las naranjas se pueden comer en gajos, en rodajas con azúcar, y también en zumo. Las tres formas son igual de sanas por su alto contenido en vitamina C, pero recuerde que si hace un zumo debe tomarlo enseguida, ya que en pocos minutos empieza a perder gran parte de sus cualidades. Recuerde también que para hacer zumos, las naranjas más apropiadas son las valencianas. Si lo que quiere es preparar mermeladas, decántese por las naranjas sevillanas: las reconocerá por su ligero sabor agrio.

**PLÁTANOS**

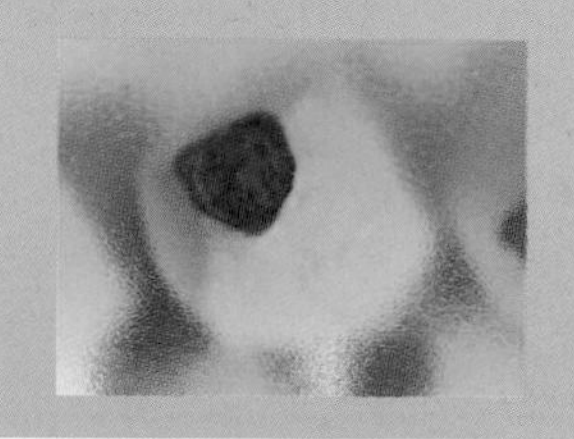

La variedad de plátanos es muy amplia, pero los más gustosos son, sin duda, los que provienen de las Islas Canarias. Los reconocerá porque no son muy grandes y por sus pequeñas manchitas negras. No se preocupe si los plátanos que compra están aún un poco verdes: madurarán rápidamente en casa, tomando su color amarillo característico. Cómprelos siempre en racimos. Aparte de su consumo normal, puede prepararlos fritos y horneados, especialmente para acompañar el arroz a la cubana. También son muy adecuados para dar consistencia a las macedonias y para espesar zumos de frutas.

**MANDARINAS**

Pertenecen a la familia de los cítricos más pequeños. Se caracterizan por la facilidad a la hora de pelarlas y de separar los gajos. Destacan por su sabor intenso y por su característico olor. Las clementinas son especialmente buenas.

# Los frutos secos

*Los frutos secos son ricos en calcio, hierro, vitaminas y proteínas, muy adecuados para los períodos de intenso ejercicio físico, ya que aportan energía inmediata, son un buen aperitivo y también un buen capricho para ir picando mientras se lee o se mira la televisión. Quizá la forma más conocida de tomarlos sea como postre, en el popular músico, ese variado de almendras, avellanas, higos y otros frutos secos que se sirven con un vasito de moscatel. Por si fuera poco, también se pueden utilizar en ensaladas, especialmente las nueces, y para dar contraste a algunos guisos, sobre todo las pasas, las almendras o los piñones. Para un mejor aprovechamiento es conveniente que conozca sus propiedades y las posibles formas de preparación.*

## Cacahuetes

Los cacahuetes se encuentran en ocasiones enteros, pero lo más habitual es que se vendan pelados y salados para ser consumidos como aperitivo. Si los compra crudos puede prepararlos en casa y utilizarlos para cocinar: fríalos en aceite caliente, añada sal y tuéstelos en el horno. Otra posibilidad es comprar crema de cacahuete, un producto típicamente americano. También puede utilizar aceite de cacahuete, muy suave y ligero, y una opción diferente para aliñar sus ensaladas.

## Almendras

Las almendras se pueden comprar de muy diversas formas: peladas o sin pelar, molidas, blanqueadas o picadas. También puede comprar almendras amargas, que no son comestibles directamente, pero sí muy indicadas para la preparación de pasteles y pastas. Las almendras dulces son la base de la preparación de mazapanes y otras pastas secas. La almendra dulce molida puede utilizarla sustituyendo a la harina en recetas de repostería. Fileteadas son un acompañamiento muy conveniente para platos de pescado, como la trucha frita. Muy típico de la cocina catalana es utilizarlas en una picada hecha en el mortero con ajo, pan tostado, perejil y otros ingredientes, que se añade a los guisos casi al final de su preparación: espesan la salsa y le dan un sabor muy especial.

## Avellanas

La época idónea para recolectar y comprar avellanas es en otoño, ya que en invierno éstas se arrugan, se encogen y toman un color más oscuro, aunque sigue siendo buena para comer o cocinar. Si compra las avellanas con su cáscara, elija siempre las que pesan más, puesto que serán las que contengan el fruto más grande. Recuerde que las avellanas son muy apropiadas para acompañar al queso de cabra y las ensaladas verdes. Pero su uso más habitual es para preparar helados y chocolate. En repostería, utilice las avellanas molidas para sustituir a la harina.

## Piñones

Los piñones son un ingrediente típico de la cocina mediterránea. No hay nada mejor que esperar al otoño, la época del año en que los piñones caen de los árboles y ya están suficientemente maduros, y darse un paseo por el bosque, coger alguna piña y sentarse junto a una piedra para ir cascándolos y disfrutando de su aroma y de su intenso sabor. Más fácil, pero bastante más caro, es comprarlos pelados y limpios. Recuerde que puede guardarlos en la nevera, pero no durante mucho tiempo, ya que corre el riesgo de que se pongan rancios. Los piñones son ideales para mejorar los rellenos de berenjenas o calabacines, y también para enriquecer el relleno de pollos, patos o pavos. Utilícelos también para acompañar las espinacas con pasas y piñones, o para dar un toque de distinción a sus trabajos de repostería.

## Anacardos

La forma de los anacardos es muy parecida a la de un riñón, y suelen venderse sin cáscara, ya que ésta es tóxica. Estos frutos pueden comerse al natural, ligeramente salados o bien tostados. También puede utilizarlos para cocinar: fríalos en aceite y retírelos cuando estén dorados. Incorpórelos al plato elegido en el último momento.

## Pistachos

Los pistachos son uno de los frutos secos más caros, pero a la vez uno de los más exquisitos. Como ocurre con los cacahuetes, se suelen encontrar tostados y salados, y son ideales como aperitivos, aunque gran parte de su gracia, como ocurre con las pipas, está en comprarlos con su cáscara y poder ir abriendo uno por uno. Por otro lado, hay que reconocer que también se han popularizado mucho desde que se ha extendido su uso para la preparación de helados de pistacho. Como curiosidad, en Oriente Medio los pistachos se aromatizan con agua de rosas y zumo de limón.

## Castañas

Si las compra crudas, elija siempre las castañas que le parezcan más pesadas y brillantes, aunque también puede comprarlas peladas y envasadas al vacío. Si se decanta por las castañas secas, póngalas en remojo, cuézalas y podrá preparar un buen puré de castañas, el acompañamiento ideal para los platos de caza. La forma más entrañable de comer castañas es, sin duda, ir caminando por la calle en uno de esos fríos días de invierno y que nos llegue el aroma de unas castañas calientes: compre una docena de castañas asadas y sienta lo buenísimas que están recién hechas y bien calentitas.

## Nueces

El momento ideal para comerlas es cuando todavía están frescas y blandas, y la carne conserva su color blanco. Es bueno que la cáscara conserve unos puntos de humedad: demuestra que la nuez es joven. Consúmalas recién compradas para que no se evapore su humedad. Pasado este primer momento, las nueces suelen hornearse para conservarse. Son muy adecuadas en ensaladas, incluso combinadas con tacos de queso.

# Los aceites

*El aceite es un producto básico en la dieta mediterránea. A diferencia de las grasas animales, como puede ser la mantequilla, el aceite tiene un bajo contenido en colesterol. Además de saludable, resulta muy sabroso y especialmente variado. Existen dos tipos de aceite básicamente: los aceites de cocina, como el de maíz, el de girasol, el de soja o el de oliva refinado; y los aceites de mesa, como el de oliva virgen y los de nuez, los de avellana o los aceites aromáticos, a los que se suman los aceites cocinados impregnados de sabor a gambas o a hierbas aromáticas, que matizan su aroma y su sabor.*

## Tipos de Aceite

### Aceite de oliva

Es el aceite más utilizado en la cocina mediterránea, denso y de sabor intenso. La gama de aceites de oliva es amplia, pero el virgen es el de más alta calidad, procedente de la primera extracción mecánica de la aceituna, y que también depende en sus características de cuál sea el tipo de aceituna. En general, se aprecia mucho mejor su sabor en platos fríos y ensaladas, sobre tostadas frotadas con ajo o sobre pan con tomate. Si lo utiliza para cocinar, escoja aceites de oliva de menor categoría y refinados.

### Aceite de cacahuete

El aceite de cacahuete posee muy poco olor y es bastante insípido, pero se emplea bastante en países que no utilizan aceite de oliva por considerarlo demasiado sabroso. Su gracia está en que cuando se fríe deja en los alimentos un leve sabor a cacahuete. Se usa en la cocina francesa, especialmente para freír, pero también en ensaladas y mayonesa. También se utiliza en la cocina china.

### Aceite de colza

La colza es una especie de col, y de sus semillas se extrae este aceite. En algunos países mediterráneos y en Oriente se utiliza para freír y para aliñar ensaladas, aunque en España tiene muy "mala prensa" por el fraude que acabó en tragedia y causó cientos de intoxicaciones.

### Aceite de maíz

El aceite de maíz es muy adecuado para las frituras, ya que soporta temperaturas elevadas sin deteriorarse. Sin embargo, su sabor es casi nulo, lo que a veces puede ser interesante en la cocina, sobre todo si se busca un aceite de sabor neutro que no intervenga en los sabores de los alimentos.

### Aceite de girasol

Es un aceite ligero, con un cuerpo poco denso y bastante económico. Puede utilizarlo generosamente para cocinar, aunque su paladar es bastante neutro.

### Aceite de cártamo

Normalmente, hay que adquirirlo en tiendas naturistas. Se emplea de forma similar al de girasol. Es un aceite muy ligero, recomendado en las dietas que requieren un bajo nivel de colesterol.

### Aceite de soja

Este aceite se extrae de las judías de la soja. Si su composición es de soja 100%, puede utilizarse para aliñar ensaladas, pero quizá resulte un poco pesado, así que es preferible utilizarlo mezclado con margarina o grasas.

### Aceite de germen de trigo

Su sabor es parecido al de las nueces. Se usa sólo para ensaladas, y es especialmente conocido por su aporte de vitamina E, aunque no se utiliza con frecuencia porque su precio es considerable.

### Aceite de sésamo

Se utiliza en la cocina para aliñar carnes, verd
salsas, y la verdad es que
un sabor y un aroma muy
terísticos.

# ACEITES AROMATIZADOS

## DE GIRASOL

**CON HIERBAS FRESCAS:** escoja a su gusto entre una amplia gama de hierbas frescas: albahaca, tomillo, menta, orégano, perejil, etc. En cualquier caso, triture las hojas y mezcle con el aceite hasta obtener una pasta fina y añádale sal. Haga diferentes pruebas hasta que consiga el aceite que más le guste.

**CON HIERBAS SECAS:** se elabora con hierbas secas como las anteriores, o también con laurel, tomillo, romero, estragón, mejorana, etc. Añádalas al aceite y caliente la mezcla sin que llegue a hervir, deje que macere y cuélelo. Un aromatizado más suave se consigue simplemente metiendo las hierbas en la aceitera.

**CON FRUTOS SECOS:** triture los frutos secos (pistachos, cacahuetes, piñones, avellanas, almendras...) con una proporción similar de aceite, añada una pizca de sal y mezcle hasta conseguir la textura y densidad deseadas.

**CON ESPECIAS:** puede obtener tantas variedades de aceite aromatizado como tipos de especias encuentre en el mercado. En caso de aromatizar con canela, anís estrellado, guindilla o curry, caliente el aceite con las especias y déjelo macerar. Otras especias como el pimentón, el curry, la mostaza o la nuez moscada se trituran y se mezclan con el aceite.

**CON TRUFA FRESCA:** se puede conseguir un aceite extraordinario con una pequeña cantidad de trufa fresca. Triture la trufa hasta conseguir una salsa densa, y añada aceite hasta conseguir la intensidad de sabor deseada.

**CON BOGAVANTE:** tueste las cáscaras del bogavante y cúbralas con el aceite y caliente sin que llegue a hervir. Cuele la mezcla cuando esté fría.

### Truco casero

*Uno de los aceites aromatizados más comunes y más sencillos de preparar es el aceite con ajo. Puede controlar la intensidad del sabor a ajo, pero como referencia calcule 2 dientes por litro de aceite y déjelo reposar una noche. Si quiere disponer del aceite en menos tiempo, añada los ajos en medio litro de aceite, y tras un par de horas, mezcle con el resto de aceite: obtendrá el mismo aroma. Si le gusta muy fuerte, deje los ajos permanentemente en el interior de la aceitera, aunque recuerde que se irá reforzando.*

## DE OLIVA

**CON HORTALIZAS, FRUTAS Y VERDURAS:** combine el aceite de oliva con espárragos, ajos, olivas negras, alcaparras, aceitunas y otras esencias. Las verduras deberá triturarlas y mezclarlas con el aceite, pero los ajos es conveniente meterlos enteros o a láminas y calentar a fuego lento. Lo bueno de estas mezclas es que contribuyen a realzar el sabor de sus platos y les dan una nota de color.

**CON QUESOS:** elija el queso que le guste más: roquefort, mató, mozzarella o parmesano. Funda el queso con nata líquida y añádalo al aceite.

**CON TINTA DE CALAMAR:** es una forma muy sabrosa de conseguir un aroma diferente y de color muy original. Simplemente, mezcle la tinta del calamar con aceite de oliva.

# Vinagres y vinagretas

*El vinagre se utilizaba originalmente como conservante, sobre todo para frutas y verduras, pero con el tiempo su sabor y su aroma lo han convertido en un condimento muy utilizado. Existe una amplia variedad de vinagres, todos ellos resultado de la fermentación de un grupo de bacterias en el alcohol. Por lo tanto, serán los diferentes tipos de alcoholes los que determinen los diferentes tipos de vinagres. Por supuesto, el más conocido de ellos es el vinagre de vino, el que se utiliza corrientemente para aliñar ensaladas, pero también existen vinagres de sidra, de jerez, de malta, etc.*

## Tipos de vinagre

### Vinagre de vino

Hay de dos clases de vinagre: el blanco y el tinto. El sabor de ambos es fuerte y muy sabroso, y ambos son adecuados para vinagretas, pero el vinagre de vino tinto suele ser de mejor calidad. De todas formas, el vinagre de vino blanco es muy adecuado para las mayonesas, ya que, al no tener un color tan marcado, respeta el tono claro que se espera de una mayonesa.

### Vinagre de sidra

La sidra es la bebida alcohólica que se obtiene de la fermentación del zumo de manzanas exprimidas. A diferencia del vinagre de vino, el de sidra es menos ácido y de color amarillo mate. Su sabor es intenso y fuerte, con claras reminiscencias a la sidra. Es ideal para preparar vinagretas y su frescor combina con ensaladas de tomate.

### Vinagre de alcohol

Este vinagre, intenso en el paladar, contiene más alcohol que el resto. Destínelo a las vinagretas mezclándolo con limón.

### Vinagre destilado

Es el clásico vinagre incoloro, que se utiliza, sobre todo para cualquier tipo de conservas, como las cebolletas, los pepinillos o las banderillas. Su carencia de color resulta muy apropiada para elaborar sus propios encurtidos, ya que el vinagre conserva y no afecta al color natural del alimento.

### Vinagre de arroz

El vinagre de arroz se utiliza especialmente en la cocina japonesa y en la del Sudeste asiático para conseguir un tono agridulce en los platos. Es el vinagre adecuado para preparar un sushi. No se preocupe demasiado por el color: puede ir del rojo pálido al blanco suave, pero en cualquier caso siempre es delicado y con un característico aroma ahumado. Existe otro vinagre de arroz muy oscuro y muy aromático, más denso y más dulce. También se obtienen vinagres a partir de otros cereales, como el trigo, el mijo o el sorgo.

### Vinagre de Módena

Es un vinagre exquisito, de color muy oscuro, de intenso aroma y de delicioso sabor, elaborado tradicionalmente en la región de Módena, en Italia, a partir del mosto de la uva Trebbiano, hervido hasta que espese y luego pacientemente madurado en sucesivos barriles de diferentes maderas. El verdadero vinagre balsámico es bastante caro, pero vale la pena comprarlo porque es tan intenso que se utilizan sólo unas gotas. Asegúrese de que en la etiqueta consta Aceto balsámico di Modena tradizionale, ya que existen muchas imitaciones.

### Vinagre de malta

Es el vinagre obtenido a partir de la cebada malteada. Se le añade caramelo, lo que le confiere su característica tonalidad parda.

### Vinagre de jerez

Es un vinagre muy apreciado, elaborado a partir del jerez dulce fermentado. Se utiliza para aliñar ensaladas y para almejas y berberechos en lata. Mézclelo en partes proporcionales con limón y obtendrá así una buena vinagreta.

## Aromatizados con hierbas

Para aromatizar un vinagre de vino, añada estragón, albahaca, menta, tomillo o cualquier otra hierba que le apetezca, déjelo reposar en un lugar caliente durante 1 semana, moviéndolo de vez en cuando, y luego cuele el vinagre, dejando sólo una ramita decorativa como identificación.

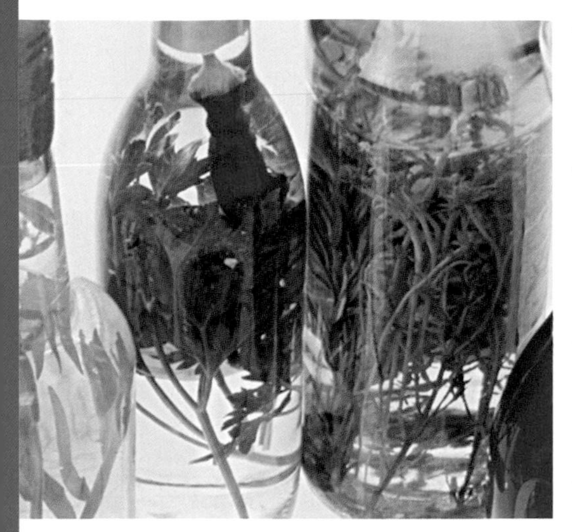

## Aromatizados con ajo

El vinagre al ajo es ideal para platos con anchoas o alcaparras. Triture el ajo y deje que se macere en el vinagre durante 24 horas.

## Vinagres picantes

Si busca un vinagre de sabor picante, combine el vinagre con guindillas o chile seco, y macérelo durante 10 días, agitando diariamente. Obtendrá un vinagre fuerte, pero muy adecuado para los platos de marisco (especialmente para el bogavante).

Para preparar una vinagreta puede optar por varios ingredientes: la base siempre es el vinagre, normalmente acompañado de aceite y sal, pero se suelen añadir otros ingredientes que acaban de redondear su color, su aroma y su sabor. Además de la infinidad de recetas que existen, las vinagretas dejan un campo enorme a la imaginación. Utilícelas para todo tipo de ensaladas, carnes y pescados.

- Vinagreta de vinagre de estragón: mezcle vinagre de estragón, vino blanco, mostaza y ajo. Ligue los ingredientes con aceite y añada sal. Es adecuada para carnes y pescados.

- Vinagreta de hierbas con vinagre balsámico: una base de vinagre balsámico, con zumo de limón, aceite de oliva y escalonias, cebollino, perejil, pimienta y sal. Utilícela para ensaladas de hojas delicadas.

- Vinagreta de anchoas: se elabora triturando filetes de anchoas sin espinas, con aceite de oliva y vinagre balsámico. Puede utilizarla sobre ensaladas, especialmente las de tomate.

- Vinagreta de pimientos: acompañe una pasta de pimientos asados limpios con aceite, vinagre de jerez y sal. Mezcle bien hasta conseguir que quede perfectamente ligada. Combina muy bien con carnes.

- Vinagreta con verduras: haga un picadillo de verduras (con pepino, pimiento verde y pimiento rojo, tomate y cebollino) y añada vinagre de vino blanco y rectifique con sal. Puede utilizarla para ensaladas y carnes.

- Vinagreta de mostaza y menta: esta curiosa vinagreta combina el vinagre con mostaza, aceite y menta picada, en una perfecta amalgama de sabor peculiar. Utilícela para ensaladas especiales y para pescados frescos.

# El pan

*Durante siglos, el pan ha sido el sustento alimenticio de toda Europa, por lo menos hasta que la patata llegó de América y se extendió su consumo, un proceso que se alargó hasta el siglo XVIII, y también hasta que la carne empezó a generalizarse, ya bien entrado el siglo XX. Siempre ha predominado del pan de trigo, uno más de los cereales con los que se puede elaborar el pan, aunque cuando llegaban las épocas de miseria se recurría al pan de centeno o al de cebada. Hoy, la variedad de panes es tan rica y amplia como desconocida, así que pueden ser muy útiles algunas referencias básicas.*

## Tipos de pan

### Chapata

La chapata es un pan italiano muy sabroso, de forma plana y ancha, lo que le da predominio a la corteza, que es especialmente blanda y un tanto crujiente. Su forma plana y ancha la hace perfecta para elaborar bocadillos, ya que tiene una buena base para los ingredientes y se muerde con comodidad.

### *Baguette*

Se trata de uno de los panes con un éxito más rotundo: una barra de pan francés especialmente fina y alargada, de costra crujiente y miga ligeramente agujereada, lo que la hace ser extremadamente ligera.

### Pan de centeno oscuro

Es un pan de tono castaño oscuro, con una corteza muy gruesa y una miga compacta, algo más "robusto" que el resto de los panes (incluso más que el pan de payés), pero tiene la ventaja de que se conserva fresco durante 1 semana.

### *Pitta*

Pan originario de Oriente Medio y muy común en la cocina griega, es una masa redonda y plana que se suele comer caliente, muchas veces rellenándola de cordero a la parrilla y ensalada.

### *Focaccia*

Goza de la fama de ser el pan italiano más antiguo. Normalmente tiene forma plana y cuadrada, y suele aromatizarse con ajo, aceitunas, tomate, hierbas y queso. Tradicionalmente se horneaba encima de una piedra caliente situada sobre un fuego de leña. La composición y la forma de elaborarlo hacen que sea especialmente sabroso, casi para comer solo.

## *Bagel*

Es una especialidad judía de panecillos en forma de anillo. Se hierven antes de hornearse, y son especialmente recomendables rellenos de queso cremoso y salmón ahumado. Existen diferentes variedades, entre ellas las de cebolla.

## Brioche

Panecillo ligero, algo dulce, de textura etérea y corteza dorada y crujiente. Se prepara con una masa de leche, agua, huevos y mantequilla. A veces se sirve con alimentos salados, buscando el contraste, por ejemplo con *foie-gras* o con setas salteadas, aunque también puede ofrecerse como dulce en desayunos, con mantequilla y mermelada.

## Pan de malta

Es un pan húmedo, más bien dulzón, condimentado con almíbar y extracto de malta, que incluso puede llevar pasas. Se conserva bien varios días, y suele tomarse con mantequilla y confituras.

## *Muffins* ingleses

Panecillos redondos, muy populares en EE UU para desayunar. Se abren y se tuestan, y pueden rellenarse con ingredientes dulces o salados.

## Tortilla de maíz

Tortita mexicana de pan fino, con forma redondeada, que se fríe y luego se utiliza para acompañar el plato principal. Es común rellenarla con carne y hortalizas, y luego enrollarla y doblarla para formar fajitas.

## Pan escandinavo crujiente

Es muy común entre las personas que siguen una dieta de adelgazamiento; es un pan generalmente de centeno, ya que se trata de uno de los cereales que aporta menos calorías y una mayor sensación de saciedad. Se encuentra en diferentes variedades, a veces claro y otras oscuro, y en muchas ocasiones se espolvorea con semillas de sésamo. Es apto para combinar tanto con ingredientes dulces como salados.

## Grisines

Son palillos muy finos y largos, de textura muy suave, que se hornean hasta que están dorados y crujientes. Se utilizan mucho como acompañamiento de platos italianos y como aperitivo.

## *Matzo*

Es otra especialidad judía, un pan plano presentado en pequeñas láminas cuadradas. Es muy recomendable para acompañar quesos.

# Especias y hierbas aromáticas

*Aunque la variedad de combinaciones es infinita, existen hierbas aromáticas y especias que armonizan a la perfección con determinados alimentos. La investigación y el gusto propio son los caminos que deben guiar la elección, pero no está de más conocer algunos trucos y combinaciones clásicas.*

## ¿Dónde adquirir especias?

- Cómprelas en tiendas especializadas: allí podrá encontrarlas enteras, que es como mejor conservan su aroma y sabor. Compre pequeñas cantidades y machaque en un mortero o pase por el molinillo sólo las que vaya a utilizar en la elaboración de ese plato.
- Puede comprar tarros o bolsitas de especias trituradas, aunque pierden bastantes cualidades.

| ESPECIAS | USOS MÁS FRECUENTES |
|---|---|
| AZAFRÁN | El **azafrán** es caro porque se obtiene de los estigmas secos de la flor del azafrán, y cada flor sólo tiene 2 estigmas que se recolectan a mano y se dejan secar. En el Sur de Francia se utiliza mucho en algunas sopas, sobre todo en las de pescado. En España es todo un clásico a la hora de colorear paellas con su característico color amarillo, aunque su sabor no es muy conocido, porque en la mayoría de recetas se utilizan colorantes que contienen tartracina E102, que aporta color pero no sabor. |
| CLAVO | El **clavo** se utiliza pinchándolo o, en ocasiones, triturado. Es muy adecuado para las carnes (como la liebre y otros platos de caza), y también para el estofado de buey. Al comprarlo elija los más grandes, oscuros y gruesos, y recuerde que son una parte esencial de la cocina del Sudeste asiático, así que puede darle un toque muy oriental a sus recetas. |
| CANELA | La conocida **canela en rama** no es más que un trozo de corteza de árbol tropical perenne. En nuestro país la utilizamos sobre todo para aromatizar el arroz con leche, las natillas y el flan, y también para algunos vinos aromatizados. Es muy propia de las cocinas de Oriente Medio y de La India, y tanto en España como en México se combina a menudo con el chocolate. |
| NUEZ MOSCADA | Compre la **nuez moscada** entera y rállela a medida que la necesite. Utilícela con las salchichas y con los patés, combínela con las espinacas, y disfrute de ella espolvoreándola sobre el puré de patatas. |
| JENGIBRE | El **jengibre** es una de las especias más características de la cocina oriental, muy utilizada en la cocina china para los platos de cerdo, buey, pollo, pescado, langostinos y cangrejos. En España, algunos cocineros de alta gastronomía empiezan a utilizarlo para acompañar el bogavante. |

## ¿Dónde adquirir hierbas aromáticas?

- En las herboristerías y tiendas especializadas se pueden adquirir frescas y secas, normalmente en ramas enteras, que conservan mejor su aroma y su sabor.
- Otra posibilidad es comprar los clásicos tarros o sobres de hierbas secas, normalmente trituradas, que se encuentran en tiendas especializadas y supermercados, por lo general en un expositor bien visible, aunque pierden parte de su calidad, sobre todo las hierbas frescas como el perejil.
- Lo mejor es tener algunas macetas en casa, en la terraza o en el jardín, con algunas hierbas de fácil cultivo, como el perejil o la menta.

| HIERBAS AROMÁTICAS | USOS MÁS FRECUENTES |
|---|---|
| **PEREJIL** | Ideal para aportar frescura a cualquier plato, es el complemento ideal del ajo, tanto fresco (sobre unas anchoas o sobre el tomate), como suavemente frito (sobre unas setas), e incluso en salsas con limón (sobre un lenguado). Úselo para todo lo que quiera, en las croquetas, en una tortilla, sobre la carne, sobre ensaladas, en los pescados, etc. Fresco es siempre mucho más sabroso y aromático. Con él también puede decorar platos, ya sea en forma de ramita o picado. |
| **ALBAHACA** | Es otra hierba fresca por excelencia, muy aromática, que debe consumirse cruda o muy poco hecha. Resulta ideal para dar frescura a las ensaladas y para preparar el pesto, la conocida salsa italiana para la pasta. También combina bien con el pollo y con el conejo. Una buena forma de conservarla es guardándola en un frasco lleno de aceite y sal: aunque las hojas se ennegrecen, se conservan bien, y además el aceite adquiere un perfume muy agradable. |
| **MENTA** | Ponga unas hojitas en el agua de hervir las patatas y verá el toque de sutileza que aporta. Entre las recetas clásicas, recuerde que la menta es excelente en las habas estofadas y un buen complemento para los guisantes. Utilícela también sobre los langostinos a la plancha en lugar del clásico perejil. No olvide que también puede hacer infusiones con ella. |
| **ORÉGANO** | Las hojas secas de orégano se utilizan en muchas recetas tradicionales, sobre las ensaladas de tomate, sobre la pasta, en las pizzas, con el pollo, con el conejo, y en general en las diferentes recetas de la cocina mediterránea. |
| **LAUREL** | La hoja del laurel es habitual en cualquier cocina. Esencial en los estofados de carne y muy utilizada en caldos y sopas, las ramas se dejan secando sobre papel de periódico en un lugar seco y oscuro. |
| **ENELDO** | Es una hierba menos conocida, pero muy utilizada en los países escandinavos. Allí se utiliza para cocer cangrejos y se espolvorea habitualmente sobre purés y patatas hervidas. Quizá en nuestro país sea más conocida para marinar salmón: para ello, coloque una base de sal, azúcar y eneldo, a partes iguales, y ponga las lonchas de salmón crudo encima; haga varias capas y déjelas 24 horas en la nevera con un peso encima; tendrá un primer plato de delicioso sabor. |
| **TOMILLO** | Es muy utilizado en adobos y marinados, así como en ensaladas de tomate y en platos de pollo, conejo o ternera. Se utiliza asimismo con pescados, y muy especialmente para la elaboración de vinagretas. También aporta un toque muy interesante a los patés. |

# Tipos de vinos

*Alguien dijo alguna vez acertadamente que los vinos eran la parte espiritual de la gastronomía. De hecho, cada vez hay más cultura del vino, y ya no es posible concebir una buena comida sin acompañarla de un buen vino. En cualquier reunión familiar o social hay un momento de la comida en el cual se habla del vino, así que éstos son algunos conocimientos básicos –planteados como trucos– para pasar, por lo menos, como un poco experto.*

## La elaboración de los vinos blancos

- El vino blanco se elabora solamente con la fermentación del mosto de la uva, es decir, sin la maceración de las partes sólidas de la uva.
- Al fluir de la prensa, este mosto es muy turbio, ya que tiene muchas partículas en suspensión. Primero se procede a aclarar el mosto mediante decantación, filtración y otros métodos, y luego a la fermentación controlada, cuando los azúcares se convierten en alcoholes.
- Si el proceso se lleva a cabo con sumo cuidado, se obtienen vinos limpios, afrutados, frescos y suaves.

## Tipos de vino blanco

- **Blancos ligeros y secos**: son vinos jóvenes para consumir inmediatamente. Deben servirse fríos, solos o acompañando a una comida ligera. Son vinos muy comunes en Navarra.
- **Blancos secos más complejos**: son vinos más consistentes, por la variedad de uvas utilizadas o por el método de elaboración, vinos más amplios en La Rioja (sin crianza en barrica) y más concentrados en las Rías Baixas.
- **Blancos semisecos**: son vinos que suelen embotellarse antes de que el azúcar se haya transformado en alcohol. De suave graduación alcohólica y más ligeros, deben acompañar comidas muy suaves. Son comunes en Italia y Alemania.
- **Blancos afrutados**: son vinos jóvenes o con algún envejecimiento en botella, que poseen la dulzura y el sabor de las frutas maduras. Son muy propios del Penedés o de Rueda.
- **Blancos de aguja**: son vinos blancos sometidos a una segunda fermentación con azúcar, de manera que se produce una pequeña cantidad de gas carbónico que le da ese toque especial de vino de aguja. Son comunes en el Penedés y en Alella.
- **Blancos dulces**: son los más concentrados, muy dulces, para un consumo lento, más bien fuera de las comidas, como un moscatel de Valencia, malvasía de Canarias o el vino santo, español o italiano.

## La elaboración de vinos tintos y rosados

- Los **vinos rosados** se vinifican de la misma forma que los blancos, pero se dejan un pequeño período de tiempo en contacto con la piel y el resto de cuerpos sólidos de la uva para que adquieran un poco de color.

- Los **vinos tintos** se elaboran fermentando las pieles y el resto de los cuerpos sólidos de la uva, lo que le aporta su característica coloración.
- Luego se somete a la fermentación maloláctica, el proceso por el cual el ácido málico, que aporta verdor y dureza al vino, se transforma en ácido láctico, más suave y untuoso.
- Algunos vinos se comercializan como **vino joven**, mientras que los mejores vinos se destinan a la **crianza**.

## Tipos de vinos tintos

- **Tintos jóvenes**: son vinos que no han sido sometidos a ninguna crianza, aparte de la que supone su estancia en botella. Generalmente, se trata de vinos con algo más de acidez, así como menos corpulentos y de menor intensidad, fácilmente distinguibles si se perciben ligeros destellos violetas o azulados.
- **Tintos de crianza**: son vinos tintos que se han beneficiado de un corto período de crianza, normalmente en barricas de madera de roble. En La Rioja, por ejemplo, para obtener un crianza se establece un mínimo de 1 año en barrica.
- **Tintos de reserva**: son vinos tintos más seleccionados y con una crianza más completa, como mínimo de 3 años entre barrica y botella, según la normativa de La Rioja.
- **Tintos de gran reserva**: son vinos especialmente seleccionados en las mejores cosechas, envejecidos (de nuevo con la referencia de Rioja) un mínimo de dos años en barrica de roble y tres años en botella.

## Cómo leer la etiqueta

- En letras grandes aparecerá **la marca** del vino, pero también es muy importante fijarse en **la bodega** que lo ha elaborado.
- Fíjese en **el año** de la cosecha, ya que existen tablas para cada Denominación de Origen que indican cuáles fueron las calificaciones de la cosecha de cada año. Recuerde que una misma marca puede cambiar considerablemente de un año a otro.

### ¿Sabía que...?

*Antiguamente se hacían vinos con todo tipo de frutas, con peras silvestres, manzanas, frambuesas y moras, incluso con higos, dátiles o granadas, pero la uva se consolidó como la mejor de todas por tres motivos: primero, por su extrema riqueza y variedad de sabores según el tipo de cepas, y según el clima y las características del suelo; segundo, por su don divino para la crianza, ganando en aromas y sabor; y tercero, por su capacidad de viajar, antiguamente en ánforas y ahora en botellas, dándole su verdadera dimensión internacional.*

- Fíjese en la **Denominación de Origen**, ya que las normativas del Consejo Regulador correspondiente son una garantía de calidad. El Consejo Regulador exige la utilización de determinadas variedades de uva, unos métodos de elaboración determinados, un tiempo específico para la crianza, etc.
- Fíjese en la **etiqueta de la parte trasera** de la botella: muchas veces aporta información acerca de las variedades de uva utilizadas, los platos para los cuales se recomienda, o alguna información sobre la bodega.
- La **capacidad** de la botella es normalmente de 75 cl.
- 12% vol., por ejemplo, le indica el **porcentaje de alcohol**.
- Ocasionalmente, puede encontrar una botella con alguna etiqueta o colgante adicional, en la mayoría de los casos para mostrar que el vino ha recibido un premio o una mención especial en alguna cata o concurso de vinos.

# El vino adecuado

*El vino adecuado es aquel que se ajusta al tipo de comida que va a acompañarlo. No basta, por ejemplo, con pensar que los pescados se comen con vino blanco: hay vinos blancos secos, semisecos, dulces, afrutados y de aguja, y todos ellos aportan matices diferentes al plato que acompañan. Ahora plantearemos una serie de trucos para elegir un vino, pero la mejor guía es su presupuesto y, sobre todo, sus gustos personales.*

## La compra del vino

- Compre el vino **en tiendas especializadas**. Encontrará personal entendido que le podrá asesorar sobre el más ajustado a sus gustos, verá que los precios son iguales o mejores que en un supermercado o una gran superficie, y se asegurará del buen estado del vino, porque las tiendas cuidan mucho más el mantenimiento y la conservación óptima de éste.
- Compre el vino directamente **en la bodega**. La geografía española está llena de zonas vinícolas, y muchas bodegas permiten visitas y la compra directa de vinos a buen precio y sin todo el "trasiego" que sufre el vino en el trasporte entre bodegas, mayorista, minoristas, etc. Recuerde que incluso puede comprar una barrica entera a un precio mucho mejor, que se le servirá una vez acabada la crianza, o al ritmo de embotellado que usted quiera.

- Compre **en un club de vinos**. Es una posibilidad muy interesante: mediante la revista que recibirá en casa mensualmente con la oferta de un lote de degustación de 6 o 12 botellas. Ofrece la ventaja de que tiene una ficha técnica de degustación que le orienta en las cualidades del vino, de manera que mientras lo toma puede ir comprobando si detecta esas cualidades. Últimamente hay varios clubs de este tipo en Internet. Casi todos permiten que el pedido mensual se acepte o no se acepte, pero es una forma de estar al día.
- Compre pensando en su consumo. Tenga en cuenta 4 listas:
  - El vino que consume a diario, que será un vino más corriente, pero del cual siempre querrá tener algunas botellas en casa.
  - El vino que va a consumir en la cena de esta noche, ese par de botellas que compra para una ocasión especial.
  - El vino que compra para tener en casa y poder tomar en cualquier momento que considere especial, y que tendrá que comprarlo en su punto óptimo de consumo.
  - El vino que piensa guardar, especialmente aquél que sabe que mejorará si lo deja unos años en la bodega.

## ¿En casa o en el restaurante?

Una costumbre extraña, pero muy arraigada, es no invertir mucho en vinos para casa y aprovechar que se va a un restaurante para pedir un buen vino. Es una buena ocasión, pero recuerde que hay restaurantes que cargan hasta un 300% sobre el valor del vino, con lo que un caldo que puede tomar en casa por 6 euros se le irá a 18 euros en el restaurante. Hoy en día, hay muchos restaurantes que están invirtiendo en ello y empiezan a ofrecer muy buenos vinos a precios más moderados. De todas formas, en casa también vale la pena invertir un poquito más y acompañar sus platos con un buen vino, que deberá estar siempre a la altura del plato que sirva.

## La conservación de los vinos

Ya hemos comentado que los vinos son muy sensibles, especialmente a la luz y a los cambios de temperatura:

- Guarde el vino en un **lugar fresco y oscuro**, sin cambios de temperatura ni luz intensa, adecuadamente ventilado, sin olores extraños y sin ruidos o vibraciones. Lo ideal es un sótano.
- La **temperatura** debe permanecer estable, entre los 12 y los 15 °C. Una temperatura más alta acelera y descontrola la evolución del vino.
- La **humedad** debe permanecer entre el 75 y el 80%, evitando que pueda afectar al corcho y se estropee el vino.
- No tenga su bodega en la cocina: el calor del horno, la calefacción y encender y apagar la luz es perjudicial para sus vinos.
- Las botellas deben permanecer en **posición horizontal**, de manera que el corcho esté siempre húmedo, ya que al secarse podría contraerse y dejar entrar aire en la botella.
- Evite mover las botellas: el vino necesita reposar **sin movimientos**, sin vibraciones y sin cambios de posición. Coja sólo las botellas que va a tomar.
- Por lo general, a no ser que sean vinos especiales, no tenga los vinos blancos, los rosados y los cavas más de 2 años guardados.
- Un buen vino tinto de crianza puede conservarse muchos años si las condiciones son adecuadas, pero si no es así, puede estar guardando un vino que jamás podrá tomarse.
- Si su bodega empieza a ser grande y con buenos vinos, tenga un **"Libro de Bodega"** donde consten las fechas de entrada, y las fechas óptimas de consumo.

### Recuerde

*Una de las claves para elegir bien un vino es pensar cuándo y con quién lo vamos a tomar. Un tinto de reserva, aromático, corpulento y sabroso, es más adecuado para una comida fuerte, quizá con los amigos. Para una comida de trabajo, mejor un vino ligero, más delicado al paladar y de digestión más suave.*

# Maridaje de platos y vinos

*La relación entre el tipo de cocina que se sirve y el tipo de vino que la acompaña se conoce con el nombre de maridaje; de hecho, es un concepto muy aplicado en la cocina para combinar diferentes alimentos, pero parece que en la combinación de comida y vino se ha convertido en todo un arte. Los pescados con vinos blancos, las carnes con vinos tintos y otras asociaciones ya son todo un clásico, así que vamos a presentar algunos consejos prácticos para ampliar un poco los criterios y las posibilidades.*

## Las reglas de oro

- El plato y el vino deben ser **complementarios** y salir realzados del maridaje.
- El plato y el vino deben ser **concebidos juntos**. No sirve unir un buen vino y un buen plato: puede ocurrir que el vino sea tan suave que el sorbo se muestre incapaz de aligerar al paladar del sabor de la comida, o puede ser que, por su potencia, el vino acabe anulando la presencia del plato.
- Recuerde: se trata de conseguir la mejor armonía y complementariedad.

## Criterios para la elección del vino

- **La densidad:** la graduación alcohólica y la concentración aromática del vino son esenciales. Para ensaladas, pescados suaves o comidas de paladar ligero, elija vinos sutiles al olfato y al paladar. Si los acompaña con salsas sabrosas o hierbas aromáticas, elija blancos de crianza, rosados con más cuerpo o tintos jóvenes. Si utiliza salsas muy fuertes, sofritos o carnes rojas, opte por tintos más robustos.
- **Los aromas:** el olfato es una parte muy importante de las sensaciones que sentimos en la mesa. Busque siempre una buena armonía en nariz, eligiendo un vino blanco con recuerdos cítricos para el pescado, o tintos de crianza con aromas a cuero o a madera para las carnes rojas.
- **La fortaleza:** no crea que siempre es necesario un vino fuerte para una comida fuerte. En ocasiones, la suma de potencias carga demasiado el paladar y se tiene una sensación de "pesadez". A veces, puede ser interesante un rosado fresco que limpie bien la boca y permita saborear la fortaleza del plato.
- **La armonía regional:** los productos de la tierra combinan unos con otros en su propio territorio. Acostúmbrese a elegir vinos de la misma zona que los ingredientes y la receta que está cocinando.

## El caso de los quesos

- Muchas personas se decidirían en seguida directamente por los vinos tintos para tomar una tabla de quesos, pero la amplia tipología de quesos que existe complica mucho este asunto, hasta el punto de que hay muchos quesos que chocan frontalmente con los tintos.
- Los tintos pueden reservarse para los quesos más secos y curados. Evite los tintos con quesos muy grasos o frescos.
- Los rosados suelen ser un buen comodín para diferentes tipos de queso.
- Los blancos son más adecuados de lo que a menudo se cree.
- Una vinos y quesos de la misma región.
- No olvide el papel fundamental del pan: es un catalizador entre el vino y el queso.

| PLATO | VINOS |
|---|---|
| PATÉS | Riojas de crianza para patés de campaña o a la pimienta, y jerez amontillado seco para el hígado de ave |
| PESCADO AHUMADO | Cava, champán o chardonnay maduro |
| ANCHOAS | Vinos blancos, rosados o tintos del Sur de España, y jerez fino |
| PASTA | Cualquier vino italiano, y vinos blancos si las salsas son de pescado; las de marisco llevan nata |
| EMBUTIDOS | Tinto joven de La Rioja alavesa |
| *FONDUE* | Sauvignon de Rueda o del Norte de Italia |
| JAMÓN DE BELLOTA | Tintos jóvenes españoles, jerez fino o manzanilla |
| PAELLA | Blancos del Penedés (mejor chardonnay), viuras de La Rioja o rosados del Ampurdán, del Penedés o de Navarra |
| LANGOSTINOS O GAMBAS | Albariños y ribeiros |
| MARISCO | Blancos gallegos, del Penedés, de Rueda o de La Rioja |
| PESCADOS A LA PLANCHA | Blancos gallegos, de Navarra, de La Rioja o del Penedés |
| PESCADITO FRITO | Chardonnay con crianza en madera |
| PESCADOS DE RÍO | Chardonnay navarro o catalán o un rioja blanco con crianza |
| CALLOS | Penedés semiseco o chardonnay |
| CARACOLES | Tintos de Rueda |
| FILETE, SOLOMILLO | Tintos del Penedés, de La Rioja, de Ribera del Duero y de Navarra |
| CAZA MAYOR | Tintos del Priorato y reservas de Rioja y Ribera del Duero |
| COCIDO MADRILEÑO | Tintos de crianza de Madrid y tintos suaves de La Mancha y Valdepeñas |
| COCHINILLO | Tinto de tempranillo, de Rioja, Ribera del Duero o Cataluña |
| ESTOFADO DE BUEY | Tinto de Cariñena |

| QUESOS | VINOS |
|---|---|
| BRIE | Tintos jóvenes franceses |
| CAMEMBERT | Tintos afrutados, como los vinos jóvenes alaveses y del Penedés |
| GRUYÈRE | Si es joven, vinos blancos afrutados suizos o tintos ligeros; si está hecho, un Pinot gris de La Alsacia, un tinto ligero o un jerez fino |
| CABRALES, ROQUEFORT Y OTROS QUESOS AZULES | Vinos rancios del Penedés, malvasía de Canarias, Navarra o Alicante, oporto, málagas y olorosos de Jerez semidulces o dulces |
| MANCHEGO | Si es curado, tintos de crianza (mejor riojas) y también los cabernet del Penedés y del Somontano. Si es tierno, también los crianzas de La Rioja y del Penedés, y los tintos ligeros de Valdepeñas y La Mancha |
| RONDEÑO | Vinos blancos con cuerpo (mejor chardonnay) fermentado en barrica, Penedés, Somontano o de Navarra |

# La sobremesa

*Los españoles tienen una alimentación variada y abundante, repartida en varios momentos del día entre los que destaca, especialmente, el del mediodía. Es la comida más copiosa y a la que sigue, especialmente en días no laborables, una agradable sobremesa. En este punto comienza una "liturgia", que en España es tradición arraigada, y que está acompañada por un café, una copa de brandy o licores, y es bastante frecuente que los amantes de los buenos habanos puedan encender un puro.*

## Tipos de café

- Cafés suaves y no muy amargos: elija un *café arábica de Colombia.*
- Cafés suaves con un punto de acidez: elija un *café de Tanzania.*
- Cafés fuertes sin ser amargos: elija *cafés mild de Brasil y Costa Rica.*
- Cafés intensos y fuertes: añada *mezclas de café robusta.*
- Cafés aromáticos: elija *cafés colombianos.*

## Consejos de compra y conservación del café

- Lo mejor es comprar café verde en pequeñas cantidades, tostarlo en casa, y molerlo justo antes de preparar su taza de café.
- Ya que lo más frecuente es comprar grandes cantidades de café tostado, guárdelo en buenas condiciones.
- Recuerde que el principal enemigo para la conservación del café es el agua, así que no guarde el café en la nevera porque la humedad acabará llegando a él.
- Si tiene que guardar el grano más de una semana, lo mejor es congelarlo en un recipiente hermético.
- El otro gran enemigo es el oxígeno, ya que oxida los sabores volátiles del café: por eso es tan importante moler el café justo antes de utilizarlo. Una vez molido, la superficie expuesta al aire es mucho mayor y el aroma desaparece.
- No lo guarde cerca de otros alimentos aromáticos: el café absorbe excesivamente otros olores. Recuérdelo también al elegir el recipiente donde lo va a guardar, no sea que conserve olores de otros alimentos.

## Bebidas de sobremesa

- **Coñac:** es un aguardiente de graduación alcohólica elevada que se obtiene por la destilación de vinos flojos, y añejado en toneles de roble. En nuestro país se sirve en grandes copas especiales que permiten oxigenarlo y que desprenda todos sus aromas. También es costumbre añadir un chorro de coñac al café y tomar el típico *carajillo.*
- **Brandy:** es una bebida espirituosa obtenida a partir de aguardientes de vino y envejecida en recipientes de roble. La técnicas de envejecimiento, la procedencia del vino y la localización geográfica son los factores fundamentales para dar apellido al brandy, ya que en principio es brandy tanto el de Jerez y otras zonas del Sur de España, como el del Penedés, más afrancesado, o el coñac y el *armagnac*. La palabra brandy es una adaptación del término holandés *brandewijn*, que literalmente significa "*vino quemado*".
- **Güisqui:** el güisqui es la bebida extranjera más consumida en nuestro país. Es un licor alcohólico de alta graduación que se obtiene del grano

de algunas plantas, destilando un compuesto amiláceo (que contiene almidón o alguna sustancia similar) en estado de fermentación. El color dorado lo da el tonel de madera, el olor a humo es por el horneado de la malta, y el olor a brea es por el tradicional horneado con turba. El 90% de los güisquis que consumimos, y que normalmente pedimos con hielo, ligeros y suaves, son *blended*, es decir, un güisqui elaborado a partir de la mezcla de no menos de 40 güisquis diferentes, envejecidos normalmente durante 3 años en grandes barricas de roble. El auténtico güisqui, que es el de malta, tiene un proceso de elaboración mucho más complejo, que le aporta infinidad de matices, y un proceso de envejecimiento que normalmente dura 12 años. Este güisqui es mejor tomarlo sin hielo para así apreciar toda la intensidad de su sabor y sus aromas.

- **Licores de frutas:** muy habituales en los últimos años en las sobremesas españolas, con hielo o muy fríos y en forma de "chupitos", son utilizados como digestivos o como "gentileza de la casa". Son muy dulces y espesos, con una base alcohólica importante y diferentes sabores a manzana, melocotón, avellana, etc.

## Consejos prácticos para elegir un puro

- **Suave o fuerte**: si no fuma habitualmente, elija cigarros suaves. Si fuma varios al día, elija cigarros de la misma intensidad. Si quiere probar varios cigarros, empiece por los suaves y vaya aumentando para que pueda notar bien los sabores.
- **Largos o cortos**: algunas veces se trata de un criterio de tiempo, y otras tantas de un criterio de intensidad. La última moda en EE UU son los cigarros cortos y gruesos, "de envergadura", pero que se pueden fumar rápidamente tras una comida de negocios. En cuanto a los largos, requieren más tiempo, pero permiten disfrutar de la evolución del cigarro, ya que la intensidad de sabor crece a medida que el cigarro se consume.

- **Grueso o fino**: los cigarros de calibre grueso se caracterizan porque acostumbran a arder más, así que ofrecen un sabor bastante más suave que los finos. De hecho, las vitolas finas no llevan hojas de tabaco ligero para no entorpecer la lumbre.
- **Oscuro o claro**: no hay que asociar *oscuro* a *sabor más fuerte*, más bien hay que asociar el color oscuro con un sabor más dulce.

- **Añejo o fresco**: los puros son como los vinos: pueden mejorar con el envejecimiento. Es muy importante que los conserve bien (pueden guardarlos hasta 15 años) y ganarán en sabor y en aroma, ya que se asientan y se hacen más exquisitos.

## La opción del chocolate

- El chocolate es una de las opciones más interesantes para los no fumadores.
- Muchas veces es considerado como un capricho de niños, pero en la alta gastronomía el chocolate es uno más de los placeres de la sobremesa, especialmente por su maridaje con el ron y el coñac en la elaboración de bombones y diferentes tipos de *mousse*.
- En algunas degustaciones de güisqui, se utiliza incluso como acompañante.
- Hay 4 categorías básicas: el chocolate amargo, el chocolate con leche, el chocolate blanco y el chocolate orgánico.

# Buenas maneras en la mesa

# La compra

*Saber hacer bien la compra tiene, por lo menos, cuatro ventajas: primero, que se compra realmente lo que se necesita; segundo, que se compran los productos de mejor calidad; tercero, que se ahorra dinero; y cuarto y definitivo, que se puede llegar a disfrutar con la misma intensidad que cuando se come, buscando las verduras más frescas, utilizando el olfato, conociendo las diferentes variedades, aprovechando las ofertas y los productos de temporada, etc.*

## Planificación de la compra

- Haga una **lista básica** de las cosas que necesita para no olvidarse ninguna. Tenga la lista siempre a mano para ir apuntando durante la semana las cosas que le van faltando.
- Compre cierta cantidad de alimentos básicos para tener siempre en la despensa una buena **reserva** (arroz, sal, aceite, conservas, pasta, etc.).
- Recuerde que la mayoría de supermercados tienen **servicio gratuito a domicilio** a partir de una compra de cierto volumen, así que puede comprar en grandes cantidades sin preocuparse por el peso.
- Tenga también una buena **reserva en el congelador**. Recuerde que, por ejemplo, el pescado sale mucho mejor de precio si compra piezas enteras, como el rape o la merluza. Pida que se lo limpien y se lo troceen y, cuando llegue a casa, haga 2 ó 3 paquetes para congelar.
- Deje siempre un **margen de maniobra fuera de la lista**: uno de los placeres y de las razones de comprar es ir improvisando a medida que se ven los productos frescos y las ofertas del día.

## Productos en oferta

- Algunos productos pueden encontrarse a buen precio porque han comprado una partida importante, o porque quieren promocionarlos. Compruebe siempre la **fecha de caducidad**, ya que muchas veces la oferta está a precio reducido porque faltan muy pocos días para la fecha de caducidad.
- Si se trata de alimentos enlatados, puede comprar latas con **golpes hacia dentro:** suelen ser golpes recibidos en el almacén y que no afectan al producto, pero desconfíe siempre de los golpes hacia fuera y de las muestras de óxido en la lata.
- Algunas pescaderías ofrecen mejores precios **a última hora**, ya que les interesa acabar con el pescado del día. Recuerde que el pescado fresco tiene la piel clara, brillante y resbaladiza y, sobre todo, que mantiene los ojos vivos.
- Los productos de temporada también ofrecen **ofertas en determinadas ocasiones** y salen mucho más baratos. Lo mejor es esperarse un poco: las primeras setas del otoño son carísimas, y unas semanas más tarde resultan muy asequibles. Lo mismo ocurre con las primeras fresas y con otros muchos productos.

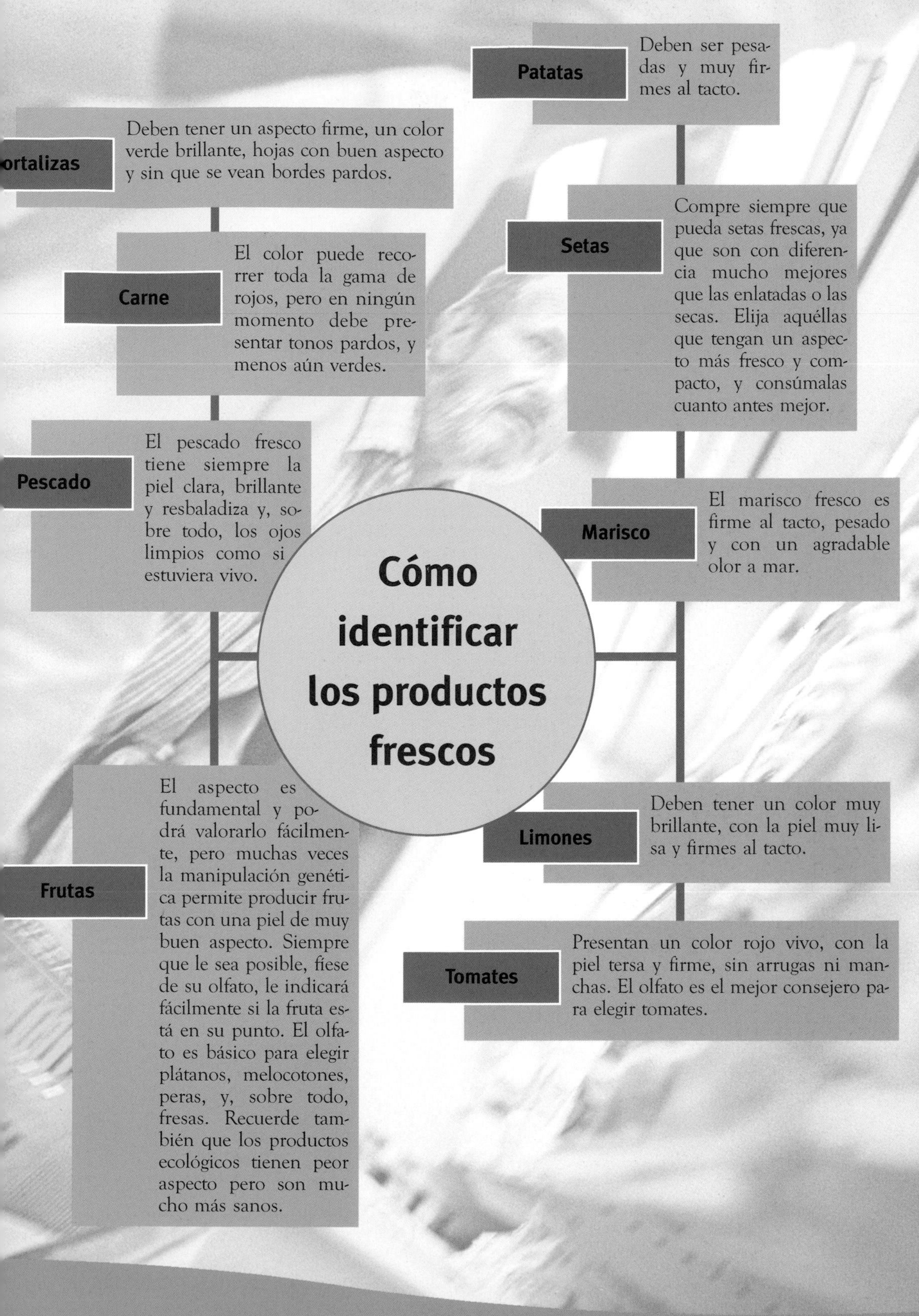
Patatas
Deben ser pesadas y muy firmes al tacto.
ortalizas
Deben tener un aspecto firme, un color verde brillante, hojas con buen aspecto y sin que se vean bordes pardos.
Setas
Compre siempre que pueda setas frescas, ya que son con diferencia mucho mejores que las enlatadas o las secas. Elija aquéllas que tengan un aspecto más fresco y compacto, y consúmalas cuanto antes mejor.
Carne
El color puede recorrer toda la gama de rojos, pero en ningún momento debe presentar tonos pardos, y menos aún verdes.
Pescado
El pescado fresco tiene siempre la piel clara, brillante y resbaladiza y, sobre todo, los ojos limpios como si estuviera vivo.
Marisco
El marisco fresco es firme al tacto, pesado y con un agradable olor a mar.
Cómo identificar los productos frescos
Frutas
El aspecto es fundamental y podrá valorarlo fácilmente, pero muchas veces la manipulación genética permite producir frutas con una piel de muy buen aspecto. Siempre que le sea posible, fíese de su olfato, le indicará fácilmente si la fruta está en su punto. El olfato es básico para elegir plátanos, melocotones, peras, y, sobre todo, fresas. Recuerde también que los productos ecológicos tienen peor aspecto pero son mucho más sanos.
Limones
Deben tener un color muy brillante, con la piel muy lisa y firmes al tacto.
Tomates
Presentan un color rojo vivo, con la piel tersa y firme, sin arrugas ni manchas. El olfato es el mejor consejero para elegir tomates.

# La conservación de los alimentos

*Igual de importante que la compra es la conservación de los alimentos en casa, ya sea en la nevera, en el congelador o en la despensa. De la correcta conservación de estos alimentos depende, en gran medida, que los pueda consumir en estado óptimo y con sus mejores cualidades gustativas y olfativas. Con un buen orden, también podrá tener siempre comida en casa por si se presentan invitados, o sencillamente no ha tenido tiempo de ir a comprar.*

## Normas básicas para la utilización de la nevera

- No la **llene** mucho.
- **Tape bien** todos los alimentos, sobre todo los que huelen más, como el queso o el pescado: es común, por ejemplo, ir a beber agua y encontrar que ésta ha cogido algún olor de la nevera.
- **No cargue** mucho las bandejas de la puerta de la nevera: con el tiempo, desencajan la puerta, el cierre reduce su hermetismo y se pierde el frío.
- **No** introduzca **alimentos calientes** en la nevera: podrían producir condensación.

### Truco casero

*Si tiene la nevera muy llena o estropeada, puede conservar la carne cubriéndola de aceite: es un método utilizado antiguamente y muy efectivo. Luego, puede utilizar el aceite para cocinar.*

- **Cubra** los **alimentos** con otros platos o con papel de aluminio –mejor que con plástico–.
- Suba un poco la **temperatura** de su frigorífico en verano y bájela un poco en invierno.
- **Descongele** la nevera de manera periódica y siempre siguiendo las instrucciones del fabricante.
- Recuerde que, bajo ningún concepto, debe **rascar el hielo** que se pueda haber formado en el congelador con un objeto punzante, pues podría dañarlo.

## Conservación del pescado

- Guarde el pescado en la nevera inmediatamente.
- Envuélvalo en papel de plata para evitar que se reseque la piel y que su olor llegue a otros alimentos y a la nevera en general.

## Conservación de las verduras

- Guarde las verduras en los cajones inferiores de su nevera.
- No las guarde en bolsas de plástico: se deterioran antes.
- No guarde las verduras mojadas: tienden a pudrirse.
- Ponga una esponja seca en el interior de los cajones para que absorba el exceso de humedad.
- Las patatas y otros tubérculos se conservan mejor en lugares oscuros.

## Conservación de otros alimentos

- Guarde el queso en la nevera, en una quesera o envuelto en papel de plata, pero sáquelo unos minutos antes de consumirlo: el sabor y el olor es mucho mejor a temperatura ambiente.
- Haga lo mismo con la fruta madura. Si la fruta está un poco verde, déjela fuera de la nevera para que madure en unos días.

## Conservación de productos enlatados

- Controle la fecha de caducidad.
- Controle el buen estado de la lata, sin presencia de óxido ni golpes.
- Cuando abra una lata y no lo consuma todo, no lo guarde en la misma lata, sino en otro recipiente, de plástico o de cristal, tápelo y métalo en la nevera.

## ¿Está aún en buenas condiciones?

- Para saber si un huevo está fresco, puede utilizar un truco muy sencillo. Sumérjalo en agua: si se hunde es que está fresco, si se mantiene a media altura está algo fresco, y si asciende hacia la superficie ya puede tirarlo.
- Para saber si una sopa que lleva varios días en la nevera está todavía buena, póngala a hervir: si se forma una espuma blanca debe tirarla, y también si nota cierto sabor picante.

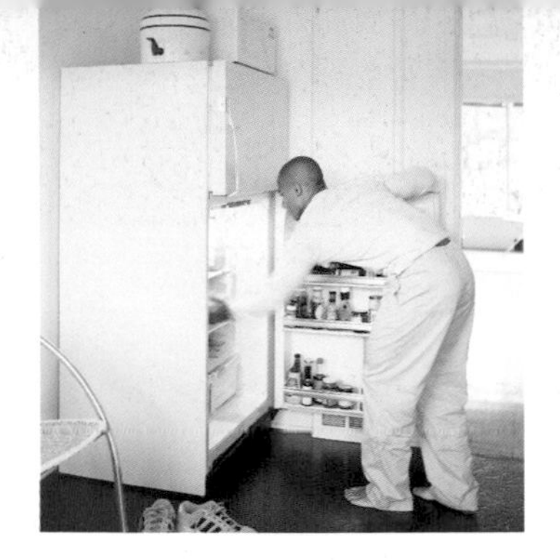

## Normas básicas de congelación

- Un alimento que ya ha estado congelado no debe congelarse por segunda vez.
- Cuando descongele un alimento debe consumirlo el mismo día.
- Congele los alimentos en paquetes pequeños: así podrá descongelar sólo la cantidad que precise.
- Los congeladores de una estrella alcanzan los –6 °C, y le permiten mantener los alimentos congelados una semana.
- Los congeladores de 2 estrellas alcanzan los –12 °C y mantienen los alimentos congelados durante un mes.
- Los congeladores de 3 y 4 estrellas alcanzan los –18 °C y le permiten congelar todo tipo de alimentos frescos y cocinados y conservarlos durante cinco ó seis meses.
- Si quiere congelar verduras, escáldelas antes para eliminar los parásitos y los posibles productos químicos que puedan tener.
- Coloque una etiqueta en los alimentos que congela para saber qué contiene cada paquete y la fecha en que se congelaron.

## Otros sistemas de conservación

- Puede desecar frutas, setas o hierbas aromáticas colgándolas al aire libre y dejando que se sequen.
- Adobe carne de cerdo o pescados con hierbas aromáticas, aceite, sal, ajos, pimienta y otros productos que ayudan a conservar los alimentos y a aromatizarlos.
- Escabeche pescados como el atún. El escabeche se prepara dorando ajos, cebolla, laurel y orégano en una sartén con aceite, añadiendo luego vino blanco, vinagre y sal, e incorporando luego el alimento que quiera escabechar.
- Puede macerar las frutas cubriéndolas con azúcar y vino.
- Puede marinar carnes o pescados: una de las mejores recetas es el salmón marinado con sal, azúcar y eneldo.

# Preparación de platos básicos

*La cocina básica es aquella que cumple 4 condiciones elementales: es fácil (tanto en la compra como en la elaboración); es sana, completa y con buen paladar; es económica, y no se ensucia mucho la cocina al prepararla. Parece la ley del mínimo esfuerzo, pero es la ideal para estudiantes, parejas jóvenes, gente sin tiempo y gente cansada...: para todos.*

## LAS VERDURAS

- Compre siempre **verduras frescas**: si le da pereza cortarlas y limpiarlas, adquiera bolsas de verduras frescas ya preparadas, troceadas y lavadas.
- Para cocinarlas hay una solución de oro: **las ollas a vapor**. Es, sin duda, la forma más rápida, más sana, más cómoda, más limpia y más efectiva de preparar verduras. El sistema es tan sencillo como: abrir la bolsa, meter su contenido en la olla y volver al cabo de unos 10 minutos, apagar el fuego y... ya tiene una excelente verdura lista para comer. Además, cocinada al vapor conserva mucho mejor tanto el olor como el color, y tiene una textura más suave que hirviéndola, no pierde tantas vitaminas, y luego no tiene que fregar tanto.
- Haga **el doble** de la verdura que necesita: al día siguiente, la calienta al vapor o la pasa por una sartén, añade 2 huevos y se hace una tortilla.
- Consuma las espinacas, las acelgas y las judías verdes bien frescas, pero el brécol, la coliflor o la col "resistirán" unos días en la nevera.
- Si quiere **variar un poco**, añada zanahorias troceadas, unos champiñones enteros y patatas en rodajas a la misma olla.

## LOS REVUELTOS DE HUEVO

- Es la **solución rápida** para comer algo fácil y sabroso con una infinidad de combinaciones, algunas de ellas casi de alta gastronomía.
- Abra la nevera y verá que, **con casi todo**, puede hacer un buen revuelto de huevo: con un calabacín, con una cebolla, con unos champiñones, con un tomate, con unos espárragos trigueros, con unos ajos tiernos, etc.
- La **técnica** siempre es igual: dorar brevemente el ingrediente elegido y luego añadir los 2 huevos, ir removiendo y dejar el huevo a punto (no muy hecho, para que mantenga toda su suavidad).
- Añada una pizca de sal mientras dora el ingrediente base y otra pizca de sal sobre el huevo para que el sabor sea más armonioso.
- Si quiere **algo más elaborado**, puede combinar gambas y espárragos trigueros, setas de cualquier tipo y ajos tiernos, o también jamón dulce con champiñones.

## LOS HUEVOS FRITOS

- Toda **una tradición**, todo un arte, y también una gran disparidad de gustos.
- Si le resultan aceitosos y le repiten, hágalos a la plancha.
- Lo mejor es hacerlos en mucho aceite y muy caliente.
- La receta más sabrosa es freír mucho la clara, casi con los bordes crujientes, y dejar la yema casi cruda, con todo su sabor y que pueda mojarse en ella.

## LA PASTA

- La pasta es el **recurso universal**: económica, fácil y rápida de hacer, buena y saludable, aunque la gracia está en darle un toque de imaginación: una buena salsa hará del plato más sencillo un auténtico manjar.
- Tenga siempre en casa algo de **queso rallado, un poco de orégano y un buen aceite de oliva virgen**; si no tiene ganas de cocinar, con eso le bastará.
- Si quiere algo más sabroso y no dedicarle más de dos minutos a la salsa, dore unos **ajos** en una sartén con una guindilla y simplemente eche un poco de aceite caliente por encima de la pasta.
- En 10 minutos puede dorar unos champiñones, unos espárragos trigueros o un calabacín y así tendrá algunos **tropezones**. Añada algo de cebolla y ganará melosidad. Sirva siempre el plato con un chorro de aceite crudo por encima.
- Si puede dedicarle 20 minutos, el tomate hará de cualquiera de las salsas anteriores una verdadera delicia: no sólo aporta jugosidad a todo el plato, sino que lo impregna de color y da más sensación de salsa. Añada trozos de jamón dulce o algo de carne picada salteada.
- La **nata** también es muy práctica, combinada con champiñones, jamón dulce o beicon, y también con roquefort fundido.
- Recuerde también que un **gratinado rápido** en el horno, con una capa de queso, realza mucho los macarrones.
- Si no tiene tiempo para hacer una salsa, compre **pasta rellena**.

## LAS LENTEJAS

- Es un plato básico que aporta gran cantidad de hierro a su alimentación. Lo más práctico es comprar **botes de lentejas cocidas**: se lavan en un colador y se pasan a la sartén, donde hemos frito un par de ajos o un poco de cebolla para dar sabor. Un poco de tomillo o laurel también le dan un buen punto. En total, puede tardar como mucho 6 ó 7 minutos en prepararlas.
- Una forma más elaborada es hacer un sofrito rápido y luego dejarlas hervir al fuego con agua abundante, un chorro de vino tinto, unos tacos de chorizo y unos pedazos de tocino. Luego, añada un poco de arroz o unas patatas troceadas.

## LOS SEGUNDOS PLATOS

- Tampoco hay que complicarse mucho la vida: el **filete a la plancha** es el recurso tradicional. Acompáñelo de unas verduras al vapor: es más sano y rápido que las patatas fritas.
- El **pollo** es lo más fácil y agradecido: es barato, se hace rápido y acepta sabores muy diferentes:
  - **A la plancha**: añada un poco de perejil, unos ajos o unas hierbas -orégano, tomillo o romero-.
  - **Al limón** es excelente: cuando ya lo tenga dorado en un poco de aceite, exprima encima medio limón y deje que se reduzca durante 1 minuto; luego apague el fuego y déjelo reposar 5 minutos.
  - Otra posibilidad es **dorarlo** y, al final, añadirle **curry** en abundancia. Queda buenísimo, aunque es mejor que cierre la puerta de la cocina y ponga el extractor, ya que huele mucho.
  - Otra posibilidad es **freír** el pollo y luego dejar que se acabe de ablandar sumergido en cerveza, hasta que ésta casi desaparezca.
  - El **pollo con langostinos** queda también excelente: cuando tenga el pollo dorado, añada el sofrito, un chorrito de vino blanco y los langostinos, que ha dorado rápidamente con ajitos. Déjelo cocer a fuego lento durante 10 minutos y reposar otros 15.
- El **pescado** también es muy fácil de preparar. El limón y el perejil son los grandes aliados de los pescados blancos. Hágalos a la plancha o fritos. Si quiere una salsa rápida, añada un chorro de vino y una pizca de ajo y perejil y deje que se reduzca. Añada siempre patatas: adquieren un delicioso gusto a pescado.

# Preparación de platos más elaborados

*Muchas veces la elaboración de un plato depende más de conocer los trucos que de dedicarle mucho tiempo. La elección de los productos es básica, la presentación del plato es fundamental, y la originalidad también cuenta a nuestro favor. A partir de aquí, se pueden preparar platos que parecen muy elaborados pero que en realidad son muy sencillos.*

## Trabajarse un poco los aperitivos

- La diferencia entre un salmón ahumado sin más y prepararle algunos complementos es muy grande. Compre *crackers*, ralle un poco de huevo duro, pique bien fino un poco de cebolla, unos pepinillos y unas olivas rellenas, y sirva una bandejita con estos ingredientes. Mézclelos todos sobre el salmón y remójelo con un buen chorro de limón. No sólo está buenísimo, sino que el juego de ir montando el aperitivo resulta muy entretenido.
- Ante una bandeja de jamón serrano, no olvide nunca un buen pan con tomate y aceite de oliva virgen.
- Añada a las anchoas una pizca de ajo y perejil.
- Añada a las olivas rellenas o a los tacos de queso orégano y un chorro de aceite de oliva.
- Si fríe dátiles con beicon, quite el hueso del dátil y ponga una almendra tostada pelada.
- Si sirve una tabla de quesos, ponga un platito de membrillo para cambiar el sabor y disfrutar de cada una de las diferentes variedades.
- Si sirve una tabla de patés, ponga unas cebolletas en vinagre o unos pepinillos para ir separando los sabores.

## Las ensaladas templadas

- Es una forma de darle más consistencia a una ensalada, aportando algunos productos calientes, y una fórmula muy adecuada para comer ensalada en invierno, cuando se agradecen los platos calientes.
- Una ensalada tibia clásica se consigue, simplemente, coronándola con una porción de queso de cabra fundido, que combina muy bien con unas anchoas.
- Otra posibilidad es dorar dos o tres tipos de setas diferentes y añadirlas salteadas por encima de la ensalada.
- Una aportación muy interesante es añadir en los laterales rodajas de calabacín a la plancha.
- Otra posibilidad, nutritiva y muy decorativa, es incorporar espárragos trigueros a la plancha enteros, marcando la pendiente de la ensalada y formando una especie de cabaña.

- Más sofisticado puede resultar dorar ligeramente unos piñones o unos pistachos y añadirlos a cualquiera de los ingredientes anteriores.

- Complételas con vinagretas o con el propio aceite caliente de los ingredientes que le aporte.

## Los pescados al horno

- Son **facilísimos** de hacer y causan una gran impresión al ser servidos en la mesa. Consulte en su pescadería, pero una de las piezas más recomendables es una dorada. Se cubre la bandeja con patatas en rodajas, cebolla cortada en medias lunas y rodajas de tomate, se cubre de agua y vino blanco y se mete en el horno. Diez minutos

*Lubina al horno*

más tarde se incorpora la dorada entera, se cubre con la salsa que queda y se deja diez minutos más, sin girarla. Lo mejor es comprar las doradas pequeñas y servir una por persona.

- Otra posibilidad muy fácil es hacer una base de tomate sofrito, poner encima un tronco de rape, cubrirlo ligeramente con alioli y ponerlo a gratinar durante un par de minutos.

## Las carnes

- La carne roja acostumbra a ganar muchísimo si se la acompaña de una salsa con reducción de vino tinto. Otra excelente idea es aprovechar para que, en ese mismo vino, se hagan unas cebollitas como guarnición.

- Recuerde que puede hacer una sencilla salsa de pimienta verde o roquefort, y cualquier carne a la plancha se verá más acompañada.

*Carne asada al jerez*

- En los estofados, recuerde que el laurel es básico y que un chorrito de vinagre ayuda a suavizar la carne. Prepare el estofado siempre un día antes: el sabor se potencia mucho y el estofado queda más ligado.

- El escalope mejora mucho si lo cubre de salsa de tomate, un poco de cebolla y queso rallado y lo gratina unos minutos.

- No olvide trabajar especialmente las guarniciones que acompañarán a sus carnes.

La cebolla muy dorada se pone oscura y adquiere un delicioso sabor dulzón que combina muy bien con la carne. En lugar de patatas fritas comunes, puede hacer también patatas a lo pobre: cortadas en finas rodajas, fritas con ajo y perejil.

Acompañe de la misma manera la carne con peras o manzanas fritas: le aportan un contraste muy interesante.

*Estofado de morcillo*

### Truco casero

*Si se le pega un poco el estofado, cambie inmediatamente de olla sin rascar lo que se haya pegado en el fondo, añada algo más de agua y ponga un poco de pimienta negra.*

# Recetas para entrantes

*Las sugerencias de los apartados anteriores son improvisaciones, platos que se pueden hacer en cualquier momento al llegar a casa. En este y en el siguiente le ofrecemos unas cuantas recetas más habituales, ideas que solucionan fácilmente un menú, pero para las que va a necesitar comprar los ingredientes necesarios.*

## Anchoas a la marinera

INGREDIENTES (4 PERSONAS):

3/4 kg de anchoas
1 cebolla
3 dientes de ajo
Guindilla
Perejil
Vinagre y aceite de oliva

PREPARACIÓN:

Limpiar las anchoas y reservar en el frigorífico. Poner en el fuego una cazuela con el aceite de oliva. Rehogar el ajo picado y la cebolla cortada en juliana. Cuando la cebolla está transparente y sin que el ajo llegue a dorarse demasiado, añadir las anchoas, un poquito de guindilla, un chorrito de vinagre y perejil. Servir caliente.

## Berenjenas rellenas

INGREDIENTES (4 PERSONAS):

2 berenjenas
8 lonchas de queso
4 lonchas finas
de jamón serrano
1 ó 2 huevos
4 cucharadas de harina
Pan rallado
Ajos
cáscara de 1 limón
Aceite de oliva y sal

PREPARACIÓN:

Cortar las berenjenas en rodajas finas y ponerlas a remojo durante media hora en agua con sal y la cáscara de limón para eliminar el amargor. Majar en un mortero el ajo. Batir los huevos y mezclarlos con el majado anterior, la harina y la sal.

Pasado el tiempo de remojo, escurrir las berenjenas, colocar una loncha de queso y otra de jamón serrano entre dos rodajas de berenjena y pasarlo por huevo y pan rallado.

Freír las berenjenas y colocarlas en papel absorbente para que escurra el exceso de aceite.

## Crema de calabaza

INGREDIENTES (4 PERSONAS):

800 gramos de calabaza
4 patatas (del tamaño
de un huevo cada una)
2 puerros
1 l de agua o de caldo vegetal
Aceite de oliva
2 quesitos y sal

PREPARACIÓN:

Lavar, pelar y cortar en trozos medianos todos los ingredientes vegetales y añadirlos al agua cuando esté hirviendo. Cocer durante 20 minutos (o hasta que estén tiernas las hortalizas). Añadir el aceite crudo, sal a gusto y los quesitos y triturar la mezcla. Servir caliente.

## Verduras a la parrilla

*En verano es la mejor época para preparar este plato, lleno de sabores y vitaminas, muy típico de la huerta murciana.*

INGREDIENTES (6 PERSONAS):

3 calabacines
1 manojo de espárragos verdes (trigueros)
3 berenjenas
3/4 kg de champiñones
6 tomates pequeños
6 pimientos verdes de asar
2 dientes de ajo
1/2 vaso de aceite
de oliva virgen, perejil, sal gorda

PREPARACIÓN:

Preparar la barbacoa con carbón vegetal y mientras se hacen las brasas preparar las verduras.

Cortar las berenjenas en lonchas finas, a lo largo y sin quitarles la piel, espolvorearlas con sal y reservarlas una media hora en un escurridor, para que pierdan el sabor amargo. Cortar los calabacines en aros. Lavar bien los champiñones para quitarles toda la tierra, secarlos y cortarlos por la mitad. Lavar los espárragos y eliminar la parte más leñosa del tronco. Lavar los tomates y cortarlos a la mitad. Lavar y secar bien los pimientos, quitarles el rabo y las semillas.

Picar muy fino el ajo y el perejil, mezclarlos con el resto del aceite y reservar la mezcla.
Pintar las verduras con aceite de oliva y colocarlas a la parrilla. Cuidar de que no se quemen y cuando estén hechas, colocarlas en una fuente de barro, espolvorearlas con la sal gorda y con la mezcla de aceite ajo y perejil.

## Ensalada de pasta

INGREDIENTES (4 PERSONAS):

1 paquete de pasta (lacitos a la zanahoria, al huevo y a la espinaca) de 250 gramos,
Verduras ultracongeladas (judías verdes, zanahoria, guisantes, coliflor, etc.),
Taquitos de queso fresco tipo Burgos
Salsa rosa (mayonesa, ketchup, zumo de naranja y un chorrito de güisqui)

PREPARACIÓN:

Cocer bien la pasta y las verduras en recipientes distintos y reservar. Elaborar la salsa rosa. Cuando los ingredientes están fríos, mezclar en un bol de ensalada, añadir el queso, un poco de sal y la salsa rosa. Decorar con perejil fresco picado por encima.

### Truco casero

*Añada un chorro de aceite al agua de hervir la pasta y evitará que se le pegue.*

## Alcachofas a la navarra

INGREDIENTES (4 PERSONAS):

16 alcachofas
2 lonchas de jamón serrano
6 cucharadas de aceite de oliva
2 cucharadas de harina
1 limón
4 dientes de ajo y sal

PREPARACIÓN:

Se limpian las alcachofas quitando las hojas verdes de alrededor hasta que aparezcan las más blanquitas, se les corta la tercera parte superior y se van echando en un barreño que contenga limón para que no se ennegrezcan.

En una cazuela se ponen cuatro litros de agua, sal y un chorro de limón. Cuando el agua comienza a hervir se van echando poco a poco para que no se pare la ebullición. Cuando estén tiernas se escurren reservando un vasito de caldo para la salsa.

En una sartén se pone el aceite y cuando está caliente, se echa el ajo y el jamón muy picaditos. Antes de que tomen color, se añade una cucharada de harina y el vasito de caldo. En cuanto empiece a hervir se vierte esta salsa sobre las alcachofas dejando hervir el conjunto unos cinco minutos hasta que la salsa espese.

# Recetas para segundos platos

*Suelen ser los platos fuertes de cualquier comida, así que hay que dedicarles más tiempo. Las recetas que se plantean a continuación le harán quedar bien, aunque hemos elegido las que no son de gran complejidad en su elaboración ni de gran presupuesto.*

## Pastel de anchoa

INGREDIENTES (4 PERSONAS):

1 kg de anchoas pequeñas
4 claras de huevo
2 cucharadas de harina
2 vasos de leche desnatada
4 dientes de ajo
Perejil picado
Pepinillos en vinagre
Aceite de oliva y sal

PREPARACIÓN:

Limpiar bien las anchoas.

En una cazuela se pone el aceite y se elabora una bechamel con la harina y la leche desnatada, dejándolo cocer hasta que la salsa quede cremosa.

Se añade el perejil, el ajo picado las anchoas desmenuzadas y las claras un poquito batidas. Se sazona y se vierte toda la mezcla en un molde previamente untado con aceite.

Se hornea al baño maría hasta que esté cuajado. Se acompaña de salsa de tomate.

## Pimientos rellenos

INGREDIENTES (4 PERSONAS):

1-2 latas de pimientos rojos asados enteros
Espinacas
Ajos, gambas
Surimi
Aceite de oliva
Perejil y besamel

PREPARACIÓN:

Cocer las espinacas y dejar en un escurridor.

En una sartén poner aceite y unos ajos hasta que se doren un poco. Añadir las gambas, las espinacas, el surimi y salpimentar. Elaborar aparte una besamel no muy espesa y mezclar con el resto de ingredientes del relleno.

Dejar que se enfríe la pasta y rellenar los pimientos. La salsa se hace con parte de los pimientos, leche, nata líquida, sal y pimienta blanca molida. Batir los pimientos con la leche y poner en un cazo a fuego suave. Añadir la nata líquida y salpimentar.

Dejar que hierva a fuego lento y sin dejar de remover. En una cazuela poner los pimientos y cubrir con la salsa, dejar que dé un hervor.

## Tortilla campesina

INGREDIENTES (4 PERSONAS):

6 huevos
1 berenjena
1 cebolla
2 dientes de ajo
2 pimientos verdes y 2 rojos
1/2 vaso de leche desnatada
Aceite de oliva y sal

PREPARACIÓN:

Rehogar los ingredientes en aceite de oliva y, mientras tanto, batir los huevos. Una vez estén "pochadas" las verduras, poner sobre un colador para evitar el exceso de aceite y de jugo que se ha de desechar. Mezclar con el huevo batido y terminar la tortilla.

## Merluza juliana

INGREDIENTES (4 PERSONAS):

8 rodajas de merluza
1 puerro
1 zanahoria
Aceite de oliva
Perejil picado
Zumo de 1 limón

PREPARACIÓN:

En una cazuela se ponen el puerro y la zanahoria cortados en juliana con un vaso grande de agua.

Se dejan hervir hasta que reduzcan a una tercera parte aproximadamente. Se dejan reposar unos minutos y se colocan las rodajas de merluza poniéndolas a cocer y, en cuanto hierven cinco minutos, se apartan del fuego. En un vaso se pone el zumo del limón, aceite y perejil, y se bate mucho con un tenedor.

Las rodajas de merluza se embadurnan bien con este batido y se colocan en los platos de servir previamente calentados.

## Solomillo con salsa de hongos

INGREDIENTES (4 PERSONAS):

4 rodajas de solomillo
2 patatas
250 g de hongos
1 vaso de leche
pimienta negra
2 dientes de ajo
Aceite de oliva y sal

PREPARACIÓN:

Salpimentar la carne y hacer a la plancha a fuego fuerte. Estofar los hongos y los ajos a fuego lento.

Cuando estén pochados, agregar la leche, dejar cocer unos minutos y triturar los ingredientes. Cubrir el solomillo con esta salsa.

Se puede acompañar con patatas fritas, dejando escurrir el exceso de aceite en papel absorbente.

## Estofado de pavo

INGREDIENTES (4 PERSONAS):

1/2 kg de pavo
1 cebolla
2 zanahorias, 2-3 dientes de ajo
Harina, aceite de oliva
(sin exceso)
Agua o caldo desgrasado y sal

PREPARACIÓN:

Trocear el pavo y pasarlo por harina. Poner en una cazuela el aceite a calentar. Añadir el pavo, sólo para que coja color y retirar a un plato (queda más jugoso por la costra superficial que se forma, que evita la salida de jugos). Añadir a ese aceite el ajo, la cebolla, la zanahoria en trocitos pequeños y la sal.

Sofreír los ingredientes, añadir el pavo y, por último, el agua o el caldo desgrasado. Dejar que comience a hervir, tapar la cazuela y bajar el fuego (aproximadamente 20 minutos de cocción). Probar de sal.
La salsa se puede triturar o no, según costumbre y preferencias.

# Geografía de la cocina española

*Hoy en día es muy habitual preparar una cena mexicana o encargar comida china, pero en nuestro país tenemos también una gastronomía muy rica y variada. Uno de los trucos más interesantes a la hora de preparar una comida o una cena es tan sencillo como eso: recurrir a la cocina regional española. Siga este consejo: prepare una comida típica de una región española y acompáñela con vinos de la misma zona.*

### ANDALUCÍA

La cocina andaluza destaca por sus platos sencillos, pero variados y sabrosos. El **ajoblanco** es un claro ejemplo: haga una pasta de almendras, migas de pan, aceite y huevo. Añada agua y conseguirá una sopa fría, rica y nutritiva. Para su presentación, añada uvas y huevo duro. Acompañe, por ejemplo, con un vino blanco de Cádiz.

### ARAGÓN

La gastronomía aragonesa tradicional es rica en productos de la tierra de excelente calidad. Un plato destacado es el **ternasco al horno**. Para su elaboración, hornee una pieza de lechal, untándola con manteca de cerdo y dejando que se haga con caldo y un buen chorro de vino blanco. Condimente con romero y una cabeza de ajos. Sírvalo con pimientos verdes fritos o con patatas asadas. Acompañe con un buen tinto de Somontano o Cariñena.

### ASTURIAS

Asturias es tierra de quesos, sidra y rico marisco, pero su plato más conocido es la **fabada**. Últimamente, se han hecho mil versiones de la fabada, una de ellas suavizando la receta y proponiendo que las almejas sean las protagonistas. Añada en una cazuela las fabes que ha cocido con cebolla, tomate, puerro, ajos y laurel, agregue unas patatas y deje cocer condimentando con romero, ajo y vino blanco. Añada luego unas almejas a la marinera y deje cocer todo durante 5 minutos. Puede servirlo con vinos blancos gallegos, rías baixas o ribeiro.

### BALEARES

La cocina balear tiene como protagonista el cerdo. Sus dos productos más conocidos son la sobrasada y la ensaimada, esta última elaborada con manteca de cerdo. Sin embargo, su paisaje también ofrece muchas hortalizas, diferentes quesos y buena caza menor. Un plato interesante que puede hacer es el **pastelón de liebre**. Cueza la liebre en jerez, con higadillo, corazón y riñones. Una vez tierna, deshuésela y pique la carne. Aparte, haga una masa con manteca de cerdo, yemas de huevo, azúcar, harina, un poco de agua y unas gotas de coñac. Corte la masa al gusto y rellene con la carne. Pinte el pastelón con yema de huevo batida en un poco de agua y hornee durante 45 minutos. Sirva con ensalada de escarola y apio. Acompañe con un tinto de Binissalem.

### CANARIAS

El ron, el plátano y la patata constituyen tres de los alimentos más característicos de la cocina canaria. Sin embargo su gastronomía se nutre también de pescado salado, cerdo y buenas especias. Una receta fácil y muy buena es **el potaje de berros**: judías y carne de cerdo salada, junto con un troceado fino de berros, cebolla, tomate, pimiento verde, papas y ajo. Se hace un buen cocido y, al final, se añade una pizca de azafrán y un chorro de aceite. Es un plato típico rural, que se acompaña de gofio o queso blanco fresco. Tómelo con un vino canario, no siempre fáciles de encontrar o no muy conocidos, pero que cuentan hasta con 8 Denominaciones de Origen diferentes.

## CANTABRIA

Comunidad pesquera por excelencia, nutre su cocina de pescados. Una receta característica es el **sorropotún**, un plato típico de puchero muy fácil de hacer. Dore cebolla fina en aceite de oliva, añádala al puchero con agua hirviendo abundante, y tras unos minutos agregue patata a trozos pequeños, bonito desmenuzado, un troceado fino de pimientos rojos y tres cucharadas de tomate rallado y frito. Deje cocer bien y luego cubra de rebanadas de pan duro. Deje reposar 15 minutos antes de servir. Puede acompañarlo de rosados de Navarra o de tintos de Rioja.

## CASTILLA-LA MANCHA

La cocina manchega tiene como protagonistas la carne de caza, las legumbres y la miel. Los **galianos** o gazpachos de pastor son la comida milenaria de los pastores de la zona. Es un plato base de caza menor hervida (perdiz, liebre, conejo y gallina), deshuesada y aderezada con pimentón dulce, pimienta y sal. Luego se añaden tortas de pan ácimo y se deja hervir unos minutos más. Puede acompañar con tintos de La Mancha o Valdepeñas.

## CASTILLA Y LEÓN

Tierra de caza y ganado, su cocina ofrece buenas carnes. Son muy famosos sus derivados del cerdo, especialmente el cochinillo. Es una cocina de platos con gran aporte calórico, indispensables para los fríos meses del largo invierno. Un plato típico es la **ropa vieja**, que aprovecha al máximo los fondos de la olla familiar. Deshilache la carne del cocido y fríala con aceite y cebolla bien picada. Luego añada tomate rallado, berenjenas en rodajas, pimientos asados y pelados y un poco de caldo para suavizar. Acompañe con tintos de Toro o de Ribera del Duero, o también con rosados de Cigales.

## CATALUÑA

Exponente de la dieta mediterránea, su cocina destaca por su variedad. Muy interesante es su utilización de contrastes, como puede ser el **pollo con ciruelas**. Dore bien el pollo, póngalo a cocción con un buen sofrito de cebolla y tomate y añada ciruelas, pasas y piñones. Poco ante de retirar, añada una picada de almendras tostadas, pan tostado, ajo y perejil. Acompañe con un tinto joven del Penedés.

## EXTREMADURA

La cocina extremeña es conocida por sus exquisitas carnes, sobre todo de oveja, y por sus embutidos. Un plato significativo puede ser la **caldereta de cordero**, propio de los pastores. Se doran los trozos de cordero rebozados y se reserven. Aparte, se hace un refrito de tocino de jamón, ajos picados y el hígado del cordero pasado por el mortero con ajo y yema de huevo. Se incorpora la carne y se sirve muy caliente. Acompañe con tintos de Ribera del Guadiana.

## GALICIA

En Galicia el marisco y el pescado son protagonistas de los platos más deliciosos. Un plato poco habitual pero muy bueno son las **ostras en escabeche**. Ábralas, sepárelas de la concha con cuidado y fríalas en aceite. Aparte, prepare una mezcla de vino blanco, vinagre, agua, laurel, sal y pimienta negra en grano y mézclela con el aceite y deje en el fuego hasta que desaparezca el olor a vinagre crudo. Deje enfriar y conserve las ostras en esta mezcla. Acompañe de blancos de Rías Baixas o Ribeiro.

## PAÍS VASCO

La cocina vasca es rica, variada y muy creativa. Una posibilidad es hacer un **marmitako**, potaje de patatas con bonito elaborado por los pescadores en los barcos. Para ello, utilice 600 g de patatas, 600 g de bonito, 4 pimientos choriceros, 1 cebolla, 2 dientes de ajo y 4 tomates maduros.
La cebolla y el ajo (picados finos) se fríen. Cuando ésta esté medio hecha, se añaden los tomates pelados picados en dados. Los pimientos se ponen en agua fría; cuando estén rehidratados, raspar la carne con un cuchillo e incorporarla a la cebolla. Pelar las patatas, cortarlas en dados y ponerlas a cocer en el caldo de pescado. Quitar la piel al bonito y trocearlo en dados de tamaño similar a las patatas. Cuando falte poco para que las patatas estén cocidas, se añade el bonito y el refrito y se deja hervir 5 minutos.

# Las tapas

*Las tapas son pequeños platos ideales para el aperitivo, y también una solución desenfadada y divertida para comidas o cenas más informales. Pueden ser pequeñas raciones de platos caseros, o cuidadas miniaturas con diferentes ingredientes. Normalmente suelen tomarse en bares y restaurantes, pero también puede prepararlos en casa de manera sencilla.*

## Pescadito frito

El pescadito frito es una tapa típica de todo el litoral andaluz. Aunque es realmente sencillo de elaborar, requiere un punto justo de fritura. Compre pescadilla, boquerones, calamares o salmonete. Limpie el pescado y sazónelo con sal y limón. Escúrralo y rebócelo en harina. Fríalo en aceite de oliva bien caliente y decore con limón. Cómalo recién frito, con los dedos y acompañado de la correspondiente cerveza bien fresquita.

## Boquerones en vinagre

Su elaboración es sencilla y los resultados sabrosos. En primer lugar, limpie a conciencia los boquerones y sepárelos por lomos. Cúbralos generosamente con agua y sal durante aproximadamente dos horas. Lávelos de nuevo para eliminar el exceso de sal y póngalos con la piel hacia arriba en una bandeja. Añada vinagre hasta cubrirlos y deje macerar durante tres horas más. Escúrralos y aderécelos con perejil, ajo y aceite, y tenga un buen pan para acompañarlos. Otra posibilidad es servirlos enrollados a una oliva rellena y clavados a un palillo. También puede servirlos solos y acompañarlos de patatas chips. De nuevo, tenga unas cervecitas, un vermú blanco o un refresco de cola.

## Salpicón de marisco

La variedad de mariscos que puede utilizar es muy extensa: bogavante, langosta, buey de mar, langostinos, gambas o cigalas, siempre bien cocidos y extrayendo su carne. No debe olvidar tampoco que la modalidad económica de este plato se puede preparar con palitos de cangrejo congelados. En cualquier caso, prepare un picadillo mezclando trocitos de cebolla, pimiento y huevo duro, y añada esta combinación a una vinagreta bien ligada de sal, vinagre y perejil. Sírvalo frío, con un vino blanco o, si lo prefiere, con una copa de cava.

## Tigres

El tigre se elabora sobre las conchas de los mejillones. Prepare una salsa besamel con cebolla y añádala al mejillón, rellenando una concha por completo. Después, reboce el mejillón relleno en harina, huevo y pan rallado y fríalo en abundante aceite. Si quiere, puede añadir salsa de tomate o bien tabasco a la pasta. Se pueden servir fríos o calientes. Una cerveza o una copa de vino blanco o rosado es un buen acompañamiento.

## Croquetas de jamón ibérico

Esta tapa combina la sencillez de una buena croqueta con la exquisitez del jamón ibérico. Rehogue el jamón en mantequilla, añada harina y mezcle hasta que se dore. Agregue leche y remueva suavemente hasta que se forme una pasta. Deje que repose la pasta. Cuando esté fría ya podrá darles forma alargada con las manos. Reboce en huevo y pan rallado y fríalas hasta que estén doradas. Combinan con cualquier bebida.

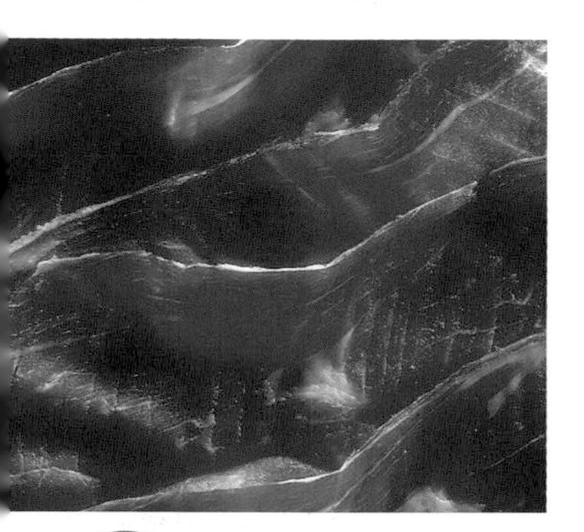

## Callos a la madrileña

Adquirir los callos ya limpios, una vez troceados se cubren de agua fría y se hierven a fuego fuerte durante 5 ó 10 minutos, se escurren y se vuelven a poner a cocer con agua fría junto con unos dientes de ajo, una cebolla, una hoja de laurel y sal al gusto durante al menos 3 horas.Aparte cocemos el morro y la mano de cerdo durante hasta que estén tiernos, reservando el agua de la cocción.
En una sartén hacemos un sofrito con la cebolla picada, 2 o 3 dientes de ajo picados, los tomates, el jamón en tacos y el chorizo y la morcilla troceados sin piel. Cuando este todo bien rehogado añadimos una cucharada de pimentón teniendo cuidado para que no se nos queme. Echamos este sofrito sobre los callos y la otra carne con el agua reservada de la cocción, una guindilla y cocemos todo junto durante 1/2 hora aproximadamente, probando de sal y añadiendo más si hace falta, teniendo cuidado para que no se peguen a la cazuela.

## Gambas en gabardina

Se pelan las gambas quitándoles la cabeza y dejando sin pelar la parte final de la cola, y se salan ligeramente.
Separamos las yemas de las claras, montando estas últimas para posteriormente ir mezclándolas poco a poco con harina, tres yemas, cava o cerveza, sal y levadura, removiendo todos los ingredientes con cuidado. Rebozamos las gambas una a una cogiéndolas por la cola en la masa que hemos hecho y las freímos en abundante aceite caliente. Se sirven en el momento.

## 4 trucos para la presentación de las tapas

- Conserve las tapas calientes reservándolas en el horno a temperatura baja hasta servir. Se ahorrará tener que estar cocinando hasta el último momento y se asegurará de servirlas calientes.
- Si cubre sus pinchos con aceite conservarán un aspecto más apetitoso.
- No utilice cubiertos cuando sirva pinchos y tapas pequeñas: resulta más divertido comer con palillos o con los dedos y, la verdad, hay tapas que resultan mucho mejor comidas así.
- Elija bien la vajilla para servir las tapas, para realzarlas al máximo. Una posibilidad es servirlas en platos de café, como en los bares, o utilizar las típicas bandejas de papel con blonda.

# Los aperitivos

*El aperitivo es uno de esos casos en los que la realidad contradice totalmente a la definición. En sentido estricto, el aperitivo sirve para abrir el apetito, pero ocurre normalmente que, como en este país no hace falta abrir el apetito, el aperitivo se convierte muchas veces en un primer plato, cuando no en una carrera contra nuestro comensal más cercano. Un buen aperitivo, gustoso y generoso, puede quitar el hambre más que abrir el apetito.*

## Aperitivos en la mesa

- Los **aperitivos demasiado generosos** pueden acabar con el apetito de los comensales: la mayoría de ellos llevan una proporción alta de sal y, además, el ir probando tantas cosas diferentes crea una rápida sensación de saciedad.
- Un aperitivo generoso puede ser adecuado si, a continuación, va a servir un plato único, por ejemplo, una paella, un estofado, un pavo al horno, etc.
- Recuerde que, en este caso, **el aperitivo debe armonizar con el plato que le sucede**. Por ejemplo: para una paella puede hacer un aperitivo de ostras, caracoles de mar o percebes, mientras que para un pavo relleno o un cabrito puede poner de aperitivo un poco de jamón serrano.
- Otra posibilidad es **impresionar por la elaboración**, más que por la cantidad. La originalidad o la buena calidad de los productos es la apuesta más habitual en los restaurantes de cocina creativa.
- Si dispone del tiempo suficiente, los mejores aperitivos son los que se preparan con **pequeños platos cocinados y calientes**: es la mejor entrada en mesa, la más suave y deliciosa. Por ejemplo, prepare unas croquetas algo más pequeñas de lo habitual para darle ese toque adecuado al aperitivo.
- **Descarte totalmente las patatas chips y las almendras saladas**: son poco elaboradas y pueden dejarnos el paladar con tanta sal que ya no notaremos los sabores de lo que comamos después y, además, le quitan toda categoría a su mesa.
- No descarte **lentificar el aperitivo**, es decir, ir sirviendo diferentes aperitivos para, de esta manera, dosificar el ritmo y mantener todos los aperitivos calientes.
- Organícese en torno a **dos opciones**: la primera de ellas es servir a cada uno el aperitivo en su plato, como normalmente hacen los grandes restaurantes; también puede optar por ponerlo en el centro y que cada uno pique lo que quiera. Cada sistema tiene sus ventajas y sus inconvenientes. Cada uno en su plato es mucho más formal y da más trabajo, así que resérvelo para ocasiones muy especiales. En

este caso es mejor apostar por la calidad que por la cantidad, ya que debe justificar que el aperitivo es lo suficientemente especial como para servirlo solo y de manera tan formal.

- En este tipo de aperitivos en la mesa, **prescinda de bebidas como el vermú y los refrescos de cola**, ya que es un aperitivo en forma de entrantes compartidos o entrantes ligeros; por lo tanto, sirva ya el vino que vaya a acompañar la comida.

## Ahorre dinero

*Uno de los inconvenientes de los aperitivos es tener diferentes bebidas: unos quieren cava, otros vermú, algunos lo quieren con ginebra, otros se lanzan directos a un gin-tonic, a las cervezas...; siempre hay quien la quiere sin alcohol, otros piden una copa de vino blanco, etc. Tener todas estas botellas es complicado, así que resulta muy práctico hacer un cóctel para el aperitivo y la originalidad consigue que casi todos se apunten. Uno muy sencillo es el cóctel rosa: la base es cava y naranjada a partes iguales, y el color y el punto de dulzura se le da con un poco de grosella al gusto. Tiene la ventaja de que es una bebida para todas las edades. Si lo encuentra muy dulce añada algo de limonada, que le dará acidez. Si lo quiere más potente, añada un poco de* Cointreau *y sírvalo siempre muy frío.*

## Aperitivos antes de sentarse en la mesa

- Los aperitivos previos a la mesa son más ligeros, pero en cambio pueden hacerse más variados y menos relacionados con la comida posterior.
- No piense mucho en la armonía entre ellos, y ahora sí que puede servirlos con refrescos, con vermú o con cava.
- La norma básica es que se puedan comer con una mano, ya que la otra es muy posible que esté sujetando una copa.
- Descarte, por tanto, la utilización de cuchillos y cualquier gesto de elaboración. Por ejemplo, si quiere servir paté con tostadas, tenga una bandeja con las tostadas ya untadas.
- Otra norma básica –consecuencia directa de las anteriores– es que cualquier aperitivo debe caber de una vez en la boca. De esta forma, evitará la incomodidad de tener que ir mordiendo el canapé, y el riesgo de que se le deshaga en la mano o se le caigan algunos ingredientes también será menor.
- Tenga cuidado con los ingredientes que utiliza: por norma general, lo mejor es evitar los huesos, como por ejemplo en el caso de las aceitunas o los dátiles con beicon.
- Habilite el aperitivo en una zona donde haya buena movilidad, y sitúelo en diferentes lugares para que los comensales no tengan que amontonarse todos en un mismo punto para coger un canapé.
- Ponga un poco de música y dé un tono festivo al aperitivo.
- Utilice bandejas con blondas de papel para decorar las fuentes y haga lo mismo con las bebidas (con un poco de azúcar en el canto de las copas, por ejemplo) como toque de alegría.

# Cómo poner la mesa

*A la hora de poner la mesa hay dos factores a considerar: el primero y más importante es la comodidad y la disposición más práctica, y el segundo, las normas básicas de etiqueta. De la correcta combinación de ambas, según la formalidad de la reunión, dependerá el éxito de la estancia en la mesa.*

## Ubicación de la mesa

- La mesa sólo puede estar tocando la pared por uno de sus lados menores, y en este caso debe asegurarse de que la persona que se siente en ese extremo tenga espacio para mover los brazos cómodamente. Si tuviera dudas, separe la mesa de la pared aunque sólo sea unos centímetros.
- Sitúe la mesa en un lugar con suficiente iluminación. Para cenas íntimas o con otra pareja, puede utilizar velas: ponga las velas bajas, y así no le deslumbrarán al mirar a la persona con la que habla.
- Colóquela de tal forma que la persona o personas que se vayan levantando para servir la comida puedan ir y volver de la cocina sin molestar al resto de los comensales.
- Sitúela cerca de la cocina pero sin vistas a ella.

## Presentación de la mesa

- Tenga la mesa a punto cuando lleguen los invitados, pero sólo con lo imprescindible: la mantelería, la vajilla, la cubertería y el centro de mesa. Como centro de mesa puede utilizar flores secas, siempre con tamaños moderados, que no ocupen un espacio necesario en la mesa.
- Utilice siempre un buen mantel, limpio y bien planchado, que cuelgue por todos los lados de la mesa pero sin llegar a las sillas.
- Si el mantel es liso puede utilizar una vajilla decorada. Si la vajilla es lisa, sobre todo si es blanca, busque un punto de contraste con el mantel.
- Ponga las servilletas simplemente dobladas en forma de triángulo, y colóquelas sobre el plato. Cualquier otra presentación más elaborada puede estar bien, pero intente no dar el aire frío de un restaurante.
- Para las comidas, utilice manteles claros, aunque para cenas especiales queda muy bien un mantel de color oscuro.

- Recuerde que los cubiertos se sitúan por orden de uso: los primeros que se usarán en la parte externa, y aproximándose al plato después. Los tenedores a la izquierda, y las cucharas y cuchillos a la derecha. Los cubiertos de postre enfrente del plato, transversalmente.
- Si no piensa cambiar los cubiertos durante toda la comida, como se suele hacer en comidas familiares, es muy

práctico tener un pequeño posacubiertos para cada comensal, para que puedan apoyar los cubiertos usados cuando se les retira el plato.

- Todo lo demás debe tenerlo preparado en la cocina, sobre la encimera, o una mesa auxiliar: el vino tinto abierto para que se oxigene bien, los quesos a temperatura ambiente, los aperitivos fríos tapados con papel de plata, los aperitivos calientes en el horno a temperatura suave, etcétera.

## Colocación de los invitados

- No hay que ser muy estricto, pero es mejor tener un criterio definido ante ese momento tan incierto en que todo el mundo pregunta dónde se sienta.
- Las normas de etiqueta dicen que el anfitrión se sienta en un extremo de la mesa y la anfitriona en el otro.
- El invitado de honor se sienta a la derecha de la anfitriona, y la invitada de honor a la derecha del anfitrión.
- Dicen las normas de la buena mesa que las parejas nunca deben sentarse juntas, pero a eso hay más de un comensal que se opone. Por supuesto, el sentirse bien está por encima de cualquier norma. Recuerde que las reglas sólo están para facilitar las cosas.
- Aunque tenga invitados, procure respetar también los sitios preferidos de cada miembro de la familia; así todos se sentirán cómodos y con más naturalidad.
- Sea también práctico: si es usted quien se levanta para ir a la cocina será mejor que se siente en el lugar con mejor acceso.
- Es muy recomendable situar una pequeña mesa auxiliar justo al lado del anfitrión, de manera que éste podrá ir sirviendo vino y ofreciendo pan sin que la cubitera o la panera molesten en el centro de la mesa.
- Si hay personas desconocidas en la comida o en la cena, alterne los hombres y las mujeres, y ponga juntas a aquellas personas que puedan tener afinidades de edad o temas de conversación, aunque también debe evitar que la reunión se divida en grupos cerrados donde alguien pueda quedar desplazado.

## Servir los platos

- Calcule haber retirado el plato de gentileza antes de llevar a la mesa el primer plato.
- Sirva siempre por la derecha del invitado, y retire siempre por la izquierda, a no ser que los problemas de espacio se lo impidan. Si no quiere complicarse la vida, acceda por el lugar que le sea más cómodo, preferentemente por la derecha, pero es importante que lo haga siempre por el mismo lado para que su comensal sepa hacia dónde apartarse.
- Sirva siempre el plato con una sola mano.
- No pase la mano por encima del hombro del comensal, ni los platos por encima de su cabeza, sino siempre con el plato cercano a la mesa.
- Retire cualquier resto del primer plato al servir el segundo, a no ser que una ensalada o un plato similar pueda seguir acompañando al segundo.
- Avise a su comensal si el plato que le sirve viene del horno o del microondas, ya que todos tenemos la costumbre de centrar el plato una vez nos llega y podría quemarse.
- Prepare los platos sin llenarlos mucho para que no se desborden al inclinarlos al servirlos en la mesa.
- Calcule los restos que crea un plato y ponga los platos accesorios necesarios para dejar estos restos (por ejemplo, los mejillones, los caracoles, las alcachofas al horno, etc.).

# La presentación del plato

*Vivimos tiempos en los que la imagen es todo, y la presentación de los platos vive con especial intensidad ese fenómeno. Pero esto no es nada nuevo en gastronomía: la comida siempre ha entrado por los ojos. Estos son algunos sencillos trucos para que las horas que se pasa cocinando lleguen a la mesa en forma de plato. Recuerde que un plato entra primero por la vista, después por el olfato y finalmente por el paladar..., pero no olvide que la primera impresión es la que cuenta.*

## Elegir los ingredientes por el color

- La presentación de un plato no es sólo una cuestión que ha de plantearse cuando se va a servir: muchas veces imaginar cómo quedará el plato es básico, incluso para elegir los ingredientes.
- Las **carnes** acompañadas de patatas pueden quedar un poco apagadas de color: sírvalas con medio tomate frito, con ajos y perejil troceado, junto a un poco de brécol. El juego de **rojos** y **verdes** realza muchísimo el plato.

- Haga las **ensaladas** pensando en su cromatismo: elija diferentes hortalizas de colores y decore con aceites y vinagretas de color.
- Aporte **rojos** a los **estofados** de caza, añadiendo fresas o cerezas.
- Combine **verdes** y **pardos** para dar sensación de naturaleza: setas con espárragos trigueros, por ejemplo.
- Sirva los ingredientes montados en "castillos", formando **varias capas** que rompan con la presentación tradicional.
- Aporte zanahorias a sus purés de patata y les dará un color más original.
- Recuerde que la ramita de **perejil** siempre es un buen recurso.

## El truco de espolvorear

- El **perejil picado** espolvoreado por encima del plato es el recurso más popular, pero sigue siendo el que aporta más frescura y alegría.
- Haga lo mismo con las **cebollitas tiernas** troceadas, sobre un *carpaccio* o sobre el pescado, o utilice también **hojitas de menta** bien picadas.
- Otra posibilidad es espolvorear **huevo duro** picado o **pimentón** rojo.
- Unos cristales de **sal gorda** también tienen un buen efecto visual.

## Elegir la vajilla

- Piense en la vajilla más adecuada para el plato preparado.
- Unas albóndigas o un *suquet* de pescado pueden servirse en una **cazuelita de barro**.
- Los canelones pueden servirse en su cazuelita metálica, al igual que la coliflor gratinada.
- Los gazpachos y las cremas se sirven en **cuencos**.
- A veces, los pescados enteros, como una dorada al horno o un lenguado, son más atractivos y cómodos de comer sobre **una bandejita alargada**.
- Utilice también estas bandejas para los platos combinados o para las clásicas tostadas de pan payés con escalibada y anchoas.
- Utilice siempre platos amplios: no hay nada peor que un plato que se desborda, que mancha o invade los cantos.
- Utilice un **vaso de chupito** para una pequeña degustación de su crema de mariscos preferida.
- Sirva un buen entrecot sobre una **tabla de madera**.

### Truco casero

*Si quiere conservar todo el color de las verduras, hágalas al vapor y sólo al punto, páselas luego por hielo y recuperarán todo su verdor. Escáldelas ligeramente y sirva.*

## Servir la comida caliente

- Es una de las grandes dificultades de la cocina, ya que muchas veces los comensales se alargan con el primero, o los platos se enfrían mientras se sirven.
- Tenga los platos calientes, o a temperatura suave en el horno o pasados por agua caliente (por ejemplo, en el lavavajillas).
- Tenga la comida en el horno, apagado pero caliente.
- Ponga a calentar la comida mientras toman el primer plato, aunque tenga que estar pendiente.
- Si son muchos comensales, que alguien le ayude a elaborar los platos y a servirlos para que no se enfríen los primeros mientras prepara los siguientes.
- No descarte la posibilidad de servir una gran fuente en el centro de la mesa, a ser posible de barro, que mantendrá el calor, para que cada uno se sirva cuando quiera y la comida no se enfríe demasiado.

# Cómo comportarse en la mesa

*Ciertas pautas de cortesía y educación, sin caer en grandes artificios, hacen que la compañía sea mucho más agradable y que la reunión resulte más acogedora. No se trata de seguir rígidas reglas de comportamiento social, ya que eso va precisamente en contra de lo que se busca cuando uno invita a alguien a casa, pero es cierto que algunos detalles y una serie de trucos sobre cómo comportarse en la mesa ayudan a crear un ambiente especial.*

## El vino como detalle básico

- Por norma general, tenga un buen vino en casa cuando vengan invitados: es una forma de decirles que una cena con ellos es un día especial.
- Recuerde que en nuestra cultura ofrecer vino es un detalle sencillo y da la sensación de estar bien atendido.
- Sirva siempre usted el vino: es un gesto de consideración y también realza su papel de anfitrión.

- Procure que ninguna copa quede vacía mucho tiempo, pero tampoco llene las copas en cuanto las dejan en la mesa: la sensación de querer beber mucho es aún peor que la de quedarse con la copa vacía.
- Recuerde llenar las copas ligeramente, a 2/3 de su capacidad.
- No apoye nunca el cuello de la botella en la copa.
- Límpiese bien los labios con la servilleta antes de beber de la copa: no hay nada peor que dejar rastros de comida en la copa.
- Tenga el vino, el pan, las aceiteras y otros complementos en una mesita auxiliar a su lado para que no molesten en la mesa.

## Uso de los cubiertos

- Si hay más de un juego de cubiertos, utilice primero los que están situados en la parte exterior.
- No coja nunca el cuchillo con la mano izquierda, ni tampoco se lo lleve a la boca.
- Procure no hacer ruido con los cubiertos, ni al cortar la carne, ni al coger la sopa con la cuchara, ni al dejarlos sobre el plato.
- Evite el ruido desagradable que se puede producir al rozar un cubierto con el otro.
- Si tuviese que soplar porque la sopa está muy caliente, mantenga siempre la cuchara un poco baja y sople suavemente.
- Deje los cubiertos apoyados a cada lado del plato mientras esté comiendo: recuerde que tanto la cuchara como el tenedor que esté utilizando deben apoyarse boca abajo en el lateral del plato. Manténgalos también en esta posición si está haciendo una pausa pero no quiere que le retiren el plato.
- Cuando haya terminado, deje los cubiertos sobre el plato, los dos en la misma dirección y con el tenedor o la cuchara hacia arriba: es la señal de que ha terminado y se le puede retirar el plato.
- Nunca deje los cubiertos sucios sobre el mantel: podrían mancharlo.

- Si es el anfitrión, ponga cuchillos de sierra para la carne: se ahorrará esfuerzos y permitirá que todos se muestren más finos al cortarla.
- Ponga cubiertos especiales de pescado si es necesario.
- Si el postre lo permite, dé preferencia al tenedor de postre sobre la cucharilla: el corte es más fino, el manejo más suave, y el tacto en la boca más delicado.

## Comer algunos alimentos complicados

- No se complique la vida: los caracoles, por ejemplo, hay que comerlos obligatoriamente con los dedos. Muchas veces la elegancia está en saber dosificar la naturalidad, e intentar comer unos caracoles con los cubiertos es tan difícil como innecesario.
- Hay otros alimentos que podrían comerse con cubiertos, pero que las normas de la buena mesa permiten comer con los dedos: es el caso, por ejemplo, de las gambas, los langostinos, los mejillones y las almejas, así como también de las costillas de cordero o de las alcachofas al horno.

- Los muslos de pollo es mejor comerlos con los cubiertos.
- La fruta se puede coger tranquilamente con la mano para pelarla: hacerlo con los cubiertos requiere gran destreza.

## Levantarse de la mesa

- Si tiene que levantarse de la mesa, deje la servilleta sobre el mantel, en el lado derecho del plato.
- No doble la servilleta meticulosamente, pero tampoco la deje arrugada de cualquier manera: un par de dobleces informales serán suficientes.
- Si ya han estado comiendo, lo normal es que la servilleta pueda tener alguna pequeña mancha: al doblarla ligeramente y dejarla junto al plato, procure que la parte que quede a la vista sea la más limpia.
- Deje los cubiertos en la posición adecuada sobre el plato, de manera que quede claro si ha terminado o si va a seguir comiendo, por si fueran a retirarle el plato en su ausencia.
- Al levantarse de la mesa, es importante tener cuidado para no hacer ruido con la silla.
- Desplace la silla lo justo para salir con comodidad, pero no deje la silla girada o muy lejos de la mesa durante su ausencia, para que la mesa mantenga un aspecto ordenado mientras usted no está.

## Fumar en la mesa

- Si quiere fumar, pregunte siempre si a alguien le molesta.
- Si sólo hay una persona a la que le moleste, fumar en la mesa se convierte en una descortesía.
- Aunque todos sean fumadores, es mejor que no fume hasta que hayan acabado de comer: incluso para un fumador, puede llegar a ser molesto que se le mezcle el olor del tabaco con la comida que todavía está acabando.
- En cualquier caso, evite fumar si hay niños, sobre todo en sitios cerrados.
- No utilice nunca el plato como cenicero.
- Los ceniceros que contienen tapa y agua en su interior son los ideales para evitar olores, así como el humo de cigarrillos mal apagados y la visión continua de las colillas.

# La cultura de la sobremesa

*Una buena sobremesa es signo inequívoco de que los invitados y los anfitriones se sienten cómodos y quieren prolongar la reunión. Es un momento adecuado para degustar un buen café, una buena copa o un buen puro, pero sobre todo es el momento ideal para tener una buena conversación. Es más, la propia conversación da sentido a la sobremesa, así que habrá que cuidar algunos detalles para que pueda desarrollarse cómodamente.*

## ¿Cómo debe estar la mesa?

- No retire el mantel ni las servilletas. De hecho, no debe retirarlo ni siquiera si ha caído alguna mancha de vino: si desmonta la mesa, sus comensales le dirán que no se moleste, que no hace falta que vuelva a organizar todo, y posiblemente interrumpirá la sobremesa. Si por alguna razón hay manchas, séquelas bien y ponga sobre ellas una servilleta del mismo juego de la mantelería. Ponga a continuación alguna botella o vaso encima para olvidar que aquella zona está afectada, y siga disfrutando.
- Debe retirar todos los platos y restos de comida, pero sin dejar la mesa totalmente despejada, ya que daría sensación de desnudez y frialdad.
- El contexto adecuado para la sobremesa se consigue con un juego de café y otro de té. Sirva a cada comensal lo que prefiera, pero deje siempre una bandeja con algunas tazas por si algún otro comensal se anima al cabo de un rato.
- No retire las tazas de té o café en ningún momento para no dar la sensación de que ya se ha acabado. Muchas veces, la gracia de la sobremesa es tomar dos o tres cafés.
- Deje el café, el té, la leche, una cubitera con hielo y las botellas en la misma mesa, para que no haya que levantarse cada vez que necesita algo, entrecortando así la conversación.
- Tenga en el centro de la mesa unos bombones, unas chocolatinas, unos frutos secos o cualquier otro detalle para ir picando mientras conversan.
- Tenga una bandeja con una jarra de agua y varios vasos por si los frutos secos, el café o el chocolate nos dan sed.
- No ponga palillos: aunque se utilicen con disimulo, su uso es de muy mal gusto. Tenga una cajetilla de hilo dental a la vista en el baño de invitados.
- Muy importante: tenga siempre varios ceniceros en la mesa, y vaya vaciándolos en cuanto estén medio llenos.

## ¿Qué ofrecer en la sobremesa?

- Hay que poner siempre en el centro de la mesa bombones, chocolatinas, porciones de chocolate amargo, frutos secos con baño de chocolate, etc.
- Café e infusiones varias.
- Licores de frutas muy fríos, güisqui, coñac, digestivos, etc.
- Licores exóticos o diferentes, que puedan ser una novedad.

- Copas y una cristalería especial para estas bebidas, un detalle que realza muchísimo cualquier producto.
- Un surtido de cigarros y puros.
- Libros, revistas o manuales de cata por si algún invitado quiere consultar referencias sobre el vino elegido, sobre los licores seleccionados, sobre los tipos de puros, sobre la degustación de güisquis y chocolates, etc.
- Ofrecer buena conversación, explicar una buena historia, algún chiste, enseñar unas fotos, etcétera; en definitiva, tener recursos para mantener la atmósfera acogedora.
- Ofrecer una impresión de la receta de alguno de los platos que ha preparado.

## Normas sociales en la sobremesa

- La sobremesa es el momento más informal de la comida, así que la normativa es mucho más relajada.
- Perfectamente pueden quedarse en la mesa sólo unos cuantos comensales, los que así lo deseen; otros pueden empezar a recoger la cocina. Un tercer grupo puede pasar al salón y situarse más cómodamente, y en familia hasta se permite que alguno inicie una "cabezadita" en el sofá.
- Es el momento de máxima relajación, así que, por norma general, es preferible no entrar en temas polémicos: la sobremesa constituye más bien una invitación a la paz, es el momento de preguntarle a una persona querida cómo le van las cosas, y también la ocasión de recordar qué buenos fueron aquellos tiempos y qué mejores serán los que vienen.
- Respecto a los hijos, no se preocupe si desaparecen en cuanto se inicia la sobremesa. Es comprensible porque necesitan un poco más de movimiento: con la edad, si la sobremesa es interesante, ya se irán quedando.

### Ahorre esfuerzos

*Tenga un carrito auxiliar con lo necesario para la sobremesa. Debería estar preparado incluso antes de que lleguen los invitados. Puede tapar el juego de café con un paño para que no se llene de polvo ni se engrase si lo tiene en la cocina.*

# Cenas íntimas

*La preparación, la presentación y el trato más exquisito encuentran su expresión más delicada en las cenas íntimas, especialmente cuando se quiere crear una atmósfera romántica en torno a la pareja. Para estos casos, también existen algunos trucos sencillos que pueden ayudarle.*

## Los preparativos

- Aunque vivan juntos, lo mejor es que uno haga los preparativos y que el otro se los encuentre. Lógicamente, una vez tendrá que ser uno de los miembros de la pareja, y la siguiente el otro. De esta manera se mantiene cierta magia, se pueden preparar detalles muy especiales y se disfruta del factor sorpresa.
- Aunque estén en casa, es muy seductor que se arreglen como si fueran al mejor restaurante de la ciudad.
- Se trata de una ocasión especial: compre un buen vino o un buen cava.
- Prepare la mesa con la mantelería, la cubertería o la cristalería que guarda para las grandes ocasiones.
- Utilice complementos como velas, flores en la mesa, música suave, etc.
- Escriba el menú sobre un papel bonito y preséntelo junto a las copas al poner la mesa. Juegue un poco con la imaginación y los nombres de los platos: un poco de salmón ahumado puede presentarse como *Carpaccio de salmón al perfume de eneldo* simplemente pidiendo que se lo corten muy fino y añadiendo una gotas de aceite con eneldo.

## Qué comer

- Para este tipo de cenas íntimas lo más adecuado es que elija un menú suave y ligero.
- Elija sabores delicados y recetas de digestión ligera.
- En general, no coman mucha cantidad.
- Evite los sabores fuertes y los olores persistentes.
- Puede empezar con algún entrante suave, un carpaccio o alguna ensalada especial, por ejemplo con salmón ahumado, y seguidamente algún tipo de pescado. Elija pescados fáciles de comer, como el rape, la merluza o el lenguado.
- Si prefieren carnes, tiene una amplia gama de aves, que suelen ser carnes más suaves y, por tanto, más adecuadas para una cena ligera.
- Es importante elegir el vino o el cava adecuado para el menú que ha preparado.

- Una buena idea es tener un sorbete de limón para el final de la cena.
- Tenga siempre un detalle delicado para la sobremesa, como un poco de repostería o unos bombones de chocolate.

## Durante la cena

- Complemente la cena con algún detalle, aunque sea simbólico, o con alguna sorpresa agradable: deje que su pareja encuentre una rosa junto al plato, hágale un pequeño regalo aunque no sea una fecha señalada, o prepare un verso breve o una nota cariñosa que puede dejar junto a la servilleta de su pareja.
- Aproveche esas pequeñas cosas que se regalan o se preparan a diario y elévelas a la categoría de cosas importantes: la reserva de las próximas vacaciones, la paga de las horas extraordinarias, su aniversario, o cualquier otro detalle que aporte "un motivo" para hacer la cena, o que contribuya a valorarla como una gran celebración.
- También es un buen día para hacer de la buena educación un gesto de cariño: al sentarse, bríndele la silla a su pareja para que se sienta como en el mejor restaurante, procure servirle el vino durante toda la cena, comenten los platos mejores como reconocimiento a quien haya cocinado, etc.

## Después de la cena

- No deje que la atmósfera especial que han creado durante la cena se desvanezca al acabar ésta: tenga preparado algún plan para después de la cena. Es mejor tener un par de opciones, por si después de cenar se sienten un poco llenos y optan por la alternativa más relajada.
- Si se conocen hace poco tiempo, repitan aquello que más les gusta o aventúrense con una actividad nueva.
- Si ya llevan tiempo juntos, intenten revivir aquello que tanto les unía y que han ido dejando con el tiempo.
- Salgan a divertirse e intenten mantener esa misma complicidad estando en un bar o en una discoteca con más gente o con otras personas conocidas.
- Disfruten de la casa de alguna forma especial: ya saldrán otra noche que hayan cenado fuera de casa.
- Aprovechen y vístanse de una manera que no podrían si salieran a cenar fuera: dejen volar su imaginación y preparen una situación que sólo ustedes puedan compartir.

# Meriendas, cafés y otras visitas

*Además de las comidas y las cenas, existen otros compromisos y visitas en casa que requieren unas pautas básicas de preparación, presentación y protocolo, como pueden ser las meriendas, una tarde tomando té o café, o simplemente las visitas de cortesía. Estos son algunos consejos básicos.*

## MERIENDAS

- Téngala preparada cuando lleguen los invitados, eligiendo alimentos que se mantengan frescos y sin secarse al menos durante unas horas.
- Descarte el paté, ya que se seca y oscurece enseguida, sobre todo si está untado.
- Utilice siempre pan de molde del día y, si tiene tiempo, corte la corteza para que quede mucho más suave de sabor y de textura. Haga bocadillos enteros, corte los bordes y luego sírvalos cortados por la mitad y en diagonal.
- Prepare algo original, como unas crepés, que se mantienen bien en la nevera.
- Tenga diferentes tipos de galletas envasadas al vacío. Abra sólo algunos paquetes para que no se sequen, pero en cuanto vea la bandeja medio vacía rellénela de nuevo.
- Tenga varias opciones para las bebidas: café, leche, té, zumos de frutas, refrescos, e incluso algún licor.
- Tenga también alimentos más consistentes como pan con tomate y embutidos, bocadillos, etc., sobre todo si hay gente joven.
- Si quiere darle un toque distintivo a la merienda, encargue unas cuantas bandejas de canapés o hágalos usted mismo.
- Calcule las personas que serán y elija el mejor sitio para la merienda. Si hace buen tiempo es muy adecuado el porche, el jardín o la terraza. En otras ocasiones, es mejor servirla en una mesa alargada y hacer la merienda de pie. También existe la posibilidad de preparar una gran merienda y sentarse a la mesa. Si no quiere darle tanto peso, sirva la merienda en el salón y disfruten de ella tranquilamente en el sofá.

## TOMAR CAFÉ

- Invitar a tomar café es centrar demasiado la reunión en torno a una taza, así que ésta debe ser de primera calidad: elija los mejores cafés que conozca y asegúrese de prepararlos adecuadamente para que desprendan todo su aroma y sabor.
- Ofrezca varias posibilidades, como un capuchino, un café irlandés, etc. No está de más que prepare una carta pequeña en la que explique los 3 ó 4 tipos de café que puede ofrecer y su descripción... seguro que impresionará a sus invitados.

- Haga lo mismo con los tipos de té. Encontrará una amplia gama en tiendas especializadas, y los sirven en pequeñas bolsitas o al peso.
- Complemente el café o té con una degustación de chocolates.

## UNAS COPAS EN CASA

- Es uno de los planes más interesantes para una reunión de amigos: es económico, se puede hablar más tranquilamente que en sitios con la música muy alta y se evita el riesgo de conducir de un sitio para otro bajo los efectos del alcohol.
- Tenga 5 bebidas básicas: cerveza, güisqui, ginebra, vodka y licores de frutas; con este surtido, cubre los gustos más frecuentes.
- Tenga cerveza con alcohol y sin alcohol.
- Tenga un surtido de refrescos para combinar con las bebidas alcohólicas: bebidas de cola, naranjada y limonada, básicamente.
- Tenga una botella de cava fría por si alguien la solicitase.
- No se olvide del hielo: si se acaba el hielo se acaba la fiesta. Prepare varias cubiteras o compre una bolsa de hielos.
- Tenga vasos de tubo: no hay nada más triste que tomarse una copa en un vaso de agua.
- Tenga tabaco en casa: copas y tabaco se invitan mutuamente.
- Tenga algo de comer para el final.
- Si han tomado una cantidad de alcohol considerable, llamen a un taxi o tomen otras medidas para evitar conducir bajo sus efectos.

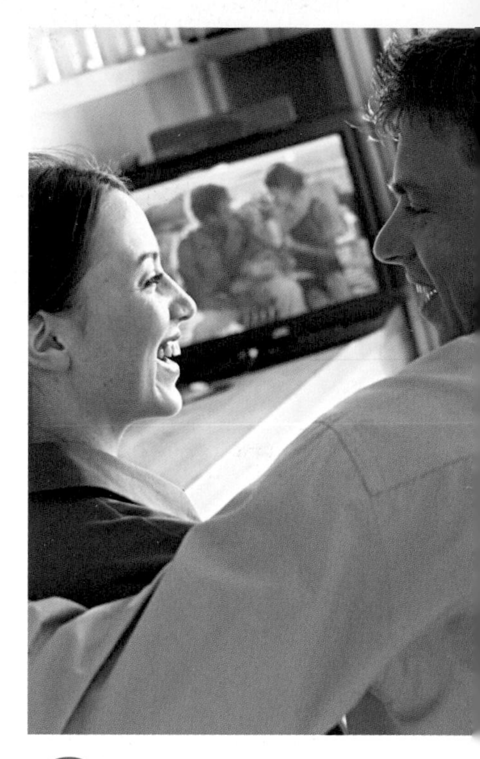

## VIENDO LA TELEVISIÓN

- Prepare algún aperitivo sencillo, aunque sean unas patatas fritas y unas aceitunas.
- Tenga bebidas para acompañar el aperitivo o tomar solas.
- Tenga algo para cenar de manera informal: lo más fácil es tener pan y algún embutido o un poco de queso, aunque también puede preparar una tortilla o una ensalada de pasta, que son fáciles de hacer.
- Intenten ser pocos para que todo el mundo pueda estar cómodo.
- Mantenga un tono informal, recostándose en el sofá para que sus invitados se sientan relajados y se acomoden a su gusto.

# Índice

# Organización de la casa, habitación por habitación


ORGANIZACIÓN DE LA CASA 9

**La organización del espacio 10**
Conozca el esqueleto de su casa 10
La prioridad es la movilidad 10
Cambios estructurales 11
Cambios en la decoración 11

**Feng Shui: el arte chino de armonizar el espacio 12**
Los 8 enriquecimientos 12
El octógono de Pah Kwa 12
Corregir el Feng Shui 13

**La luz y el color 14**
La luz natural 14
- La intensidad 14
- Luz horizontal y vertical 14
- Regular la entrada de luz 14
La luz artificial 15
El color 15
El cuarto de estar 15

**Dividir y prolongar los espacios 16**
Soluciones prácticas para dividir espacios 16
Dar la espalda 17
Prolongar la vista 17
Elimine o abra nuevas puertas 17

**El orden en casa 18**
Las 10 reglas del orden en casa 18
La caja de herramientas 19
El botiquín 19

**Trastos, cachivaches y otros enredos 20**
10 reglas de oro para no acumular trastos 20
Electrodomésticos, robots y otras malas compras 20
La ropa 21

**La organización del tiempo 22**
Atrapar el tiempo 22
Replantear el tiempo 22
Fragmentar el tiempo 22
Encontrar un espacio de tiempo 23
Planificar el tiempo 23

**Listas, agendas y calendarios 24**
10 consejos para hacer listas familiares 24
Las listas personales 24
La gran lista del año 25
El pequeño listín telefónico 25

**Sistemas de archivo 26**
Cuestión de papeles 26
La oficina en casa 26
Del buzón a su sitio 26
Tenga su carpeta del hogar 26
Conceptos clasificatorios 26
Diferentes niveles de clasificación 27
El orden de clasificación 27
Control de la casa gracias al archivo 27

**El ahorro en casa 28**
Los suministros de la casa 28
Ahorro en el recibo y ahorro global 28
Consejos para ahorrar luz 29
Consejos para ahorrar agua 30
Consejos para ahorrar teléfono 30
Consejos para ahorrar gas 31

**La seguridad en el hogar 32**
Prevención de incendios 32
Consejos para prevenir incendios 32
Tipos de extintores 33
Los incendios 33
Comportamiento ante un incendio 34
Prevención de inundaciones 34
La regla de los 3 cortes 34
Evitar los atascos en las tuberías 34
Prevención ante los robos 35

**Pequeños accidentes domésticos 36**
Consejos para evitar accidentes domésticos 36
Primeros auxilios caseros 37

**La casa ecológica 38**
Organizar la casa ecológica 38
El aislamiento de la casa 38
Consejos para mejorar el aislamiento 38
Casa y planeta limpios 39
Los residuos por el inodoro 39
Mobiliario y armarios 39
Bricolaje ecológico 39
El ruido como contaminación 39

HABITACIÓN POR HABITACIÓN 41

**Las diferentes estancias de la casa 42**
Organización general de las estancias 42
Vestíbulos 43
Escaleras 43
Pasillos 43

**La cocina del siglo XXI** 44
Los nuevos modelos de hogar 44
Las nuevas tendencias de la cocina moderna 45
Las grandes adaptaciones 45
La rigidez de la cocina 45
La cocina tecnológica 45
La cocina-comedor 45
La nueva alimentación 46
El nuevo almacenamiento 46
3 líneas, 3 trucos 47

**Las 4 zonas principales de la cocina** 48
Los 4 usos de una cocina y sus espacios correspondientes 48
Establezca prioridades 48
Clasifique las cosas en 3 niveles 48
Desplace cosas fuera de la cocina 49
El "triángulo sagrado" 49
Utilice ruedas 49
Piense en plegables 49
Las encimeras 49
Las 5 distribuciones 49

**El almacenamiento en la cocina** 50
A cada zona sus complementos 50
¿A la vista o en armarios? 50
¿Diseño aséptico o estilo rústico? 50
Estantes móviles 50
Basura selectiva 50
Una escalerilla en la cocina 50
Tarros herméticos 50
El congelado de alimentos 51
La bodega 51

**La limpieza en la cocina** 52
Limpieza del fregadero 52
Limpieza del horno 52
Malos olores en el horno 52
Limpieza del microondas 52
Limpieza del congelador 52
Limpieza de la nevera 52
Malos olores en la nevera 53
Limpieza de bombillas y fluorescentes 53
Prevenir la condensación 53
Limpieza de la campana 53
Manchas en la encimera 53
Baldosas y azulejos 53
Contra los malos olores en la cocina 53

**El ahorro en la cocina** 54
Cocine para 2 días 54
Compre productos de temporada 54
Controle la calidad de los alimentos 54
Reaproveche bien los alimentos 55
Compre grandes cantidades 55
Cocine con imaginación 55
Organice el consumo para no tirar nada 55

**Terrazas y balcones** 56
El problema del peso 56
El riego 56
El viento y el sol 56
Su jardín acuático 57

**La despensa en la terraza** 58
Los árboles frutales 58
Cuidados generales 58
Las verduras 59

**El jardín** 60
Los 6 elementos del jardín ideal 60
Las 4 áreas de la vida 60
Las 10 normas básicas del Feng Shui 61

**La biblioteca** 62
El concepto de biblioteca 62
Criterios de organización: el truco de las dicotomías 62
Las bibliotecas son algo más que libros 62
Las 10 reglas de oro para formar una biblioteca 63

**El despacho en casa** 64
El despacho integrado en otra habitación 64
¿Qué actividad desarrolla? 64
Feng Shui en su despacho 64
La iluminación 65
El orden es fundamental 65
Aporte personalidad a su despacho 65
Espacio multifuncional 65

**Vestíbulos, recibidores y pasillos** 66
Formar un único conjunto 66
Materiales prácticos 66
Busque la calidez 66
Aproveche los rincones 67
Sin obstáculos 67
Rompa la sensación de tubo 67
Rentabilice estos espacios 67
La puerta principal y el Feng Shui 67

**Rincones difíciles** 68
Los ábsides acristalados 68
Utilizar el ángulo como escenario 68
Potenciar la curva 68
Soluciones prácticas para rincones difíciles 69

**Muebles y accesorios complementarios** 70
Armarios empotrados y muebles a medida 70
Muebles polivalentes 70
Muebles y accesorios del recibidor 71
Accesorios para el televisor 71
Los módulos componibles 71
Un buen repertorio de mesitas 71

## Bricolaje, decoración y sencillos arreglos y mejoras


BRICOLAJE Y DECORACIÓN 75

**La decoración de su casa** 76
Imagine su casa 76
La elección del estilo 76
El estilo propio 76
El equilibrio entre su casa y el mundo exterior 77
Decoración y funcionalidad 77

**La armonía de los sentidos** 78
El sentido de la vista 78
El sentido del tacto 78
El sentido del olfato 79
El sentido del gusto 79
El sentido del oído 79
El sexto sentido 79

**Feng Shui: el arte chino de armonizar su casa** 80
La sala de estar 80
El dormitorio 80
El cuarto de baño 81
La cocina 81

**La pintura** 82
Tipos de pintura 82
La cantidad de pintura necesaria 83
Equipo básico de pintura 83

**Decorar con pintura** 84
Pintura lavada 84
Punteado con esponja 84
Moteado con trapo 84
Veteado con bolsa 84
Los efectos de pintar con brocha 84
Los colores 85
Decorar en blanco 85
Tonos pastel 85
Los tonos oscuros 85

**El empapelado** 86
Tipos de papel 86
El equipo 86
Eliminar el papel viejo 86
Empezar a empapelar 87
Por dónde empezar 87
Detalles y corrección de fallos 87

**Los suelos** 88
La elección del suelo 88
Las esteras de fibra vegetal 88
Suelos de corcho 88
Suelos de caucho 88
Suelos de cerámica 89
Suelos de madera 89
Suelos de vinilo 89
Suelos de moqueta 89
Suelos de linóleo 89
Suelos de baldosas de barro cocido 89

**Los estampados** 90
Flores y formas geométricas 90
Consideraciones generales 90
La sensación de los colores 91
Simbologías y usos de los colores

**Decorar con telas** 92
Las telas básicas de una casa 92
Equipo básico de confección 92
Elija las telas adecuadas 92
Las cortinas 93
Los estores 93

**Decorar con flores y plantas** 94
Las flores frescas 94
Composiciones bien estructuradas 94
Composiciones de color 95
Algunas plantas comunes y dónde colocarlas 95

**La chimenea como centro de la casa** 96
La distribución de la estancia 96
Decorar el entorno de la chimenea 96
Decoración y seguridad 97

**Las ventanas** 98
Muchos estilos y muchos materiales 98
La ventana vista por dentro 98
Decoración, clima y paisaje 98
Tipos de ventanas 99

**La iluminación** 100
La luz natural 100
Iluminación con velas 100
La luz artificial 100

**Ambientes** 102
Ambiente rústico 102
Ambiente minimalista 103

**Contratar un profesional** 104
Dónde encontrar un decorador 104
Cómo elegir el profesional más adecuado 104
Consejos para el contrato escrito 105
Exigencia y flexibilidad 105

SENCILLOS ARREGLOS Y MEJORAS 107

**Mejoras y mantenimiento del hogar** 108
Hágalo usted mismo 108
¿Qué mejoras podemos hacer en casa? 108
10 consejos útiles 109

**Las herramientas básicas** 110
Instrumentos de medida 110
Martillos 110
Tenazas y alicates 110
La llave inglesa 111
Cortar y serrar 111
Limas 111
Destornilladores 111

**Otras herramientas y complementos** 112
Taladradora y atornilladora 112
Pequeños accesorios siempre útiles 112
Complementos de la caja de herramientas 113
Cada herramienta en su sitio 113
Mantenimiento de las herramientas 113

**Consejos básicos para el electricista aficionado** 114
Equipo básico de herramientas 114
Tres normas básicas de seguridad 115

**Pequeños trabajos de electricidad** 116
Cambiar una bombilla 116
Mantenimiento de los tubos fluorescentes 116
Uso y cambio de fusibles 116
Interpretar los cables de colores 117
Terminología básica sobre electricidad 117

**Fontanería de emergencia** 118
La cisterna se desborda 118
Lavadora y lavavajillas 118
Descongelar una tubería 119
Reventón de tuberías 119

**Pequeñas reparaciones de fontanería** 120
Goteo en los grifos 120
Goteo de una tubería 120
Tuberías con ruido 121
Fregaderos e inodoros atascados 121

**Reparación de cristales** 122
Recoger los cristales rotos 122
Asegurar el cristal de la ventana 123
Cambiar el cristal de la ventana 123
Reparación de muescas en vasos y copas 123
Reparación del pie de una copa 123

**Reparación de muebles** 124
Equipo básico de herramientas 124
Reparación de manchas y arañazos 124
Restauración de las partes metálicas 125
Reparar las patas de los muebles 125

**Conservación y reparación de adornos** 126
Porcelana y cerámica 126
Cristal 126
Mantenimiento de floreros 127

**Cuadros, joyas y libros** 128
Los cuadros 128
Las joyas 128
Los libros 129

**Trabajos con telas** 130
Coser y colocar unas cortinas 130
Tapizado de una silla 130
Tintado de telas 131

**Instalar un WC** 132
Desmontar el viejo inodoro 132
Instalar el nuevo inodoro 132
Adaptación del manguito 133

**Combatir la humedad y las filtraciones de agua** 134
Limpieza de la superficie 134
Tratamiento antimusgo 134
Las pinturas viejas 134
Los techos 134
Los puntos de unión 134
Recubrir superficies 135
Soluciones de emergencia 135
Limpieza de las canalizaciones 135
Las paredes enterradas 135
Los cimientos 135

**Hacer un pequeño jardín** 136
Preparar el suelo para sembrar césped 136
Sembrar el césped 136
El primer corte 136
Mantenimiento del césped 137
Calendario de mantenimiento del césped 137
Los setos 137
Un pequeño huerto 137

## La limpieza de la casa y el cuidado de la ropa


La limpieza de la casa 141

**Equipo básico de limpieza 142**
- Equipo de limpieza 142
- La compra de una aspiradora 142
- Productos básicos de limpieza 143
- La limpieza ecológica 143

**La limpieza general de la cocina 144**
- Limpieza mientras cocina 144
- La limpieza después de cocinar 145
- La limpieza de las encimeras 145
- La limpieza del extractor 145
- La limpieza de los armarios 145

**El cuidado y la limpieza de los electrodomésticos 146**
- El frigorífico 146
- El horno 146
- El microondas 147
- La lavadora 147
- El lavavajillas 147

**El cuidado y la limpieza de los electrodomésticos pequeños 148**
- La cafetera 148
- La freidora 148
- La tostadora 149
- Batidoras, picadoras, licuadoras y exprimidores 149

**El cuidado y la limpieza de recipientes y utensilios de cocina 150**
- El cuidado y la limpieza de las cazuelas de aluminio 150
- El cuidado y la limpieza de cazuelas de acero inoxidable 150
- El cuidado y la limpieza de la olla a presión 150
- El cuidado y la limpieza de las sartenes 150
- El cuidado y la limpieza de los cubiertos 151
- El cuidado y la limpieza de la cristalería 151

**Lavar los platos 152**
- Lavar los platos a mano 152
- Comprar un lavavajillas 153
- Poner el lavavajillas 153

**Cuidado y mantenimiento de la despensa 154**
- Cuidado de las estanterías y los armarios 154
- Organización de la despensa 155
- Combatir hormigas y parásitos 155
- La despensa a la vista 155

**La limpieza y el mantenimiento del baño 156**
- Equipo básico para el cuarto de baño 156
- El uso de la lejía 156
- Limpieza general del baño 157

**La limpieza de sanitarios y otros accesorios 158**
- Limpieza de la ducha y la bañera 158
- Limpieza del lavabo 158
- Limpieza del inodoro 159
- Limpieza de otros accesorios 159

**Combatir las humedades y los malos olores 160**
- Prevenir la condensación 160
- Evitar que se empañe el espejo 160
- El cuidado de la cortina de la ducha 160
- Inodoros y bidés 160
- Cuidado de las baldosas 160
- Papeleras en el baño 161
- Cestas de la ropa sucia 161
- Los armarios del baño 161
- Ambientador natural 161

**La ecología en el baño 162**
- Ahorro de agua en la limpieza 162
- Los residuos por el inodoro 162
- Los productos ecológicos de limpieza 162
- Sustancias contaminantes 163

**El cuidado y la limpieza de suelos 164**
- Dos normas básicas 164
- Barrer y aspirar 164
- Fregar el suelo 164
- Abrillantado de los suelos 165
- Tipos de suelos: el cuidado y la limpieza 165

**El cuidado y la limpieza de paredes y techos 166**
- El cuidado y la limpieza de una pared empapelada 166
- El cuidado y la limpieza de paredes y techos pintados 166
- El cuidado y la limpieza de paredes de azulejos 166
- El cuidado y la limpieza de paredes de madera 167
- El cuidado y la limpieza de las paredes de obra vista 167
- El cuidado y la limpieza de las fachadas 167
- El cuidado y la limpieza de los tejados 167

**El cuidado y la limpieza de cristales, ventanas y persianas 168**
- La limpieza de los cristales 168

La limpieza de los marcos 169
La limpieza de las persianas 169

**El cuidado y la limpieza de los muebles 170**
Muebles de madera 170
La madera antigua 170
Muebles de cuero 171
El resto de los muebles 171

El cuidado de la ropa 173

**El cuidado y la limpieza de la ropa 174**
La etiqueta de instrucciones 174
Detergentes y otros productos 174
Tipos de tejidos y su tratamiento 175

**El lavado de la ropa 176**
Las prendas que destiñen 176
Poner en remojo 176
Lavado a mano 176
Lavado en lavadora 177
Uso de la lejía 177
Cómo conservar las prendas negras 177
Cómo conservar el color de prendas vaqueras 177
Cómo mantener vivos los colores 177
Cómo blanquear la ropa 177

**Manchas habituales en la ropa 178**
4 normas básicas para afrontar las manchas 178
Un buen equipo quitamanchas 178
Tipos de manchas 178
Manchas habituales 179

**Manchas poco habituales en la ropa 180**
4 normas básicas 180
Prevención de manchas difíciles 180
Tratamiento de manchas en los zapatos 180
Tratamiento de quemaduras en la ropa 180
Manchas poco habituales 181

**Manchas imposibles 182**
Manchas imposibles 182
Eliminar el trozo de tela 183
La opción de los parches 183

**El secado de la ropa 184**
10 consejos prácticos para tender la ropa 184
Ahorrar tiempo en el secado de la ropa 184
El uso de la secadora 185
Secado en plano 185
Secado de urgencia 185

**El planchado de la ropa 186**
Consejos prácticos para elegir una plancha 186
Consejos prácticos para elegir una tabla de planchar 186
Seguridad en el planchado 187
Consejos prácticos para planchar 187

**Costura de emergencia 188**
Equipo básico de costura 188
Condiciones de trabajo 188
Cómo coser un botón 188
Cómo arreglar una cremallera 189
Cómo arreglar la goma elástica de un pantalón 189
Cómo poner coderas y rodilleras 189

**La máquina de coser 190**
Consejos prácticos para elegir una máquina 190
Cómo tener la máquina en buen estado 190
Normas básicas para coser a máquina 191
10 soluciones para los problemas más comunes 191

**Teñir la ropa 192**
Tipos de tintes 192
Tejidos que no aceptan tintes 192
Consejos básicos para teñir la ropa 193
Teñir en la lavadora 193
Teñir prendas grandes 193
Compatibilidad de colores 193

**El cuidado y la limpieza de los complementos 194**
Calcetines 194
Medias 194
Corbatas 194
Cordones 195
Sombreros 195
Guantes y pañuelos 195

**Organizar y guardar la ropa 196**
10 consejos prácticos para organizar el armario 196
Guardar mantelerías y ropa de cama 197
Cómo combatir las polillas 197
Cómo guardar los zapatos 197

**La maleta 198**
Cómo preparar la maleta 198
Elegir el tipo de maleta 199
La maleta como segundo armario 199
La maleta como "baúl de los recuerdos" 199

**El cuidado y la limpieza de las alfombras 200**
3 técnicas básicas 200
3 trucos para recuperar el color 200
El cuidado de los flecos 200
Tejidos especiales 200
Las manchas de la alfombra 201

**El cuidado y la limpieza de tapicerías y cortinas 202**
El uso del aspirador 202
Eliminar las pelusas 202
Fundas para el sofá 202
El cuidado y la limpieza de sillas tapizadas 202
El cuidado y la limpieza de los cojines 203
Manchas en las tapicerías 203
El cuidado y la limpieza de las cortinas 203
El cuidado y la limpieza de visillos 203

# Convivencia familiar, seguridad y primeros auxilios


CONVIVENCIA FAMILIAR 207

**Una vida sana** **208**
Alimentación equilibrada 208
Cuadro de sustancias nutritivas 208
Ejercicio físico 209
Los esfuerzos 209

**La alimentación del niño hasta los 3 años** **210**
La teoría del plato base 210
No hay que obsesionarse con que coma mucho 210
Desarrollo del olfato y del gusto 210
La leche como base alimenticia 211
Los 4 sabores básicos 211
El uso de la sal 211
Aceptar nuevos sabores 211
La educación de los olores 211
Reparto de calorías 211
Necesidades nutricionales diarias 211

**La alimentación del niño de los 3 a los 6 años** **212**
El cambio más importante 212
Cómo afrontar el cambio de gustos 212
Te acuerdas de... 213
La comida como demostración de afecto 213
Comer todos juntos 213
Necesidades nutricionales diarias 213

**La alimentación del niño de los 6 a los 10 años** **214**
Controlar lo que se come entre horas 214
El deporte como cultura de la nutrición 214
Verduras, frutas y pescados 214
Necesidades nutricionales diarias 215
La posibilidad de una dieta vegetariana 215

**El niño no quiere comer** **216**
¿Niño enfermo o padres inexpertos? 216
Él puede comer solo 216
Desarrollo normal y variaciones del apetito 217
Los gustos del niño y la imaginación de los padres 217
Las dichosas comparaciones 217

**La misma alimentación para todos** **218**
10 consejos para comer en familia 218
Comer en la guardería y en el colegio 219
Control de la obesidad 219

**Educación y desarrollo psicomotriz en los niños** **220**
Los 3 principios del desarrollo de las habilidades 220
Consejos prácticos para potenciar las habilidades 220
Consejos prácticos para que descubra el mundo 221
"Este niño lo tira todo..." 221
Cuidado si... 221

**Aprender a conocer** **222**
El entorno favorable 222
Ejercitar la memoria 222
Por una buena comunicación 222
Formular bien las preguntas 223
Responderlas mejor 223

**La educación sentimental del niño** **224**
Los 5 objetivos de la educación sentimental del niño 224
¿Qué hacer cuando llora por todo? 224
¿Qué hacer cuando no quiere separarse de sus padres? 224
¿Qué hacer ante las rabietas y las pataletas? 225
¿Qué hacer cuando tiene miedo? 225

**Colaboración de los niños en las tareas domésticas** **226**
¿Por dónde empezar? 226
La mejor estrategia para que colaboren 226
La colaboración de los hijos adolescentes 226
Colaborar todos a la vez 227
De la colaboración a la afición 227
Premios a la colaboración 227

**Colaboración de la pareja en las tareas domésticas** **228**
La división del trabajo 228
La ley del horario 228
No se trata de ayudar 228
Rumbo a la colaboración 229
Cada uno se plancha lo suyo 229

**Trabajar y estudiar en casa** **230**
El lugar de trabajo 230
El horario de trabajo 230
Las interrupciones 231
Trabajar y estudiar juntos 231

**El horario compartido** **232**
Empezar el día juntos 232
Compartir las comidas 232
Los fines de semana 233
Las vacaciones 233
Aceptar la separación 233

**La familia frente al televisor** 234
¿Todos vemos la televisión? 234
¿Tan malo es ver la televisión? 234
Reflexiones antes de ver la tele 235
Cómo actuar ante las escenas comprometidas 235

**Hoy es domingo** 236
¿Dormir o madrugar? 236
Preparar el domingo 236
Encadenar domingos 236
Trabajar no es pecado 237
Otras opciones 237

SEGURIDAD Y PRIMEROS AUXILIOS 239

**Visitas en casa** 240
Visitas con poco margen de tiempo 240
Visitas anunciadas con tiempo 241
Ideas originales para una reunión especial 241

**Cenas y comidas en casa** 242
Consejos prácticos para tener todo a punto 242
¿Cómo dar algo de ambiente? 243
¿Cómo sentar a los invitados? 243

**Fiestas en casa** 244
10 trucos para preparar una fiesta 244
El truco de los 4 ambientes 245
El truco de las 3 salas 245

**Trucos para entretener a los niños** 246
Construir una ciudad 246
El juego de las máscaras 246
El campamento en casa 246
El vídeo personal 246
Cartas a los abuelos 247
La fiesta de los artistas 247
Ayudar en las tareas domésticas 247
Preparar una fiesta 247
Durante la fiesta 247

**Las visitas y la educación de los niños** 248
Bases de la conducta social 248
Consejos prácticos para la educación social 249

**Los abuelos vienen a vivir a casa** 250
Tomar una decisión 250
Una decisión consensuada 250
Los abuelos en casa 251
Fomentar su vida social 251
La posibilidad de encontrar una pareja 251

**Cómo garantizar la intimidad** 252
La intimidad en la habitación de matrimonio 252
La intimidad en el resto de las habitaciones 252
La intimidad y las ventanas 253
La intimidad y el teléfono 253
La intimidad y los vecinos 253

**Cómo suprimir las preocupaciones** 254
¿Hay motivos para preocuparse? 254
Pensar lo peor 254
Vivir el presente 255
Mire por su salud 255
Compare preocupaciones 255
La lectura como apoyo 255
La sonrisa de despedida 255

**Prevención de accidentes domésticos** 256
Cómo evitar incendios 256
Cómo evitar accidentes eléctricos 257
Cómo evitar accidentes en el baño 257
Cómo evitar accidentes en la cocina 257
Cómo evitar los resbalones 257

**Otras medidas de seguridad** 258
Nos roban el bolso 258
Nos vamos de vacaciones 258
Alguien llama a la puerta 259
Las llamadas telefónicas 259
El gancho de los grandes regalos 259
Los seguros del hogar 259

**El botiquín en casa** 260
Cómo debe ser el botiquín 260
Contenido del botiquín 260
El botiquín de remedios naturales 261

**Cómo actuar ante los accidentes domésticos más comunes** 262
Golpes y contusiones 262
La nariz que sangra 262
Pequeños cortes 262
Se le ha caído un diente 262
Ingestión de productos químicos o de limpieza 263
Atragantamientos 263
Quemaduras 263
Descargas eléctricas 263

**Cuidado de los niños y de las personas mayores** 264
Los niños y la curiosidad 264
Los juguetes de los niños 264
Los niños y la bañera 264
Las personas mayores en el baño 265
La movilidad y las personas mayores 265
Las personas mayores y la cocina 265

**Nos vamos de casa** 266
Las cuatro normas básicas para una mudanza 266
Contratar una empresa de mudanzas 266
Consejos prácticos para la protección de sus pertenencias 267
Notificación del cambio de dirección 267

**La llegada al piso nuevo** 268
Un primer repaso 268
Primeras medidas de seguridad 268
La primera noche 269
Deshaciendo paquetes 269

# El cuidado de tus plantas y la salud de tus mascotas


EL CUIDADO DE TUS PLANTAS 273

**Elección de una planta** 274
- 10 consejos para elegir la especie adecuada 274
- Consejos para elegir el mejor ejemplar 275
- ¿Flores abiertas o capullos sin abrir? 275
- Dónde comprar la planta 275

**Necesidades y cuidados generales** 276
- Factores ambientales y cuidados básicos 276
- El traslado de la planta a casa 276
- La maceta más adecuada 276
- Cuidados básicos que a menudo se olvidan 277

**La tierra** 278
- ¿Qué es el compost? 278
- Tipos de mezclas para hacer compost 279
- El compost ideal para las plantas de interior 279
- Cómo mantener el compost aireado 279
- Compuestos para cactos 279
- Componentes que puede tener el compost 279

**Luz, temperatura y humedad** 280
- ¿Para qué necesitan luz las plantas? 280
- La luz más adecuada 280
- La temperatura más adecuada 281
- La humedad más adecuada 281
- Condiciones especiales para cactos y plantas tropicales 281
- Qué debe hacer cuando su planta está seca 281

**El riego** 282
- El agua de riego 282
- Calendario de riego 282
- Control del riego 282
- Cómo deben regarse las plantas 283
- Cómo detectar si el riego es insuficiente 283
- Cómo detectar si el riego es excesivo 283
- Cómo regar las plantas en vacaciones 283

**El abono** 284
- Composición de los abonos 284
- Tipos de abonos 284
- Cómo saber si sus plantas necesitan abono 284
- Normas básicas para un correcto abono 285
- ¿Qué dosis de abono necesitan las plantas? 285
- Exceso de abono 285

**Podas y guías de crecimiento** 286
- Equipo básico de herramientas 286
- Cómo podar las plantas 286
- Cuándo podar sus plantas 287
- Tipos de guías de crecimiento 287
- Crecimiento tupido 287
- Modelar la planta para conseguir un arbolillo 287
- Guía de plantas trepadoras 287

**El calendario de las plantas de interior** 288
- Calendario de las plantas mes a mes 288

**Plagas y enfermedades** 290
- Prevenir antes que curar 290
- Enfermedades más comunes y su tratamiento 290
- Plagas más comunes y su tratamiento 290
- Cuadro de plagas y enfermedades 291

**Los bonsáis** 292
- 5 consejos básicos 292
- Equipo básico para su cuidado 292
- Composición de la tierra 292
- Cómo plantar un bonsái 293
- Cuidados posteriores 293
- Calendario ideal para plantar un bonsái 293

**Terrazas, patios y balcones** 294
- Plantas en la entrada de la casa 294
- Plantas en el porche 294
- Plantas en las ventanas 294
- Plantas en el patio 295
- Un jardín en la terraza 295
- Plantas en los balcones 295

**El jardín** 296
- Tres criterios fundamentales para organizar su jardín 296
- La preparación del jardín 296
- El césped: cuidado y mantenimiento 296
- Plantas y árboles del jardín 297

**Flores secas** 298
- Técnicas de secado 298
- Equipo para trabajar 298
- Trabajos creativos con flores secas 299

**Flores prensadas** 300
- Cultivo y recolección 300
- Técnicas de prensado 300

Cómo hacer un ramo de flores prensadas 301
Otros posibles trabajos 301

**Plantas medicinales** 302
Formas de preparación 302
Plantas medicinales más comunes 303

LA SALUD DE TUS MASCOTAS 305

**Consejos para adquirir un perro** 306
Piense en su estilo de vida 306
¿De raza o cruzado? 306
¿Macho o hembra? 306
Ya está decidido... 306
Nos lo llevamos... 307

**La salud de su perro** 308
Una alimentación sana y equilibrada 308
Cómo evitar la anemia 308
Calendario de vacunación 309
La salud mental de su perro 309

**Educar a su perro** 310
"No me mojes la alfombra..." 310
"No me seas gruñón..." 311
"Encantado de conocerte..." 311
"Por favor, para de ladrar..." 311

**Consejos para adquirir un gato** 312
Mentalícese para comprender a su gato 312
¿Qué raza? 312
¿De raza o un gato común? 312
¿Macho o hembra? 313
¿Cuántos gatos? 313
Preparativos en el hogar 313

**La salud de su gato** 314
La dieta alimenticia 314
Estimular el instinto cazador 314
Respete su sueño 315
La higiene del gato 315
Combatir la gripe felina 315

**La felicidad de su gato** 316
Cómo acomodarlo en casa 316
La gata en celo 316
Mantener el gato entretenido 316
Marcar el territorio 317
El instinto maternal 317
La pasión por las alturas 317

**Consejos para adquirir un acuario** 318
La elección del acuario 318
10 consejos prácticos para elegir peces sanos 319
10 consejos más para elegir los peces 319

**El cuidado de sus peces** 320
El acuario en buen estado 320
Tareas diarias 320
Tareas semanales 320
Tareas cada 3 ó 4 meses 320
El cuidado de las plantas 320
El correcto cuidado de los peces 321

**Enfermedades más comunes de los peces** 322
Tres reglas de oro 322
Diagnóstico de los trastornos más comunes 322
Tratamiento de las enfermedades más comunes 323

**Consejos para adquirir pájaros** 324
La elección de un canario 324
Elección de loros y periquitos 324
Elección de cotorras 325
Si se decide por un pájaro... 325

**El cuidado de sus pájaros** 326
Cómo transportarlo a casa 326
Elegir la jaula adecuada 326
Dónde situar la jaula 327
Cuidados generales 327
La alimentación 327

**Enfermedades más comunes de los pájaros** 328
Diagnóstico y tratamiento de las enfermedades más frecuentes 328

**Los hámsters** 330
10 cosas que debe saber de su hámster 330
Acondicionamiento de la jaula 330
Soluciones a las principales enfermedades 330
Mantenimiento 331
Alimentación básica 331
Cuadro de reproducción 331

**Los reptiles** 332
Clasificación de los reptiles 332
Olvídese de las tortugas 332
La importancia del terrario 332
La alimentación de los reptiles 333
Principales enfermedades y su solución 333

**Animales no deseados** 334
Combatir los ratones 334
Combatir las pulgas 334
Combatir los ácaros 335
Combatir las hormigas 335
Combatir los mosquitos 335

# Alimentos, bebidas y buenas maneras en la mesa


ALIMENTOS Y BEBIDAS 339

**Ingredientes para las ensaladas** 340
La ensalada verde: ingredientes básicos 340
Más colorido a la base de la ensalada 341
Ingredientes complementarios 341

**Las verduras** 342
Hortalizas de hoja 342
Hortalizas de tallo 342
La familia de las coles 343
Granos y vainas 343

**Pastas y arroces** 344
Tipos de arroz 344
Tipos de pasta 345

**El pescado** 346
Cómo elegir el pescado fresco 346
Cómo conservar el pescado fresco 346
Congelar el pescado 346
Otras formas de conservación 346
Pescados de mar 347
Pescados de agua dulce 347

**La carne** 348
Cómo elegir la carne 348
Conservación en la nevera 348
Descongelar la carne 348
Tipos de carnes 349
Aves de corral 349
Las carnes nuevas 349

**Las frutas** 350
Uvas 350
Melocotones 350
Manzanas 350
Fresas 350
Peras 351
Cerezas 351
Limón 351
Melón 351
Cítricos 351
Naranjas 351
Plátanos y mandarinas 351

**Los frutos secos** 352
Cacahuetes 352
Almendras 352
Avellanas 352
Piñones 353
Pistachos 353
Anacardos 353
Castañas 353
Nueces 353

**Los aceites** 354
Tipos de aceite 354
Aceites aromatizados 355

**Vinagres y vinagretas** 356
Tipos de vinagre 356
Vinagres aromatizados 357
Vinagretas 357

**El pan** 358
Tipos de pan 358

**Especias y hierbas aromáticas** 360
¿Dónde adquirir especias? 360
Las especias y sus usos más frecuentes 360
¿Dónde adquirir hierbas aromáticas? 361
Las hierbas aromáticas y sus usos más frecuentes 361

**Tipos de vinos** 362
La elaboración de los vinos blancos 362
Tipos de vino blanco 362
La elaboración de vinos tintos y rosados 362
Tipos de vinos tintos 363
Cómo leer la etiqueta 363

**El vino adecuado** 364
La compra del vino 364
¿En casa o en el restaurante? 364
La conservación de los vinos 365

**Maridaje de platos y vinos** 366
La regla de oro 366
Criterios para la elección del vino 366
El caso de los quesos 366
Maridaje de platos y vinos 367
Maridaje de quesos y vinos 367

**La sobremesa** 368
Tipos de café 368
Consejos de compra y conservación del café 368
Bebidas de sobremesa 368
Consejos prácticos para elegir un puro 369
La opción del chocolate 369

BUENAS MANERAS EN LA MESA 371

**La compra** 372
Planificación de la compra 372

Productos en oferta 372
Cómo identificar los productos frescos 373

**La conservación de los alimentos 374**
Normas básicas para la utilización de la nevera 374
Conservación del pescado 374
Conservación de las verduras 374
Conservación de otros alimentos 375
Conservación de productos enlatados 375
¿Está aún en buenas condiciones? 375
Normas básicas de congelación 375
Otros sistemas de conservación 375

**Preparación de platos básicos 376**
Las verduras 376
Los revueltos de huevo 376
Los huevos fritos 376
La pasta 377
Las lentejas 377
Los segundos platos 377

**Preparación de platos más elaborados 378**
Trabajarse un poco los aperitivos 378
Las ensaladas templadas 378
Los pescados al horno 379
Las carnes 379

**Recetas para entrantes 380**
Anchoas a la marinera 380
Berenjenas rellenas 380
Crema de calabaza 380
Verduras a la parrilla 381
Ensalada de pasta 381
Alcachofas a la navarra 381

**Recetas para segundos platos 382**
Pastel de anchoa 382
Pimientos rellenos 382
Tortilla campesina 382
Merluza juliana 383
Solomillo con salsa de hongos 383
Estofado de pavo 383

**Geografía de la cocina española 384**
Andalucía 384
Aragón 384
Asturias 384
Baleares 384
Canarias 384
Cantabria 385
Castilla-La Mancha 385
Castilla y León 385
Cataluña 385
Extremadura 385
Galicia 385
País Vasco 385

**Las tapas 386**
Pescadito frito 386
Boquerones en vinagre 386
Salpicón de marisco 386
Tigres 387
Croquetas de jamón ibérico 387
Callos a la madrileña 387
Gambas en gabardina 387
4 trucos para la presentación de las tapas 387

**Los aperitivos 388**
Aperitivos en la mesa 388
Aperitivos antes de sentarse en la mesa 389

**Cómo poner la mesa 390**
Ubicación de la mesa 390
Presentación de la mesa 390
Colocación de los invitados 391
Servir los platos 391

**La presentación del plato 392**
Elegir los ingredientes por el color 392
El truco de espolvorear 392
Elegir la vajilla 392
Servir la comida caliente 393

**Cómo comportarse en la mesa 394**
El vino como detalle básico 394
Uso de los cubiertos 394
Comer algunos alimentos complicados 395
Levantarse de la mesa 395
Fumar en la mesa 395

**La cultura de la sobremesa 396**
¿Cómo debe estar la mesa? 396
¿Qué ofrecer en la sobremesa? 397
Normas sociales en la sobremesa 397

**Cenas íntimas 398**
Los preparativos 398
Qué comer 398
Durante la cena 399
Después de la cena 399

**Meriendas, cafés y otras visitas 400**
Meriendas 400
Tomar café 400
Unas copas en casa 401
Viendo la televisión 401